D0683158

MINETTE WALTERS

Bränningen

Översättning av
CECILIA FRANKLIN
och
ELISABETH HELMS

ALBERT BONNIERS FÖRLAG

www.albertbonniersforlag.com

ISBN 91-0-057396-5
Engelska originalets titel:
The Breaker (London 1998)
Copyright © 1998 by Minette Walters
Första svenska utgåva 1999
Bonnierpocket 2000
Published by agreement with
Leonhardt & Høier Literary Agency, Copenhagen
Printed in Denmark
Nørhaven a/s
Viborg 2000

Till Marigold och Anthony

Mitt särskilda tack till
Sally och John Priestley, ägare till *XII Bar Blues*
och Encombe House Estate,

Chapman's Pool   Emmetts Hill   Quarry Valley   St Alban's Head

Från öster

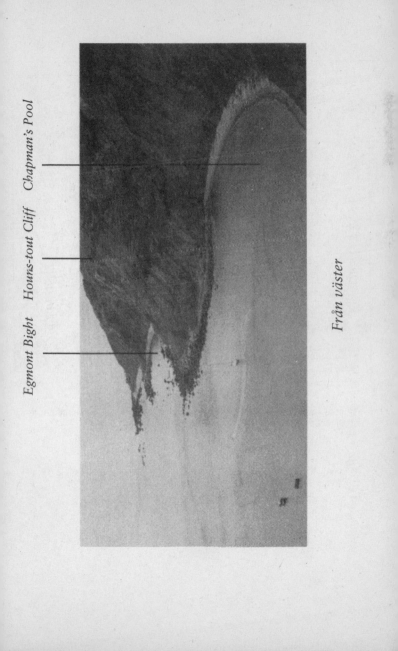

Egmont Bight   Hours-tout Cliff   Chapman's Pool

Från väster

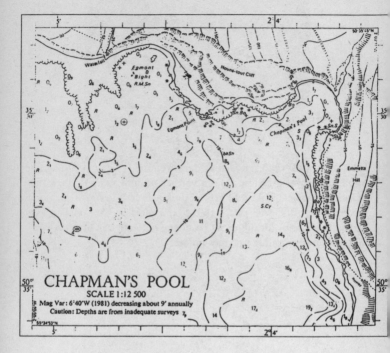

CHAPMAN'S POOL
SCALE 1:12 500
Mag Var: 6°40'W (1981) decreasing about 9' annually
Caution: Depths are from inadequate surveys

© British Crown Copyright/MOD. Reproduced with the permission of the controller of Her Britannic Majesty's Stationery Office.

Söndag 10 augusti 1997 – 1.45

HON DREV MED vågorna, gled av deras rullande ryggar och vaknade upp i ångest varje gång det salta vattnet trängde ner i strupen och brände i magen. Under de korta perioder då hon kom till sans och med oerhörd förvåning tänkte tillbaka på vad som hänt, var det bilden av hur han brutit fingrarna på henne och inte den brutala våldtäkten som framträdde i hennes minne.

Söndag 10 augusti 1997 – 5.00

BARNET SATT med benen i kors på golvet likt en liten Buddha. I det grå skymningsljuset blev hennes hud totalt färglös. Han kände ingenting för henne, inte ens vanlig medmansklighet, men han kunde inte förmå sig att röra vid henne. Han såg på henne som förhäxad av hennes orörlighet och hon tittade tillbaka utan att röra en min. Han skulle kunna bryta nacken av henne lika lätt som på en kyckling, men han tyckte sig ana urgammal visdom i hennes intensiva blick och tanken skrämde honom. Förstod hon vad han hade gjort?

Prolog

Utdrag ur: *Våldtäktsmannens psyke* av Helen Barry

Våldtäkt anses i allmänhet vara ett uttryck för mannens dominans, en sjuklig maktyttring som förövas i raseri mot hela kvinnokönet eller i en känsla av vanmakt inför en enskild kvinna. Genom att våldföra sig på en kvinna demonstrerar mannen inte bara att han är den starkare utan tar sig också rätten att sprida sin säd helt på egna villkor. Det har givit våldtäktsmannen legendariska proportioner – han uppfattas som demonisk, farlig, rovgirig – och skräcken som fötts ur denna legend skymmer det faktum att få våldtäktsmän förtjänar sådana epitet.

I en stor procent av fallen (häri inräknas också våldtäkter som begås inom äktenskapet, vid tillfälliga förbindelser och gängvåldtäkter) är gärningsmannen en person med bristande social kompetens som försöker förbättra en negativ självbild genom att ge sig på någon han uppfattar som svagare. Han har låg IQ, litet kontaktnät och en djupt rotad underlägsenhetskänsla gentemot samhället i stort. För det mesta känner sig våldtäktsmannen snarare skräckslagen än överlägsen gentemot kvinnor, vilket antagligen härrör från ett tidigt misslyckande när det gäller relationer.

För denna personlighetstyp blir pornografin en utväg, eftersom han är lika beroende av onani som missbrukaren av heroin. Utan orgasm upplever den sexfixerade ingenting. Men hans pockande behov i förening med hans brist på framgångar

15

gör honom oattraktiv för det slags kvinnor hans mindervärdeskomplex kräver, nämligen kvinnor som attraherar framgångsrika män. Om han har några förhållanden överhuvudtaget är det med kvinnor som tidigare blivit utnyttjade och missbrukade av andra män, vilket endast förstärker hans känsla av otillräcklighet och mindervärde.

Man kan hävda att våldtäktsmannen med sin låga intelligens, sitt inskränkta känsloliv och sin begränsade sociala kompetens snarare borde ömkas än fruktas, eftersom hans farlighet ligger i den makt samhället alltför lättvindigt givit honom över det så kallade svagare könet. Varje gång domstolar och massmedia blåser upp våldtäktsmannen till en mytisk demongestalt genom att beskriva honom som ett rovlystet djur förstärker de i själva verket bilden av penis som maktsymbol ...

1

KVINNAN LÅG PÅ RYGG på klapperstensstranden vid foten av Houns-
tout Cliff och stirrade upp mot den molnfria himlen. Det blonda
håret lockade sig när det torkade i den heta solen och sandfläcken
på hennes mage såg ut som skrynkligt tyg, men de bruna cirklarna
kring bröstvårtorna och hårbusken runt könet avslöjade att hon var
naken. Den ena armen låg lojt höjd över huvudet, medan den andra
vilade med handflatan uppåt på stenarna. Fingrarna böjde sig i det
lätta vågsvallet från det stigande tidvattnet; benen var skamlöst sär-
ade som om hon försökte förmå solvärmen att tränga rakt in i hen-
nes kropp.

Över henne reste sig Houns-tout Cliffs dystra skifferbrant, där tå-
liga växter klängde på avsatserna i oregelbundna stråk. Under höst
och vinter var den oftast insvept i dimma och regn, men nu såg den
inbjudande ut i det strålande solskenet. Några kilometer västerut,
på Dorsets kustled som slingrade fram utmed klipptopparna mot
Weymouth, närmade sig ett sällskap fotvandrare i maklig takt. Då
och då stannade de till för att titta på skarvarna som dök ner i vatt-
net likt små fjärrstyrda robotar. På stigen österut som ledde till Swa-
nage kom en ensam man förbi det romanska kapellet på St Alban's
Head på väg mot stengrytan vid Chapman's Pool, vars klara blå vat-
ten utgjorde en lockande ankarplats när det rådde svag frånlands-
vind. Eftersom viken ligger omgärdad av höga branter var det sällan
någon tog sig dit till fots, men en varm sommarhelg kunde det vid
lunchdags ligga upp till tio båtar för ankar där och guppa i takt med
de mjuka dyningarna som drog förbi under dem.

En ensam båt, en trettiotvåfots Princess, hade redan smugit sig in

17

genom inloppet och rasslet från ankarkättingen hördes tydligt över det dämpade motorljudet. Strax bakom skar fören på en Fairline Squadron genom strömvirvlarna utanför St Alban's Head. På sin väg in i viken gjorde den en vid sväng runt segelbåtarna som lättjefullt rullade i den svaga vinden. Klockan var kvart över tio en av årets varmaste söndagar, men den nakna solbaderskan som låg utom synhåll bakom Egmont Point verkade inte bry sig om vare sig den flimrande hettan eller den tilltagande risken att få sällskap.

Bröderna Paul och Daniel Spender hade fått syn på den nakna kvinnan när de kom runt Egmont Point med sina metspön och nu satt de uppflugna på en livsfarligt bräcklig klipphylla ungefär trettio meter snett ovanför henne. De turades om att titta på henne i sin fars dyra kikare som de hade smugglat ut ur sommarstugan som familjen hyrde i ett bylte av T-shirts, spön och fiskedon. Det var helgen mitt i deras två veckor långa semester vid kusten och i varje fall den äldre av bröderna använde bara fisket som förevändning. Den här avlägsna delen av Isle of Purbeck där det fanns få människor, än färre nöjen och inga stora badstränder hade väldigt lite att erbjuda en pojke i de tidiga tonåren. Han hade hela tiden varit ute efter att spana på de lättklädda kvinnor som smyckade de dyra motorkryssarna i Chapman's Pool.

"Mamma sa att vi inte fick klättra i klipporna, för det är farligt", viskade Danny, en rättskaffens tioåring som inte var fullt lika intresserad av nakna kroppar.

"Håll klaffen."

"Hon skulle bli jättearg om hon visste att vi tittade på en naken tjej."

"Du är bara skraj för att du aldrig sett någon förut."

"Det har inte du heller", muttrade den yngre brodern harmset. "Förresten är hon snuskig. Jag kan slå vad om att det är massor av människor som kan se henne."

Paul, som var två år äldre, bemötte hans påpekande med det förakt det förtjänade – de hade inte sett en själ på hela vägen runt Chapman's Pool. Istället koncentrerade han sig på den härligt inbju-

18

dande kroppen där nedanför. Han kunde inte se mycket av kvinnans ansikte uppifrån klipphyllan eftersom hon låg med fötterna mot dem, men kikarens förstoring var så kraftig att han för övrigt kunde urskilja varenda detalj. Han visste alldeles för lite om nakna kvinnokroppar för att undra över blåmärkena som fläckade hennes hud, men han insåg efteråt att han inte skulle ha ifrågasatt dem även om han hade vetat vad de betydde. Han hade fantiserat om att något sådant skulle hända – att han skulle få syn på en slumrande, orörlig kvinna som han kunde utforska hur länge han ville, även om det bara var genom en kikare. Han tyckte att bröstens mjuka rundning var olidligt upphetsande och medan han lät blicken vila vid bröstvårtorna undrade han hur det skulle kännas att röra vid dem och vad som i så fall skulle hända. Han betraktade kärleksfullt mellangärdet och hejdade sig vid navelns grop innan han återvände till det som intresserade honom mest, de särade benen och det som fanns mellan dem. Medan han ålade sig framåt på armbågarna pressade han kroppen mot marken.

"Vad gör du?" frågade Danny misstänksamt och hasade efter honom. "Snuskar du dig?"

"Såklart jag inte gör." Han smällde till sin bror hårt på armen. "Det är det enda du tänker på, va? Akta dig, ärthjärna, så jag inte berättar för pappa."

I slagsmålet som oundvikligen följde – grymtande och röda i ansiktet brakade de ihop, vevade med armarna och sparkade vilt omkring sig – gled Zeisskikaren ur den äldre broderns grepp och föll skramlande nedför branten i en störtskur av stenar. Försonade i gemensam skräck för vad deras far skulle säga släppte pojkarna varandra, drog sig undan från kanten och stirrade förfärat ner efter kikaren.

"Det är ditt fel om den har gått sönder", väste tioåringen. "Det var du som tappade den."

Men för en gångs skull antog inte brodern utmaningen. Han var mer intresserad av att kroppen fortfarande låg orörlig. Han greps av en fasansfull föraning och långsamt gick det upp för honom att kvinnan han hade tittat på medan han onanerade var död.

19

2

DET KLARA VATTNET i Chapman's Pool hävdes i en rullande våg och bröts sedan till skumkaskader mot vikens steniga strand. Vid det här laget låg tre båtar för ankar där; på Lady Rose, en Princess, och Gregory's Girl, en Fairline Squadron, fladdrade den brittiska handelsflaggan, medan man på den tredje, en fransk Beneteau vid namn Mirage, hade hissat trikoloren. Det var bara på Gregory's Girl det pågick någon märkbar aktivitet. En man och en kvinna jobbade med att få loss en jolle som fastnat i vinschens vajrar. På översta däck på Lady Rose låg ett lättklätt par med kroppar som glänste av sololja och blundade i det starka solskenet, medan en tonårsflicka på Mirage håglöst panorerade med en videokamera över West Hills branta gräsbevuxna sluttning på jakt efter något värt att filma.

Ingen lade märke till bröderna Spenders vansinneslopp runt viken, men den franska flickan zoomade in den ensamme vandraren när han kom nedför branten mot dem. Kamerans tunnelseende hindrade henne från att se något annat än den unge man hon hade i siktet. Hennes betagna hjärta spratt till lite av spänning vid tanken på att hon nu hade en chans att stöta ihop med den läckre engelsmannen en gång till. Hon hade träffat honom två dagar tidigare vid Berthons marina i Lymington, när han med ett strålande leende gett henne koden till toaletterna. Det kunde bara inte vara sant att hon hade sådan tur att han var här ... idag ... i den här trista isolerade skithålan som hennes föräldrar beskrev som en av Englands pärlor.

I hennes utsvultna fantasi tedde han sig som en långhårigare upplaga av Jean-Claude Van Damme i sin ärmlösa T-shirt och de stramande shortsen – solbränd, muskulös, med bakåtstruket rakt mörkt hår, leende bruna ögon, kinder som skuggades av skäggstubb – och i sin privata, romantiserade, förskönade och otroligt naiva Mitt livs novell föreställde hon sig hur hon föll avsvimmad i hans starka armar och erövrade hans hjärta. I närgående förstoring såg hon hans muskler svälla när han satte ner ryggsäcken på marken, men plötsligt fylldes synfältet av bröderna Spenders ursinniga fäktande. Med en ljudlig suck stängde hon av kameran och stirrade vantroget på barnen som så här på avstånd tycktes uppföra en hänförd glädjedans.

Han måste väl ändå vara för ung för att vara pappa?
Men ... en gallisk axelryckning ...
Vad vet man om engelsmän?

Den stora blandrashunden rusade vadrande fram och tillbaka efter en lukt den fått vittring på. Bakom den letade sig hästen försiktigt ner längs stigen som ledde från Hill Bottom till Chapman's Pool. På de ställen där stigen en gång varit väg syntes fläckar av grov asfalt och i ogräset som täckte marken intill vittnade svaga spår efter husgrunder om byggnader som för länge sedan övergivits och fallit i ruiner. Maggie Jenner hade bott i trakten i nästan hela sitt liv men hon hade aldrig tagit reda på varför den handfull invånare som levt i den här utposten på Isle of Purbeck hade gett sig av och lämnat sina bostäder åt tidens härjningar. Någon hade en gång berättat att "chapman" var ett ålderdomligt ord för köpman eller gårdfarihandlare, men hon kunde inte begripa vad någon skulle ha handlat med på den här gudsförgätna platsen. Kanske hade en gårdfarihandlare helt enkelt drunknat i viken och lämnat sitt namn åt eftervärlden. Varenda gång hon kom in på stigen påminde hon sig själv om att hon skulle kolla upp det, men när hon väl kom hem hade hon hunnit glömma alltsammans igen.

I resterna av de trädgårdar som en gång legat här blommade fortfarande rosor, stockrosor och hortensia bland ogräset, och hon tänkte på hur trevligt det vore att ha ett hus i denna vilda färgsprakande natur med utsikt mot inloppet i sydväst och hunden och häs-

21

tarna som enda sällskap. Eftersom de vittrande klipporna utgjorde ett ständigt hot hejdades all fordonstrafik till Chapman's Pool av grindar med hänglås vid Hill Bottom och Kingston, och hon kände sig oerhört lockad av stillheten och friden. Men att leva avskilt och i ensamhet började nästan bli en fix idé hos henne, och det oroade henne emellanåt.

Hon hade inte hunnit tänka tanken färdigt förrän hon hörde ljudet av ett fordon som närmade sig bakifrån. Det morrade sig fram på ettan över guppen och groparna och överraskat visslade hon till sig Bertie för att få honom att hålla sig bakom Sir Jasper. Hon vände sig om i sadeln i tron att det var en traktor och rynkade pannan när hon upptäckte att det var polisens Range Rover. Den saktade ner när den kom jämsides med henne och hon hann få en glimt av Nick Ingram bakom ratten innan han med ett snabbt igenkännande leende körde vidare och lämnade henne i sitt dammiga kölvatten.

Larmcentralen reagerade snabbt då samtalet inkom klockan 10.43. Det kom från en mobiltelefon och personen som ringde uppgav att han hette Steven Harding. Han förklarade att han stött ihop med två pojkar som påstod att det låg en kropp på stranden vid Egmont Bight. Detaljerna var oklara eftersom pojkarna hade underlåtit att nämna att kvinnan var naken och deras uppenbara vånda och stammande förklaringar gett Harding intrycket att "damen på stranden" var deras mamma och att hon hade fallit ner från klippan medan hon tittade i en kikare. Därför vidtog polisen och sjöräddningen sina åtgärder utifrån antagandet att hon fortfarande var vid liv.

Eftersom det var komplicerat att undsätta en svårt skadad person från stranden, sände sjöräddningen ut en räddningshelikopter från Portland för att hissa upp henne. Samtidigt försökte polisassistent Nick Ingram, som varit i färd med att utreda ett inbrott, ta sig ner längs östra sidan av Chapman's Pool till den plats som av någon ologisk anledning hette West Hill. Han fick använda bultsax för att klippa av kedjan på grinden vid Hill Bottom, och när han klev ur sin Range Rover på cementplattan utanför fiskarnas sjöbodar hoppa-

22

des han innerligt att inga nyfikna turister skulle ta tillfället i akt och följa efter honom. Han var inte på humör att hålla ordning på tjafsiga åskådare.

Det fanns inget annat sätt att nå ner till den plats där kvinnan låg än att följa samma väg som pojkarna – gå till fots runt viken och till sist klättra över stenbumlingarna vid Egmont Point. I polisuniform var det varmt och svettigt och Nick Ingram, som var över en och nittio och vägde närmare hundra kilo, var genomblöt när han kom fram till kroppen. När han satte händerna på knäna och lutade sig framåt för att hämta andan, hörde han det öronbedövande ljudet från räddningshelikoptern och kände luftdraget mot den våta skjortan. Han tyckte att det var ett vidrigt intrång på något som så uppenbart var dödens territorium. Trots att kvinnan låg mitt i solgasset var hennes hud kall när han rörde vid den och de vidöppna, stirrande ögonen hade börjat täckas av en hinna. Han slogs av hur liten hon såg ut där hon låg ensam nedanför klippan. Den lilla handen som vaggade i vågskummet gjorde honom beklämd.

Det förvånade honom att hon var naken, i synnerhet som han bara behövde kasta en blick omkring sig för att konstatera att det inte fanns några handdukar, kläder, skor eller andra ägodelar på stranden. Han lade märke till såren och blåmärkena på armar, nacke och bröst och tänkte att det snarare såg ut som om hon slagits mot stenblocken när hon fördes in av det stigande tidvattnet än som om hon hade ramlat ner från klippan. Han böjde sig fram över kroppen igen på jakt efter något som kunde visa hur hon hade hamnat där, men tog snabbt ett kliv bakåt när båren som hissades ner började dingla fram och tillbaka farligt nära hans huvud.

Helikopterljudet och de megafonförstärkta anvisningarna från mannen som firade ner båren till kollegan på marken hade lockat dit åskådare. Gruppen av fotvandrare hade samlats ovanför dem på klippan för att se vad som pågick och båtägarna inne i Chapman's Pool gav sig iväg ut ur viken i sina jollar för att ta sig en titt. Eftersom alla utgick ifrån att räddningsmanövern inte skulle ha ägt rum om kvinnan inte fortfarande varit vid liv uppstod något av en fest-

23

stämning, och spridda hurrarop hördes när båren hissades upp i luften. De flesta trodde att hon hade fallit nedför branten, andra att hon kanske hade drivit ut ur Chapman's Pool på en luftmadrass och hamnat i svårigheter. Ingen hade en tanke på att hon kunde ha blivit mördad utom möjligen Nick Ingram, som lyft över den späda, stelnande kroppen på båren och plötsligt drabbats av en fruktansvärd vrede över att döden hade berövat en vacker kvinna hennes värdighet. Som vanligt var det tjuven och inte offret som avgick med segern.

På larmcentralens begäran ledsagade Steven Harding pojkarna nedför branten till polisbilen som stod parkerad vid sjöbodarna. Där väntade de med varierande grader av tålamod på att föraren skulle komma tillbaka. Bröderna, som utmattade hade tystnat efter sitt vansinneslopp runt Chapman's Pool, ville därifrån, men de stod stilla och förstummade inför sin följeslagare, en tjugofyraårig skådespelare som tog sitt ansvar som ställföreträdande förälder på största allvar.

Han höll ett vakande öga på sina omeddelsamma skyddslingar (för chockade för att prata, tänkte han) och försökte muntra upp dem genom att fortlöpande kommentera det han lyckades uppfatta av undsättningsmanövern. Han kryddade sina utläggningar med uttryck som: *"Ni är ena riktiga hjältar ..."*, *"Er mamma kommer att bli jättestolt över er ..."*, *"Hon kan skatta sig lycklig som har så kloka söner ..."*. Men det var inte förrän helikoptern lyfte med kurs mot Poole och han vände sig till dem med ett uppmuntrande leende och sade: *"Så där ja, nu kan ni sluta oroa er. Mamma är i goda händer"*, som de förstod att han tagit fel. Ingen av dem hade kommit på tanken att pratet om deras mamma faktiskt avsåg "damen på stranden".

"Det är inte vår mamma", sade Paul buttert.

"Våran mamma kommer att bli *jättearg*", vågade sig Danny på att tillägga med sin gälla röst, nu när hans bror visat sig villig att bryta den långa tystnaden. "Hon sa att om vi kom för sent till lunch

24

skulle vi bara få vatten och bröd en hel vecka." (Han var ett påhittigt barn.) "Hon kommer att bli ännu argare när jag säger att det var för att Paul ville titta på en naken tant."

"Håll klaffen", sade hans bror.

"Och sen så tvingade han mig att klättra upp på klippan för att han skulle se bättre. Pappa kommer att slå ihjäl honom för att han har förstört kikaren."

"Håll *klaffen*."

"Ja, men det är ditt fel alltihop. Du skulle inte ha tappat den, ärthjärna!" tillade Danny spydigt, i trygg vetskap om att deras följeslagare skulle beskydda honom.

Harding såg förödmjukelsens tårar stiga i den äldre broderns ögon. Det krävdes inte någon mer djuplodande tolkning av antydningarna om "naken tant", "se bättre", "kikare" och "ärthjärna" för att ana vad som hade hänt. "Jag hoppas att hon var värd det", sade han sakligt. "Den första nakna kvinna jag såg var så gammal och ful att det tog tre år innan jag ville titta på någon igen. Hon bodde granne med oss och hon var fet och skrynklig som en elefant."

"Hur såg nästa ut då?" frågade Danny med en tioårings sinne för logiska förlopp.

Harding utbytte en blick med den äldre brodern. "Hon hade fina tuttar", sade han till Paul med en blinkning.

"Det hade den här också", sade Danny beredvilligt.

"Fast den här var död", sade hans bror.

"Det var hon nog inte, vet ni. Det är inte alltid så lätt att se om någon är död."

"Det var hon", sade Paul nedstämt. "Danny och jag klättrade ner för att hämta kikaren." Han rev upp knytet han gjort av sin tröja och tog fram en illa tilltygad Zeisskikare. "Jag ... alltså, jag kollade för säkerhets skull. Jag tror att hon drunknade och låg kvar där när tidvattnet sjönk." Han tystnade olyckligt igen.

"Han tänkte ge henne mun mot mun-metoden", sade Danny, "men hennes ögon såg så läskiga ut, så han lät bli."

25

Harding kastade en blick igen på brodern, den här gången medkännande. "Polisen måste identifiera henne", sade han sakligt, "så de kommer nog att be er beskriva henne." Han rufsade om Danny i håret. "Det kanske är bäst att du inte säger något om läskiga ögon eller fina tuttar då."

Danny drog sig undan. "Det hade jag inte tänkt heller."

Mannen nickade. "Bra." Han tog kikaren från Paul och undersökte linserna noga innan han riktade den mot den franskflaggade *Mirage* ute i Chapman's Pool. "Kände du igen henne?" frågade han.

"Nej", sade Paul besvärat.

"Var hon gammal?"

"Nej."

"Söt?"

Paul skruvade på sig. "Det var hon väl."

"Så hon var inte fet?"

"Nej. Hon var väldigt liten och så hade hon ljust hår."

Harding ställde in skärpan och tittade på båten. "Det är rejäla grejor det här", muttrade han och lät kikaren svepa över viken. "Den har fått lite repor på utsidan, men det är inget fel på linserna. Er pappa kommer inte att bli så arg."

Maggie Jenner skulle aldrig ha blivit indragen i det hela om Bertie hade kommit när hon visslade, men som alla hundar hörde han bara när han själv ville. Hon satt av hästen när den började bli uppskrämd av oväsendet från helikoptern och en fullt naturlig nyfikenhet fick henne att leda den nedför berget för att titta på räddningsaktionen. Trion rundade sjöbodarna tillsammans och Bertie, som var exalterad av all uppståndelse, gick raka vägen fram till Paul Spenders skrev, puffade med nosen mot pojkens shorts och flåsade hänfört.

Maggie visslade men hunden struntade i henne. "Bertie!" ropade hon. "Kom hit!"

Hunden var stor och skräckinjagande, frukten av en irländsk

varghunds nattliga eskapader. Dreglet hängde i långa vita strängar från mungiporna och när han slängde till med sitt raggiga huvud hamnade en salivdusch på Pauls shorts. Pojken stelnade skräckslagen till.

"BERTIE!"

"Det är ingen fara", sade Harding och drog bort hunden med ett stadigt tag i halsbandet. "Han vill bara hälsa." Han klappade hunden på huvudet. "Eller hur, gubben?"

Bröderna lät sig inte övertygas utan drog sig snabbt undan bakom polisbilen.

"De har haft en jobbig förmiddag", förklarade Harding och ledde Bertie tillbaka till hans matte under små uppmuntrande smackanden. "Sitter han kvar om jag släpper honom?"

"Inte när han är på det här humöret". Hon tog upp ett koppel ur bakfickan, knäppte fast det i halsbandet och band sedan andra änden i stigbygeln. "Min brors båda pojkar älskar honom och han fattar inte att resten av världen inte har riktigt samma inställning." Hon log. "Antingen har du själv hund eller så är du väldigt modig. De flesta springer raka vägen till skogs."

"Jag har växt upp på en bondgård", sade han och smekte Sir Jaspers mule medan han tittade på henne med ohöljd uppskattning.

Hon var säkert tio år äldre än han, lång och slank med axellångt mörkt hår och mörkbruna ögon som smalnade misstänksamt under hans beundrande blick. Hon förstod precis vad han var för typ när han menande tittade på hennes vänstra hand och kunde konstatera att hon inte hade någon vigselring. "Jaha, tack för hjälpen då", sade hon ganska bryskt. "Nu fixar jag resten själv."

Han slog genast till reträtt. "Lycka till", sade han. "Det var trevligt att träffas."

Hon var bara alltför medveten om att hennes misstro mot män hade börjat anta sjukliga proportioner och undrade skuldmedvetet om hon dragit förhastade slutsatser. "Jag hoppas att dina pojkar inte blev totalt vettskrämda", sade hon i lite vänligare ton.

Han skrattade till. "De är inte mina", förklarade han. "Jag ser bara till dem tills polisen kommer tillbaka. De hittade en död kvinna på stranden så de är ganska omskakade, stackars ungar. Det skulle nog vara bra om du lyckades övertyga dem om att Bertie bara är en förvuxen ryamatta. Jag är inte så säker på att det är nyttigt att träffa på en skräckinjagande hund och en död människa en och samma morgon."

Hon tittade obeslutsamt mot polisbilen. Pojkarna såg verkligen rädda ut, tänkte hon, och hon hade ingen lust att bära ansvaret för att de drabbades av livslång hundskräck.

"Ska vi inte säga åt dem att komma hit", föreslog han när han märkte hennes tvekan, "och låta dem klappa honom nu när han har lugnat ner sig? Det tar ju bara någon minut."

"Okej då", samtyckte hon halvhjärtat, "om du tror att det hjälper." Men hon gjorde det mot bättre vetande. Hon hade en känsla av att än en gång dras in i något hon inte hade kontroll över.

Klockan var över tolv när polisassistent Ingram kom tillbaka till bilen och fick syn på Maggie Jenner, Steven Harding och bröderna Spender. Sir Jasper och Bertie stod bundna en bit bort i skuggan av ett träd, och esteten i Nick Ingram kunde inte låta bli att njuta av Maggies uppenbarelse. Ibland trodde han att hon inte hade en aning om hur tilldragande hon var, men vid andra tillfällen, som nu, när hon ställde upp sig mot en bakgrund av vacker natur, en vacker häst och en vacker man så att man inte kunde undgå att jämföra dem misstänkte han att det var en pose. Han torkade sig i pannan med en stor vit näsduk och undrade irriterat vad det var för strandraggare och hur det kom sig att både han och Maggie lyckades se så svala ut denna outhärdligt heta söndagsförmiddag. De tittade bort mot honom och skrattade och han antog omedelbart – för sådan är den mänskliga naturen – att det var åt honom.

"Godmorgon, fröken Jenner", sade han med överdriven artighet.

Hon nickade kort till svar. "Hej Nick."

Han vände sig med frågande min mot Harding. "Är det något jag kan hjälpa till med?"

"Jag tror inte det", sade den unge mannen med ett vinnande leende. "Det är nog snarare vi som ska hjälpa dig."

Ingram var född och uppvuxen i Dorset och hade inte tid med idioter i prydliga shorts som ståtade med konstlade solbrännor. "Hur då?" Det låg en antydan till ironi i rösten och Maggie Jenner gav honom en ogillande blick.

"När jag ringde till larmcentralen blev jag ombedd att ta med pojkarna här till polisbilen. Det var de som hittade den döda kvinnan." Han lade armen om deras axlar. "De är ena riktiga hjältar. Maggie och jag sade just att de borde få medalj."

Ingram uppfattade hans "Maggie" men tvivlade på att hon var speciellt hänförd över att tilltalas med förnamn av en så uppenbart sprättig typ. Hon har bättre smak än så, tänkte han. Han vände sig dersamt blicken mot Paul och Danny Spender istället. Meddelandet han hade fått var glasklart. Enligt rapporten hade pojkarnas mamma ramlat ner från klippan när hon stod och tittade i en kikare. Så snart han såg kroppen – inte tillräckligt illa tilltygad – hade han förstått att hon inte kunde ha fallit, och nu när han tittade på pojkarna – alldeles för avspända – greps han av misstanken att de övriga uppgifterna också var felaktiga. "Kände ni kvinnan?" frågade han.

De skakade på huvudet.

Han låste upp bilen och hämtade anteckningsbok och penna i framsätet. "Och varför tror du att hon var död?" frågade han Harding.

"Det sa pojkarna."

"Stämmer det?" Han granskade nyfiket den unge mannen och slickade sedan på pennspetsen, eftersom han visste att det skulle reta Maggie. "Kan jag få namn och adress, tack, plus namnet på din arbetsgivare om du har någon."

"Steven Harding. Jag är skådespelare." Han uppgav en adress i London. "Jag bor där i veckorna, men om du inte får tag i mig kan du alltid vända dig till min agent, Graham Barlow på Barlow Agency." Han uppgav en annan Londonadress. "Graham håller i mina tider", sade han.

Kul för Graham, tänkte Ingram surt medan han försökte hålla tillbaka sina ohämmade fördomar mot tjusiga innekillar ... Londonbor ... skådespelare ... Harding bodde i Highbury och Ingram kunde slå vad om att den lille stajlaren höll på Arsenal, inte för att han någonsin hade varit på någon match utan för att han hade läst *Fever Pitch* eller sett filmen. "Och vad för en skådespelare till våra utmarker?"

Harding förklarade att han var i Poole över helgen och att han hade tänkt promenera till Lulworth Cove och tillbaka. Han klappade på mobiltelefonen som satt i linningen på shortsen och sade att det var tur att han hade den, för annars hade pojkarna fått traska till Worth Matravers för att skaffa hjälp.

"Du har inte mycket till packning", sade Ingram med en blick på telefonen. "Är du inte rädd för att bli törstig? Det är långt till Lulworth."

Den unge mannen ryckte på axlarna. "Jag har ändrat mig. Jag tänker gå tillbaka när vi är klara här. Jag hade inte fattat hur långt det var."

Ingram frågade pojkarna vad de hette och var de bodde och bad dem berätta vad som hade hänt. De talade om att de hade sett kvinnan på stranden när de kom runt Egmont Point klockan tio. "Och sen då?" frågade han. "Tittade ni efter och upptäckte att hon var död och gick efter hjälp sen?"

De nickade.

"Ni hade inte särskilt bråttom."

Harding ingrep genast till deras försvar. "De sprang som galningar", sade han. "Jag såg dem."

"Såvitt jag minns antecknades samtalet till larmcentralen klockan 10.43, och det tar knappast trekvart för två unga friska grabbar att springa runt Chapman's Pool." Han tvingade Harding att slå ner blicken. "Och när vi ändå är inne på ämnet vilseledande uppgifter kan du kanske förklara hur det kommer sig att jag fick ett meddelande om att två pojkar hade sett sin mor ramla ner från en klippa medan hon tittade i en kikare?"

30

Det såg ut som om Maggie tänkte säga något till pojkarnas försvar men en hotfull blick från Ingram fick henne på andra tankar.

"Det var ett missförstånd", sade Harding och slängde med huvudet för att hindra det tjocka svarta håret att falla ner i ögonen. "De här två killarna" – han lade vänskapligt armen om Pauls axlar – "kom rusande uppför slänten och skrek och vrålade om en kvinna på stranden bakom udden och någon kikare som hade ramlat ner och jag hade lite för bråttom att lägga ihop två och två och fick det till fem. Vi blev lite till oss allihop om jag ska vara ärlig. De var oroliga för kikaren och jag trodde att de pratade om sin mamma."

Han tog kikaren som Paul höll i handen och gav den till Ingram. "Den tillhör deras pappa. Pojkarna råkade tappa den när de fick syn på kvinnan. De är väldigt oroliga för vad deras pappa ska säga när han ser att den blivit skadad, men Maggie och jag har övertygat dem om att han inte kommer att bli arg, inte när han får höra vilken fin insats de har gjort."

"Känner du pojkarnas far?" frågade Ingram medan han undersökte kikaren.

"Nej, det är klart jag inte gör. Jag har ju precis träffat dem."

"Då har du bara deras ord på att den är hans."

"Ja, det förstås." Harding tittade osäkert på Paul och såg paniken återvända i pojkens ögon. "Äh, lägg av", sa han tvärt. "Var skulle de annars ha fått tag i den?"

"På stranden. Ni sa att ni fick se kvinnan när ni kom runt Egmont Point", påminde han Paul och Danny.

De nickade i lamslagen endräkt.

"Varför ser det då ut som om kikaren har trillat utför branten? Hittade ni den bredvid kvinnan och bestämde er för att ta den?"

Pojkarna, som rodnade av ängslan över sitt smygtittande, såg skyldiga ut. Ingen av dem svarade.

"Spänn av, va", sade Harding obesvärat. "De var bara nyfikna. Kvinnan var naken så de klättrade upp för att se bättre. De insåg inte att hon var död förrän de tappade kikaren och stack ner för att hämta den."

31

"Och det såg du?"

"Nej", medgav han. "Jag har redan sagt att jag kom från St Alban's Head."

Ingram vände sig åt höger och tittade på den avlägsna udden som kröntes av det lilla romanska kapellet, uppfört till sankt Albans ära. "Man har väldigt bra utsikt över Egmont Bight däruppifrån", sade han till synes ointresserat, "särskilt en så här fin dag."

"Bara om man har kikare", sa Harding.

Ingram granskade den unge mannen uppifrån och ner och log. "Helt riktigt", sade han. "Så var sprang du på pojkarna?"

Harding gjorde en gest mot stigen längs vattnet. "De började skrika åt mig när de var halvvägs upp på Emmetts Hill, så jag gick ner för att möta dem."

"Du verkar känna till trakten rätt bra."

"Ja."

"Hur kommer det sig, du bor ju i London?"

"Jag är mycket här. London kan vara urjobbigt på sommaren."

Ingram kastade en blick upp mot branten. "Det här är West Hill", anmärkte han. "Det är nästa som heter Emmetts Hill."

Harding gjorde en vänligt avvärjande rörelse. "Ja, så väl hemmastadd är jag kanske inte, men i vanliga fall kommer jag hit med båt och West Hill finns inte utsatt på sjökortet", sade han. "Där kallas hela klinten Emmetts Hill. Pojkarna och jag möttes ungefär där." Han pekade på en grön fläck på sluttningen ovanför.

I ögonvrån hann Ingram uppfatta att Paul Spender såg ut att vilja komma med en invändning, men han kommenterade det inte.

"Var ligger din båt nu?"

"I Poole. Jag seglade dit igår kväll men eftersom det är nästan vindstilla och jag kände för att röra lite på mig" – han förärade Ingram ett pojkaktigt leende – "gav jag mig ut till fots."

"Vad heter din båt?"

"Crazy Daze."

Den reslige polismannens leende var långtifrån pojkaktigt. "Var ligger hon i vanliga fall?"

"I Lymington."

"Kom du från Lymington igår?"

"Ja."

"Ensam?"

Svaret kom efter en kort tvekan. "Ja."

Ingram fångade hans blick. "Seglar du tillbaka ikväll?"

"Jag hade tänkt det, men jag måste nog gå för motor om det inte blir bättre vind."

Polisassistenten nickade som om han var nöjd med svaret. "Ja, tack så mycket då. Jag tror inte att jag behöver hålla dig kvar längre. Jag ska köra hem pojkarna och kolla hur det ligger till med kikaren."

Harding kände hur Paul och Danny smög sig bakom honom för att söka skydd. "Du glömmer väl inte att påpeka vilken fin insats de har gjort", sade han övertalande. "Jag menar, om det inte hade varit för dem, hade den stackars lilla kvinnan förts ut med nästa högvatten och ni skulle aldrig ha hittat henne. De förtjänar att få en medalj, inte en utskällning."

"Du är väldigt väl insatt i det här."

"Lita på mig. Jag känner till kusten. Strömmen utanför St Alban's Head är sydsydostlig och om hon hade dragits med av den hade det inte funnits en chans att hon kommit upp igen. Det är ett jäkla sug där. Jag skulle tro att hon hade blivit sönderslagen mot botten."

Ingram log. "Jag menade att du är väl insatt vad gäller kvinnan. Man skulle kunna tro att du sett henne med egna ögon."

3

"Varför gick du så hårt åt honom?" frågade Maggie kritiskt när polisassistenten släppt in pojkarna i baksätet på sin Range Rover och kisande i motljuset följde Hardings klättring uppför slänten. Ingram var så lång och kraftigt byggd att han både bokstavligt och bildligt talat ställde henne i skuggan, och hon tänkte ofta att hon inte skulle vara så irriterad på honom om han bara kunde inse det någon gång emellanåt. De enda tillfällen då hon kände sig väl till mods i hans närhet var när hon kunde titta ner på honom från hästryggen, men det hände så sällan att det inte var någon större tröst för hennes självkänsla. När han inte svarade, kastade hon en otålig blick på de båda pojkarna i baksätet. "Du var rätt taskig mot ungarna också. Jag slår vad om att de kommer att tänka sig för innan de hjälper polisen nästa gång."

Harding försvann utom synhåll bakom en krök och Ingram vände sig mot henne med ett lojt leende. "På vilket sätt gick jag hårt åt honom då?"

"Sluta nu. Du näst intill beskyllde honom för att ljuga."

"Det gjorde han också."

"Om vad då?"

"Jag vet inte riktigt ännu. Det lär jag få reda på när jag har hört mig för lite mer."

"Är det här något män och män emellan?" frågade hon och hennes sedan länge uppdämda aggressioner gjorde rösten silkeslen. Han hade varit områdets närpolis i fem år och hon hade många orsaker att känna sig förbittrad. När hon var riktigt nere skyllde hon allt på honom. Andra gånger kunde hon ärligt erkänna att han

34

bara hade skött sitt jobb.

"Antagligen." Han kände stallukten från hennes kläder, en instängd lukt av hödamm och hästspillning som han både tilltalades och kväljdes av.

"Hade det inte varit enklare att plocka fram snoppen och måttbandet i en rak och ärlig tävlan?" frågade hon spydigt.

"Jag skulle ha förlorat."

"Den saken är klar", instämde hon.

Hans leende blev bredare. "Så du lade märkte till det?"

"Det gick knappast att undgå. Han hade inte de där shortsen på sig för att dölja något. Det kan ha varit plånboken. Det fanns inte direkt plats för den någon annanstans."

"Nej", medgav han. "Tyckte du inte att det var intressant?"

Hon tittade misstanksamt på honom och undrade om han drev med henne. "Hur då?"

"Bara en idiot ger sig av från Poole till Lulworth utan pengar och utan vatten."

"Han kanske hade tänkt be folk han mötte om vatten eller ringa någon kompis för att bli undsatt. Skulle det vara så konstigt? Det enda han gjorde var att spela räddande ängel för barnen."

"Jag tror att han ljög om vad han hade här att göra. Kom han med någon annan förklaring innan jag hunnit hit?"

Hon tänkte efter. "Vi pratade om hundar och hästar. Han berättade för pojkarna om bondgården i Cornwall där han växte upp."

Han sträckte ut handen för att öppna bildörren på förarsidan. "Det kanske bara är för att jag är misstänksam mot folk med mobiltelefoner", sade han.

"Alla har det nu för tiden, jag med."

Han gav den smärta gestalten i åtsittande bomullsskjorta och stretchjeans en road blick. "Men till skillnad från den här unge mannen har du inte din med när du är ute i naturen. Det verkar som om telefonen var det enda han hade med sig."

"Det borde du vara glad för", sade hon snävt. "Om det inte hade varit för honom hade du aldrig hittat kvinnan så snabbt."

"Nej, det har du rätt i", sade han godmodigt. "Harding kunde slå larm om att det låg en kropp på stranden eftersom han befann sig på rätt plats vid rätt tidpunkt med rätt utrustning och det vore småaktigt att undra hur det kommer sig." Han öppnade dörren och makade in sin stora kroppshydda bakom ratten. "Adjö", sade han artigt. "Hälsa din mor." Han slog igen dörren och startade bilen.

Bröderna Spender hade svårt att bestämma sig för vems förtjänst det var att det inte blev något bråk när de kom hem. Hade skådespelarens vädjan om överseende haft verkan eller var polisen rätt hygglig i grund och botten? Han hade inte sagt särskilt mycket medan han körde dem till stugan utom att branterna kunde vara farliga och att det var dumt att klättra i dem även om det kunde verka frestande. Han gav deras föräldrar en kort, avskalad redogörelse för vad som hade hänt och sade som avslutning att pojkarna gärna fick följa med ut i hans båt någon dag eftersom deras fiskeplaner hade blivit avbrutna av morgonens händelser. "Det är ingen flott motorkryssare", varnade han dem, "bara en liten fiskebåt, men havsabborren går till så här års och om vi har tur kan vi kanske få några stycken på kroken." Han lade inte armen om deras axlar och kallade dem inte hjältar. Istället gav han dem något att se fram emot.

Nästa punkt på Ingrams dagordning var ett besök på en avsides belägen gård där de ålderstigna ägarna hade anmält att de blivit bestulna på tre värdefulla målningar under natten. Han hade varit på väg dit när han blev omdirigerad till Chapman's Pool, och även om han inte trodde att det skulle leda till något var han trots allt först och främst närpolis.

"Herregud, Nick, du får ursäkta", sade parets slutkörda svärdotter som själv befann sig på fel sida om de sjuttio. "Tro mig, de visste faktiskt att målningarna skulle säljas på auktion. Peter har pratat med dem om det i ett års tid, men de är så glömska att han måste ta om alltihop gång på gång. Han har fullmakt att göra det, så alltsam-

36

mans är helt lagligt, men jag trodde faktiskt jag skulle *dö* när Winnie sa att hon hade ringt dig. På en *söndag* till på köpet. Jag åker hit varenda morgon och tittar till dem, men *ibland* ..." Hon himlade med ögonen och uttryckte ordlöst exakt vad hon ansåg om sina nittiofemåriga svärföräldrar.

"Det är mitt jobb, Jane", sade han och klappade henne uppmuntrande på axeln.

"Nej, det är det inte. Du borde vara ute och sätta fast brottslingar", sade hon som ett eko av den förhärskande åsikten bland landets befolkning att polisens enda uppgift var att jaga tjuvar. Hon suckade tungt. "Problemet är att de gör av med mycket mer än de får in och det går inte att få dem att fatta det. Bara hemhjälpen kostar över tiotusen pund om året. Peter har varit tvungen att sälja släktsilvret för att få det att gå ihop. De gamla dumskallarna verkar tro att de lever på 20-talet när en husa kostade fem pund i veckan. Det gör mig faktiskt vansinnig. De borde in på något hem, men Peter är för blödig. Inte för att de skulle ha råd. Jag menar, *vi* har inte råd, så hur skulle de ha det? Det hade varit annorlunda om inte Celia Jenner fått oss att satsa allt vi hade på Maggies vedervärdiga karl, men ..." Hon avbröt sig med en uppgiven axelryckning. "Jag blir så arg ibland så jag skulle kunna skrika, och det enda som hindrar mig är att jag är rädd att jag inte skulle kunna sluta."

"Allt har ett slut", sade han.

"Jag vet", sade hon upproriskt, "men då och då funderar jag på att jag ge evigheten lite hjälp på traven. Det är synd att det inte går att få tag i arsenik längre. Det var så enkelt förr i tiden."

"Berätta."

Hon skrattade. "Du vet vad jag menar."

"Ska jag begära obduktion när Peters föräldrar till slut lämnar in?"

"Om de ändå kunde göra det. Men fortsätter det så här dör jag långt före dem."

Den långe polisassistenten log och sade adjö. Han ville inte höra talas om döden. *Han kunde fortfarande känna kvinnans hud mot händerna* ... Han behövde en dusch, tänkte han medan han gick tillbaka till bilen.

Den ljushåriga lilla flickan kom travande på knubbiga ben längs trottoaren i stadsdelen Lilliput i Poole. Det var söndag och klockan var bara halv elva, så det var få människor ute, och ingen brydde sig om att ta reda på varför hon vandrade omkring på egen hand. Den handfull vittnen som senare trädde fram och berättade för polisen att de hade sett henne kom alla med olika ursäkter. *"Hon verkade veta vart hon var på väg." "Det gick en kvinna ungefär tjugo meter bakom henne och jag trodde att det var mamman." "Jag tog för givet att någon annan skulle stanna." "Jag hade bråttom." "Jag är kille. Jag hade blivit lynchad om jag hade tagit upp en liten tjej i bilen."*

Till slut var det ett äldre par, herr och fru Green, som hade vett, tid och mod nog att ingripa. De var på väg hem från kyrkan och gjorde som alltid en nostalgisk avstickare in genom Lilliput för att titta på art déco-husen som märkligt nog hade överlevt efterkrigstidens rivningshets som drabbat allt särpräglat till förmån för armerade betonglådor och röda tegelkuber. Lilliput låg på östra sidan av Poolebukten, och inmängt bland det slags arkitektoniska skräp som står att finna överallt kunde man hitta eleganta villor med välvårdade trädgårdar och art déco-hus med fönster som påminde om hyttventiler. Makarna Green älskade det. Det påminde dem om deras ungdom.

De hade precis kört förbi avfarten till Salterns marina när fru Green fick syn på flickan. "Titta där", sade hon ogillande. "Vad är det för mamma som låter ett barn i den åldern gå så långt före. Det räcker att hon snubblar till för att hon ska bli överkörd av en bil."

Herr Green saktade ner. "Var är mamman?" frågade han.

Hans fru vred sig om i sätet. "Ja, säg det. Jag trodde att det var den där kvinnan bakom henne, men hon står ju och tittar i ett skyltfönster."

Herr Green var pensionerad fanjunkare. "Vi borde göra något", sade han bestämt, stannade och lade i backen. Han hytte med näven åt en förare som tutade vilt när han med nöd och näppe undgått att köra in i Greens bakre kofångare. "Förbannade söndagsåkare", sade han. "De borde inte få vara ute på vägarna."

"Du har så rätt, älskling", sade fru Green och öppnade dörren.

Hon lyfte upp det stackars lilla livet och satte henne till rätta i knäet medan hennes åttioårige make körde till polisstationen i Poole. Det blev en något vansklig färd eftersom han helst låg i trettio, vilket orsakade kaos på de enkelriktade gatorna runt rondellen vid kommunalhuset.

Barnet verkade stortrivas i bilen, tittade ut genom fönstret och log förnöjt, men väl inne på polisstationen visade det sig omöjligt att slita henne från hennes välgörare. Hon slog armarna om den gamla damens hals, gömde ansiktet mot hennes axel och klamrade sig fast vid godheten lika ihärdigt som en igel suger sig fast vid en sten. När makarna Green fick höra att ingen låtit efterlysa ett litet barn slog de sig med föredömligt tålamod ner och beredde sig på en lång väntan.

"Jag kan inte begripa att mamman inte har märkt att hon är borta", sade fru Green. "Jag släppte aldrig mina barn ur sikte."

"Hon kanske är på jobbet", sade den kvinnliga polisassistenten som utsetts att sköta ärendet.

"Ja, det borde hon då inte vara", sa herr Green förebrående. "Barn i den åldern behöver sin mamma." Han tittade på polisassistent Griffiths med en menande min som upplöstes i en rad egendomliga ansiktsryckningar. "Ni borde låta en läkare titta på henne. Om ni förstår vad jag menar? Det finns så mycket konstigt folk nuförtiden. Män som borde veta bättre. Fattar ni?" Han bokstaverade. "P-E-D-O-filer. S-E-X-brottslingar. Om ni förstår vad jag menar?"

"Jadå, jag förstår precis vad ni menar, och oroa er inte" – polisassistenten knackade med pennan mot papperet framför sig – "doktorn står överst på min lista. Men om ni inte har något emot det kan vi väl se tiden an lite grand. Vi har sysslat mycket med sådana här saker och vi har märkt att det är bäst att inte gå för fort fram." Hon

39

vände sig med ett uppmuntrande leende mot kvinnan. "Har hon sagt vad hon heter?"

Fru Green skakade på huvudet. "Hon har inte sagt ett ord. Jag är faktiskt inte säker på att hon kan prata."

"Hur gammal tror ni att hon är?"

"Ett och ett halvt, högst två år." Hon drog upp en flik av flickans bomullsklänning och visade blöjorna. "Hon har fortfarande blöjor."

Polisassistenten tänkte att två år nog var att ta till i underkant och lade till ett år i sina papper. Kvinnor i fru Greens ålder hade haft småbarn på den tiden man använde tygblöjor och gav barnen potträning tidigt för att spara tvätt. De kunde inte föreställa sig att en treåring fortfarande använde blöjor.

Inte för att det gjorde någon skillnad vad den lilla flickan anbelangade. Vare sig hon var ett och ett halvt, två eller tre var det uppenbart att hon inte kunde prata.

Eftersom den franska flickan ombord på *Mirage* inte hade något annat att ta sig för denna söndagseftermiddag hade hon nyfiket följt samtalet mellan Harding, bröderna Spender, Maggie Jenner och polisassistent Ingram genom videokamerans zoomlins. Nu rodde hon in till stranden och klättrade upp för West Hills branta sluttning för att på egen hand försöka utröna vad det hela handlade om. Det var inte svårt att begripa att de båda pojkarna hade hittat personen som hissats upp i helikoptern eller att den snygge engelsmannen hade ringt polisen, men hon undrade förbryllat varför han hade dykt upp igen på klippbranten en halvtimme efter att polisbilen försvunnit och hämtat ryggsäcken som låg kvar där. Hon hade sett honom ta upp en kikare och spana ut över viken och klipporna innan han tog sig ner till stranden bortom sjöbodarna. Hon hade filmat honom i flera minuter medan han stirrade ut över havet, men när hon väl tagit sig upp till hans utkiksplats ovanför Chapman's Pool förstod hon fortfarande ingenting, och grundligt uttråkad lämnade hon gåtan åt dess öde.

Det skulle ta ytterligare fem dagar innan hennes pappa råkade titta på filmen och sedan förödmjukade henne inför den engelska polisen.

Klockan sex samma kväll lättade *Gregory's Girl* ankar och tuffade ut ur Chapman's Pool i riktning mot St Alban's Head. Två lättjefulla flickor tronade på varsin sida om sin far på övre däck medan hans senaste erövring satt ensam och utfrusen på sätet bakom dem. Då de hunnit ut ur det grunda vattnet i vikens mynning vrålade motorn till när båten i tjugofem knops fart inledde återfärden mot Poole. Bakom dem bildades ett brett V-format kölvatten på den lugna havsytan.

De var alla sömndruckna av värme och sprit, i synnerhet pappan som hade spänt sig till det yttersta i sina försök att tillfredsställa döttrarna, så när han hade ställt in autopiloten utnämnde han den äldsta till utkik innan han slöt ögonen. Han kunde känna sin flickväns ursinne som dolkar i ryggen, kvävde en suck och önskade att han haft vett nog att inte ta med henne. Hon var den senaste i raden av det hans döttrar kallade "hans bimbos" och som vanligt hade de gjort vad de kunnat för att krossa det späda nya förhållandet. Livet, tänkte han förbittrat, var för jävligt ...

"Se upp, pappa!" skrek hans dotter plötsligt med skräck i rösten. "Vi går rakt på ett grund."

Med hårt bultande hjärta slet han tag i ratten och girade åt styrbord. Det hans dotter uppfattat som ett grund gled förbi på babords sida, guppande i kölvattnets vågor. "Jag är för gammal för sånt här", sa han darrigt, medan han ledde in trehundratusenpundsbåten på rätt kurs igen och ägnade en uppskärrad tanke åt hur mycket han försäkrat den för. "Vad fan var det där? Det var inget grund. Det finns inga grund här."

De båda unga flickornas ögon tårades när de tittade bakåt rakt in i solljuset för att lista ut vad det var för svart tingest som gungade bakom dem.

"Det ser ut som ett stort oljefat", sade den äldsta.

41

"Herregud!" muttrade hennes pappa. "Den som lät det gå överbord borde skjutas. Hade vi kört på det hade båten slitits upp."

Hans flickvän, som fortfarande satt och tittade akterut, tyckte att det snarare såg ut som en upp- och nedvänd gummibåt, men hon hade ingen lust att framföra sin åsikt av rädsla att utsättas för än mer av de gräsliga döttrarnas förakt. Hon hade redan fått så det räckte den dagen och önskade innerligt att hon aldrig tackat ja till att följa med.

"Jag stötte på Nick Ingram imorse", sade Maggie medan hon stod och gjorde i ordning te i sin mors kök på Broxton House.

En gång hade kopparpannor och utsökt porslin fyllt de gamla ekskåpen längs väggarna i det vackra rummet och dess mitt hade upptagits av ett långt 1600-talsbord som ursprungligen stått i ett kloster. Nu var det enbart trist. Allt av värde hade sålts. Billiga vita hyllor och bänkar hade ersatt de gamla träskåpen och ett formgjutet plastbord som hämtats in från trädgården stod på den plats där munkarnas middagsbord hade tronat i praktfullt majestät. Det skulle inte varit så farligt om det bara blivit städat ibland, tänkte Maggie ofta, men moderns ledgångsreumatism och hennes egna försök att få ihop pengar på hästarna hade kört henne helt i botten och lett till att renlighet inte längre hörde till husets dygder. Om Gud fanns i sin himmel och allt stod rätt till här i världen låg tydligen Broxton House i hans döda vinkel. Maggie skulle ha avvecklat den förlustbringande verksamheten och flyttat för länge sedan om bara hennes mor gått med på det. Skulden förslavade henne. Nu bodde hon i en lägenhet ovanför stallet på andra sidan trädgården och tittade bara in i huset emellanåt. Den fruktansvärda ödsligheten inomhus var en alltför tydlig påminnelse om att det var hennes fel att modern var utblottad.

"Jag red ner Jasper till Chapman's Pool. Det är en kvinna som har drunknat i Egmont Bight och Nick var där för att visa vägen för helikoptern som plockade upp henne."

"En turist, förstås?"

"Antagligen", sade Maggie och räckte henne tekoppen. "Om det varit någon härifrån skulle Nick ha sagt det."

"Typiskt!" snäste Celia vresigt. "Så Dorset får betala räkningen för helikoptern bara för att något klantigt fruntimmer utifrån inte har lärt sig simma. Jag har god lust att vägra att betala skatt."

"Det gör du ju redan", sade Maggie och tänkte på de senaste betalningspåminnelserna som låg kringströdda på bordet i vardagsrummet.

Hennes mor låtsades inte höra påpekandet. "Hur var det med Nick då?"

"Upptänd", sade hennes dotter och mindes hur röd han hade varit i ansiktet när han kom tillbaka till bilen. "Och inte på sitt soligaste humör." Hon stirrade ner i koppen, medan hon samlade mod för att ta upp den ömtåliga frågan om hur mycket – eller rättare sagt hur lite – pengar som flöt in i ridskolan och inackorderingsstallet på Broxton House. "Vi måste prata om stallet", sade hon tvärt.

Celia vägrade att lyssna på det örat. "Du skulle inte heller ha varit på något vidare humör om du precis hade sett någon som drunknat." Hon fortsatte i ett artigt konverserande tonfall som förebådade en rad anekdoter. "Jag minns att jag såg en kropp som flöt i Ganges när jag bodde i Indien med mina föräldrar. Det var på sommarlovet. Jag var väl femton ungefär. Det var fruktansvärt, jag hade mardrömmar i flera veckor efteråt. Min mamma sa ..."

Maggie slutade lyssna och stirrade istället på ett långt svart hårstrå på moderns kind som borde ryckas bort. Det vippade aggressivt medan hon pratade, som Berties morrhår, men deras förhållande hade aldrig varit av den arten att Maggie kunde påpeka det för henne. Vid sextiotre års ålder såg Celia fortfarande bra ut. Håret hade bibehållit samma mörka färg som dotterns även om hon bättrade på den då och då med lite toning, men de ekonomiska bekymren hade krävt sin tribut, vilket avslöjades i de djupa fårorna kring mun och ögon.

När hon äntligen hämtade andan, återgick Maggie genast till frågan om stallet. "Jag har räknat ihop förra månadens inbetalning-

43

ar", sade hon, "och vi ligger ungefär tvåhundra pund back. Lät du Mary Spencer-Graham slippa avgiften nu igen?"

Celias mun smalnade. "I så fall är det min ensak."

"Nej, det är det inte", sade Maggie med en suck. "Vi har inte råd att idka välgörenhet. Om Mary inte betalar kan vi inte ta hand om hennes häst. Så enkelt är det. Jag skulle inte säga så mycket om det inte hade varit för att hon redan betalar lägsta möjliga avgift, men det vi får in täcker knappt kostnaderna för Moondusts foder. Du får faktiskt stå på dig lite mer."

"Hur skulle jag kunna göra det? Hon har det nästan lika illa ställt som vi, och det är vårt fel."

Maggie skakade på huvudet. "Det är inte sant. Hon förlorade tio-tusen pund och det är bara småpotatis jämfört med vad vi blev av med, men hon vet att hon bara behöver ta till lipen så ger du efter direkt." Hon gjorde en otålig gest ut mot hallen och vardagsrummet. "Om vi inte får in pengar kan vi inte betala räkningarna, vilket innebär att vi antingen får lämna över alltihop till Matthew med en gång och flytta till en hyreslägenhet eller att du får gå till honom med mössan i hand och be om något slags underhåll." Hon ryckte uppgivet på axlarna vid tanken på sin bror. "Om jag trodde att det var någon idé skulle jag göra det själv, men du vet lika väl som jag att han skulle slå igen dörren i ansiktet på mig."

Celia skrattade glädjelöst. "Tror du verkligen att det skulle göra någon skillnad om jag gick dit? Hans fru tål mig inte. Hon skulle vara överlycklig om vi hamnade på gatan, så hon har ingen anledning att hjälpa sin svärmor och svägerska att fortsätta med vad hon uppfattar som ett lyxliv."

"Jag vet", sade Maggie skuldmedvetet, "och det är rätt åt oss. Vi skulle inte ha kommit med elaka kommentarer om hennes brud-klänning."

"Det var svårt att låta bli", sade Celia beskt. "Kyrkoherden höll på att få en hjärtattack när han fick se henne."

Det kom en skrattlysten glimt i hennes dotters ögon. "Det var bladlössens fel. Om det inte hade varit bladlusinvasion det året och om inte hennes eländiga slöja hade dragit till sig varenda en inom en radie på fem mil på vägen från kyrkan till mottagningen ... vad var det du kallade henne? Det var någonting med kamouflage."

"Jag kallade henne ingenting", sade Celia värdigt. "Jag gratulerade henne till att hon smälte så väl in i miljön."

Maggie skrattade. "Just det, nu minns jag. Herregud, vad elakt sagt."

"Då tyckte du att det var lustigt", påpekade hennes mor och bytte ställning för att avlasta sin dåliga höft. "Jag ska prata med Mary", lovade hon. "Jag tar hellre förödmjukelsen att driva in pengar från mina vänner än ber Matthew och Ava om hjälp."

4

Fysisk/psykisk bedömning av oidentifierat barn: "Baby Smith"

Fysiskt: Flickans allmänna hälsotillstånd är utmärkt. Hon är välnärd och välskött och lider inte av några sjukdomar eller skador. Blodprov visar svaga spår av benzodiazepin (troligen Mogadon) men högre halter av paracetamol. Det finns inga tecken på att hon utsatts för vare sig sexuellt eller fysiskt våld, trots att vissa indikationer (se nedan) tyder på att hon lidit eller lider av ett psykiskt trauma. De fysiska tecknen pekar på att hon inte varit skild från sina föräldrar/vårdare mer än 3–4 timmar innan hon påträffades – kläder och kropp är anmärkningsvärt rena, likaså blöjorna. Hon påvisade heller inga tecken på uttorkning, nedkylning, hunger eller utmattning, vilket vore att vänta hos ett barn som varit övergivet under längre tid.

Psykologiskt: Barnets beteende och färdigheter är typiska för en tvååring, men att döma av längd och vikt torde hon vara äldre. Hon visar tecken på lätt autism, men det går inte att bekräfta diagnosen utan att känna till hennes anamnes. Hon är ointresserad av andra människor/barn och reagerar aggressivt vid kontakt. Hon är ytterst passiv, föredrar att sitta och iaktta omgivningen framför att utforska den. Hon är onaturligt introvert och gör inga försök att kommunicera verbalt, däremot använder hon teckenspråk för att få det hon vill. Hörseln är utan anmärkning och hon lyssnar till allt man säger, men hon är selektiv och väljer vilka instruktioner hon ska följa. Som ett enkelt exempel kan nämnas att hon gärna pekar på en blå kloss när man ber henne, men vägrar att ta upp den.

Hon kan eller vill inte använda ord för att kommunicera, däremot tillgriper hon mycket snabbt skrik och aggressionsutbrott när hon inte får sin vilja igenom eller känner sig pressad. Det är speciellt tydligt när det kommer in främmande personer i rummet eller när rösterna höjs. Hon värjer sig mot alla former av fysisk kontakt vid ett första möte men sträcker fram armarna för att bli upplyft nästa gång hon träffar samma person. Detta pekar på god igenkänningsförmåga. Hon uppvisar stark rädsla för män och skriker av skräck om en man kommer i närheten av henne. Då det inte finns några tecken på fysiska eller sexuella övergrepp kan rädslan ha sin grund i antingen att hon är ovan vid män därför att hon levt i en skyddad miljö där hon endast träffat kvinnor eller att hon varit närvarande när en man utövat våld, till exempel mot hennes mor eller ett syskon.

Slutsatser: Med tanke på barnets sena utveckling och förmodligen stressrelaterade störningar bör hon inte återbördas till sin familj/vårdare förrän det gjorts en grundlig utredning av hemmet. Det är också viktigt att de sociala myndigheterna håller fortsatt kontakt för att kontrollera hennes utveckling. Spåren av benzodiazepin och paracetamol i hennes blod är ett observandum. Benzodiazepin (ångestdämpande sömnmedel) rekommenderas inte till barn och definitivt inte i kombination med paracetamol. Jag misstänker att barnet sövts ner, men såvitt jag kan se kan det inte ha funnits något legitimt skäl till detta.

Obs: Utan mer ingående kännedom om barnets anamnes är det svårt att avgöra om hennes beteende beror på (1) autism, (2) psykiskt trauma, (3) inlärt beroende vilket hindrat henne från att

47

upptäcka egna förmågor och istället lett till ett medvetet mani-
pulativt beteende.

Dr Janet Murray

5

DET HADE VARIT ett långt dygn och polisassistent Sandra Griffiths gäspade när telefonen började ringa igen klockan tolv på måndagen. Hon hade ställt upp på flera intervjuer i de lokala radio- och tevekanalerna för att ge spridning åt uppgifterna om Lily (som hon kallades efter Lilliput där hon hade påträffats) men trots att många hört av sig hade inget av samtalen lett till att man lyckats identifiera barnet. Hon skyllde på vädret. Nästan alla var ute i solen och nästan ingen tittade på teve. Hon kvävde gäspningen när hon lyfte luren.

Mannen i andra änden lät bekymrad. "Ursäkta att jag stör", sade han, "men jag har precis pratat med min mor. Hon är väldigt bekymrad eftersom hon påstår att ett barn som blivit upphittat på en gata i Poole liknar min dotter. Jag har sagt till henne att det omöjligt kan vara Hannah, men" – han gjorde en paus – "vi har försökt ringa min fru båda två och det är ingen som svarar."

Griffiths klämde fast luren mot axeln och sträckte sig efter en penna. Det här var den tjugofemte pappan som ringde sedan fotot på flickan hade visats på teve, och ingen av dem bodde tillsammans med sin familj. Hon väntade sig inte mer av det här samtalet än av de tidigare tjugofyra men gick ändå tjänstvilligt igenom proceduren än en gång. "Får jag bara ställa ett par frågor, så kan vi snabbt fastslå om den lilla flickan är Hannah. Vad heter ni och var bor ni?"

"William Sumner, Langton Cottage, Rope Walk, Lymington, Hampshire."

"Och bor ni tillsammans med er hustru och er dotter, herr Sumner?"

"Ja."

Hennes intresse växte omedelbart. "När träffade ni dem senast?"
"För fyra dagar sedan. Jag är på läkemedelskonferens i Liverpool. Jag pratade med Kate – min fru – i fredags kväll och då var allt som det skulle, men min mor är säker på att barnet är Hannah. Fast det kan inte stämma. Min mor säger att hon hittades i Poole igår, men hur skulle Hannah kunna gå omkring i Poole alldeles ensam när vi bor i Lymington?"

Griffiths hörde den stigande paniken i hans röst. "Ringer ni från Liverpool nu?" frågade hon lugnt.

"Ja. Jag bor på hotell Regal, i rum nummer två-två-tre-fem. Vad ska jag göra? Mamma är alldeles ifrån sig. Jag vill gärna kunna lugna henne med att allt är i sin ordning."

Och dig själv också, tänkte hon. "Kan ni beskriva Hannah?"
"Hon liknar sin mamma", sade han en smula tafatt. "Ljus, blåögd. Hon har inte riktigt lärt sig prata ännu. Vi har varit lite bekymrade för det, men doktorn säger att hon bara är blyg."

"Hur gammal är hon?"
"Hon fyller tre om en månad."

Polisen drog sig för att ställa nästa fråga, eftersom hon trodde sig veta svaret. "Har Hannah en rosa bomullsklänning med smock och ett par röda sandaler, herr Sumner?"

Det dröjde någon sekund innan han svarade. "Jag är inte säker när det gäller sandalerna", sade han med spänd röst, "men min mor köpte en klänning med smock åt henne för ungefär tre månader sedan. Jag tror att den var rosa – javisst var den det. Åh, herregud" – rösten bröts – "var är Kate?"

Hon väntade ett ögonblick. "Har ni kört bil till Liverpool?"
"Ja."

"Vet ni ungefär hur lång tid det skulle ta att köra hem?"
"Fem timmar kanske."

"Och var bor er mor?"
"I Chichester."

"Då föreslår jag att ni ger mig hennes namn och adress. Om den

50

lilla flickan verkligen är Hannah kan er mor identifiera henne åt oss. Under tiden ska jag be polisen i Lymington att ta en titt hemma hos er, och sedan så ska jag ta reda på om det finns några uppgifter om er hustru här i Poole."

"Angela Sumner, Lägenhet 2, The Old Convent, Osborne Crescent, Chichester." Det lät som om han hade svårt att få luft – *för att han grät?* – och Griffiths önskade sig långt därifrån. Hon avskydde att i nio fall av tio vara den som tvingades komma med dåliga nyheter. "Men hon kan inte ta sig till Poole. Hon har varit rullstolsbunden de senaste tre åren och hon kan inte köra bil. Hade hon kunnat skulle hon själv ha åkt till Lymington för att se hur det var med Kate och Hannah. Kan inte jag identifiera henne?"

"Givetvis, om ni tycker det är bättre. Flickan är hos en fosterfamilj för närvarande, och hon far inte illa av att stanna några timmar till."

"Min mor är övertygad om att någon har våldfört sig på Hannah. Stämmer det? Det är bättre att jag får reda på det med en gång."

"Under förutsättning att den lilla flickan verkligen är Hannah finns det inga tecken på att hon utsatts för någon form av fysiskt våld. Hon har blivit grundligt undersökt och enligt polisläkaren är hon inte skadad på något sätt." Hon valde att bortse från de fördömande orden i doktor Murrays psykologiska bedömning. Om Lily verkligen var Hannah Sumner, skulle den frågan komma upp senare.

Han kom tillbaka till det hon sagt tidigare och sade i undrande ton: "Hur ska ni kunna få fram några uppgifter om min fru i Poole? Vi bor ju som sagt i Lymington."

Uppgifter från sjukhus ... "Rutinfrågor. Det skulle vara till hjälp om ni gav mig hennes fullständiga namn och beskrev hur hon ser ut. Och märke, färg och registreringsnummer på hennes bil och namnet på de vänner hon har i trakten."

"Kate Elizabeth Sumner. Hon är trettioett, ungefär en och femtio lång och ljushårig. Bilen är en blå Metro, registreringsnummer F52

51

VXY, men jag tror inte att hon känner någon i Poole. Kan hon ha hamnat på sjukhus? Kan det ha något att göra med att hon är gravid?"

"Det är en av de saker jag ska kolla upp." Medan hon pratade med honom bläddrade hon igenom trafikrapporterna på datorn, men där fanns inga uppgifter om att en blå Metro med det registreringsnumret skulle ha varit inblandad i en trafikolycka. "Lever er frus föräldrar? Kan de veta var hon är?"

"Nej. Hennes mamma dog för fem år sedan och hon har aldrig träffat sin far."

"Syskon?"

"Hon har ingen utom mig och Hannah." Rösten bröts igen. "Vad ska jag göra? Om hon har råkat ut för något skulle jag inte klara av det."

"Det finns ingen anledning att tro att det har hänt något", sade Griffiths bestämt, trots sina misstankar om motsatsen. "Har ni mobiltelefon? I så fall kan jag höra av mig till er i bilen om jag får reda på något."

"Nej."

"Då föreslår jag att ni stannar när ni kommit halvvägs och ringer från en telefonkiosk. Vid det laget borde jag ha fått in uppgifter från polisen i Lymington och förhoppningsvis kan jag ge er ett lugnande besked om Kate då. Och försök att inte oroa er, herr Sumner", avslutade hon vänligt. "Det är långt att köra från Liverpool och huvudsaken är att ni kommer fram helskinnad."

Hon ringde polisen i Lymington och gav dem alla uppgifter. Hon bad dem kontrollera Sumners adress och som en rutinåtgärd ringde hon upp hotell Regal i Liverpool för att höra om en William Sumner hade skrivit in sig på rum två-två-tre-fem på torsdagen. "Ja", sade receptionisten, "men jag kan tyvärr inte koppla er till honom. Han åkte för fem minuter sedan."

Motvilligt började hon ringa runt till sjukhusen.

52

Av olika skäl hade Nick Ingram inga önskemål om att flytta från sin lantliga polisstation där livet kretsade kring lokalt polisarbete och fasta arbetstider. Eftersom alla utredningar av grövre brott sköttes av polismyndigheten i Winfrith fem mil därifrån stod det honom fritt att ägna sig åt den mindre glamorösa sidan av polisarbetet, vilket för nittiofem procent av befolkningen var det enda som räknades. Folk sov tryggare i sina sängar när de visste att assistent Ingram visade nolltolerans mot huliganer, vandaler och småtjuvar.

Riktiga otrevligheter kom vanligtvis utifrån och den oidentifierade kvinnan på stranden såg ut att bli ett typiskt exempel på det, tänkte han när de ringde honom från Winfrith klockan kvart i ett måndagen den 12 augusti. Coronern i Poole hade bestämt att det skulle göras en mordutredning efter obduktionen och han fick veta att en kriminalkommissarie och en kriminalinspektör skulle dyka upp inom en timme. Teknikerna hade redan börjat finkamma stranden vid Egmont Bight, men Ingram blev tillsagd att stanna där han var.

"Jag tror inte att de kommer att hitta någonting", sade han hjälpsamt. "Jag såg mig omkring lite grand där igår, men det var rätt uppenbart att hon har spolats upp på stranden."

"Jag föreslår att du överlåter det åt oss", sade den uttryckslösa rösten i andra änden.

Ingram gjorde en grimas i luren. "Vad dog hon av?"

"Hon drunknade", svarade den andre kort. "Någon försökte strypa henne och slängde henne i vattnet efter det. Rättsläkaren tror att hon simmade bortåt en kilometer men till slut blev så utmattad att hon inte orkade längre. Hon var gravid i fjortonde veckan och mördaren våldtog henne innan han kastade henne överbord."

Ingram var chockad. "Vad är det för människa som kan göra något sådant?"

"En riktigt otäck typ. Vi ses om en timme."

Griffiths kammade noll med namnet Kate Sumner – inget av sjukhusen i Dorset eller Hampshire hade någon journal på henne. Det var

53

först när hon gjorde en rutinkontroll via Winfrith för att ta reda på om de hade fått in några uppgifter om att en späd, ljushårig trettioettårig kvinna hade försvunnit från Lymington någon gång under de senaste två dygnen, som de felande pusselbitarna började hamna på plats.

De båda kriminalpoliserna dök upp hos polisassistent Ingram en timme senare, precis som de hade sagt. Inspektören var en arrogant, framfusig typ som drömde om att hamna vid Londonpolisen och uppenbarligen såg alla samtal som en möjlighet att göra sig viktig. Han gick inte hem hos sin lantlige kollega och Ingram lade aldrig hans namn på minnet. Han pratade i korthuggna stackatomeningar om att arbetet "avsåg en större utredning" där "snabbheten var avgörande" för att mördaren inte skulle hinna göra sig av med bevismaterial och/eller slå till igen. Lokala marinor, båtklubbar och hamnar i området var "måltavlor" för att få fram uppgifter om offer och/eller mördare. Identifieringen av offret hade "högsta prioritet". De hade en tänkbar ledtråd om en försvunnen kvinna, men det var inte värt att ropa hej förrän hennes make hade fått se kroppen eller ett foto av den och identifierat henne. Det sekundära målet var att lokalisera båten hon befunnit sig på och låta kriminalteknikerna plocka isär den bit för bit för att få fram bevis som kunde binda den till kroppen. Fick de bara fram en misstänkt så skulle DNA-testerna sköta resten.

Ingram höjde på ögonbrynet när monologen var slut men sade ingenting.

"Hängde du med?" frågade inspektören otåligt.

"Jag tror det, sir-rr", sade han på skorrande Dorsetshire-dialekt och motstod frestelsen att skrapa med foten. "Om ni hittar hårstrån från henne på mannens båt betyder det att han är våldtäktsmannen."

"I princip."

"Det är fantastiskt, sir-rr", muttrade Ingram.

"Du låter inte särskilt övertygad", sade kriminalkommissarie

54

Galbraith, som roat betraktat föreställningen.

Ingram ryckte på axlarna och återgick till sitt normala uttal. "Hittar de något på båten bevisar det bara att hon varit ombord på den minst en gång. Det bevisar inte att han har våldtagit henne. Om en DNA-test ska vara användbar måste den tas på henne."

"Ja, ha inte för höga förväntningar bara", varnade kommissarien. "Alla spår försvinner i vatten. Rättsläkaren har tagit sekretprov men han är inte direkt optimistisk. Antingen har hon legat så länge i vattnet att allt har sköljts bort eller också använde gärningsmannen kondom." Galbraith såg trevlig ut med sitt stubbade, rödblonda hår och gladlynta, fräkniga ansikte som fick honom att verka yngre än fyrtiotvå. Utseendet dolde också en skarp hjärna som kunde bli en obehaglig överraskning för folk som var dumma nog att låta sig luras av hans yttre.

"Hur länge innebär länge?" frågade Ingram uppriktigt nyfiken. "Jag menar, hur kunde rättsläkaren veta att hon simmade bortåt en kilometer? Det är en väldigt exakt siffra och det finns ingenting som visar var hon hamnade i vattnet."

John Galbraith öppnade portföljen och tog upp ett papper: "Han utgick från kroppens tillstånd, vind- och strömförhållanden och det faktum att hon måste ha varit vid liv när hon kom in i lä av Egmont Point. Offret drunknade ungefär vid högvatten, som söndagen den 10 augusti inträffade klockan 1.52 brittisk sommartid", sade han sedan han ögnat igenom papperet. "Flera faktorer, såsom den påtagligt sänkta kroppstemperaturen, det faktum att en kölad båt måste hålla ett gott stycke utanför kustlinjen, plus strömmarna utanför St Alban's Head pekar på att hon hamnade i vattnet" – han knackade med fingret på papperet – "*minst* åttahundra meter västsydväst om den plats där kroppen påträffades."

"Ja, kanske det. Men även om man antar att det handlar om minst åttahundra meter betyder det inte att hon simmade så långt. Det går flera kraftiga strömmar utmed den delen av kusten så hon kan ha drivit österut med dem. I så fall simmade hon kanske bara några hundra meter."

"Jag antar att han har tagit med det i beräkningen."

Ingram rynkade pannan. "Varför var hon nedkyld i så fall? Vindarna har varit svaga den här veckan och havet är lugnt. Under sådana förhållanden kan en hyfsad simmare klara tvåhundra meter på en kvart. Och på natten är temperaturen i vattnet flera grader högre än i luften, så det är troligare att hon blev nedkyld på stranden än i vattnet, framför allt om hon var naken."

"Då hade inte dödsorsaken varit drunkning."

"Nej."

"Vad försöker du komma fram till?" undrade Galbraith.

Nick skakade på huvudet. "Jag vet inte riktigt, men jag har svårt att få min bild av kroppen att stämma med vad rättsläkaren säger. När sjöräddningen från Swanage plockade upp en kropp ur vattnet förra året, var den alldeles svart av blåmärken och hade svällt upp till dubbel storlek."

Kommissarien tittade på nytt ner på utlåtandet. "Ja, men man måste räkna med tidsfaktorn också. Han säger att hon måste ha dött ungefär när tidvattnet var som högst, annars skulle hon inte ha legat kvar på stranden när det blev ebb. Han hävdar dessutom att om hon inte kommit in i lä av Egmont Point innan hon drunknade skulle kroppen ha dragits ner av undervattensströmmarna och förts runt St Alban's Head. Om du lägger ihop de här båda uppgifterna får du väl svaret. Med andra ord drunkande hon bara några meter från stranden och kroppen spolades iland strax efteråt."

"Det är verkligen tragiskt", sade Ingram och tänkte på den späda handen som vaggat i vågskummet.

"Ja", medgav Galbraith som hade sett kroppen på bårhuset och kände sig lika illa berörd som Ingram över denna onödiga död. Han tyckte omedelbart om polisassistenten. Han hade alltid föredragit poliser som förmådde visa sina känslor. Det var ett tecken på ärlighet.

"Vad finns det för bevis för att hon blev våldtagen om vattnet sköljt bort alla spår?"

"Blåmärken på ryggen och insidan av låren. Märken efter rep på

56

handlederna. Massor av benzodiazepin i blodet ... antagligen Ro-
hypnol. Känner du till det?"

"Mmm. Våldtäktsdrogen ... Jag har läst om den ... men aldrig
stött på den."

Galbraith gav honom rapporten. "Det är bäst att du läser den
själv. Den är bara preliminär, men Warner sätter aldrig något på
pränt om han inte är säker på sin sak."

Den var inte lång och Ingram läste snabbt igenom den. När han
var färdig lade han ner papperen på bordet framför sig. "Ni letar
alltså efter en båt med blodfläckar?" frågade han.

"Och hudflagor om hon blev våldtagen på ett trädäck."

Den långe polisassistenten skakade tvivlande på huvudet. "Jag
skulle inte hoppas på för mycket", sade han. "Han kommer att spö-
la av däck och skrov så snart han kommer till en marina och det
som inte skoljts bort ute till havs får han bort då."

"Det vet vi", sade Galbraith, "och det är därför vi måste snabba
på. Vår enda ledtråd är en preliminär identifiering och om den är
riktig skulle det kunna betyda att hon kom dit med en båt från Ly-
mington." Han tog fram sin anteckningsbok. "Ett barn på tre år
påträffades övergivet nära en av marinorna i Poole igår och beskriv-
ningen på den försvunna mamman stämmer in på vårt offer. Hon
heter Kate Sumner och bor i Lymington. Hennes man har varit i
Liverpool de senaste fyra dagarna, men han är på väg hem för att
identifiera henne."

Ingram tog upp rapporten han skrivit ut på maskin samma mor-
gon och slätade ut den med sina stora händer. "Det kanske bara är
en tillfällighet", sade han tankfullt, "men killen som ringde larm-
centralen har en båt liggande i Lymington. Han seglade till Poole
sent i lördags kväll."

"Vad heter han?"

"Steven Harding. Han påstod att han var skådespelare från Lon-
don."

"Tror du att han ljög?"

Ingram ryckte på axlarna. "Inte ifråga om namn och yrke, men

57

jag tror att han ljög om vad han hade där att göra. Enligt hans version hade han lämnat båten i Poole för att han kände för att röra på benen, men jag har kollat upp det lite och såvitt jag kan se finns det inte en chans att han skulle ha kunnat ringa klockan 10.43 om han hade gått hela vägen. Om hans båt låg i någon av marinorna hade han fått ta färjan till Studland, men eftersom första turen inte går förrän sju måste han ha avverkat två och en halv mil på lite drygt tre timmar. Om man tar med i beräkningen att en stor del av kustleden utgörs av sandstränder och resten är rena berg- och dalbanan tror jag det är fullständigt omöjligt. Det skulle bli en snitthastighet på drygt åtta kilometer i timmen. Ska man hålla så hög fart i den terrängen måste man vara professionell maratonlöpare." Han sköt över rapporten mot Galbraith. "Du hittar alltsammans här. Namn, adress, signalement, båtens namn. En annan sak som är intressant är att han ofta seglar till Chapman's Pool och vet allt som är värt att veta om strömförhållandena. Han känner till vattnen här omkring väldigt väl."

"Var det han som hittade kroppen?"

"Nej, det var två smågrabbar. De är här på semester med sina föräldrar. Jag tvivlar på att de har något mer att komma med, men jag har skrivit upp deras namn och adressen till stugan de hyr. En Maggie Jenner från Broxton House pratade med Harding någon timme efter att han hade ringt, men vad jag förstår sa han inte särskilt mycket om sig själv bortsett från att han växt upp på en bondgård i Cornwall." Handen han lade på rapporten var så stor att den täckte hela papperet. "Han hade ett rejält stånd, om det nu har med saken att göra. Både Maggie Jenner och jag lade märke till det."

"Du store tid!"

Ingram log. "Ta det för vad det är värt. Maggie Jenner ser inte så pjåkig ut, så det kanske berodde på det. Hon har den effekten på män." Han drog undan handen. "Jag har tagit med namnen på båtarna som låg i viken när kroppen påträffades. En är registrerad i Poole, en i Southampton och den tredje var fransk, men det borde inte vara så svårt att hitta den. Jag såg att den stack ut igår kväll i

58

riktning mot Weymouth så jag skulle tro att de är här på semester och går längs kusten."

"Snyggt jobbat", sade Galbraith uppskattande. "Jag hör av mig." Innan han vände sig om för att gå lade han handen på rättsläkarens rapport. "Jag lämnar den här. Du kanske upptäcker något i den som vi andra har missat."

Steven Harding vaknade till ljudet av en utombordsmotor som stängdes av, vilket omedelbart följdes av bultningar mot *Crazy Dazes* skrov. Hon låg förtöjd vid sin boj i Lymingtonfloden utom räckhåll för tillfälliga besökare, såvida de inte hade egen jolle. Svallvågorna var obehagliga ibland, särskilt när färjan mellan Lymington och Yarmouth passerade på väg mot Isle of Wight, men ankarplatsen var överkomlig i pris och låg på lämpligt avstånd från snokande blickar.

"Hallå, Steve! Upp med dig nu, för fan!"

Han stönade till när han kände igen rösten, vände sig om och lade kudden över huvudet. Hans hjärna höll på att sprängas av en våldsam baksmälla och den sista han ville träffa i gryningen en måndagsmorgon var Tony Bridges. "Du är bannlyst här ombord, ditt arsle", vrålade han ilsket, "så dra åt helvete och låt mig vara ifred!"

Men *Crazy Daze* var lika hermetiskt försluten som en oöppnad burk vita bönor och han visste att hans kompis inte kunde höra honom. Båten gungade till när Tony klättrade ombord efter att ha förtöjt sin jolle bredvid Hardings vid akterknapen.

"Öppna!" skrek han och bultade på luckan till kajutan. "Jag vet att du är där. Har du någon aning om vad klockan är, din dumme fan? Jag har hållit på och ringt din mobil i tre timmar nu."

Harding kastade en blick på sitt armbandsur. Tio över tre. Han satte sig käpprakt upp och slog sitt redan värkande huvud i brädtaket. "Jävlars helvete!" muttrade han medan han kravlade sig ur britsen och snubblade ut i salongen för att dra undan regeln till luckan. "Jag skulle ha varit i London klockan tolv", sade han till Tony.

"Det har jag hört femtioelva gånger av din agent. Han har ringt oavbrutet sedan halv tolv." Tony drog undan luckan och tog sig ner i salongen där han med äcklad min andades in den unkna luften. "Har du någonsin hört talas om vädring?" frågade han och trängde sig förbi Harding så att han kom åt att öppna luckan i fören och ordna korsdrag. Han såg med avsmak på de skrynkliga lakanen och undrade vad i himmelens namn Steven hade haft för sig. "Du är en idiot", sade han utan medkänsla.

"Stick. Jag mår illa." Harding sjönk med ännu ett stönande ner på ena soffan i salongen och stödde huvudet i händerna.

"Det förvånar mig inte. Det är hett som en bakugn härinne." Tony hämtade en flaska mineralvatten i pentryt. "Se till att få i dig lite innan du dör av uttorkning." Han höll ett öga på honom tills han hade druckit ur halva flaskan och satte sig sedan i soffan mittemot. "Vad sysslar du med egentligen? Jag snackade med Bob och han sade att du skulle ha slaggat över hos honom igår och tagit första tåget in till stan imorse."

"Jag ändrade mig."

"Det ser så ut." Tony tittade på den tomma whiskyflaskan och de utströdda fotografierna på bordet mellan dem. "Vad fan är det med dig?"

"Inget." Harding fôste undan håret ur ögonen med en irriterad gest. "Hur visste du att jag var här?"

Tony nickade mot aktern. "Jag såg din jolle. Och så har jag försökt på alla andra ställen. Graham är färdig att strypa dig, om du vill veta det. Han är rasande för att du missade provspelningen. Enligt honom var rollen din."

"Han bara snackar."

"Det var din stora chans, sa han."

"Vadå chans!" sade Harding avfärdande. "Det var en biroll i en teveserie för barn. Tre dagars inspelning med bortskämda ungar för att göra världens pinsammaste grej. Det är bara idioter som jobbar med barn."

En hätsk glimt kom till synes i Tonys ögon innan han hann dölja ilskan bakom ett oskyldigt leende. "Var det där en pik mot mig?" frågade han mjukt.

Harding såg ointresserad ut. "Det är ingen som tvingat dig att bli lärare. Du har själv valt." Han vickade med den utsträckta handen. "När de små jävlarna tar knäcken på dig har du bara dig själv att skylla."

Tony mötte hans blick och tog sedan upp en av bilderna. "Men sån här skit har du inget emot?" frågade han och satte fingret på fotot. "Kallar du inte det för att jobba med barn?"

Inget svar.

"Du har hamnat i klorna på folk som är experter på att utnyttja dig – polarn – men du fattar inte det. Om du ändå ska låta sjuka typer dregla över snaskiga porrbilder på ditt knullande kan du lika gärna gå på stritan på Piccadilly Circus."

"Lägg av!" morrade Harding ilsket och tryckte fingertopparna mot ögonlocken för att dämpa smärtan. "Jag har fått nog av dina förbannade föreläsningar."

Tony brydde sig inte om den varnande undertonen. "Vad hade du väntat dig när du beter dig som en idiot hela tiden?"

Ett elakt leende kom Hardings läppar att smalna till ett streck. "Jag håller i alla fall stånd" – hans leende blev bredare – "i alla bemärkelser." Han tvingade Bridges att slå ner blicken. "Det kan man väl knappast säga om dig, va? Hur är det med Bibi? Somnar hon fortfarande mitt i alltihop?"

"Fresta mig inte, Steve."

"Till vadå?"

"Att klappa till dig." Han stirrade på bilden med en blandning av avsmak och avundsjuka. "Du är för fan sjuk i huvudet. Hon kan ju inte vara femton."

"Nästan sexton ... som du mycket väl vet." Harding tittade på medan Tony rev fotot i småbitar. "Vad hetsar du upp dig om?" mumlade han oberört. "Det är bara en roll. Gör man det på film kallas det konst. Gör man det i en tidning kallas det pornografi."

"Det är äckligt och svinigt."

61

"Fel. Det är *upphetsande*, äckligt och svinigt. Medge att du inte skulle ha något emot att byta med mig. Jag tjänar tre gånger mer än en lärare." Han log kallt innan han böjde huvudet bakåt och förde vattenflaskan till munnen. "Jag ska snacka med Graham", sade han och torkade de våta läpparna med handryggen. "Man vet aldrig. En puttefnask som du kanske skulle göra succé på internet. Pedofiler gillar smått."

"Du är fullständigt sjuk."

"Nej", sade Harding, som hade förbrukat all energi och åter satte huvudet i händerna. "Bara pank. Det är de där värdelösa typerna som runkar över bilderna som är sjuka."

6

Obduktionsprotokoll. Okänd kvinna. Preliminärutlåtande.
Rättsläkare: J. C. Warner

• Allmän beskrivning: Ljushårig – (c:a) 30 år – längd 1,52 – vikt
44 kilo – blå ögon – blodgrupp 0 – utmärkt hälsa – god tandsta-
tus (2 fyllningar, visdomstand i höger underkäke utdragen) –
inga operationsärr – genomgått minst en förlossning – gravid i
fjortonde veckan (foster av manligt kön) – icke rökare – spår av
alkohol i blodet – senaste måltid c:a 3 timmar före döden –
maginnehåll (utöver havsvatten): ost, äpple – tydlig fördjup-
ning på vänster hands ringfinger påvisar att hon till nyligen bu-
rit en ring (vigselring eller annan).

• Dödsorsak: Drunkning. **Rådande omständigheter** – vind, tid-
vatten, klippig kust – och **kroppens goda fysiska skick** – om
hon hade hamnat i vattnet vid eller nära stranden hade hon sä-
kerligen haft kraft nog att ta sig in till land och trots att en del
av skadorna har uppstått efter dödens inträde har de för ringa
utbredning för att indikera att kroppen legat någon längre tid i
vattnet – pekar på att hon var i livet när hon föll från en båt på
öppet vatten och simmade en längre sträcka innan hon drunk-
nade av utmattning när hon hunnit nästan in till stranden.

• Bidragande dödsorsaker: 0,5 liter saltvatten i magen – av-
tryck efter fingrar på ömse sidor om struphuvudet, vilket tyder
på strypförsök – rester av benzodiazepin i blod och vävnader

(Rohypnol?) – blåmärken och skrubbsår på ryggen (tydligast på skulderblad och säte) samt på lårens insidor, vilket tyder på påtvingat samlag på ett hårt underlag såsom ett däck eller ett golv utan matta – viss blodförlust på grund av sår i vagina (inga spår av sperma i vagina, antingen på grund av att den sköljts bort i vattnet eller för att förövaren använt kondom) – kraftiga avtryck efter fingrar på överarmarna, som tyder på att hon hållits fast och/eller blivit lyft (förmodligen då hon kastades från båten) – begynnande nedkylning.

• Kroppens status: Döden har inträtt högst fjorton timmar före undersökningen – troligtvis då tidvattnet vände vilket söndag 10 augusti inträffade 1.52 – kroppen i gott skick trots att tecken på begynnande nedkylning, ytliga skador och kärlsammandragning i arteriella kärl (ett tecken på långvarig stress) pekar på att offret tillbringat avsevärd tid i vattnet innan hon drunknade – utbredda skrapmärken på båda handlederna, vilket tyder på att hon varit bunden med rep och försökt göra sig fri (omöjligt att säga om hon lyckades eller om mördaren befriade henne innan han kastade henne i vattnet) – två fingrar på vänster hand brutna, alla fingrar på höger hand brutna (svårt att på detta stadium ange orsak – det kan ha gjorts avsiktligt eller inträffat till följd av en olyckshändelse om kvinnan försökte komma undan genom att gripa tag i ett stag eller i relingen) – naglarna brutna på båda händer – blånader som tillkommit efter döden samt skrubbsår på rygg, bröst, säte och knän tyder på att kroppen spolats fram och tillbaka över klippor/småsten innan den hamnade på stranden.

• Yttre förhållanden på fyndplatsen: Egmont Bight är en grund vik, som endast kan nås med båtar utan köl såsom gummibåtar/jollar – (lägsta noterade djup 0,5 m, variation högvatten/lågvatten: 1,00–2,00 m). Kimmeridgereven väster om Egmont Bight gör det riskabelt att segla nära klipporna och seglare håller sig på avstånd från stranden (speciellt på natten eftersom den delen av kusten är glest bebyggd och det inte finns ljus som kan ge vägledning). På grund av undervattensströmmar går en konstant sydsydostlig ström från Chapman's Pool mot St Alban's Head, vilket pekar på att offret hunnit in i lä av Egmont Point innan hon dog och blev liggande på stranden då tidvattnet drog sig tillbaka. Hade hon drunknat längre ut skulle kroppen ha förts runt St Alban's Head. De sydvästliga vindarna och strömmarna innebär att hon måste ha hamnat i vattnet västsydväst om Egmont Bight och drivit utmed kusten i östlig riktning medan hon simmade mot stranden. Med tanke på vad som nämnts ovan* har offret enligt mina beräkningar hamnat i vattnet minst 800 meter västsydväst om den plats där kroppen påträffades.

Slutsatser: Kvinnan har blivit våldtagen och utsatts för strypförsök innan hon lämnades att drunkna i havet. Fingrarna kan ha brutits av innan hon hamnade i vattnet, möjligen i syfte att hindra henne från att simma in till stranden. Hon var med säkerhet vid liv när hon hamnade i vattnet, så underlåtenheten att rapportera att hon fallit överbord tyder på att mördaren förväntade sig att hon skulle dö. Frånvaron av personliga tillhörigheter (vigselring, kläder) tyder på ett överlagt försök att försvåra en utredning om kroppen skulle flyta upp eller spolas iland.

••• Obs: Med tanke på att hon nästan undkom är det möjligt att hon bestämde sig för att hoppa i vattnet medan hon fortfarande

---

* Beräkningarna grundar sig på vad en ordinär simmare klarar under rådande omständigheter.

Slutsatserna utgår från att våldtäkten ägde rum på en båt, troligtvis ute på däck.

Det är svårt på detta stadium att säga i vilken omfattning benzodiazepinet påverkade hennes handlingsförmåga. Ytterligare prover krävs.

hade land inom synhåll. Men, både underlåtenheten att rapportera att hon fallit överbord och tecknen på att det hela var överlagt gör det föga troligt att det rör sig om något annat än mord.

••• **Rohypnol** (tillverkas av Roche). Läkemedlet har varit föremål för mycken diskussion. Det är ett vattenlösligt direktverkande sömnmedel – på gatan känt som "våldtäktsmedlet" eller mer vardagligt som "roppe". Det har redan nämnts i samband med flera våldtäkter, därav två gängvåldtäkter. Även om det är mycket effektivt vid behandling av svår och handikappande sömnlöshet kan det leda till att patienten somnar utan förvarning. Använt på fel sätt – medlet är lättlösligt i alkohol – kan det göra en kvinna medvetslös utan att hon själv märker något, varvid hon lätt kan bli offer för sexuella övergrepp. Kvinnor har rapporterat stunder av fluktuerande klarhet kombinerad med total oförmåga att försvara sig själva. I USA där medlet numera är förbjudet är dess effekt på våldtäktsoffer väl dokumenterad: tillfällig eller permanent minnesförlust, oförmåga att inse att våldtäkten har ägt rum; en upplevelse av att vara "påtänd" och bortkopplad från skeendet; efterföljande djupgående psykiskt trauma på grund av att offret viljelöst låtit våldtäkten ske (ofta rör det sig om mer än en våldtäktsman). Det har i dessa fall varit mycket svårt att väcka åtal eftersom Rohypnol inte går att spåra i blodet efter sjuttiotvå timmar, och offren återfår sällan minnet så snabbt att de hinner göra en anmälan innan det är för sent att ta sperma- och blodprov.

••• **Obs:** Den brittiska polisen ligger långt efter sina amerikanska kolleger både vad beträffar kunskap om denna typ av våldtäkter och åtalsförfarandet.

J. C. Worm

7

SALTERNS MARINA LÅG vid slutet av en liten avtagsväg från kustvägen mellan Bournemouth och Poole, ungefär tvåhundra meter från den plats där makarna Green hade undsatt den lilla ljushåriga flickan. Fritidsbåtarna på väg in måste först gå genom Swashkanalen och sedan genom norra kanalen där det fanns ett öppet stråk mellan stranden och de många båtar som såg ut som ett band med vimplar där de låg förtöjda vid bojarna mitt i viken. Marinan var populär bland utlandska besökare och seglare som gjorde ett kort uppehåll där innan de gick vidare längs Englands sydkust, och under sommarmånaderna var det ofta trångt om saligheten.

En förfrågan på marinans kontor om trafiken i hamnen under de två föregående dagarna, 9–10 augusti, gav besked om att *Crazy Daze* hade legat förtöjd där ungefär arton timmar på söndagen. Båten hade anlänt under natten och tilldelats en ledig kajplats vid A-bryggan. Nattvakten hade antecknat ankomsten till klockan 2.15. En man vid namn Steven Harding hade kommit in på kontoret då det öppnade klockan åtta och betalat för ett dygn. Han sade att han skulle ta en långpromenad men planerade att komma tillbaka sent på eftermiddagen. Hamnkaptenen kom ihåg honom. "Snygg kille. Mörkhårig."

"Just det. Hur verkade han? Lugn? Uppjagad?"

"Helt normal. Jag sa åt honom att vi behövde kajplatsen igen till kvällen och han sa att det inte var några problem för han skulle tillbaka till Lymington sent på eftermiddagen. Vad jag minns skulle han träffa någon i London på måndagen – imorse med andra ord – och hade tänkt ta sista tåget dit upp."

"Hade han ett barn med sig?"

"Nej."

"Hur betalade han?"

"Med kreditkort."

"Hade han någon plånbok?"

"Nej. Han hade kortet nedstoppat i innerfickan på shortsen. Han sa att det var allt som behövdes på resor nu för tiden."

"Bar han på något?"

"Inte när han kom in på kontoret."

Ingen hade noterat när *Crazy Daze* gav sig iväg, men kajplatsen var tom klockan sju på söndagskvällen när en segelbåt från Portsmouth hade lagt till där. Vid detta första förhör hade ingen rapporterat att ett ensamt barn gått från marinan eller att en man tagit ett barn med sig därifrån. Men flera personer påpekade att det alltid är folk i rörelse på marinor – till och med klockan åtta på morgonen – och att man skulle kunna ta med sig vad som helst om man svepte in det i något alldagligt som en sovsäck, lade det på en av marinans kärror och tog det med sig iland.

Lymingtonpolisen ombads att ta en titt på William Sumners hus på Rope Walk och knappt två timmar senare kom ytterligare en förfrågan från Winfrith om att spåra en båt med namnet *Crazy Daze* som låg förtöjd i en av de många hamnanläggningarna med marinor, förtöjningsplatser och hamnbodar som man hittade överallt i Hampshire. Det räckte med ett telefonsamtal till hamnkaptenen i Lymington för att få reda på exakt var den låg.

"Visst känner jag Steve. Han ligger vid en boj i flodkröken, ungefär femhundra meter bortom båtklubben. Trettio fots segelbåt med trädäck och vinröda segel. Trevlig båt. Trevlig kille."

"Är han ombord just nu?"

"Det vet jag inte. Jag vet inte ens om båten är där. Är det viktigt?"

"Kanske."

"Ring till båtklubben. De kan se i kikare om han är där. Funkar inte det kan ni ringa mig igen så skickar jag ut en av mina killar."

William Sumner återförenades med sin dotter på polisstationen i Poole klockan halv sju samma kväll efter en tröttsam bilfärd på fyrtio mil från Liverpool, men den som förväntat sig att den lilla flickan skulle springa fram till honom med ett igenkännande leende blev besviken. Hon slog sig ner på golvet en bit från honom och lekte med några leksaker medan hon höll ett avvaktande öga på den utmattade mannen som hade sjunkit ner på en stol och begravt ansiktet i händerna. Han sade ursäktande till polisassistent Griffiths: "Hon är alltid så här. Hon bryr sig bara om Kate." Han gned sina rödkantade ögon. "Har ni hittat henne än?"

Griffiths som var orolig för att flickan skulle förstå, ställde sig beskyddande framför henne. Hon utbytte en blick med John Galbraith som också suttit och väntat på Sumner. "Kriminalkommissarie Galbraith från Dorsets polisdistrikt känner till mer om det här än jag, så det är bättre att ni pratar med honom. Jag tar med mig Hannah till matsalen så länge." Hon sträckte inbjudande ut handen till barnet. "Vill du ha en glass, lilla gumman?" Hon hade inte väntat sig att flickan skulle reagera som hon gjorde. Med ett tillitsfullt leende kom hon på fötter och höll upp armarna. "Jaha, det var lite skillnad mot igår det", sade Griffiths med ett skratt och lyfte upp flickan. "Då ville du inte ens titta åt mig." Hon tryckte den varma lilla kroppen mot sig och struntade medvetet i att de pockande hormonerna i hennes trettiofemåriga kropp sände ut hetsiga signaler.

När de hade gått drog Galbraith fram en stol och satte sig mittemot Sumner. Mannen hade mörkt glesnande hår och mager kantig kropp och var äldre än Galbraith hade väntat sig. Han hade svårt att sitta still. Han fingrade nervöst på läppen och ena benet darrade så att hälen smällde mot golvet med ett smattrande ljud. Galbraith sade med djup och äkta medkänsla samtidigt som han motvilligt tog upp fotona ur fickan: "Det går inte att säga det här på ett skonsamt sätt, men en ung kvinna som motsvarar er hustrus signalement påträffades död igår morse. Vi kan inte med säkerhet säga att det är Kate förrän hon har blivit identifierad, men jag tror att ni måste förbereda er på att det kan vara hon."

Mannens ansikte förvreds av skräck. "Det är hon", sade han utan minsta tvekan. "Hela vägen hit har jag haft en känsla av att det måste ha hänt något förfärligt. Kate skulle aldrig ha lämnat Hannah. Hon var allt för henne."

Motvilligt vände Galbraith upp den första närbilden så att Sumner kunde se den.

Sumner nickade ögonblickligen. "Ja", sade han och rösten stockade sig, "det är Kate."

"Jag beklagar uppriktigt."

Sumner tog fotot med darrande händer och granskade det ingående. Rösten var helt tonlös. "Hur gick det till?"

Galbraith förklarade så kortfattat han kunde var och hur Kate Sumner hade påträffats, men tyckte inte han behövde nämna något om våldtäkt eller mord i detta tidiga skede.

"Drunknade hon?"

"Ja."

Sumner skakade förvirrat på huvudet. "Hur hade hon hamnat där?"

"Vi vet inte säkert, men vi tror att hon måste ha ramlat i från en båt."

"Men vad gjorde Hannah i Poole i så fall?"

"Vi vet inte", sade Galbraith igen.

Mannen vände på fotot och sköt över det till Galbraith som om han kunde förneka det om han inte hade det för ögonen. "Det stämmer inte", sade han med hes röst. "Kate skulle aldrig ha åkt någonstans utan Hannah och hon avskydde att segla. Jag hade en Contessa när vi bodde i Chichester, men jag lyckades aldrig få henne att följa med ut, eftersom hon var livrädd för att kapsejsa ute till sjöss och drunkna." Han gömde ansiktet i händerna igen när ordens innebörd plötsligt gick upp för honom.

Galbraith satt tyst en kort stund för att låta honom samla sig. "Vad hände med den?"

"Jag sålde den för några år sedan och lade pengarna på Langton Cottage." Han tystnade igen när polismannen inte avbröt honom.

"Jag förstår ingenting", utbrast han sedan förtvivlat. "Jag pratade med henne i fredags kväll och då var allt bara bra. Hur kan hon då vara död två dygn senare?"

"Det är alltid svårare när döden kommer plötsligt", sade kommissarien medkännande. "Man hinner inte förbereda sig."

"Men jag tror inte på det. Jag menar, varför försökte ingen rädda henne? Man överger inte bara någon som har ramlat överbord." Plötsligt såg han chockad ut. "Åh, herregud, var det fler som drunknade? Ni menar väl inte att hon var ombord på en båt som kapsejsade? Det var hennes värsta mardröm."

"Nej, det finns inget som tyder på att det gick till på det sättet." Galbraith lutade sig framåt för att överbrygga avståndet mellan dem. De satt på vanliga stolar i ett ödsligt kontor på första våningen och han kunde ha önskat sig en mer ombonad miljö för den här typen av samtal. "Vi tror att Kate blev mördad. Rättsläkaren som utförde obduktionen tror att hon blev våldtagen innan hon med berått mod slängdes i vattnet för att dö. Jag inser att det måste komma som en fruktansvärd chock, men jag kan försäkra er om att vi arbetar dygnet runt för att hitta mördaren, och om det finns något vi kan göra för att underlätta för er, så ställer vi givetvis upp."

Det var för mycket på en gång. Ett överraskat leende spred sig över Sumners ansikte när han tittade på kriminalkommissarien. "Nej", sade han, "det måste vara ett misstag. Det kan inte ha varit Kate. Hon skulle aldrig ha följt med en person hon inte kände." Han sträckte försiktigt ut handen mot fotot och brast i gråt när Galbraith vände upp det.

Den stackars mannen var så utmattad att det tog flera minuter innan han kunde hejda gråten. Galbraith sade ingenting eftersom han av erfarenhet visste att medkänsla i de flesta fall snarare förvärrade än lindrade. Han satt stilla och tittade ut genom fönstret som vette mot parken och viken där bakom och rörde sig inte förrän Sumner åter tog till orda.

"Förlåt mig", sade han medan han torkade bort tårarna från kinderna. "Jag tänker på hur rädd hon måste ha varit. Att hon inte ville

71

segla berodde på att hon var så dålig på att simma."

Galbraith lade hans ord på minnet. "Om det kan vara till någon tröst kämpade hon hårt för att rädda sig. Det var utmattningen som knäckte henne, inte havet."

"Visste ni att hon var gravid?" Tårarna steg honom i ögonen igen.

"Ja" sade Galbraith sakta, "och jag beklagar uppriktigt."

"Var det en pojke?"

"Ja."

"Vi önskade oss en son." Han tog upp en näsduk ur fickan och pressade den mot ögonen en stund innan han plötsligt reste sig och gick fram till fönstret där han ställde sig med ryggen mot Galbraith. "Är det något jag kan göra för att hjälpa till?" sade han med en röst som inte avslöjade några känslor.

"Ni kan berätta om henne. Vi behöver veta allt om henne – vilka hon umgicks med, vad hon gjorde på dagarna, var hon handlade. Ju mer vi vet, desto bättre." Han väntade på ett svar som aldrig kom. "Ni kanske vill vänta till imorgon? Ni måste vara väldigt trött."

"Jag tror faktiskt att jag måste kräkas." Sumner vände ett ask-grått ansikte mot honom och föll sedan avsvimmad till golvet med en liten suck.

Det var lätt att ha bröderna Spender ombord. De krävde inte mycket mer av sin värd än en burk cocacola då och då, lite småprat och hjälp med att sätta betet på kroken. Ingrams femton fots motorbåt, *Miss Creant,* var i oklanderligt skick där den låg och guppade i det turkosblå vattnet utanför Swanage. Hennes vita däck färgades svagt rosa av den sjunkande solen och en imponerande uppsättning spön reste sig längs relingen likt taggarna på en igelkott. Pojkarna var överförtjusta.

"Jag skulle alla gånger hellre vilja ha *Miss Creant* än en fånig motorkryssare", sade Paul när han hjälpte den storväxte polismannen att få ner båten i vattnet från slipen i Swanage. Han hade låtit pojken sköta vinschen som satt baktill på hans gamla jeep medan han själv vadade ut i vattnet för att ta loss henne från vagnen och göra fast henne vid en förtöjningsring. Pauls ögon glittrade av upphetsning när han plötsligt insåg att båtliv faktiskt låg inom möjligheternas gräns. "Tror du att pappa skulle kunna köpa en båt? Då skulle vi verkligen ha kul på loven."

"Du kan ju alltid fråga", hade Ingram svarat.

Danny tyckte att hela påhittet med att sätta en lång slingrande mask på en hullingförsedd krok tills stålet var beklätt med något som påminde om en liten skrynklig nylonstrumpa var djupt motbjudande och krävde att Ingram skulle sköta det. "Den lever", påpekade han. "Gör det inte ont?"

"Inte lika ont som det skulle göra på dig."

"Det är ett ryggradslöst djur", sade hans bror som stod lutad över relingen och betraktade flötena i vattnet, "så den har inte samma slags nervsystem som vi. Hur som helst befinner den sig nästan längst ner i näringskedjan, så den är bara till för att bli uppäten."

"Det är de som är döda som är längst ner i näringskedjan", sade Danny. "Som hon på stranden. Hon hade blivit uppäten om vi inte hade hittat henne."

Ingram räckte Danny metspöet med masken. "Inget tjusigt kastande", sade han, "släpp bara ner reven i vattnet så får vi se vad som händer." Han lät pojkarna sköta fisket och var fullt nöjd med att sitta bakåtlutad med basebollkepsen neddragen över ögonen. "Berätta om killen som ringde", uppmanade han dem. "Gillade ni honom?"

"Han var okej", sade Paul.

"Han sa att en gång hade han sett en kvinna utan kläder som såg ut som en elefant", sade Danny och lutade sig över relingen bredvid sin bror.

"Det var bara på skoj", sade Paul. "Han försökte få oss på gott humör."

"Vad pratade han mer om?"

"Han snackade in sig hos henne med hästen", sade Danny, "men hon gillade inte honom lika mycket som han gillade henne."

Ingram log för sig själv. "Varför tror du inte det?"

"Hon såg jättesur ut."

Som vanligt med andra ord.

Pauls lättrörliga tankebanor hoppade tillbaka till Ingrams första fråga. "Varför vill du veta om vi gillade honom?" frågade han. "Gillade *du* honom inte?"

"Han var väl okej", sade Ingram som en upprepning av Pauls ord. "Lite korkat att ge sig ut en så varm dag utan solskydd eller vatten, men annars var det väl inget större fel på honom."

"Det låg väl i hans ryggsäck", sade Paul lojalt, för han mindes fortfarande hur snäll Harding hade varit, även om hans bror tycktes ha glömt det. "Han satte ner den när han ringde och sen lämnade han kvar den, för han sa att den var för tung att kånka på ända ner till polisbilen. Han tänkte hämta den på tillbakavägen. Det var nog vattnet som gjorde den så tung." Han tittade allvarligt på sin värd. "Tror du inte det?"

Ingram slöt ögonen under mösskärmen. "Jo", instämde han medan han undrade vad Harding hade haft i ryggsäcken som han inte velat visa för polisen. En kikare? Hade han trots allt sett kvinnan? "Beskrev du kvinnan på stranden för honom?" frågade han Paul.

"Ja", sade pojken. "Han ville veta om hon var söt."

Det fanns två underliggande motiv till beslutet att låta polisassistent Griffiths följa med William och Hannah Sumner hem. Det första utgick från psykiaterns negativa utlåtande om flickan och var ett försök att hindra att hon kom till skada, det andra hade sin grund i en mångårig statistik som visade att mord på kvinnor oftast förövades av deras män. Men, med tanke på avståndet och problemen med de olika polisdistriktens ansvarsområden – Poole hörde till Dorsetshire och Lymington till Hampshire – fick Griffiths besked om att det kunde bli långa arbetspass.

"Jamen är han *verkligen* misstänkt?" frågade Griffiths Galbraith.

"Äkta män är alltid misstänkta."

"Men lägg av, han var definitivt i Liverpool för jag ringde till hotellet och kollade och det är en bra bit därifrån till Dorset. Om han har rest fram och tillbaka två gånger på fem dagar är det en tur på över hundrasextio mil. Det blir en himla massa körande."

"Vilket kan vara förklaringen till att han svimmade", svarade Galbraith torrt.

"Visst, kul!" sade hon ironiskt. "Jag har alltid velat lära mig yrkets finesser tillsammans med en våldtäktsman."

"Det är inget tvång, Sandy. Du behöver inte om du inte vill, men enda alternativet är att låta Hannah bo i ett fosterhem tills vi säkert vet att hon tryggt kan återvända till pappan. Kan du inte åka dit med dem ikväll och se hur det går? Jag har skickat dit teknikerna för att gå igenom huset så jag kan säga åt en av killarna att stanna kvar och hålla ett öga på dig. Vad säger du?"

"Ja, vad fan", sade hon muntert. "Med lite tur kanske det får mig att sluta att drömma om barn."

Inför Sumner presenterades Griffiths som den officiella "vän" alla polisdistrikt ställer upp med för att stötta nödställda familjer. "Jag klarar helt enkelt inte av det", hade Sumner sagt flera gånger till Galbraith som om det var polisens fel att han blivit änkling.

"Det förstår vi mer än väl."

Han hade börjat återfå färgen i ansiktet när han fått lite mat i sig och han erkände att han inte hade ätit någonting sedan frukosten. Så snart han hade samlat nya krafter började han leta efter förklaringar igen. "Blev de kidnappade?" frågade han plötsligt.

"Vi tror inte det. Polisen i Lymington har gått igenom huset och det finns inga spår av handgemäng. Grannen släppte in dem med reservnyckeln så de har gjort en grundlig undersökning. Det betyder inte att vi utesluter att Kate och Hannah kan ha blivit bortförda utan bara att vi är öppna för allt. Vi går själva igenom huset just nu, men hittills ser det ut som om de gav sig iväg frivilligt någon gång efter att posten hade kommit i lördags. Breven var öppnade och låg på köksbordet."

"Hennes bil då? Hon kanske blev bortrövad ur bilen?"

Galbraith skakade på huvudet. "Den står i ert garage."

"Då förstår jag inte." Sumner såg oerhört förbryllad ut. "Vad kan ha hänt?"

"Ja, en förklaring kan vara att Kate träffade någon när hon var ute, någon vän till familjen kanske, som fick med Hannah och henne på en segeltur i hans båt." Han undvek nogsamt alla antydningar om att mötet kunde ha varit uppgjort på förhand. "Men vi kan ju inte veta om hon hade väntat sig att de skulle åka så långt som till Poole och Isle of Purbeck."

Sumner skakade på huvudet. "Hon skulle aldrig ha följt med", sade han med övertygelse. "Hur många gånger ska jag behöva säga att hon inte gillade att segla. Och de enda vi känner som har båt är gifta par." Han stirrade ner i golvet. "Ni menar väl inte att någon av dem skulle ha kunnat göra en sådan här sak?" Han lät chockad.

"Jag menar ingenting för närvarande", sade Galbraith tålmodigt. "Vi måste få in mer fakta först." Han gjorde en paus. "Hennes vigselring tycks vara försvunnen. Vi antar att någon tog av henne den för att försvåra en eventuell identifiering. Var den speciell på något vis?"

Sumner höll fram en darrig hand och pekade på sin egen ring. "Den var likadan som den här. Vi lät gravera våra initialer på insidan. Ett K sammanflätat med ett W."

Intressant, tänkte Galbraith. "När ni känner att ni orkar skulle jag vilja be er göra en lista över alla era vänner, särskilt dem som seglar. Men det är inte någon överhängande brådska." Sumner drog i fingrarna ett efter ett så att det knakade och Galbraith undrade vad det var hos denne tafatte och hyperaktive man som hade attraherat den späda kvinnan på bårhuset.

Sumner hade uppenbarligen inte lyssnat. "När blev Hannah övergiven?" frågade han uppfordrande.

"Det vet vi inte."

"Min mor säger att hon blev upphittad i Poole vid lunchtid igår, men ni sa att Kate dog på natten eller tidigt på morgonen. Måste inte det innebära att Hannah var ombord när Kate blev våldtagen och att hon blev ilandsatt i Poole efter Kates död? Jag menar, hon kan ju omöjligt ha gått omkring ensam i ett dygn innan någon fick syn på henne."

Han var sannerligen ingen dumskalle, tänkte Galbraith. "Nej, det tror inte vi heller."

"Då blev hennes mor mördad inför ögonen på henne?" Mannen höjde rösten. "Åh, herregud, det är helt outhärdligt! Hon är ju bara ett litet barn."

Galbraith sträckte fram en lugnande hand. "Det är mycket troligare att hon sov."

"Det kan ni inte veta."

Nej, tänkte Galbraith, det kan jag inte. Precis som så mycket annat i polisarbetet är det bara gissningar. "Läkaren som undersökte henne tror att hon blev nersövd", förklarade han. "Men, visst, ni har rätt. För närvarande kan vi inte vara säkra på någonting." Han lät handflatan vila ett ögonblick på mannens spända axel och drog sig sedan finkänsligt undan. "Men ni borde sluta plåga er själv med vad som kan ha hänt. Ingenting är någonsin så fruktansvärt som vi föreställer oss."

"Inte?" Sumner rätade plötsligt på sig, lutade huvudet mot stolsryggen och tittade upp i taket. En djup suck letade sig upp ur hans bröst. "Jag föreställer mig att ni arbetar efter teorin att Kate hade ett förhållande och att det var sin älskare hon följde med."

Galbraith tyckte inte att det var någon vits att hyckla. Ett förhållande som hade gått snett var det första de hade tänkt på, speciellt som Hannah uppenbarligen hade följt med sin mamma vart hon än gick. "Vi kan inte utesluta möjligheten", sade han uppriktigt. "Det skulle i alla fall förklara varför hon följde med ombord på en båt och tog med Hannah." Han iakttog mannens profil. "Säger namnet Steven Harding er något?"

Sumner rynkade pannan. "Vad har han med det här att göra?"

"Antagligen ingenting, men han är en av dem som befann sig på platsen där Kates kropp påträffades och vi förhör alla som har minsta samband med hennes död." Han väntade ett ögonblick. "Känner ni honom?"

77

"Skådespelaren?"

"Ja."

"Jag har träffat honom några gånger." Han förde samman händerna framför munnen. "Han hjälpte Kate att bära Hannahs sulky över kullerstenarna längst ner på High Street en dag när hon kom släpande på en massa tunga kassar och när vi stötte på honom någon vecka senare bad hon mig tacka honom. Sedan började han dyka upp överallt. Ni vet hur det är. Man träffar någon och sedan ser man den personen vart man än går. Han har en båt i Lymingtonfloden och vi brukade prata om segling ibland. Jag bjöd hem honom en gång och han tjatade i det oändliga om någon eländig pjäs han skulle provspela för. Han fick förstås inte rollen och det förvånade mig inte ett dugg. Han skulle inte ens kunna spela jultomte om det så gällde liv eller död." Hans ögon smalnade. "Tror ni att det var han?"

Galbraith skakade lätt på huvudet. "För närvarande försöker vi bara avföra honom ur utredningen. Var han och Kate vänner?"

Sumner krökte på munnen. "Hade de ett förhållande, menar ni?"

"Om ni så vill."

"Nej", sade han bestämt. "Han är bög ända ut i fingerspetsarna. Han ställer upp på porrbilder i bögtidningar. Hur som helst, så tål ... tålde hon honom inte. Hon blev rasande när jag tog med honom hem den där gången ... sade att jag borde ha frågat henne först."

Galbraith tittade på honom. Hans utläggning var alldeles för omständlig, tänkte han. "Hur kommer det sig att ni känner till porrtidningarna? Berättade Harding om det?"

Sumner nickade. "Han visade mig till och med en. Han var stolt över det. Men det är för att han älskar sånt där, älskar att stå i rampljuset."

"Jaha. Berätta om Kate. Hur länge hade ni varit gifta?"

Han blev tvungen att tänka efter. "I snart fyra år. Vi träffades på arbetet och gifte oss ett halvår senare."

"Var arbetar ni?"

"På Pharmatec i Portsmouth. Jag är kemist på forskningsavdelningen och Kate var sekreterare."

Galbraith sänkte blicken för att dölja sitt plötsliga intresse. "Läkemedelsföretaget?"

"Ja."

"Vad sysslar ni med för läkemedel i er forskning?"

"Jag personligen?" Han ryckte ointresserat på axlarna. "Allt som har med magen att göra."

Galbraith gjorde en anteckning. "Fortsatte Kate att arbeta när ni hade gift er?"

"I några månader, tills hon blev med barn."

"Ville hon gärna ha barn?"

"Oh, ja. Hennes enda mål här i livet var att bilda familj."

"Och hon hade inget emot att sluta arbeta?"

Sumner skakade på huvudet. "Det var så hon ville ha det. Hon ville inte att hennes barn skulle få samma slags uppväxt som hon. Hon har aldrig träffat sin far och hennes mamma var borta hela dagarna så hon fick klara sig själv."

"Arbetar ni fortfarande på Pharmatec?"

Han nickade. "Jag är deras främste forskare." Han sade det helt sakligt.

"Så ni bor i Lymington och arbetar i Portsmouth?"

"Ja."

"Kör ni bil till arbetet?"

"Ja."

"Det måste vara jobbigt att åka så långt", sade Galbraith medkännande, medan han gjort ett ungefärligt överslag i huvudet. "Det tar väl – ja, vad kan det bli? – bortåt en och en halv timme i vardera riktningen. Har ni aldrig funderat på att flytta?"

"Inte bara funderat", sade Sumner och man kunde ana en viss ironi i hans tonfall. "Vi flyttade faktiskt till Lymington för ett år sedan. Och, visst, ni har rätt, det är en påfrestande resa, särskilt på sommaren när New Forest är full av turister." Han lät inte glad.

"Varifrån flyttade ni?"

"Chichester."

Galbraith mindes anteckningarna som Griffiths hade visat honom efter Sumners påringning. "Det är väl där er mor bor?"

"Ja. Hon har bott där hela sitt liv."

"Ni också? Infödd chichesterbo?"

Sumner nickade.

"Då kan det inte ha varit så roligt att flytta, speciellt inte om det innebar en timmes extra restid i vardera riktningen?"

Sumner besvarade inte frågan utan stirrade istället modfällt ut genom fönstret. "Det är en sak jag inte kan låta bli att tänka på", sade han sedan. "Om jag hade stått på mig och vägrat flytta hade Kate inte varit död nu. Det var aldrig några tråkigheter när vi bodde i Chichester." Han tycktes omedelbart inse att hans anmärkning kunde tolkas på en rad olika sätt och försökte förklara sig. "Jag menar, Lymington är fullt av främmande människor. Hälften av dem man möter bor inte ens där."

Galbraith bytte några ord med Griffiths innan hon följde med William och Hannah Sumner hem. Hon hade haft tid att gå hem och byta om och packa medan kriminalteknikerna avslutade sin undersökning i Langton Cottage och nu var hon iförd en bylsig gul tröja och svarta tights. Hon var väldigt olik den strama unga kvinnan i polisuniform och Galbraith undrade torrt om far och dotter skulle känna sig mer eller mindre väl till mods med den här säckiga uppenbarelsen. Mindre, trodde han. Polisuniformer ingav förtroende.

"Jag dyker upp tidigt imorgon bitti", sade han till henne, "och jag hoppas du hinner sätta honom i arbete innan jag har kommit. Jag vill ha en lista på vännerna i Lymington, en på vännerna i Chichester och en på arbetskamraterna i Portsmouth." Han strök sig trött över hakan medan han försökte minnas allt. "Det vore bra om han gjorde separata listor över dem som har båt eller tillgång till båt och ännu bättre om han håller isär gemensamma vänner och de som bara Kate umgicks med."

"Ska bli", sade hon.

Han log. "Och försök få honom att prata om Kate", fortsatte han. "Vi måste få en bild av hennes dagliga liv, vad hon gjorde, vilka affärer hon handlade i, sådana saker."

"Inga problem."

"*Och* mamman", sade han. "Jag har en känsla av att hon var orsaken till att Kate tvingade honom att flytta, så familjeförhållandena blev nog lite spända."

Griffiths såg road ut. "Inte konstigt i så fall", sade hon. "Han var tio år äldre än hon och hade bott hemma hos mamsen i trettiosju år innan de gifte sig."

"Hur vet du det?"

"Jag pratade lite med honom när jag frågade var han bodde förut. Hans mamma gav honom föräldrahemmet i bröllopsgåva i utbyte mot att han tog ett mindre lån på huset så att hon kunde köpa en lägenhet i ett servicehus tvärsöver gatan."

"Lite för nära för att det skulle kännas bra, va?"

Hon småskrattade. "Fullständigt kvävande, skulle jag tro."

"Hans pappa då?"

"Han dog för tio år sedan. Fram till dess var det ett trekantsförhållande, och sedan fortsatte mor och son som ett gammalt strävsamt par. William var enda barnet."

Galbraith skakade på huvudet. "Hur kan du veta så mycket? Ni pratade väl inte särskilt länge?"

Hon knackade sig lätt på sidan av näsan. "Kloka frågor och kvinnlig intuition", sade hon. "Han har blivit uppassad hela livet och det är därför han är så övertygad om att han inte kommer att klara sig."

"Lycka till då", sade han och menade det. "Jag kan inte påstå att jag avundas dig."

"Någon måste se till Hannah." Hon suckade. "Stackars unge. Tänker du någonsin på vad det skulle blivit av dig om du hade blivit lämnad vind för våg när du var liten som de flesta av småungarna vi griper?"

"Ibland", medgav Galbraith. "Andra gånger tackar jag Gud för att mina föräldrar puttade ut mig ur boet i tid och sa åt mig att klara mig själv. Man kan få både för mycket och för lite kärlek, vet du, och jag är inte säker på vilket som är skadligast."

8

KLOCKAN ÅTTA PÅ MÅNDAGSKVÄLLEN fick Dorsetpolisen besked om att Steven Harding befann sig ombord på sin båt i Lymingtonfloden och beslöt sig för att ta en närmare titt på honom. Förhöret kom till stånd först efter nio, eftersom den polis som ledde utredningen, kriminalintendent Carpenter, måste köra från Winfrith. Kommissarie John Galbraith var kvar i Poole och han fick besked om att han måste ta sig till Lymington på egen hand och möta sin överordnade utanför hamnkaptenens kontor.

De hade försökt nå Harding via radion och på hans mobiltelefon men eftersom båda var avstängda visste poliserna inte om han skulle vara kvar nästa morgon. Ett samtal med hans agent, Graham Barlow, hade bara utlöst ett raseriutbrott mot snorkiga unga skådespelare "som är så styva i korken att de inte orkar gå på en provspelning" och som "inte ska förvänta sig att jag företräder dem i fortsättningen".

"Jag kan väl inte veta var han är imorgon", sade han ilsket som avslutning på samtalet. "Han har inte hört av sig sedan i fredags morse, så jag tar min hand ifrån honom. Jag skulle inte säga något om han drog in lite pengar åt mig, men han har inte haft ett jobb på flera månader. Som han snackar skulle man kunna tro att han är Tom Cruise allra minst. Ha! Pinocchio ligger väl närmare till hands ... han är träig så det räcker ..."

Galbraith och Carpenter anlände båda klockan nio. Polisintendenten var en lång skranglig man med yvig svart kalufs och en vildsint uppsyn som fick honom att se ständigt förgrymmad ut. Kollegerna lade inte längre märke till det men förhörsoffren brukade bli

82

spaka. Galbraith hade redan ringt för att ge en kort sammanfattning av samtalet med Sumner, men han gick igenom det igen med intendenten, speciellt avsnittet där Sumner sade att Harding var "bög ända ut i fingerspetsarna".

"Det stämmer inte med vad agenten säger", sade Carpenter helt kort. "Han beskriver honom som en sexgalning, säger att tjejerna slåss om att få honom i säng. Han röker brass, älskar hårdrock, samlar på porrfilmer och när han inte har något annat för sig sitter han i timtal på stripteaseklubbar och spanar in tjejerna. Han är heltänd på allt naket, och när han är ensam på båten eller i sin lägenhet struttar han omkring helnäck. Vi har goda utsikter att stöta på honom med kuken i vädret när vi kommer ombord."

"Då har man något att se fram emot då", sade Galbraith dystert.

Carpenter skrattade till, "Han gillar sig själv – tycker inte att han sköter sig om han inte har två brudar på gång samtidigt. För närvarande är det en tjugofemåring i London som heter Marie och någon här i Lymington som kallas Bibi eller Didi eller något ditåt. Barlow har gett oss namnet på en av Hardings vänner i Lymington, en kille som heter Tony Bridges, som svarar i telefon åt honom när han är ute i båten, så jag har skickat iväg Campbell för att prata med honom. Får han reda på något av vikt hör han av sig." Han drog sig i örsnibben. "På plussidan står att de andra seglarna bara har gott att säga om honom. Han har bott i Lymington hela livet, växte upp ovanför en fish & chipsbutik på High Street och har drällt omkring på båtar sedan han var tio. Han avancerade till första plats på väntelistan till förtöjningsbojarna på floden för drygt tre år sedan – de är tydligen guld värda – och då satsade han allt han ägde och hade på att köpa *Crazy Daze*. Han är på båten alla lediga helger och antalet arbetstimmar han har lagt ner på att få henne i topptrim skulle röra en sten till tårar. Det där var ett citat från en av killarna i båtklubben. Den allmänna åsikten verkar vara att han är en flickjägare men att han egentligen är en hyvens grabb."

"Han låter som en fullblodskameleont", sade Galbraith kyligt. "Nu har vi tre olika versioner av samma kille. Bög, kåtbock och helyllekille. Vilken av dem satsar du på?"

"Glöm inte att han är skådis. Jag tror inte på någon av dem. Han agerar nog så snart han har en publik."

"Lögnare är nog närmare sanningen. Enligt Ingram påstod han att han hade växt upp på en bondgård i Cornwall." Galbraith kurade ihop sig när vinden kom svepande utmed floden. Det hade varit närmare trettio grader varmt på morgonen när han klädde sig.

"Och därför tror du att det är han?"

Carpenter skakade på huvudet. "Inte egentligen. Han är alldeles för iögonenfallande. Jag tror att killen vi söker är mer av ett typfall. Enstöring ... knappt haft några jobb ... misslyckade kärlekshistorier i bagaget ... bor antagligen hemma hos mamsen ... tål inte att hon lägger sig i hans liv ..." Han lyfte på huvudet och drog ett djupt andetag. "För ögonblicket är nog maken en troligare kandidat."

Tony Bridges bodde i ett litet radhus på en gata bakom High Street. Han nickade när den gråhårige kriminalinspektören frågade om han kunde få prata med honom om Steven Harding. Han hade varken skjorta eller skor på sig, bara ett par jeans, och han raglade lite när han gick före Campbell genom gången in till det ostädade vardagsrummet. Tony var en mager man med skarpskurna drag och blekt snaggat hår som inte stod sig särskilt bra till den gulbleka hyn, men han log vänligt när han visade in kriminalinspektören, som tyckte att det luktade marijuana och fick ett bestämt intryck av att polisbesök hörde till dagordningen. Campbell misstänkte att grannarna fick stå ut med en hel del.

Att döma av cyklarna som stod lutade mot väggen i hallen och kläderna som låg i högar på golv och möbler bodde det flera personer i huset. Dussintals tomma ölburkar låg kastade i en gammal back – rester efter en för länge sedan avslutad fest gissade Campbell – och det stank från de överfyllda askfaten. Han undrade hur det såg ut i köket. Om det var lika snuskigt som vardagsrummet fanns det nog råttor där, tänkte han.

84

"Om larmet på hans bil har gått igång igen är det verkstan du ska prata med", sade Bridges. "Det var de som satte in det där skräpet och jag är less på att folk håller på och ringer hit när han inte är här. Jag fattar inte varför han satte in det. Bilen är en skrothög, så vem skulle vilja sno den?" Han tog upp en öppnad ölburk från golvet och pekade med den mot en stol. "Slå dig ner. Vill du ha en bärs?"

"Nej tack." Campbell satte sig ner. "Det gäller inte larmet. Vi ställer rutinfrågor för att kunna avföra honom från en utredning och vi fick ditt namn av hans agent."

"Vad då för utredning?"

"En kvinna drunknade i lördags kväll och Harding ringde och berättade var kroppen låg."

"Gjorde han? Åh fan! Vem var det?"

"En kvinna härifrån som hette Kate Summer. Hon bodde på Rope Walk med sin man och sin dotter."

"Är det sant? Vilken jäkla grej!!"

"Kände du henne?"

Tony tog en klunk ur burken. "Jag kände till henne, men jag har aldrig träffat henne. Hon var tänd på Steve. Han hjälpte henne en gång och hon har varit som en igel på honom sedan dess. Han höll på att bli galen."

"Vem har berättat det?"

"Steve såklart. Vem annars?" Han skakade på huvudet. "Inte så konstigt att han drack sig aspackad igår kväll om det var han som hittade henne."

"Det var inte han. Hon hittades av några pojkar. Han ringde och anmälde det åt dem."

Bridges satt tyst en lång stund och begrundade detta. Det syntes att det var ett mödosamt företag. Vad han än hade fått i sig – marijuana, sprit eller bådadera – hade han svårt att koppla. "Det kan inte stämma", sade han plötsligt stridslystet och fokuserade Campbell med stel blick. "Jag är helt säker på att Steven inte var i Lymington i lördags. Jag träffade honom i fredags kväll och då sa han att han skulle till Poole över helgen. Han var ute med båten i lördags och söndags så han kan inte ha rapporterat om att någon hade drunknat i Lymington."

"Hon drunknade inte här. Hon drunknade utanför kusten ungefär tre mil från Poole."

"Det var som fan!" Han tömde burken i en klunk, klämde ihop den och kastade den i ölbacken. "Hör du, det är meningslöst att fråga mig om något mer. Jag vet ingenting om någon som har drunknat. Jag är Steves polare, inte hans förbannade övervakare."

Campbell nickade. "Det har du rätt i. Vet du, i egenskap av polare, om han har någon flickvän här som kallas Bibi eller Didi?"

Tony satte anklagande upp pekfingret. "Vad fan handlar det här om?" undrade han. "I helvete heller att det här är rutinfrågor. Vad är du ute efter egentligen?"

Kriminalinspektören såg fundersam ut. "Steve svarar inte i telefon så vi har bara lyckats få tag på hans agent. Han sa att Steve har en flickvän i Lymington som kallas Bibi eller Didi och föreslog att vi skulle kontakta dig för att få hennes adress. Har du något emot det?"

"TO-ONY!" ropade en berusad kvinnoröst från övervåningen. "JAG VÄÄ-ÄNTAR!"

"Ja, det har jag", sade Bridges ilsket. "Det där är Bibi och hon är för fan min flickvän, inte Steves. Jag ska döda den jäveln om han har gått bakom ryggen på mig."

Uppifrån hördes ljudet av en kropp som dråsade omkull. "JAG SO-OMNAR IGEN, TONY!"

Carpenter och Galbraith tog sig ut till Crazy Daze i hamnkaptenens gummibåt – en rejäl historia med glasfiberköl och styrpulpet – som kördes av en av hans unga assistenter. Nattluften hade blivit märkbart svalare efter dagens hetta och de önskade båda två att de hade varit förnuftiga nog att ta en tröja på sig under jackan. Det blåste en hård bris nedför Solent och riggarna smattrade ljudligt mot skogen av master i Berthons och Yacht Havens marinor. Framför dem låg Isle of Wight hopkrupen likt ett slumrande djur mot den dunkla himlen, och ljusen från färjan mellan Yarmouth och Lymington som var på väg in speglades i de dansande vågorna.

Hamnkaptenen hade skrattat lite åt polisens misstänksamhet när de inte fick tag i Harding via radio eller mobiltelefon. "Slappna av lite! Han har ingen anledning att slösa batterier bara för att ni eventuellt kan tänkas vilja ha tag i honom. Båtarna som ligger vid bojarna har ingen el. Han har bara gasollampor – påstår att det är romantiskt – och det är därför han föredrar en boj i floden framför bryggan i marinan. Det plus det faktum att väl ombord är tjejerna hänvisade till honom och hans jolle för att ta sig därifrån igen."

"Tar han ofta med sig tjejer dit ut?" frågade Galbraith.

"Inte vet jag. Jag har annat för mig än att hålla räkning på Steves erövringar. Han föredrar blondiner, så mycket vet jag. Jag såg honom med en riktig godbit nyligen."

"Liten, ljust lockigt hår, blåa ögon?"

"Vad jag kan minnas hade hon rakt hår, men jag kan inte svära på det. Jag är dålig på ansikten."

"Har ni någon aning om när Steven gav sig iväg i lördags morse?" frågade Carpenter.

Hamnkaptenen skakade på huvudet. "Jag kan inte ens se båten härifrån. Fråga på båtklubben."

"Det har vi redan gjort. Ingen visste."

"Vänta till på lördag och fråga dem som kommer ner över helgen. Det är nog det säkraste kortet."

Jollen saktade in när de närmade sig Hardings segelbåt. Ett gult ljus skymtade i hyttventilerna och en gummibåt vid aktern guppade i svallvågorna från färjan. Inifrån hördes dämpad musik.

"Hallå, Steve", ropade hamnkaptenens utsände och slog hårt på bordläggningen. "Det är Gary. Det är några här som vill snacka med dig. "

Hardings röst hördes svagt. "Stick, Gary! Jag är sjuk."

"Nej, det går inte. Polisen är här. De vill snacka med dig. Kom igen nu, öppna!"

Musiken upphörde tvärt och Harding hävde sig upp genom den öppna luckan till sittbrunnen. "Vad är det frågan om?" undrade han och såg på de båda poliserna med ett frimodigt leende. "Jag antar att det har med den där kvinnan igår att göra? Ljög pojkarna om kikaren?"

"Vi har några uppföljande frågor", sade kriminalintendent Carpenter och log lika frimodigt tillbaka. "Kan vi kómma ombord?"

"Visst." Harding hoppade upp på däck och sträckte sig ner för att hjälpa Carpenter och hans följeslagare ombord.

"Jag går av mitt skift klockan tio", ropade Gary till polismännen. "Jag kommer tillbaka om fyrtio minuter och hämtar er. Om ni vill åka tidigare kan ni ringa min mobil. Steve har numret. Eller så får ni be honom köra er."

De såg hur han vände i en vid halvcirkel och lämnade ett skimrande kölvatten efter sig när han styrde in mot stan.

"Det är bäst ni kommer med ner", sade Harding. "Det är kallt här ute." Till Galbraiths stora lättnad var han påklädd. Precis som på söndagen hade han på sig T-shirt och shorts och han huttrade till när vinden kom svepande från saltängarna vid flodmynningen. Han var barfota och tittade kritiskt på polismännens skor. "Ni får ta av dem", sade han. "Jag har hållit på i två år för att få däcket i det här skicket och jag vill inte ha några repor på det."

Lydigt knöt de båda männen upp skorna innan de traskade nedför kajutatrappan till den inbjudande värmen. Luften i salongen skvallrade om den föregående nattens drickande och även om inte whiskyflaskan hade stått på bordet skulle poliserna utan svårighet ha kunnat gissa varför Harding hade sagt att han var "sjuk". Den dämpade belysningen från den enda gasollampan markerade hans insjunkna kinder och den mörka skäggstubben på den orakade hakan, och den snabba glimt de hann få av de hopsnodda lakanen i ruffen längre förut innan han stängde till dörren lämnade inget tvivel om att han hade sovit av sig en våldsam baksmälla största delen av dagen.

"Vad för slags uppföljande frågor?" undrade han medan han gled ner på en bänk vid bordet och med en gest bad dem sätta sig mitt-emot.

"Rutinfrågor", sade polisintendenten.

"Om vad?"

"Det som hände igår."

Harding tryckte händerna mot ögonlocken och masserade dem med cirklande rörelser som om han försökte driva ut demoner. "Jag vet inte mer än det jag berättade för den där andra snubben", sade han. Ögonen tårades när han tog bort händerna. "Och det är mest sånt jag fick höra av pojkarna. De trodde att hon hade drunknat och blivit liggande på stranden. Stämmer det?"

"Det verkar onekligen så."

Han böjde sig framåt över bordet. "Jag funderar på att anmäla den där snuten. Han var fruktansvärt oförskämd, antydde att jag och ungarna var inblandade på något sätt. Jag bryr mig inte, men jag blev ganska förbannad för grabbarnas skull. De blev uppskrämda. Uppriktigt sagt kan det inte vara så kul att hitta ett lik – och sen kommer någon idiot klampande och gör allt etter värre ..." Han avbröt sig med en huvudskakning. "Faktum är att jag tror att han var svartsjuk. Jag stod och snackade med den där bruden när han kom tillbaka och han blev helt galen, verkade det som. Jag tror att han själv är tänd på henne men han är väl så seg att han inte har gjort något åt det."

Eftersom varken Galbraith eller Carpenter ingrep till Ingrams försvar blev det tyst. De båda polismännen tittade sig intresserat om i salongen. Under andra omständigheter kunde belysningen mycket väl ha varit romantisk men för två poliser som var ute efter något som kunde binda ägaren till grov våldtäkt och mord var det totalt värdelöst. Alltför mycket doldes i skuggorna och fanns det bevis på att Kate och Hannah Sumner hade varit ombord på lördagen var de svåra att upptäcka.

"Vad vill ni veta?" frågade Harding till slut. Han tittade på John Galbraith medan han pratade och det fanns något i hans blick – *triumf? munterhet?* – som fick Galbraith att tro att han avsiktligt

89

suttit tyst. Han hade gett dem tillfälle att se sig om och var de besvikna var det knappast hans fel.

"Vi har förstått att du låg förtöjd i Salterns marina lördag natt och en stor del av söndagen?" sade Carpenter.

"Ja."

"Hur dags lade du till?"

"Ingen aning." Han rynkade pannan. "Ganska sent. Vad har det med det här att göra?"

"För du loggbok?"

Han sneglade på kartbordet. "När jag kommer ihåg det."

"Får jag titta på den?"

"Varför inte?" Han böjde sig fram och tog upp en skamfilad skrivbok från röran av papper på locket till bordet. "Det är knappast någon litteratur av den högre skolan." Han räckte över den.

Carpenter läste de sex senaste noteringarna.

9/8 -97	10.09	Kastade loss.
" "	11.32	Rundade Hurst Castle.
10/8 -97	02.17	Lade till, Salterns marina.
" "	18.50	Kastade loss.
" "	19.28	Gick ut från hamnen i Poole.
11/8 -97	00.12	Lade till, Lymington.

"Du förtar dig inte precis", mumlade Carpenter medan han bläddrade igenom sidorna för att titta efter andra noteringar. "Tar du aldrig med vindstyrka eller kurs?"

"Inte särskilt ofta."

"Varför det, om jag får fråga?"

Den unge mannen ryckte på axlarna. "Jag vet hur man tar sig till alla ställen på sydkusten, så jag behöver inte påminna mig själv om kursen, och vindstyrka är vindstyrka. Det är en del av tjusningen. Det tar den tid det tar. Är man en stressad typ som bara är intresserad av att komma fram blir man galen av att segla. En dålig dag kan det ta timmar att komma några futtiga sjömil."

"Det står att du förtöjde i Salterns marina klockan 2.17 i söndags", sade Carpenter.

"I så fall gjorde jag väl det."

"Det står också att du gav dig av från Lymington klockan 10.09 i lördags." Han gjorde ett snabbt överslag. "Vilket innebär att det tog dig sexton timmar att segla ungefär trettio sjömil. Det måste betyda att du gjorde två knop. Går hon inte snabbare?"

"Det beror på vind och tidvatten. En bra dag kan jag göra sex knop men snittet är nog fyra. Egentligen gjorde jag nog sextio sjömil i lördags eftersom jag kryssade nästan hela vägen." Han gäspade. "Som jag sa kan det ta timmar en dålig dag, och i lördags var det en dålig dag."

"Varför gick du inte för motor?"

"Jag kände inte för det. Jag hade ingen brådska." Hans misstänksamhet började vakna och han såg ut att vara på sin vakt nu. "Vad har det här med kvinnan på stranden att göra?"

"Ingenting förmodligen", sade Carpenter i lätt ton. "Vi knyter bara ihop lite lösa trådar till rapporten." Han gjorde en paus medan han tankfullt granskade den unge mannen. "Jag seglade lite själv förr i tiden", sade han sedan, "och uppriktigt sagt tror jag inte att det tog fjorton timmar till Poole. Om inte annat måste frånlandsvindarna som uppstår när det svalnar till lands sent på eftermiddagen ha ökat din hastighet till över två knop. Jag tror att du seglade vidare förbi Isle of Purbeck, eftersom du tänkt gå till Weymouth, och att du vände tillbaka mot Poole först när du insåg hur sent det var. Stämmer det?"

"Nej. Jag drejade bi utanför Christchurch i några timmar för att fiska lite och sova en stund. Det var därför det tog så lång tid."

Carpenter trodde honom inte. "För två minuter sedan förklarade du det med att du hade kryssat. Nu påstår du att du fiskade. Vilketdera var det?"

"Både och. Jag kryssade och fiskade."

"Varför står det inget om det i loggboken?"

"Det var inte viktigt."

91

Carpenter nickade. "Din inställning till tid verkar något" – han sökte efter det rätta ordet – "individualistisk, Harding. Du sa till exempel till polisen igår att du planerade att promenera till Lulworth Cove, men Lulworth ligger mer än fyra mil från Salterns marina, åtta mil allt som allt om du hade tänkt gå tillbaka också. Det är en rejäl sträcka för en dagsutflykt, med tanke på att du sa till hamnkaptenen i marinan att du skulle komma tillbaka sent på eftermiddagen."

Det glimmade till av plötslig munterhet i Hardings blick. "Det verkar inte alls så långt när man är till sjöss", sade han.

"Tog du dig till Lulworth?"

"Så fan heller!" sade han med ett skratt. "Jag var fullständigt slut när jag kom till Chapman's Pool."

"Kan det bero på att du hade så lätt packning?"

"Vad menar du?"

"Det enda du hade med dig var en mobiltelefon. Med andra ord gav du dig iväg på en åtta mil lång vandring en av årets hetaste dagar utan vare sig vatten, pengar, solskyddskräm, extra kläder om du skulle råka bränna dig eller något att ha på huvudet. Är du inte det minsta rädd om din hälsa?"

Han gjorde en sur grimas. "Okej, det var dumt av mig. Jag medger det. Om ni vill veta det kan jag tala om att tillbakavägen kändes dubbelt så lång, eftersom jag var helt slutkörd."

"Så det tog ungefär fyra timmar då", föreslog kriminalkommissarie Galbraith.

"Snarare sex. Jag började gå när de hade stuckit, och då var klockan närmare halv ett, och jag var inte framme vid marinan förrän kvart över sex ungefär. Jag drack litervis med vatten, åt lite och stack till Lymington en halvtimme senare."

"Så promenaden till Chapman's Pool tog tre timmar?" sade Galbraith.

"Något ditåt."

"Vilket innebär att du måste ha gått från marinan strax efter halv åtta om du ringde larmcentralen 10.43."

"Säger du det, så."

"Det gör jag inte alls, Steve. Enligt våra uppgifter betalade du för kajplatsen klockan åtta vilket innebär att du tidigast kan ha gett dig av från marinan några minuter efter det."

Harding knäppte händerna bakom nacken och stirrade på kommissarien över bordet. "Okej, jag stack iväg klockan åtta", sade han. "Vad är det för märkvärdigt med det?"

"Det märkvärdiga är att du omöjligt kan ha gått två och en halv mil på en svårframkomlig kustled på två och en halv timme" – han gjorde en paus och höll blicken fäst på Harding – "och det inkluderar den tid du fick vänta på färjan."

Svaret kom utan minsta tvekan. "Jag gick inte kustleden, i alla fall inte till att börja med", sade han. "Jag fick lift med ett par på färjan som skulle till naturskyddsområdet nära Dulston Head. De släppte av mig vid grindarna till fyren och jag började gå därifrån."

"Hur dags var det?"

Han flyttade blicken till taket. "Tio och fyrtiotre minus den tid det nu tog att knalla från Dulston Head till Chapman's Pool antagligen. Hör du, första gången jag minns att jag tittade på klockan igår var precis innan jag ringde larmcentralen. Fram till dess struntade jag fullständigt i allt vad tid heter." Han tittade på Galbraith igen och det fanns irritation i hans mörka ögon. "Jag låter mig inte styras av någon jävla klocka. Det är social terror att tvinga folk att anpassa sig till godtyckliga uppfattningar om hur lång tid något bör ta. Det är därför jag gillar att segla. Tiden har ingen betydelse och man kan inte påverka den ett piss."

"Vad hade de för bil?" frågade Carpenter, oberörd av den unge mannens filosofiska utläggning.

"Jag vet inte, en vanlig personbil. Jag har ingen koll på bilar."

"Vilken färg?"

"Blå, tror jag."

"Hurdana var de?"

"Vi pratade inte så mycket. De hade ett band med Manic Street Preachers som vi lyssnade på."

93

"Kan du beskriva dem?"

"Mer eller mindre. Det var inget särskilt med dem. I princip såg jag bara deras nackar. Hon var ljushårig och han var mörk." Han sträckte sig efter whiskyflaskan och rullade den mellan handflatorna. Det var uppenbart att han började tappa tålamodet. "Varför frågar ni om allt det här? Vad spelar det för roll hur lång tid det tog mig att komma från A till B eller vem jag mötte? Utsätts alla som ringer larmcentralen för tredje gradens förhör?"

"Vi försöker bara knyta ihop trådarna."

"Du sa det."

"Skulle det inte vara riktigare att säga att du var på väg till Chapman's Pool och inte till Lulworth Cove?"

"Nej."

Tystnaden bredde ut sig. Carpenter stirrade ihärdigt på Harding som fortsatte att leka med whiskyflaskan. "Hade du några passagerare på din båt i lördags?" frågade han sedan.

"Nej."

"Är du säker på det?"

"Det är klart jag är. Tror du inte att jag skulle ha märkt det? Det är inte precis någon atlantångare."

Carpenter bläddrade förstrött igenom loggboken. "Har du *någonsin* passagerare?"

"Det har du inte med att göra."

"Kanske inte, men vi har fått ett intryck av att du är en riktig donjuan." Han höjde roat på ögonbrynet. "Ryktet säger att du ofta har kvinnliga gäster ombord. Jag undrar om du någonsin tar med dem ut och seglar eller" – han gjorde en gest mot ruffen – "om all verksamhet pågår här när du ligger förtöjd vid bojen?"

Harding övervägde sitt svar länge. "Jag tar med en del av dem ut", medgav han till slut.

"Hur ofta då?"

Ännu en lång paus. "En gång i månaden, kanske."

Carpenter slog skrivboken i bordet och trummade med fingrarna på den. "Varför nämns inte det här? Du måste väl vara skyldig att

94

skriva ner namnen på alla som är ombord ifall det skulle hända någonting? Eller du kanske struntar i om någon råkar drunkna för att sjöräddningen utgår ifrån att det bara är dig de behöver leta efter?"

"Det där är löjligt", sade Harding avfärdande. "Båten måste slå runt för att något sånt skulle hända och då skulle loggboken försvinna i alla fall."

"Har någon av dina passagerare fallit över bord?"

Harding skakade på huvudet men sade ingenting. När han misstänksamt lät blicken glida mellan de båda männen för att pejla in stämningen liknade han en orm som fladdrar med tungan för att uppfatta en doft i luften. Nu var hans rörelser ytterligt utstuderade och Galbraith betraktade honom objektivt, medveten om att han var skådespelare. Han fick intrycket att Harding njöt, men han kunde inte förstå hur det kom sig, såvida Harding inte var totalt ovetande om att utredningen handlade om våldtäkt och mord och bara utnyttjade förhöret för att träna sin improvisationsförmåga.

"Känner du en kvinna som heter Kate Sumner?" frågade Carpenter sedan.

Harding sköt flaskan åt sidan och lutade sig aggressivt framåt. "Tänk om jag gör det?"

"Det är inget svar på frågan. Jag ska upprepa den. Känner du en kvinna som heter Kate Sumner?"

"Ja."

"Känner du henne väl?"

"Rätt så."

"Vad betyder rätt så?"

"Det har ni inte ett förbannat dugg med att göra."

"Fel svar, Steve. Det har vi visst. Det var hennes kropp som blev hämtad med helikoptern."

Hardings reaktion var överraskande.

"Jag hade en känsla av att det kunde vara hon", sade han.

9

FRAMFÖR DEM GLIMMADE ljusen från Swanage som juveler. Akter-över försvann den nedgående solen vid horisonten. Danny Spender gäspade stort, utmattad av den långa dagen och tre timmars frisk havsluft. Han lutade sig mot Ingrams trygga kroppshydda medan hans äldre bror stolt styrde *Miss Creant* hemåt. "Han var snuskig", anförtrodde han plötsligt Ingram.

"Vem?"

"Han igår."

Ingram kastade en blick på honom. "Vad gjorde han?" frågade han och aktade sig noga för att låta nyfikenheten lysa igenom.

"Han gnuggade telefonen mot snoppen hela tiden medan de his-sade upp kvinnan", sade Danny.

Ingram tittade på Paul för att se om han lyssnade men pojken var så trollbunden av ratten att han inte ägnade dem någon uppmärk-samhet. "Såg Maggie Jenner det?"

Danny sänkte blicken. "Nej. Han slutade när hon kom runt krö-ken. Paul tror att han höll på och putsade telefonen – du vet så där som kastare gör med bollen när de spelar kricket för att den ska vända i luften – men det gjorde han inte, han snuskade sig."

"Varför gillar Paul honom så mycket?"

Pojken gäspade stort igen. "För att han inte blev sur över att han låg och spanade in en naken tjej. Det hade pappa blivit. Han blev *jättearg* när Paul hade fått tag i några porrtidningar. Jag sa att de var tråkiga, men Paul sa att de var naturliga."

Det ringde i kriminalkommissarie Carpenters telefon. "Ursäkta mig", sade han när han tog upp den ur jackfickan och fällde ut den. "Ja, Campbell", sade han. "Just det ... fortsätt ..." Han höll blicken riktad mot en punkt ovanför Steven Hardings huvud medan han lyssnade till inspektörens referat av samtalet med Tony Bridges, och skuggorna som bildades i skenet från gasollampan underströk de ständigt lika bistra dragen i hans uppsyn. Han pressade telefonen hårt mot örat när namnet Bibi nämndes, sänkte nyfiket blicken och tittade på den unge mannen mittemot.

Galbraith betraktade Steven Harding medan den ensidiga konversationen pågick. Harding lyssnade intensivt och ansträngde sig för att uppfatta vad som sades i andra änden, väl medveten om att det förmodligen handlade om honom. Han stirrade ner i bordet men höjde blicken några gånger mot Galbraith som kände en underlig samhörighet med honom, som om han och Harding på grund av att de var uteslutna ur samtalet stod på samma sida mot Carpenter. Han hade ingen känsla av att Harding var skyldig, ingenting i hans intuition talade för att han satt mittemot en våldtäktsman, men han visste av erfarenhet att det inte betydde något. Psykopater kunde förefalla charmiga och ofarliga och det var bara offren som fick uppleva deras andra sidor.

Galbraith började åter se sig om i rummet och skymtade konturerna på föremål i skuggorna bortom gasollampan. Hans ögon hade vant sig vid dunklet och han kunde urskilja mycket mer nu än tio minuter tidigare. Med undantag för röran på kartbordet var allting prydligt undanstuvat i skåp och på hyllor och det fanns inga spår av kvinnlig närvaro. Miljön var strikt manlig med träpaneler, svart läderklädsel och mässing och inga färger inkräktade på den sobra enkelheten. Spartanskt, tänkte han gillande. Hans eget hem, ett högljutt leksaksbelamrat hushåll, hade utformats av hans fru som var en kraft att räkna med i Psykoprofylaxförbundet, och det var för rörigt och ... Gud förbjude, alldeles för *barnvänligt* ... för en ständigt slutkörd polisman.

Det var framförallt pentryt till höger om trappan som väckte

97

hans intresse. Det var inbyggt i en alkov och utrustat med en liten vask, en gasolspis på ett teakskåp och en uppsättning hyllor på väggen. Hans uppmärksamhet hade fångats av några föremål som skuffats undan i ett hörn och efter hand lyckades han urskilja en halväten ostbit, ett plastomslag från Tesco och en påse med äpplen. Han kände att Hardings blick följde hans och undrade om Harding hade någon aning om att rättsläkaren kunde redogöra för offrets sista måltid.

Carpenter stängde av telefonen och lade den på loggboken. "Du sa att du hade en känsla av att det var Kate Sumners kropp", påminde han Harding.

"Just det."

"Kan du utveckla det lite närmare? När och varför fick du den känslan?"

"Jag menade inte att jag hade en känsla av att det skulle vara hon, bara att det måste vara någon jag känner, annars skulle ni inte ha kommit ut till min båt." Han ryckte på axlarna. "Se det så här: om ni följer upp vartenda samtal som kommer till larmcentralen är det inte så jävla konstigt att brottslingarna aldrig åker fast i det här landet."

Carpenter småskrattade, men hans bistra uppsyn mildrades inte och han höll blicken fäst på den unge mannen mittemot. "Man ska aldrig tro på vad tidningarna säger, Steve. Lita på mig, vi tar alltid de riktiga bovarna." Han granskade skådespelaren ingående. "Berätta om Kate Sumner", sade han uppmanande. "Hur väl kände du henne?"

"Nästan inte alls", sade Harding med obekymrad nonchalans. "Jag träffade henne kanske fem, sex gånger i Lymington. Första gången var när hon inte klarade att dra flickans sulky över kullerstenarna nära gamla tullhuset. Jag hjälpte henne och vi pratades vid helt kort innan hon vek in på High Street för att handla. Efter det stannade hon alltid till och frågade hur det var med mig när vi möttes."

"Vad tyckte du om henne?"

Hardings blick sökte sig mot telefonen medan han begrundade svaret. "Hon var väl okej. Inget speciellt."

"William Sumner då?" frågade Galbraith. "Vad tycker du om honom?"

"Jag känner honom för lite för att svara på det. Det är väl inget större fel på honom."

"Enligt honom har ni träffats rätt ofta. Han har till och med bjudit hem dig."

Den unge mannen ryckte på axlarna. "Och? Massor med folk bjuder hem mig. Det betyder inte att vi är bästisar. Folk i Lymington är sociala."

"Han berättade att du visade honom några foton av dig själv i en homosextidning. Jag trodde att man måste känna någon ganska väl för att göra det."

Harding flinade. "Varför det? Det var bra bilder. Visserligen gillade han dem inget vidare, men det är hans problem. Han är rätt strikt om man säger så. Skulle inte strippa ens om han höll på att svälta ihjäl och definitivt inte i någon bögblaska."

"Jag tyckte du sa att du knappt kände honom."

"Det behövs inte. Det räcker med att titta på honom. Han har antagligen sett medelålders ut sedan han var arton."

Galbraith som höll med honom tyckte att det gjorde Kate Sumners val av make än märkligare. "Men det är ändå inget man brukar göra, Steve, gå omkring och visa nakenbilder på sig själv för andra män. Gör du alltid det? Har du visat dem på båtklubben till exempel?"

"Nej."

"Varför inte det?"

Harding svarade inte.

"Du kanske bara visar dem för äkta män?" Galbraith höjde frågande ögonbrynen. "Det är fantastiskt effektivt om man vill övertyga en man om att man inte är ute efter hans hustru. Jag menar, om han tror att man är bög kan han ju känna sig trygg. Var det därför du gjorde det?"

"Jag minns inte nu. Jag antar att jag var förbannad och att han irriterade mig."

"Låg du med hans fru, Steve?"

"Var inte fånig", sade Harding buttert. "Jag har redan sagt att jag knappt kände henne."

"Då är uppgifterna vi har fått om att hon hängde efter dig jämt och höll på att driva dig till vansinne fullständigt felaktiga?" sade Carpenter.

Hardings ögon vidgades en aning, men han svarade inte.

"Har hon någonsin varit ombord på din båt?"

"Nej."

"Är du helt säker på det?"

För första gången märktes det att Harding blev nervös. Han drog upp skuldrorna, lutade sig fram över bordet och slickade sig om sina torra läppar. "Hör ni, jag fattar inte riktigt vad det här går ut på. Någon har alltså drunknat och jag kände henne – inte särskilt väl, men jag kände henne. Och visst – jag kan hålla med om att det ser ut som ett märkligt sammanträffande att jag var där när hon blev hittad, men jag stöter alltid på folk jag känner. Det är det segling går ut på – att stöta på folk man har tagit ett glas med för ett par år sedan."

"Men det är just det", sade Galbraith sakligt. "Enligt våra uppgifter seglade inte Kate Sumner. Du har själv sagt att hon aldrig varit ombord på *Crazy Daze*."

"Det betyder inte att hon skulle tacka nej till en spontan inbjudan. Det låg en fransk Beneteau som hette *Mirage* för ankar i Chapman's Pool igår. Jag såg den i pojkarnas kikare. Hon låg förtöjd i Berthon i slutet av förra veckan – jag vet det för de har en söt dotter som ville ha koden till toalettrummen. Herregud, det kan lika gärna vara fransmännen. Berthons marina ligger ju i Lymington. Kate bor i Lymington. De kanske tog med henne ut på en sväng?"

"Det är möjligt", instämde Carpenter. Han såg att Galbraith gjorde en anteckning. "Fick du veta vad sötnosen hette förresten?"

Harding skakade på huvudet.

"Känner du till om Kate hade några andra vänner som kan ha tagit med henne på en tur i lördags?"

"Nej. Som jag sa kände jag henne knappt. Men det är klart hon hade, alla häromkring känner folk som seglar."

Galbraith nickade mot pentryt. "Handlade du i lördags morse innan du gav dig av till Poole?" frågade han.

"Det har väl inget med det här att göra?" Harding lät stridslysten igen.

"Det är en enkel fråga. Köpte du osten och äpplena som ligger i pentryt i lördags morse?"

"Ja."

"Träffade du Kate Sumner när du var i stan?"

Harding tvekade innan han svarade. "Ja", medgav han sedan. "Hon var utanför Tesco med sin lilla flicka."

"Hur dags var det?"

"Halv tio kanske." Han tog whiskyflaskan igen, lade ner den på bordet, satte pekfingret på flaskhalsen och snurrade den långsamt runt. "Jag ville komma iväg och hon skulle köpa sandaler till ungen, så vi sa hej och gick åt varsitt håll."

"Bjöd du med henne på en segeltur?" frågade Carpenter.

"Nej." Han tappade intresset för flaskan och lät den ligga med öppningen riktad mot kriminalintendentens bröst som en gevärsmynning. "Alltså, jag vet inte vad ni tror att jag har gjort", sade han med stigande irritation, "men jag är förbannat säker på att ni inte har rätt att ställa alla de här frågorna. Borde ni inte spela in det här på band?"

"Inte när du bara hjälper till vid utredningen", sade Carpenter milt. "Enligt reglerna bandar man förhör med misstänkta som är anhållna. De förhören sker på en polisstation och när man byter band måste det göras i den misstänktes åsyn." Han log vänligt. "Men om du föredrar att följa med oss till Winfrith och bli förhörd som frivilligt vittne där så att samtalet kan bandas går det lika bra."

"Aldrig i livet. Jag stannar på båten." Han sträckte ut armarna på soffryggen och grep tag i teakkanten som för att understryka

101

sina ord. I rörelsen råkade han komma åt en tygbit som låg instoppad på den smala hyllan bakom kanten och han sneglade förstrött på den innan han knölade ihop den i högerhanden.

Det uppstod ett ögonblicks tystnad.

"Har du en flickvän i Lymington?" frågade Carpenter.

"Kanske."

"Får jag fråga vad hon heter?"

"Nej."

"Din agent hade ett förslag. Han sa att hon kallades Bibi eller Didi."

"Det är hans problem."

Galbraith var mer intresserad av vad Harding hade i handen eftersom han hade hunnit uppfatta vad det var. "Har du barn?" frågade han.

"Nej."

"Har din flickvän barn?"

Inget svar.

"Du håller en hakklapp i handen", påpekade kommissarien, "så förmodligen har någon som har varit ombord på båten barn."

Harding öppnade handen och lät föremålet falla ner på soffan. "Den har legat där i evigheter. Städning är inte riktigt min grej."

Carpenter slog handen i bordet så att telefonen och whiskyflaskan hoppade. "Jag börjar bli trött på dig nu", sade han skarpt. "Det här är ingen teaterpjäs vi sätter upp för din skull, det är en seriös utredning av en ung kvinnas död. Du har medgett att du kände Kate Sumner och att du träffade henne på morgonen innan hon drunknade, men om du inte vet hur det kom sig att hon låg på stranden i Dorset vid en tidpunkt då hon och hennes dotter borde ha varit i Lymington så råder jag dig att svara på våra frågor så rakt och ärligt du kan. Låt mig formulera om frågan." Hans ögon smalnade. "Har du nyligen haft en flickvän och hennes barn som gäster på båten?"

"Kanske", sade Harding igen.

"Det finns inget kanske i det här fallet. Antingen har du det eller ej."

Harding tog ner armarna från soffryggen och lutade sig fram igen. "Jag har flera flickvänner som har barn", sade han tjurigt, "och de har varit här allihop. Jag försöker minnas vem det var sist."

"Jag vill ha namnet på dem allihop", sade Carpenter obevekligt.

"Ja, men det får du inte", sade Harding med plötslig beslutsamhet, "och jag tänker inte svara på fler frågor. Inte utan advokat och inte utan att samtalet bandas. Jag vet inte vad jag är misstänkt för, men du ska fan inte sätta dit mig för det."

"Vi försöker slå fast hur det kom sig att Kate Sumner drunknade i Egmont Bight."

"Inga kommentarer."

Carpenter ställde whiskyflaskan upp och satte fingret på öppningen. "Varför drack du dig full igår kväll?"

Harding stirrade på intendenten men sade ingenting.

"Du ljuger som en häst travar, gosse lille. Igår sa du att du vuxit upp på en bondgård i Cornwall, men sanningen är den att du vuxit upp ovanpå en fish&chipsbutik i Lymington. Du sa till din agent att din flickvän heter Bibi när Bibi i själva verket har varit din kompis flickvän i flera månader. Du sa till William Sumner att du var bög, men alla i din omgivning anser att du är en donjuan. Vad har du för problem? Är livet så tråkigt att du måste spela teater för att skapa lite spänning?"

En svag rodnad spred sig över Hardings hals. "Herregud, vilken skithög du är!" väste han ursinnigt.

Carpenter stirrade på honom tills han vände bort blicken. "Har du några invändningar mot att vi ser oss omkring på din båt?"

"Inte om ni har papper på att ni får göra en husrannsakan."

"Det har vi inte."

Hardings ögon glimmade i triumf. "Då kan ni glömma det."

Kriminalintendenten iakttog honom en stund. "Kate Sumner blev brutalt våldtagen innan hon slängdes i vattnet och lämnades att drunkna", sade han långsamt, "och allt tyder på att våldtäkten ägde rum på en båt. Jag ska förklara reglerna för husrannsakan, Steven. I brist på ägarens samtycke har polisen olika vägar att gå. En av dem

103

– om man utgår ifrån att det finns rimliga skäl att misstänka att ägaren har gjort sig skyldig till ett brott han kan häktas för – är att anhålla honom och att sedan undersöka lokalerna för att förhindra att han undanröjer bevismaterial. Förstår du innebörden i det jag säger, om man betänker att våldtäkt och mord är grova brott som man kan häktas för?"

Hardings ansikte hade blivit alldeles vitt.

"Var vänlig och svara på min fråga", snäste Carpenter. "Förstår du innebörden i det jag säger?"

"Ni anhåller mig om jag vägrar."

Carpenter nickade.

Chocken gav vika för ilska. "Jag kan inte tänka mig att ni har rätt att uppträda på det här sättet. Ni kan inte gå omkring och anklaga folk för våldtäkt bara för att kunna göra en husrannsakan på deras båtar utan att ha papper på det. Det är polisövergrepp."

"Du glömmer det jag sa om rimliga skäl." Han räknade av punkterna på fingrarna. "*Ett*, du har medgett att du träffade Kate Sumner klockan 9.30 på lördagsmorgonen strax innan du gav dig ut och seglade; *två*, du har inte lyckats ge någon tillfredsställande förklaring till varför det tog dig fjorton timmar att segla från Lymington till Poole; *tre*, du har gett motstridiga versioner av varför du befann dig på stigen ovanför det ställe där Kate Sumners kropp påträffades; *fyra*, din båt låg förtöjd i närheten av den plats där hennes dotter hittades ensam och chockad; *fem*, du verkar ovillig eller oförmögen att ge tillfredsställande svar på raka frågor ..." Han avbröt sig. "Ska jag fortsätta?"

Harding hade förlorat all fattning. Han såg ut precis som han kände sig: vettskrämd. "Det är bara tillfälligheter", protesterade han.

"Även det faktum att lilla Hannah påträffades nära Salterns marina igår? Var det också en tillfällighet?"

"Jag antar det ..." Han tystnade tvärt med skräckslagen min. "Jag har ingen aning om vad du pratar om", sade han och rösten steg i tonhöjd. "Fan också! Jag måste tänka."

104

"Ja, tänk då på det här", sade Carpenter oberört, "om vi, när vi genomsöker den här båten hittar ett enda fingeravtryck som tillhör Kate Sumner ..."

"Ja, ja, okej då", avbröt han. Han drog ett djupt andetag genom näsan och gjorde dämpande åtbörder med handen som om det var polismännen som behövde lugnas och inte han. "Hon och hennes unge har varit ombord, men inte i lördags."

"När var det?"

"Jag kommer inte ihåg."

"Det duger inte, Steve. Nyligen? För länge sedan? Under vilka omständigheter? Tog du med dem hit ut i gummibåten? Var Kate en av dina erövringar? Låg du med henne?"

"Nej, för fan!" sade han argt. "Jag hatade den dumma subban. Hon bjöd alltid ut sig, ville att jag skulle satta på henne och att jag skulle vara snäll mot den där knäppa ungen hon hade. De brukade stå nere vid bensinbryggan och vänta på att jag skulle komma och tanka. Det var verkligen skitjobbigt."

"Så, om jag ska förstå det hela rätt", mumlade Carpenter spydigt, "så bjöd du henne ombord för att få henne att sluta besvära dig?"

"Jag tänkte att om jag var artig ... Äh, vad fan! Sätt igång och sök igenom båten bara. Ni kommer inte att hitta ett skit."

Carpenter nickade till Galbraith. "Jag föreslår att du börjar i ruffen. Har du fler lampor, Steve?"

Harding skakade på huvudet.

Galbraith tog en ficklampa som hängde på väggen i aktern och knäppte på den för att försäkra sig om att den fungerade. "Den här får duga." Han höll upp dörren till ruffen och lät ljuskäglan svepa runt. Han hejdade sig nästan genast vid en liten klädhög på en hylla. Han petade undan en tunn blus, en behå och ett par trosor med kulspetspennan och avslöjade ett par små barnskor som låg insmugna på hyllan. Han riktade ljuskäglan mot dem och klev bakåt så att Carpenter och Harding kunde se dem.

"Vems är skorna, Harding?"

Inget svar.

"Vems är kläderna?"

Inget svar.

"Om du har någon förklaring till varför de här föremålen finns på din båt, Steve, så råder jag dig att komma med den nu."

"De är min flickväns", sade han med kvävd röst. "Hon har en son. Det är hans skor."

"Vad heter hon, Steve?"

"Det kan jag inte tala om. Hon är gift och har ingenting med det här att göra."

Galbraith kom ut ur ruffen och höll upp en av skorna med sin penna. "Det finns ett namn på en rem här: H. SUMNER. Och det finns fläckar på golvet här inne." Han pekade med ljusstrålen på några mörka avtryck bredvid britsen. "De ser ganska färska ut."

"Jag måste få veta vad det är för fläckar, Steve."

Harding flög upp ur stolen och grep whiskyflaskan med båda händerna. Han riktade ett våldsamt slag åt vänster så att Galbraith blev tvungen att retirera in i ruffen. "Nu räcker det!" morrade han. "Ni är ute och cyklar. Lägg av nu innan jag gör något jag får ångra. Ni måste ge mig lite andrum. Jag behöver tänka."

Han var oförberedd på den snabba motattacken; Galbraith ryckte flaskan ur hans grepp och vred honom runt så att han hamnade med ansiktet mot den teakklädda väggen, låste hans armar bakom ryggen och satte på honom handbojor.

"Du kommer att få gott om tid att tänka i cellen", sade kriminal-kommissarien oberört medan han knuffade ner den unge mannen med ansiktet nedåt på soffan. "Jag anhåller dig som misstänkt för mord. Du har rätt att tiga, men om du under rättegången hänvisar till uppgifter du underlåtit att nämna under förhöret kan det vändas emot dig. Allt du säger kan användas som bevis."

William Sumner var så dåligt hemmastadd i Langton Cottage att Sandy Griffiths skulle ha ifrågasatt att han någonsin hade bott där om han inte haft nycklar till ytterdörren. Polisassistenten som skulle övervaka hennes väl och ve kände till huset bättre än ägaren eftersom han varit med när kriminalteknikerna genomförde sin minutiösa undersökning. Sumner tittade tomt på henne varje gång hon ställde en fråga. I vilket skåp fanns teet? Ingen aning. Var brukade Kate ha Hannahs blöjor? Ingen aning. Vilken handduk eller tvättlapp var hennes? Ingen aning. Kunde han åtminstone visa henne till Hannahs rum så att hon kunde natta henne? Han tittade mot trappan. "Det är däruppe", sade han, "det går inte att missa."

Han verkade fascinerad över invasionen i sitt hem. "Vad letar de efter?" frågade han.

"Vad som helst som kan kopplas till Kates försvinnande", sade Griffiths.

"Betyder det att de tror att det var jag?"

Griffiths lyfte upp Hannah på höften och vände barnets huvud mot sin axel i ett fåfängt försök att hindra henne från att höra. "Det är ren rutin, William, men jag tycker inte att det är något vi bör prata om inför din dotter. Jag föreslår att du tar upp det med kommissarie Galbraith imorgon."

Men antingen var han totalt okänslig eller så struntade han i sin dotters välbefinnande för han uppfattade inte vinken. Han stirrade på fotografiet av sin hustru på spiselkransen. "Det kan inte vara jag", sade han. "Jag var i Liverpool."

På Dorsetshirepolisens begäran hade Liverpoolpolisen redan inlett preliminära undersökningar på hotell Regal. Det var lite för tidigt att dra några slutsatser, men Sumners räkningar utgjorde en intressant lektyr. Trots att han flitigt utnyttjat telefonen, kaféet, restaurangen och baren de två första dagarna fanns det en period på ett dygn mellan lördagens lunch och söndagens kvällsdrink i baren då han inte tagit en enda av hotellets tjänster i anspråk.

10

UNDER DE TJUGO minuter John Galbraith väntade i vardagsrummet i Langton Cottage nästa morgon på att få prata med William Sumner, kom han till insikt om två saker. Den första var att Kate Sumner varit fåfäng. Vartenda fotografi på spiselkransen föreställde antingen henne själv eller henne och Hannah och han letade förgäves efter ett porträtt av William eller av en äldre kvinna som skulle kunna vara Williams mor. I sin sysslolöshet började han till slut räkna bilderna. De var tretton stycken och föreställde alla samma näpna leende ansikte inramat av gyllene lockar. Var detta personkulten i dess mest extrema form, undrade han, eller ett tecken på ett djupt rotat mindervärdeskomplex som ständigt krävde bekräftelse på att det var ett slags begåvning att vara fotogenisk?

Den andra insikten var att han aldrig skulle ha stått ut med att leva med Kate. Hon hade haft en uppenbar svaghet för bjäfs och allting var försett med rysch och pysch: spetsgardinerna, kornischerna, fåtöljerna – till och med lampskärmarna hade utrustats med tofsar. Ingenting, inte ens väggarna, hade undsluppit hennes förkärlek för överlastade utsmyckningar. Langton Cottage var ett 1800-talshus med takbjälkar och murade öppna spisar men istället för ren vit puts som skulle ha framhävt de enskilda detaljerna hade hon – antagligen till avsevärda kostnader – prytt väggarna i vardagsrummet med imiterade Regencytapeter med guldränder, vita rosetter och fruktkorgar i grälla färger. Galbraith ryste över detta vanhelgande av vad som skulle ha kunnat vara ett utsökt rum och jämförde det omedvetet med enkelheten i Steven Hardings träinredda segelbåt, vilken för ögonblicket genomsöktes med minutiös nog-

108

grannhet av teknikerna medan Harding, som gjorde bruk av sin rätt att tiga, tog igen sig i sin cell.

Rope Walk var en tyst trädkantad gata väster om Royal Lymingtons och Towns båtklubbar, och Langton Cottage hade uppenbarligen inte varit billigt. När Galbraith efter bara två timmars sömn knackade på dörren klockan åtta på tisdagsmorgonen undrade han hur stora lån William hade tvingats ta för att kunna köpa det och hur mycket han tjänade på sitt kemistjobb. Han tyckte att flytten från Chichester verkade fullkomligt ologisk, i synnerhet som varken Kate eller William verkade ha någon anknytning till Lymington.

Han släpptes in av polisassistent Griffiths som gjorde en grimas när han sade att han måste prata med Sumner. "Lycka till!" viskade hon. "Hannah har gallskrikit nästan hela natten, så jag tvivlar på att du får något vettigt ur honom. Han har sovit nästan lika lite som jag."

"Välkommen i klubben."

"Du också?"

Galbraith log. "Hur är det med honom?"

Hon ryckte på axlarna. "Inget vidare. Han gråter stup i ett och säger att han inte vill ha det så här." Hon sänkte rösten ännu mer. "Jag är verkligen orolig för Hannah. Det märks att hon är rädd för honom. Hon skriker och vrålar bara han kommer in i rummet och så snart han försvinner slutar hon. Jag skickade honom i säng till slut för att få henne att somna."

Galbraith såg intresserad ut. "Hur reagerar han?"

"Det är det som är så konstigt. Han reagerar inte alls. Han struntar i det precis som om han var van vid det."

"Har han sagt varför hon beter sig så här?"

"Bara att han jobbar så mycket att han aldrig haft någon chans att bygga upp en relation med henne. Det skulle kunna vara sant. Jag får ett intryck av att Kate bäddade in henne i bomull. Det finns så många säkerhetsanordningar här i huset att jag inte förstår hur hon hade tänkt sig att Hannah någonsin skulle lära sig något. Varenda dörr har barnsäkra lås – till och med garderoben i barnkam-

109

maren – vilket innebär att hon inte kan utforska sin omgivning, inte välja kläder själv eller ens stöka till om hon skulle få lust. Hon är nästan tre år men hon sover fortfarande i spjälsäng. Det är rätt underligt, faktiskt. Mer som ett fängelse än en barnkammare. Det är ett himla märkligt sätt att uppfostra ett barn på och uppriktigt sagt tycker jag inte att det är konstigt att hon är avvisande."

"Jag antar att du har tänkt på att hon kan vara rädd för honom därför att hon har sett honom döda hennes mamma", mumlade Galbraith.

Sandy Griffiths gjorde en vickande rörelse med handen. "Det är bara det att jag inte förstår hur det skulle ha gått till. Han har gjort en lista över kolleger som han träffade i Liverpool i lördags kväll och som kan ge honom alibi och om den stämmer finns det inte en chans att han hivade sin fru i vattnet klockan ett i Dorset."

"Nej", instämde Galbraith. "Men ..." Han bet sig eftertänksamt i läppen. "Vet du att teknikerna inte hittade några läkemedel alls i huset, inte ens huvudvärkstabletter? Det är märkligt med tanke på att William jobbar på ett läkemedelsföretag."

"Det är kanske just därför. Han vet vad de innehåller."

"Mmm. Eller så har någon gjort sig av med dem innan vi kom hit." Han sneglade mot trappan. "Tycker du om honom?" frågade han.

"Inte direkt", erkände hon, "men rätta dig inte efter vad jag tycker. Jag har alltid varit urusel på att bedöma mäns karaktär. Enligt min åsikt borde han fått sig en omgång för trettio år sedan så att han hade lärt sig veta hut, men som läget är nu verkar han betrakta kvinnor som serviceinrättningar."

Han skrattade. "Står du ut med att vara kvar här?"

Hon gnuggade sig trött i ögonen. "Det vete gudarna! Killen du skickat hit stack för ungefär en halvtimme sedan och det är meningen att det ska komma någon och lösa av mig när William identifierar kroppen och pratar med läkaren som undersökte Hannah. Problemet är att jag inte tror att Hannah släpper iväg mig utan vidare. Hon är som ett häftplåster. Jag tar mig en tupplur i gästrummet när

110

jag kommer åt, och om nätterna tänkte jag ordna med någon som hoppar in så att jag kan vara kvar här. Men jag måste få tag i chefen och ordna med någon från polisen här." Hon suckade. "Du vill att jag ska väcka William förstår jag."

Han klappade henne på axeln. "Nej. Visa mig bara till hans rum. Jag gör det så gärna själv."

Det var ett frestande erbjudande, men hon skakade på huvudet. "Du kommer att störa Hannah", sade hon med en hotfull grimas, "och jag svär vid Gud att jag dödar dig om hon börjar gasta igen innan jag har fått en cigg och lite kaffe. Jag är helt slut. Jag klarar inte av mer skrikande utan dunderdoser av koffein och nikotin."

"Har du tappat lusten att skaffa barn?"

"Jag har tappat lusten att skaffa man", sade hon. "Det skulle inte vara lika påfrestande om han bara kunde sluta hänga över mig som ett mörkt moln." Hon öppnade dörren till vardagsrummet. "Du kan vänta på honom härinne. Du kommer att bli stormförtjust. Det är rena rama helgonaltaret."

Galbraith hörde fotsteg i trappan och vände på huvudet när dörren öppnades. Sumner var runt de fyrtio men just nu såg han betydligt äldre ut och Galbraith misstänkte att Harding skulle ha varit mycket hårdare i sin bedömning om han hade sett Kates make som han såg ut nu. Han var orakad, håret stod på ända och han såg outsägligt trött ut, men om det berodde på sorg eller sömnbrist gick inte att avgöra. Men Galbraith lade märke till att blicken i ögonen fortfarande var skarp. Sömnbrist ledde inte automatiskt till tankemässig avtrubbning.

"Godmorgon", sade han. "Ni får ursäkta att jag besvärar er igen så här tidigt, men jag har några frågor till och de kan tyvärr inte vänta."

"Det är ingen fara. Slå er ner. Det känns som jag inte alls var till någon hjälp igår kväll, men jag var så slutkörd att jag inte kunde tänka klart." Han satte sig i en fåtölj och överlät soffan åt Galbraith. "Jag har skrivit listorna ni bad om. De ligger på köksbordet."

"Tack." Han gav mannen en forskande blick. "Har ni fått någon sömn?"

"Nej, det kan man inte påstå. Jag kan inte sluta grubbla. Det är så ologiskt alltihop. Jag hade kunnat förstå om båda hade drunknat, men jag kan inte fatta varför Kate är död medan Hannah lever."

Galbraith instämde. Han och Carpenter hade ägnat nästan hela natten åt att fundera på samma sak. Varför hade Kate tvingats simma för att försöka undkomma medan barnet fick leva? Den förklaring som låg närmast till hands – att båten var *Crazy Daze* och att Hannah *hade* varit ombord men lyckats göra sig fri medan Harding promenerade till Chapman's Pool – besvarade inte frågan varför barnet inte hade knuffats i vattnet tillsammans med sin mamma, varför Harding inte bekymrat sig över att andra båtägare i marinan skulle kunna höra henne skrika utan lämnat henne kvar ensam, och vem som hade gett henne mat och dryck och bytt blöjor på henne timmarna innan hon hittades.

"Har ni haft tid att gå igenom er hustrus garderob, herr Sumner? Har ni sett om några av hennes kläder saknas?"

"Inte vad jag kan se ... men det är inte mycket att gå efter", tillade han efter kort stunds eftertanke. "Jag lägger faktiskt inte riktigt märke till vad folk har på sig."

"Resväskor?"

"Jag tror inte det."

"Okej." Galbraith öppnade portföljen som stod bredvid honom. "Jag har med mig några plagg som jag skulle vilja att ni tittade på. Kan ni vara vänlig att säga till om ni känner igen dem." Han tog upp en plastpåse som innehöll den tunna blus de hittat ombord på *Crazy Daze* och höll upp den.

Sumner skakade på huvudet utan att röra vid den. "Det är inte Kates", sade han.

"Hur kan ni vara så säker på det om ni inte lade märke till vad hon hade på sig?" undrade Galbraith nyfiket.

"Den är gul. Hon avskydde gult. Hon sa att det inte klädde ljus-

112

håriga." Han gjorde en vag gest mot dörren. "Det finns ingenting gult här i huset."

"Jag förstår. Känner ni igen de här då?" Han tog upp påsarna med behån och trosorna.

Sumner sträckte motvilligt fram handen och tog emot dem. Han granskade innehållet noga genom den genomskinliga plasten. "Det skulle förvåna mig om de var hennes", sade han när han lämnade dem tillbaka. "Hon tyckte om spetsar och rosetter och de här är väldigt enkla. Ni kan jämföra dem med de andra sakerna i hennes lådor om ni vill, så förstår ni vad jag menar."

Galbraith nickade. "Det ska jag göra. Tack så mycket." Han tog fram påsen med barnskorna och placerade dem i sin högra handflata. "De här då?"

Sumner skakade på huvudet igen. "Tyvärr. Jag tycker att alla barnskor ser likadana ut."

"Det står H. SUMNER på insidan av remmen här."

Han ryckte på axlarna. "Då måste det vara Hannahs."

"Inte nödvändigtvis", sade Galbraith. "De är väldigt små och passar snarare en ettåring än en treåring. Och vem som helst kan skriva ett namn i ett par skor."

"Vad skulle det vara för vits med det?"

"Det skulle kunna vara ett sätt att kasta misstankarna på någon annan kanske."

Sumner rynkade pannan. "Var hittade ni dem?"

Men Galbraith skakade på huvudet. "Tyvärr kan jag inte avslöja det på det här stadiet." Han höll upp skorna igen. "Tror ni att Hannah skulle känna igen dem? Det kanske är hennes avlagda skor."

"Kanske om polisassistent Griffiths visar dem för henne", sade Sumner. "Det är ingen idé att jag försöker. Hon gallskriker så fort hon får se mig." Han borstade bort osynligt skräp från armstödet. "Problemet är att jag är så mycket på jobbet att hon aldrig har fått en chans att lära känna mig ordentligt."

Galbraith gav honom ett medkännande leende och undrade samtidigt om det låg någon sanning i hans ord. Fanns det någon som kunde säga emot honom? Kate var död, Hannah hade inte lärt sig prata och de grannar som blivit förhörda hävdade att de knappt visste någonting om William Sumner. Eller om Kate.

"Om jag ska vara uppriktig har jag bara träffat honom några gånger och han gjorde inte något djupare intryck direkt. Han kom förstås väldigt sent från arbetet, men de var inte mycket för att umgås. Hon var ganska rar, men jag kan inte påstå att vi var nära vänner. Ni vet hur det är. Man väljer inte sina grannar, man får dem på halsen ..."

"Han är inte särskilt sällskaplig precis. En gång sa Kate att han satt framför datorn och jobbade på kvällarna och helgerna medan hon tittade på såpor. Det känns hemskt att hon dog på det där sättet. Jag önskar att jag tagit mig tid att prata mer med henne. Jag tror att hon var rätt ensam, förstår ni. Alla vi andra arbetar och hon var den enda som var hemmafru ..."

"Han är en riktig översittare. Han pratade med min fru om staketet mellan våra trädgårdar, sa att det behövde lagas och när hon sa åt honom att det var hans murgröna som tyngde ner det hotade han med att stämma henne. Nej, det är den enda kontakt vi har haft med honom. Det räckte. Jag gillar inte den karlen ..."

"Jag träffade Kate mer än honom. Det var ett konstigt par. De gjorde aldrig någonting ihop. Ibland undrade jag om de ens tyckte om varandra. Kate var väldigt rar men hon pratade nästan aldrig om William. Om jag ska vara uppriktig tror jag inte att de hade särskilt mycket gemensamt ..."

"Jag hörde att Hannah har skrikit nästan hela natten. Brukar hon göra det?"

"Nej", svarade Sumner utan att tveka, "men Kate tröstade henne alltid när hon var ledsen. Hon skriker efter mamma, stackars liten."

"Så ni har inte märkt att hon beter sig annorlunda?"

"Inte egentligen."

"Läkaren som undersökte henne i Poole var väldigt bekymrad och beskrev henne som extremt blyg och sen i utvecklingen. Hon sa att hon antagligen drabbats av ett trauma av något slag." Galbraith log lite. "Ändå säger ni att Hannah beter sig som vanligt."

Sumner rodnade lätt som om Galbraith hade kommit på honom med att ljuga. "Hon har alltid varit lite" – han tvekade – "tja, egen. Jag trodde att hon var antingen autistisk eller döv, så vi lät undersöka henne, men husläkaren sa att det inte var något fel och rådde oss bara att ha tålamod. Han sa att barn är manipulativa och om Kate inte gjorde henne till lags hela tiden skulle hon bli tvungen att be om det hon ville ha och då skulle problemet vara löst."

"När var det?"

"För ungefär ett halvår sedan."

"Vad heter husläkaren?"

"Doktor Attwater."

"Lydde Kate hans råd?"

Han skakade på huvudet. "Hon ville inte. Hannah lyckades alltid göra sig förstådd och Kate såg ingen anledning att tvinga henne att prata innan hon var redo."

Galbraith antecknade läkarens namn. "Ni är en intelligent man", sade han sedan, "så jag är säker på att ni förstår varför jag ställer de här frågorna, herr Sumner."

En antydan till ett leende skymtade i mannens trötta ansikte. "Säg hellre William", sade han, "och visst, det är klart att jag gör. Min dotter skriker varje gång hon får se mig, min fru hade alla tillfällen i världen att bedra mig eftersom jag nästan aldrig är hemma; jag är arg eftersom jag inte ville flytta till Lymington; lånet på huset är på tok för högt och jag skulle vilja sälja det; hon var ensam därför att hon hade så få vänner, och kvinnor blir oftare mördade av äkta män i raseri under ett gräl än av främmande personer under en attack av åtrå." Han skrattade glädjelöst. "Det enda som talar till min förmån är att jag har vattentätt alibi, och tro mig om jag säger att jag legat vaken nästan hela natten och tackat Gud för det."

Det finns regler för hur länge polisen har rätt att hålla någon utan att väcka åtal och pressen på att finna bevis mot Steven Harding växte allteftersom timmarna gick. Det var uppenbart att de bevis de hade inte räckte. Fläckarna på golvet i hytten som hade sett så lovande ut kvällen innan visade sig härröra från whiskyindränkta uppkastningar – blodgrupp A, samma som Hardings – och trots en minutiös undersökning av båten lyckades man inte frambringa några bevis på att en våldshandling ägt rum ombord.

Om rättsläkarens fynd var riktiga – *blåmärken och skrubbsår på ryggen (tydligast på skulderblad och säte) samt på lårens insidor, vilket tyder på påtvingat samlag på ett hårt underlag såsom ett däck eller ett golv utan matta – viss blodförlust på grund av sår i vagina –* borde det finnas spår av blod, vävnad eller till och med sperma i fogarna mellan plankorna eller i lösa träflisor på däck och/eller i salongen och/eller i ruffen. Man fann dock ingenting. Det fanns gott om torkat salt på däcksplankorna, men trots att det kunde peka på att han hade skrubbat däcket med havsvatten för att undanröja bevis var det en självklarhet att hitta salt på en segelbåt.

Eftersom gärningsmannen sannolikt lagt en filt eller en matta på däck innan han tvingat sig på Kate Sumner, undersöktes varenda tygbit ombord. Man hittade dock ingenting och det troligaste var ju att den kastats överbord tillsammans med Kates kläder och allt annat som kunde koppla henne till båten. Man undersökte kroppen igen centimeter för centimeter för att se om man kunde hitta träsplitter från *Crazy Daze* som trängt in under huden, men hade där funnits något hade såren tvättats rena i havet och bevisen spolats bort. Det var samma sak med de avbrutna naglarna. Hade det någonsin funnits något under dem hade det försvunnit för länge sedan.

Bara lakanen i ruffen visade spår av sperma, men eftersom sängkläderna inte hade blivit tvättade på länge var det omöjligt att avgöra om fläckarna härrörde från ett samlag som ägt rum nyligen. Eftersom man bara hittade två främmande hårstrån på kuddar och lakan – båda var ljusa men inget av dem var Kates – blev slutsatsen att Steven Harding i själva verket inte var den promiskuöse hingst hamnkaptenen utmålat honom som utan en ensam onanist.

I lådan i nattduksbordet hittade man en liten mängd cannabis och en samling obrutna kondomförpackningar tillsammans med tre tomma omslag. Däremot hittade man inga använda kondomer. Man genomsökte alla lådor på jakt efter benzodiazepin och/eller något annat sömnmedel. Utan resultat. Trots noggrant letande hittade man ingen porr – varken foton eller tidningar. Undersökningar av Hardings bil och Londonvåning gav lika lite, men i lägenheten fanns trettiofem porrfilmer. Ingen av dem var dock totalförbjuden. Man skrev ut en husrannsakningsorder på Tony Bridges hus i Lymington, men fann ingenting som band Steven Harding vid brottet eller kopplade honom eller någon annan till Kate Sumner. Trots omfattande förhör kunde polisen inte hitta några andra hus som ägdes eller disponerades av Harding och med undantag för en iakttagelse av honom i samspråk med Kate Sumner utanför Tesco på lördagsmorgonen hade ingen sett dem tillsammans.

Man fann finger- och handavtryck från Kate och Hannah Sumner, vilket bevisade att de varit ombord på *Crazy Daze,* men ovanpå många av dem fanns andra avtryck – de flesta tillhörde inte Harding – så kriminalteknikerna kunde inte fastslå att de varit där nyligen. Man fäste avsevärt intresse vid det faktum att man i salongen hittat tjugofem uppsättningar fingeravtryck utöver Carpenters, Galbraiths, Kates, Hannahs och Steves – varav åtminstone fem var små nog att tillhöra barn. En del av fingeravtrycken överensstämde med avtryck som man lyft hemma hos Bridges, men endast ett fåtal återfanns även i ruffen. Harding hade alltså bevisligen haft gäster ombord, även om det inte gick att utröna vad de sysslat med. Hans förklaring var att han alltid bjöd in andra seglare i salongen när han lade till i en marina och i brist på bevis på motsatsen fick polisen nöja sig med det. Men de var fortfarande nyfikna på hur det egentligen förhöll sig.

Med tanke på äpplena och osten i pentryt såg det ut som om Kate Sumners sista måltid var något polisen kunde ta fasta på, ända tills rättsläkaren påpekade att det var omöjligt att härleda halvsmält mat till ett visst inköpstillfälle. Ett Golden Delicious från Tesco som lösts upp av magsyra hade samma kemiska sammansättning som ett Golden Delicious från Sainsbury. Det gick inte ens att ta fasta på haklappen eftersom fingeravtrycken på plastytan visade att Steven Harding och två andra oidentifierade personer hade tagit i den, men däremot inte Kate Sumner.

När Nick Ingram avlagt rapport om sina iakttagelser riktade de uppmärksamheten mot den enda ryggsäck som påträffats på båten, en svart trepunktsryggsäck med en handfull karamellpapper i botten. Varken Paul eller Danny Spender hade lyckats beskriva den exakt – Danny: "den var stor och svart …"; Paul: "den var ganska stor … den kanske var grön …" – men det klargjorde inte vad den kunde ha innehållit på söndagsmorgonen. Det gick inte heller att komma fram till om det var samma ryggsäck som den pojkarna hade sett. Steven Harding verkade förbryllad över polisens intresse för hans ryggsäck och hävdade att det var den han haft med sig på utfärden. Han förklarade att han lämnat kvar den på sluttningen eftersom den innehöll en literflaska vatten och han inte orkat släpa den fram och tillbaka till sjöbodarna. Vidare sade han att polisassistent Ingram aldrig hade frågat honom om ryggsäcken och att det var därför han inte nämnt den med en gång.

Spiken i kistan för polisens misstankar blev kassörskan på Tesco på High Street i Lymington som hade arbetat på lördagen.

"Klart jag känner Steve", sade hon när hon fick se fotot. "Han kommer hit och handlar varje lördag. Om jag såg honom prata med en blond kvinna med ett barn förra veckan? Visst. Han fick syn på dem just när han skulle gå och sa 'Jäklar!' så jag sa 'Vad är det?' och han sa 'Jag känner den där bruden och hon kommer att börja prata med mig för det gör hon alltid' så jag sa, liksom *svartsjukt*, 'Hon är väldigt söt', och han sa 'Glöm det, Dawn, hon är gift och jag har hur som helst bråttom'. Och han hade rätt. Hon började prata med honom men han stannade inte utan pekade bara på klockan och smet iväg. Vill ni veta vad jag tror? Han hade något på gång och ville inte komma för sent. Hon såg väldigt sur ut när han stack, och det kan jag förstå. Steve är rätt sexig. Om jag inte varit mormor kunde jag själv ha tänkt mig att stöta på honom."

William Sumner hävdade att han var dåligt insatt i hur Langton Cottage sköttes och i sin frus dagliga liv. "Jag är borta tolv timmar om dagen, från sju på morgonen till sju på kvällen", sade han till Galbraith som om det var något att vara stolt över. "Jag var mycket mer insatt i hennes rutiner i Chichester, antagligen därför att jag kände till människorna och affärerna hon pratade om. Det är lättare att följa med när man känner till namnen. Allt är så annorlunda här."

"Förde hon någonsin Steven Harding på tal?"

"Var det den jäveln som hade Hannahs skor?" frågade Sumner upprört.

Galbraith skakade på huvudet. "Vi kommer mycket snabbare framåt om du inte ställer motfrågor hela tiden, William. Låt mig påminna dig om att vi fortfarande inte vet om det var Hannahs skor." Han höll fast den andres blick. "Och när jag ändå är inne på det måste jag tala om för dig att om du börjar lägga fram egna teorier i det här fallet kan det försämra våra chanser att väcka åtal. Vilket skulle kunna innebära att Kates mördare går fri."

"Förlåt." Sumner höll ursäktande upp handen. "Fortsätt."

"Förde hon Steven Harding på tal?" frågade Galbraith igen.

"Nej."

Galbraith tog upp namnlistan Sumner hade åstadkommit. "Är någon av männen här en före detta pojkvän? Någon från Portsmouth till exempel? Brukade hon träffa någon av dem innan hon träffade dig?"

Ännu en huvudskakning. "De är gifta allihop."

Galbraith förundrades över naiviteten i hans uttalande, men gick inte närmare in på frågan. Istället gick han vidare i sina försök att skapa sig en bild av Kates liv, men det gick inte att få ihop konturerna. Den kortfattade historia William gav honom sade mer genom vad den utelämnade än genom vad han berättade. Hennes flicknamn hade varit Hill, men han kunde inte säga om det var hennes mors eller fars namn.

"Jag tror inte att de var gifta", sade han.

"Och Kate kände inte sin far?"

"Nej. Han gav sig iväg när hon var liten."

Hon och mamman hade bott i en hyreslägenhet i Birmingham, fast han visste inte var, hade ingen aning om vilken skola Kate gått i, var hon fått sin sekreterarutbildning eller ens var hon hade jobbat innan hon började på Pharmatec. Galbraith frågade om hon höll kontakt med några av sina vänner från den tiden men William skakade på huvudet och sade att han inte trodde det. Han letade fram en adressbok i en liten byrå som stod i ett hörn av rummet och sade att Galbraith själv kunde titta efter. "Men du kommer inte att hitta någon från Birmingham där."

"När flyttade hon?"

"När hennes mamma dog. Hon sa en gång att hon ville komma så långt som möjligt från platsen där hon växt upp så hon flyttade till Portsmouth och hyrde en lägenhet ovanför en affär på en bakgata."

"Sa hon varför det var så viktigt att komma långt därifrån?"

"Jag tror att hon kände att hon hade mindre chanser att komma någon vart om hon stannade kvar. Hon var rätt ärelysten."

"När det gällde karriären?" frågade Galbraith förvånat eftersom han mindes Sumners bedyranden dagen innan om att Kates enda ambition hade varit att bilda familj. "Jag tyckte du sa att hon inte hade något emot att sluta arbeta när hon blev gravid."

Det blev tyst ett ögonblick. "Jag förmodar att du har tänkt tala med min mor?"

Galbraith nickade.

Han suckade. "Hon gillade inte Kate, så hon kommer att säga att hon var en lycksökerska. Kanske inte exakt med de orden, men det är i alla fall kontentan. Hon kan vara ganska frän när hon vill." Han stirrade i golvet.

"Är det sant?" drev Galbraith på efter en stund.

"Inte som jag ser det. Kates enda önskan var att hennes barn skulle få det bättre än hon själv. Jag beundrade henne för det."

"Men det gjorde inte din mor?"

120

"Det säger inte så mycket", sade Sumner. "Hon har aldrig gillat någon av de kvinnor jag presenterat för henne, vilket förmodligen är förklaringen till att det dröjde så länge innan jag gifte mig."

Galbraith sneglade på ett av de uttryckslöst leende fotografierna på spiselkransen. "Hade Kate stark vilja?"

"Oh, ja. Hon var målmedveten när det var något hon ville ha." Han log skevt och gjorde en gest som omfattade rummet. "Det här. Det var drömmen. Eget hus. Bli socialt accepterad. Få respektabilitet. Det är därför jag vet att hon inte hade något förhållande. Hon skulle inte ha riskerat det för något i världen."

Ännu ett uttryck för naivitet? Galbraith undrade. "Hon kanske inte trodde att det var någon risk?" sade han sakligt. "Du har själv sagt att du nästan aldrig är här, så hon kan ha haft ett förhållande utan att du hade en aning om det."

Sumner skakade på huvudet. "Du förstår inte", sade han. "Det var inte för att hon var rädd för att jag skulle få reda på det. Hon kunde linda mig runt lillfingret från första stund." Ett snett leende fick hans läppar att smalna. "Min hustru var en puritan av den gamla skolan. Det var rädslan för vad andra skulle tycka som styrde hennes liv. Det var verkligen viktigt med respektabilitet."

Kriminalkommissarien var på vippen att fråga Sumner om han någonsin hade älskat sin hustru men avstod. Oavsett vad svaret blev skulle han inte tro honom. Precis som Sandy Griffiths ogillade han instinktivt William Sumner, men han kunde inte avgöra om det bara var en fråga om personkemi eller en naturlig avsmak som fötts ur hans fasta förvissning om att det var William Sumner som dödat sin hustru.

Galbraiths nästa anhalt var Old Convent, Osborne Crescent i Chichester, där gamla fru Sumner bodde i ett servicehus. Det hade uppenbarligen varit skola en gång i tiden men var numera ombyggt till ett dussin smålägenheter varav en beboddes av föreståndaren. Innan han gick in stirrade han över gatan på de stadiga fyrkantiga parhusen från 1930-talet och undrade förstrött vilket av dem som varit

121

Sumners innan de sålde det för att köpa Langton Cottage. De var så lika varandra allihop att det var omöjligt att avgöra och han tyckte plötsligt att han förstod varför Kate velat flytta. Att vara respektabel behövde inte nödvändigtvis vara detsamma som att vara tråkig, tänkte han.

Angela Sumner motsvarade överraskande nog inte den bild han gjort sig. Han hade förväntat sig en enväldig, reaktionär gammal snobb, men hon visade sig vara en stark och kraftfull kvinna. Ledgångsreumatism hade gjort henne rullstolsbunden, men hon hade fortfarande glimten i ögat. Hon bad honom stoppa legitimationen i brevlådan innan hon släppte in honom och körde sedan före honom till vardagsrummet i sin eldrivna rullstol. "Jag antar att ni har grillat William", sade hon, "och nu väntar ni er att jag ska bekräfta eller förneka det han har sagt."

"Har ni pratat med honom?" frågade Galbraith med ett leende.

Hon nickade och pekade på en stol. "Han ringde igår kväll och berättade att Kate var död."

Han satte sig ner. "Berättade han hur hon hade dött?"

Hon nickade. "Jag blev chockad, och jag antog faktiskt att det hade hänt något fruktansvärt i samma stund jag fick se bilden av Hannah på teve. Kate skulle aldrig ha lämnat Hannah. Hon avgudade henne."

"Varför ringde ni inte själv till polisen när ni såg att det var Hannah?" frågade han nyfiket. "Varför bad ni William göra det?"

Hon suckade. "Därför att jag intalade mig att det omöjligt kunde vara Hannah – jag menar det var så osannolikt att hon skulle vandra omkring i en främmande stad på egen hand – och jag ville inte ställa till besvär om det inte var hon. Jag ringde Langton Cottage om och om igen och jag ringde inte upp Williams sekreterare förrän igår morse när jag insåg att ingen skulle svara därhemma. Hon talade om var han var."

"Vad för slags besvär skulle ni ha ställt till med?"

Hon svarade inte genast. "Låt oss bara säga att Kate skulle ha ifrågasatt mina motiv. Ni förstår, jag har inte träffat Hannah sedan

122

de flyttade för ett år sedan, så jag var inte hundra procent säker på att det var hon. Barn förändras så snabbt i den åldern."

Det var inte mycket till svar, men Galbraith lät det vara för stunden. "Så ni visste inte att William hade åkt till Liverpool?"

"Hur skulle jag kunna veta det? Jag förväntar mig inte att han ska berätta var han är hela tiden. Han ringer en gång i veckan och tittar in på hemvägen ibland, men vi redovisar inte allt vi gör för varandra."

"Det är en viss förändring i så fall, eller hur?" antydde Galbraith. "Delade ni inte hus innan han gifte sig?"

Hon skrattade till. "Och ni tror att det betyder att jag visste vad han hade för sig? Ni har uppenbarligen inte vuxna barn. Man kan inte kontrollera dem även om man bor tillsammans."

"Jag har en femåring och en sjuåring som redan har mer spännande sociala liv än jag någonsin haft. Så det blir värre, alltså?"

"Det beror på om man accepterar att de prövar vingarna. Jag tror att ju mer utrymme man ger dem, desto större är chansen att de uppskattar en senare. Hur som helst så lät min make bygga om huset till två fristående lägenheter för ungefär femton år sedan. Vi bodde på undervåningen och William en trappa upp och det kunde gå dagar utan att vi träffades. Vi levde separata liv och det förändrades inte efter min makes död. Jag blev mer handikappad förstås, men jag hoppas att jag aldrig varit någon börda för William."

Galbraith log. "Det är jag säker på att ni inte har varit, men det måste ha oroat er lite att tillvaron skulle förändras om han gifte sig."

Hon skakade på huvudet. "Snarare tvärtom. Jag önskade att han skulle stadga sig, men han visade inga tendenser till att göra det. Han älskade att segla och tillbringade mesta delen av sin lediga tid på sin Contessa. Han hade flickvänner, men ingenting allvarligt."

"Blev ni glad när han gifte sig med Kate?"

Det blev tyst ett ögonblick. "Varför skulle jag inte ha blivit det?"

Galbraith ryckte på axlarna. "Jag vet inte. Jag bara undrade."

Hennes ögon glittrade plötsligt till. "Jag antar att han har sagt att

123

jag tyckte att hans hustru var en lycksökerska?"

"Ja."

"Bra", sade hon, "jag avskyr att ljuga." Hon lyfte baksidan av en knotig hand till kinden och strök undan en hårslinga. "Hur som helst är det ingen mening med att låtsas att jag var glad över det när alla andra kommer att säga att jag inte var det. Hon *var* en lycksökerska, men det var inte därför jag tyckte han var galen som gifte sig med henne. Det var för att de hade så lite gemensamt. Hon var tio år yngre än han, hade praktiskt taget ingen utbildning och var fullkomligt uppslukad av materiella ting. Hon sa en gång att det bästa hon visste här i livet var att *shoppa*." Fru Sumner skakade på huvudet i förundran över att något så världsligt kunde ge upphov till en så stark känsla. "Uppriktigt sagt kunde jag inte se vad som skulle hålla dem samman. Hon var inte det bittersta intresserad av att segla och vägrade blankt att ha någonting att göra med den sidan av Williams liv."

"Fortsatte han att segla när de hade gift sig?"

"Oh, ja. Hon hade inget emot det, bara hon slapp själv."

"Lärde hon känna några av hans seglarvänner?"

"Inte på det sätt ni menar", sade hon rakt på sak.

"Vilket sätt är det, fru Sumner?"

"William sa att ni tror att hon hade ett förhållande."

"Vi kan inte blunda för möjligheten."

"Åh, det tror jag faktiskt att ni kan." Hon gav honom en förebrående blick. "Kate hade ingen som helst moral men hon visste priset på allt och ni kan vara alldeles övertygad om att hon hade räknat ut vad hon skulle ha förlorat på att begå äktenskapsbrott om William fick reda på det. Hur som helst kan hon omöjligt ha haft ett förhållande med någon av Williams seglarvänner i Chichester. De var mer chockerade över hans val av hustru än jag. Hon gjorde inga som helst försök att anpassa sig, förstår ni, och dessutom tillhörde de en annan generation. Uppriktigt sagt blev de alla fullkomligt tagna av hennes något andefattiga konversation. Hon hade inga åsikter om någonting utom såpoperor, popmusik och filmstjärnor."

124

"Vad såg William hos henne i så fall? Han är en intelligent man och han ger verkligen inte intryck av att uppskatta andefattig konversation."

Ett uppgivet leende. "Sex, naturligtvis. Han hade fått sitt lystmäte på intelligenta kvinnor. Jag minns att han sa att hans flickvän före Kate – hon suckade – hon hette Wendy Plater och var så trevlig ... så passande ... att hennes föreställning om förspel var att diskutera hur sexuell aktivitet påverkade ämnesomsättningen. Jag sa att det lät ju intressant, och William skrattade och sa att om han fick välja föredrog han fysisk stimulans."

Galbraith höll sig allvarlig. "Det tror jag inte att han är ensam om."

"Jag tänker inte säga emot er. Hur som helst hade Kate uppenbarligen mycket större erfarenhet än han trots att hon var tio år yngre. Hon visste att William ville bilda familj och hon gav honom ett barn innan någon hann blinka." Han uppfattade förbehållet i hennes röst och det gjorde honom fundersam. "Hennes äktenskapstaktik var att skämma bort William något fruktansvärt. Han stornjöt. Det enda han behövde göra var att ta sig till jobbet varje dag. Det var det mest gammalmodiga arrangemang man kan föreställa sig. Hon var sin makes största beundrarinna och sprang och plockade upp efter honom medan han jäste och pöste i egenskap av familjeförsörjare. Jag tror att det var vad man kallar ett passivt-aggressivt förhållande; kvinnan kontrollerar mannen genom att göra honom beroende av sig fast det utåt verkar som om det är hon som är beroende av honom."

"Och ni gillade inte det?"

"Nej, men enbart därför att det inte stämmer med min syn på äktenskapet. Ett äktenskap måste vara en mötesplats för både kropp och själ, annars blir det ofruktbar mark där ingenting kan gro. Det enda hon kunde prata om med någon form av entusiasm var sina shoppingrundor och vem hon hade sprungit på under dagen och det var rätt tydligt att William aldrig lyssnade till ett ord av vad hon sa."

125

Han undrade om hon insåg att William fortfarande inte hade av-förts från listan över misstänkta. "Vad menar ni? Att hon tråkade ut honom?"

Hon övervägde hans fråga länge. "Nej, jag tror inte att han var uttråkad", sade hon sedan, "jag tror bara att han insåg att han kun-de ta henne för given. Det var därför hans arbetsdagar blev allt längre och det var därför han inte kom med några invändningar mot att bo i Lymington. Hon samtyckte till allt han gjorde, förstår ni, så han behövde inte besvära sig med att vara tillsammans med henne. Det fanns ingen utmaning i deras förhållande." Hon gjorde en paus. "Jag hade hoppats att barn var något de skulle kunna dela, men Kate lade beslag på Hannah direkt efter förlossningen som om barn var kvinnans privilegium, och ärligt talat skapade den lilla stackarn ännu större avstånd mellan dem. Hon gallskrek varje gång William försökte ta upp henne, så han tröttnade snabbt. Jag gav faktiskt Kate en ordentlig uppsträckning och sa till henne att hon inte gjorde Hannah någon tjänst genom att dränka henne i moders-kärlek, men hon blev bara arg." Hon suckade. "Jag skulle inte ha lagt mig i. Det var naturligtvis det som drev iväg dem."

"Från Chichester?"

"Ja. Det var ett misstag. Det blev för stora förändringar alldeles för snabbt. William tvingades lösa ut lånet på min lägenhet när han sålde huset tvärs över gatan här, och sedan fick han ta ett ännu stör-re lån för att kunna köpa Langton Cottage. Han sålde båten och slutade segla. För att inte tala om hur han sliter ut sig genom att köra den långa vägen till och från arbetet varje dag. Och vad får han ut av det? Ett hus han inte ens är särskilt förtjust i."

Galbraith aktade sig noga för att låta rösten avslöja hur intresse-rad han var. "Varför flyttade de då?"

"För att Kate ville det."

"Men varför gick William med på det om de inte hade det bra ihop?"

"Regelbundet sexliv", sade hon vresigt. "Hur som helst har jag inte påstått att de inte hade det bra."

126

"Ni sa att han tog henne för given. Är inte det samma sak?"

"Inte alls. Ur Williams synvinkel var hon den perfekta hustrun. Hon skötte huset åt honom, försåg honom med barn och tjatade aldrig på honom om att göra saker." Hennes mun förvreds i ett bittert leende. "Det gick som på räls så länge han betalade lånet och försörjde henne så att hon kunde leva det liv hon snabbt hade vant sig vid. Jag vet att man inte får säga så här men hon var en förfärligt enkel människa. De få vänner hon hade var ganska förskräckliga ... högljudda ... översminkade ..." Hon ryste. "Förskräckliga!"

Galbraith förde samman handflatorna under hakan och studerade henne med öppen nyfikenhet. "Ni tyckte verkligen illa om henne?"

Än en gång begrundade fru Sumner frågan länge. "Ja, det gjorde jag", sade hon sedan. "Inte för att hon var öppet otrevlig eller ovänlig utan därför att hon var den mest självupptagna kvinna jag någonsin träffat. Om inte allting – och då menar jag verkligen allting – kretsade kring henne manövrerade hon och manipulerade tills hon fick som hon ville. Se på Hannah om ni inte tror mig. Varför såg hon till att barnet blev så beroende av henne, tror ni, om det inte var för att hon inte stod ut med att konkurrera med någon annan om hennes tillgivenhet?"

Galbraith tänkte på fotografierna i Langton Cottage och sin egen slutsats att Kate varit fåfäng. "Men vad tror ni kan ha hänt om det nu inte handlade om ett förhållande som gått snett? Vad kan ha förmått henne att ta med Hannah ombord på en båt när hon hatade att segla?"

"Vilken underlig fråga", sade fru Sumner förvånat. "*Ingenting* kunde ha förmått henne till det. Hon måste ha blivit tvingad. Varför ifrågasätter ni det? Kan man våldta och döda en kvinna och sedan låta hennes barn irra omkring ensam på stan lär man knappast tveka att använda hot."

"Det är bara det att marinor och hamnar är livliga platser och det finns inga rapporter om att någon har sett en kvinna och ett barn tvingas ombord på en båt." Faktum var att polisen hittills inte fått in några uppgifter alls om att Kate och Hannah Sumner synts till vid någon av båtbryggorna utmed Lymington River. De hoppades på större tur under lördagen när helgbesökarna kom tillbaka, men under tiden arbetade de i blindo.

"Det hade jag inte väntat mig heller", sade Angela Sumner bestämt, "inte om mannen bar Hannah och hotade att göra henne illa om inte Kate gjorde som han sa. Hon älskade det barnet till vanvett. Hon skulle ha gjort vad som helst för att förhindra att Hannah blev skadad."

Galbraith var nära att påpeka att det scenariot byggde på att Hannah låtit sig bäras av en man, vilket verkade föga troligt med tanke både på vad psykiatern skrivit och på vad Angela Sumner berättat om att hon gallskrek varje gång hennes far försökte lyfta upp henne, men han ändrade sig. Det var inget fel på logiken även om metoden hade varit en annan ... Hannah hade uppenbarligen blivit nedsövd ...

11

Till: Kriminalintendent Carpenter
Från: Kriminalkommissarie Galbraith
Datum: 970812 – 21.15
Ärende: **Kate och William Sumner**

Tänkte att bifogade uppgifter kunde vara något för dig. Av de fakta som framkommit är kanske följande av störst intresse:

1. Kate hade få vänner och de kom alla från samma miljö som hon.
2. Hon tycks inte ha varit särskilt intresserad av sin makes vänner/verksamhet.
3. Några av de beskrivningar vi fått av henne är mindre smickrande – manipulativ, beräknande, svekfull, elak, för att ta några exempel.
4. William har penningproblem.
5. "Drömhuset" var uppenbarligen Kates idé, och den allmänna uppfattningen är att det var ett misstag av William att köpa det.
6. Slutligen, vad i himmelens namn såg han hos henne? Gifte han sig med henne för att hon var med barn?

Intressanta vibbar, eller vad säger du?

John

Vittnesutsaga: James Purdy,
verkställande direktör, Pharmatec UK

Jag har känt William Sumner sedan han började på företaget för femton år sedan. Då var han tjugofem. Jag rekryterade honom själv från Southamptons universitet där han efter sin examen arbetade som assistent till professor Hugh Buglass. William ledde forskningsarbetet med två av våra läkemedel – Antiac och Counterac – som står för 12 procent av förskrivningen av syrabindande medel. Han är en uppskattad och värdefull medarbetare och högt respekterad som yrkesman. Innan William gifte sig med Kate Hill 1994 uppfattade jag honom som den evige ungkarlen. Han hade ett stort umgänge men hans verkliga intressen var arbetet och segling. Jag minns att han sa att en hustru aldrig skulle ge honom lika stor frihet som hans mor. Under årens lopp har många unga kvinnor lagt ut sina krokar för honom, men fram till dess hade han alltid lyckats undvika att binda sig. Därför blev jag förvånad när jag fick höra att han och Kate Hill tänkte gifta sig. Hon arbetade på Pharmatec i ungefär ett år 1993-94. Det smärtar mig verkligen att höra att hon är död och jag har utverkat en längre tids ledighet åt William för att ge honom möjlighet att komma över förlusten och ordna med omvårdnaden av dottern. Såvitt jag vet var William i Liverpool helgen 9-10 augusti, men vi hade ingen kontakt med varandra sedan han hade åkt på morgonen den 7 augusti. Jag kände knappt Kate Hill-Sumner och jag har varken sett eller hört ifrån henne sedan hon slutade.

James Purdy

130

**Vittnesutsaga: Michael Sprate,
chef för kundtjänstavdelningen, Pharmatec UK**

Kate Hill-Sumner arbetade på min avdelning från maj 1993 till mars 1994 då hon slutade på företaget. Hon behärskade inte stenografi men hennes maskinskrivning låg över genomsnittet. Jag hade en del kontroverser med henne, huvudsakligen vad beträffar hennes uppförande. Hon kunde ha ett väldigt dåligt inflytande på arbetsgruppen ibland. Hon hade en skarp tunga och använde den gärna mot andra sekreterare. Jag skulle beskriva henne som en mobbare som inte drog sig för att sprida elakt skvaller om hon var ute efter att svartmåla någon hon ogillade. Det förvärrades efter giftermålet med William Sumner, eftersom hon uppenbarligen ansåg att det gav henne högre status, och om hon inte själv hade bestämt sig för att sluta hade jag definitivt försökt få henne förflyttad från min avdelning. Jag känner bara William flyktigt så jag kan inte uttala mig om deras förhållande och jag har varken träffat eller hört av Kate sedan hon slutade på Pharmatec. Jag vet ingenting om hennes död.

Michael Sprate

Vittnesutsaga: Simon Trew,
chef för forskningsavdelningen, Pharmatec UK

William Sumner är en av våra främsta forskare. Hans mest framgångsrika forskningsarbete resulterade i Antiac och Counterac. Vi ser optimistiskt på det projekt han för närvarande arbetar med trots att han antytt att han eventuellt tänker sluta hos oss och istället börja hos en av våra konkurrenter. Jag tror att det är hans hustru som ligger bakom det. För ungefär ett år sedan tog William ett stort lån som han haft svårt att klara av och den löneökning vi kan erbjuda honom motsvarar inte de erbjudanden han fått från andra företag. Alla våra anställningskontrakt innehåller skadeståndsklausuler angående otillbörlig användning av forskning som finansierats av Pharmatec, så om han bestämmer sig för att sluta stannar hans forskning kvar i företaget. Såvitt jag kan förstå vill han inte lämna projektet som han anser befinner sig i ett avgörande skede, men han kan bli tvungen att göra det på grund av sina ekonomiska förpliktelser. Jag har aldrig träffat Kate Sumner. Jag började på företaget två år efter att hon slutat och mitt umgänge med William har begränsats till yrkesplanet. Jag beundrar hans sakkunnighet men jag tycker att han är svår att samarbeta med. Han är bitter eftersom han tycker sig vara underskattad, och det ger upphov till spänningar på avdelningen. Jag kan bekräfta att William åkte till Liverpool torsdagen den 7 augusti på morgonen och att jag pratade med honom i telefon strax innan han höll sitt föredrag där fredagen den 8 augusti på eftermiddagen. Han verkade vara på gott humör och bekräftade ett möte vi skulle ha tisdagen 12 augusti klockan tio. På grund av det som hänt ägde mötet aldrig rum. Jag vet ingenting om fru Sumners död.

Simon Trew

Vittnesutsaga. Wendy Plater, forskare, Pharmatec UK

Jag har känt William Sumner i fem år. Vi stod varandra mycket nära under min första tid på företaget. Jag var hemma hos honom och hans mor i Chichester och var ute och seglade med honom några gånger. Han är en tystlåten man med torr humor och vi trivdes bra ihop. Han sade alltid att han inte var typen som gifter sig, så jag blev väldigt förvånad när jag fick höra att Kate Hill hade fått honom på kroken. Ärligt talat trodde jag att han hade bättre smak, fast antagligen hade han inte en chans när hon började kasta sina blickar på honom. Jag har inget gott att säga om henne. Hon var ouppfostrad, vulgär, manipulativ och falsk, och hon var ute efter allt och alla hon kunde sätta klorna i. Jag kände henne ganska väl innan hon gifte sig och jag tyckte oerhört illa om henne. Hon spred misstämning och förtal och det bästa hon visste var att dra ner folk till sin egen nivå eller lägre. Hon ljög som en häst travar och hon spred hemska lögner om mig vilket jag aldrig har förlåtit henne. Det sorgliga är att William förändrades till det sämre efter giftermålet. Han har varit en riktig gnällspik sedan han flyttade till Lymington, klagar på dem han jobbar med hela tiden, splittrar arbetslaget och gnäller om hur företaget har lurat honom. Han gjorde ett misstag när han sålde båten och tog ett jättelån och han låter sitt dåliga humör gå ut över arbetskamraterna. Jag tror att Kate har haft fruktansvärt dåligt inflytande över honom, men jag kan under inga omständigheter tänka mig att William haft något med hennes död att göra. Jag har alltid haft en känsla av att han var uppriktigt fäst vid henne. Jag var på disco lördagen den 9 augusti med min fästman Michael Sprate. Jag har inte träffat eller hört något från Kate Sumner sedan hon slutade på Pharmatec och jag vet ingenting om mordet på henne.

Wendy Plater

Vittnesutsaga: Polly Garrard,
sekreterare, kundtjänstavdelningen, Pharmatec UK

Jag kände Kate Hill mycket väl. Hon och jag delade rum i tio månader på kundtjänst. Jag tyckte synd om henne. Hon hade ett helvete innan hon flyttade till Portsmouth. Hon bodde i ett gammalt nerslitet hyreshus i Birmingham och hon och hennes mamma vågade sig knappt ut för att de var så rädda för de andra hyresgästerna. Jag tror att hennes mamma jobbade i en affär och jag tror att Kate lärde sig skriva maskin när hon fortfarande gick i skolan, men jag kan inte svära på någotdera. Jag minns att hon berättade att hon hade arbetat på en bank innan hennes mamma dog och att de gav henne sparken när hon tog ledigt för att sköta henne. En annan gång sa hon att hon hade slutat frivilligt för att ta hand om mamman. Jag vet inte vilken av historierna som är sann. Hon var okej. Jag gillade henne. Alla andra tyckte att hon var beräknande – att hon alltid var ute efter något alltså – men jag tyckte bara att hon var fruktansvärt känslig och sökte trygghet. Det är sant att hon kunde haka upp sig på folk och då snappade hon upp skvaller om dem och spred det, men jag är inte säker på att hon gjorde det av elakhet. Jag tror att hon kände sig mindre osäker när hon visste att andra inte var perfekta. Jag hälsade på henne ett par gånger sedan hon hade gift sig med William och båda gångerna var hennes svärmor där. Gamla fru Sumner var väldigt oförskämd. Kate gifte sig med William, inte med mamman, så vad angick det henne att Kate inte pratade fint och höll kniven som en penna? Hon föreläste alltid för Kate om hur hon skulle uppfostra lilla Hannah och hur en god hustru borde vara, men vad jag kunde se klarade hon av bådadera utan inblandning. Att flytta till Lymington var det klokaste hon kunde göra och jag känner mig verkligen skakad över att hon är död. Jag har inte träffat henne på över ett år och jag vet ingenting om mordet.

Polly Garrard

Tillägg till utlåtande om Hannah Sumner ("Baby Smith") samt utskrift av samtal med William Sumner (fadern) och telefonsamtal med dr Attwater, allmänläkare

Fysiskt: Som tidigare.

Psykiskt: Både fadern och läkaren håller med om att Hannahs mor var överbeskyddande och inte lät henne utvecklas naturligt genom att leka med andra barn eller genom att tillåtas utforska sin egen omgivning eller lära sig av sina misstag. Hon hade viss kontakt med en öppen förskola men eftersom Hannah lätt blev aggressiv när hon lokte valde hennes mor att låta henne träffa andra barn i mindre omfattning. Hannahs "tillbakadragenhet" är snarare manipulativ än betingad av rädsla och hennes "skräck" för män har mer sin grund i den reaktion den skapar hos medkännande kvinnor än i verklig rädsla. Både fadern och läkaren beskriver Hannah som lågbegåvad och anser att detta i kombination med moderns överbeskyddande attityd är orsaken till hennes dåliga verbala förmåga. Dr Attwater har inte träffat Hannah efter moderns död men han är övertygad om att mitt utlåtande inte väsentligt kommer att avvika från det utlåtande han själv gjorde för sex månader sedan.

Sammanfattning: Hannahs sena utveckling (vilken jag uppfattar som oroande) behöver inte bero på något som inträffat nyligen, men barnet måste fortlöpande hållas under observation. Det föreligger stor risk för att Hannah kommer att utsättas för psykisk, känslomässig och fysisk vanvård då William Sumner (fadern) är omogen, saknar färdighet som förälder och inte förefaller särskilt fäst vid sin dotter.

Dr Janet Murray

12

Steven Harding släpptes strax före klockan nio onsdagen den 13 augusti 1997. Jouråklagaren vägrade godkänna att han hölls kvar längre och på grund av den bristande bevisningen kunde inget åtal väckas. Han upplystes om att bilen och båten skulle kvarstå i beslag "så länge det ansågs nödvändigt", men fick ingen ytterligare förklaring till varför. Man kom överens med Hampshirepolisen om att han skulle anmodas att bo hos Tony Bridges på Old Street 23, Lymington, och han fick order om att dagligen infinna sig på Lymingtons polisstation för att man skulle kunna hålla uppsikt över hans göranden och låtanden.

På advokatens inrådan hade han avgivit ett detaljerat vittnesmål om sitt förhållande till Kate Sumner och sina förehavanden helgen 9–10 augusti, men det tillförde inte mycket till hans tidigare uttalanden. Fingeravtrycken ombord på *Crazy Daze* liksom Hannahs skor förklarade han på följande sätt:

De kom ombord i mars när jag hade tagit upp båten för att tvätta av den och måla skrovet. *Crazy Daze* låg på Berthons varv i en vagga och när Kate insåg att jag inte kunde smita eftersom jag måste måla färdigt kom hon hela tiden till varvet och störde mig. Till slut lät jag henne och Hannah klättra uppför stegen och titta in i båten bara för att bli av med henne. Själv stannade jag nedanför. Jag sa åt dem att ta av sig skorna och lämna dem i sittbrunnen. När det var dags att klättra ner igen sa Kate att Hannah inte skulle klara det, så hon lyfte ner henne till mig istället. Jag spände fast Hannah i sulkyn men jag lade inte märke till om

136

hon hade skorna på eller ej. Uppriktigt sagt så tittar jag sällan på henne. Hon får det att krypa i mig. Hon säger aldrig något, stirrar bara rakt igenom en. En tid senare hittade jag ett par barnskor i sittbrunnen. Det stod H. SUMNER på remmen. Även om de är för små för att vara de Hannah hade på sig den dagen har jag ingen annan förklaring till varför de låg där.

Fastän jag visste var Sumners bor gick jag inte dit med skorna för jag är säker på att Kate hade lämnat kvar dem med flit. Jag gillade inte Kate Sumner och jag ville inte vara ensam med henne för jag visste att hon var störttänd på mig och det var inte ömsesidigt. Hon var väldigt konstig och jag tyckte det var jobbigt att hon stötte på mig hela tiden. Det finns inget annat sätt att beskriva hennes beteende än att hon trakasserade mig. Hon brukade hålla till på varvet och bara vänta på att jag skulle komma iland med min gummibåt. För det mesta stod hon bara och glodde, men ibland gick hon tätt inpå mig och strök brösten mot min arm. Det dummaste jag har gjort var när jag följde med hennes man hem till dem i december, strax efter att hon hade presenterat mig för honom på gatan. Jag tror att det var då hon började bli besatt av mig. Jag har aldrig haft någon lust att besvara hennes inviter.

Lite senare, det var någon gång i slutet av april tror jag, när jag låg vid Berthons bensinbrygga och väntade på att tanka, kom Kate och Hannah gående emot mig på C-bryggan. Kate sa att hon inte hade sett mig på ett tag men att hon hade fått syn på Crazy Daze och kände för att snacka lite. Hon och Hannah kom oinbjudna ombord och det irriterade mig. Jag sa åt Kate att hon själv kunde gå in i ruffen och hämta Hannahs skor. Jag visste att det låg kläder där som tillhörde andra kvinnor och tänkte att det kanske inte vore så dumt om Kate fick se det. Jag hoppades att det skulle få henne att fatta att jag inte var intresserad. Hon stack efter en stund, men när jag gick in i ruffen upptäckte jag att hon hade kletat ner mina lakan med Hannahs använda blöja. Och så hade hon lämnat kvar skorna igen. Jag tror att hon gjorde båda grejerna som en hämnd, för att hon var arg över underkläderna i hytten.

När hon tog reda på var min bil stod parkerad och satte igång larmet gång på gång för att hetsa Tony Bridges och hans grannar mot mig, började jag tycka att det var otroligt jobbigt med hennes terror. Jag har inga bevis för att det var Kate, men jag är säker på att det var hon för handtaget på förarsidan blev nersmetat med skit hela tiden. Jag sa inget till polisen för jag ville inte ha mer med familjen Sumner att göra. Istället sökte jag upp William Sumner någon gång i juni och visade foton på mig själv i bögtidningar för att han skulle berätta det för sin fru. Jag inser att det måste verka underligt när jag hade visat Kate att jag hade andra tjejer ombord på Crazy Daze, men jag började bli desperat. Några av fotona var ganska avancerade och William blev chockerad. Jag vet inte vad han sa till henne men till min lättnad slutade hon nästan genast att terra mig.

Jag har sett henne på stan ungefär fem gånger sedan i juni, men jag pratade inte med henne förrän i lördags morse – 9 augusti – när jag insåg att det inte gick att undvika. Hon stod utanför Tesco och vi sa godmorgon till varandra. Hon sa att hon letade efter sandaler till Hannah och jag sa att jag hade bråttom eftersom jag skulle segla till Poole och vara där över helgen. Det var allt vi sa. Jag träffade henne inte fler gånger. Jag medger att jag blev rätt knäckt av hennes förföljelse och att jag började tycka väldigt illa om henne, men jag har ingen aning om hur det kom sig att hon drunknade utanför Dorsets kust.

Ett långt förhör med Tony Bridges resulterade i en redogörelse som bekräftade Hardings vittnesutsaga. Som kriminalinspektör Campbell hade förutsett var Bridges känd av Lymingtonpolisen som marijuanarökare men de hade en tolerant inställning. "Hans grannar klagar ibland när han har fest, men det är spriten som gör dem gapiga och inte rökat. Till och med de gamla stötarna har börjat inse det till slut." Till deras överraskning var han en respekterad kemilärare i en av skolorna på orten. "Vad Tony gör privat är hans ensak", sade rektorn. "Övervakning av mina kollegers moral utanför skoltid ingår inte i min arbetsbeskrivning. Hade det gjort det skulle jag förmodligen förlora några av de bästa i personalen. Tony är en inspirerande lärare som förmår väcka ungarnas intresse för ett jobbigt ämne. Jag har bara gott att säga om honom."

Jag har känt Steven Harding i arton år. Vi gick i skolan tillsammans och har varit vänner sedan dess. Han bor hos mig när hans båt är inne på varvet eller när det är för kallt att bo där. Jag kände hans föräldrar ganska väl innan de flyttade till Cornwall 1991 men jag har inte träffat dem sedan dess. Steven seglade ner till Falmouth för två somrar sedan men jag tror inte att han besökte Cornwall. Han bor antingen i sin lägenhet i London eller i Lymington på båten.

Han har sagt flera gånger att han hade problem med en kvinna som hängde efter honom och att hon hette Kate Sumner. Han beskrev henne och hennes barn som konstiga och sa att de skrämde honom. Hans billarm gick igång hela tiden och han trodde att det var Kate Sumner som satte igång det. Han frågade mig om han skulle anmäla det till polisen. Det var en ganska underlig historia så jag visste inte riktigt vad jag skulle tro. Sedan visade han skiten på handtaget på bilen och berättade hur Kate Sumner hade torkat av blöjan på hans lakan. Jag sa att det antagligen skulle bli värre om han drog in polisen och föreslog att han skulle ställa bilen någon annanstans. Vad jag vet löste det problemet.

Jag har aldrig pratat med Kate eller Hannah Sumner. Steve pekade ut dem för mig en gång i Lymington men sedan drog han mig med runt hörnet för att vi inte skulle behöva prata med dem. Han tyckte verkligen illa om dem. Jag tror att han var rädd för dem. Jag träffade William Sumner en gång på en pub i början av det här året. Han satt ensam och drack och bad Steven och mig att slå oss ner. Han kände Steven, för Kate hade presenterat dem efter det att Steven hade hjälpt henne med sulkyn en gång. Jag gick efter ungefär en halvtimme, men Steven berättade senare att han följt med Sumner hem därför att de börjat prata segling. Han sa att William brukade tävla med en Contessa och ville berätta om det.

Steven ser bra ut och han är på hugget. Han har alltid minst två tjejer på gång samtidigt, för han känner inte för att stadga sig. Han älskar att segla och en gång sa han att han aldrig skulle kunna ha ett allvarligt förhållande med någon som inte seglar. Han är inte den typen som skryter med sina erövringar och eftersom jag aldrig lägger namn på minnet har jag ingen aning om vem han är ihop med just nu. När han inte har någon roll kan han alltid jobba som fotomodell. För det mesta är det modebilder men han har gjort några porrjobb. Han behöver pengar för att betala lägenheten i London och hålla Crazy Daze i trim och den sortens jobb ger mycket pengar. Han skäms inte över fotona men jag har aldrig hört att han har visat upp dem. Jag har ingen aning om var han brukar ha dem.

Jag träffade Steven i fredags kväll, den 8 augusti. Han tittade förbi för att säga att han skulle till Poole nästa dag så vi skulle inte ses igen förrän helgen därpå. Han nämnde att han hade en provspelning i London måndagen den 11 augusti och sa att han planerade att ta sista tåget tillbaka på söndagskvällen. Senare berättade Bob Winterslow, en gemensam vän som bor nära stationen, att Steve hade ringt från båten för att fråga om han kunde sova över hos honom på söndagen så att han kunde ta första tåget på måndag morgon. Det slutade med att han stannade kvar på båten och missade provspelningen. Han har en tendens att göra lite som han vill. Jag fick veta att Steve hade strulat till det för sig när hans agent, Graham Barlow, ringde i måndags morse och sa att Steve inte hade kommit till London och att han inte svarade på mobilen. Jag ringde till några vänner för att höra om de visste var han var, sedan lånade jag en gummibåt och tog mig ut till Crazy Daze. Steve var fruktansvärt bakfull och det var därför han inte hade dykt upp.

Helgen 9–10 augusti var jag med min tjej Beatrice "Bibi" Gould som jag har känt i fyra månader. I lördags kväll var vi på ett rejvparty på Jamaica Club i Southampton och kom hem vid fyratiden på morgonen. Jag vet ingenting om Kate Sumners död, men jag är fullkomligt övertygad om att Steven Harding inte hade något med den att göra. Han är inte våldsam av sig.

(Polisens anmärkning: rejvpartyt har verkligen ägt rum, men det finns inget sätt att kontrollera om A. Bridges och B. Gould var närvarande. Grovt räknat var det över 1 000 personer på Jamaica Club i lördags.)

Beatrice Goulds redogörelse bekräftade Bridges och Hardings på alla avgörande punkter.

Jag är nitton år och arbetar som hårfrisörska på Salong Get Ahead på High Street i Lymington. Jag träffade Tony Bridges på ett disco för ungefär fyra månader sedan och han presenterade mig för Steven Harding. De har känt varandra länge och Steve slaggar hemma hos Tony i Lymington när han inte kan bo på båten. Jag har lärt känna Steve ganska väl under tiden jag och Tony har varit tillsammans. Flera av mina tjejkompisar skulle gärna vilja få ihop det med honom men han är inte intresserad och dessutom vill han inte binda sig. Han ser bra ut och eftersom han dessutom är skådis hänger tjejerna efter honom. En gång sa han att det känns som om de ser honom som en hingst och att han tycker att det är hemskt. Jag vet att han har haft en massa sådana problem med Kate Sumner. Han var schyst mot henne en gång och sedan hängde hon efter honom hela tiden. Han sa att hon antagligen var ensam men att det inte gav henne rätt att förpesta hans liv. Det gick så långt att han fick smyga bakom gathörnen medan Tony kollade att hon inte var där. Jag tror att hon är psykiskt störd. Det värsta var när hon smetade ner hans bil med sin dotters smutsiga blöjor. Jag tycker att det

141

var fullkomligt vidrigt och jag sa åt honom att anmäla det för polisen.

Jag träffade inte Steve helgen 9–10 augusti. Jag gick hem till Tony ungefär tjugo över fyra i lördags och vid halvåttatiden åkte vi till Jamica Club i Southampton. Vi går ofta dit för Daniel Agee är en suverän diskjockey och vi gillar hans stil. Jag stannade hos Tony till klockan tio i söndags och sedan åkte jag hem. Jag bor på Shorn Street 65 i Lymington hemma hos mina föräldrar, men nästan alla helger och ibland i veckorna sover jag över hos Tony Bridges. Jag gillar Steven och jag tror inte att han har någonting att göra med Kate Sumners död. Han och jag trivs jättebra ihop.

Kriminalintendent Carpenter satt tyst medan John Galbraith läste igenom redogörelserna. "Vad tror du?" frågade han när den andre var färdig. "Klingar Steven Hardings berättelse falskt? Är det där en Kate Sumner du känner igen?"

Galbraith skakade på huvudet. "Jag vet inte. Jag har inte lyckats göra mig någon bild av henne ännu. Precis som Harding var hon en kameleont och spelade olika roller beroende på vem hon träffade." Han tänkte efter ett ögonblick. "Jag antar att en sak som talar till Hardings förmån är att hon verkligen kunde reta gallfeber på folk. Läste du de där vittnesutsagorna jag skickade? Varken hennes svärmor eller Wendy Plater, Williams före detta som blev brädad av Kate, hade något till övers för henne. Man kan hävda att det var ren och skär svartsjuka i båda fallen, men jag har en känsla av att det var mer än så. De använde samma ord för att beskriva henne. Manipulativ. Angela Sumner beskrev henne som den mest självupptagna och beräknande kvinna hon någonsin hade träffat, och exet sa att hon ljög som en häst travar. William sa att hon var målmedveten när hon ville ha något och kunde linda honom kring lillfingret från första stund." Han ryckte på axlarna. "Men jag vet inte om det behöver innebära att hon skulle börja hänga sig på en man hon blivit förälskad i. Jag skulle inte ha väntat mig att hon var så indiskret

142

men" – han höll rådlöst upp handen – "hon var inte direkt diskret i sin strävan efter det goda här i livet."

"Jag avskyr sådana här fall, John", sade Carpenter uppriktigt beklagande. "Den stackars kvinnan är död men hennes anseende kommer att svärtas ner hur man än gör." Han föste undan Hardings redogörelse och trummade irriterat med fingrarna i bordet. "Vill du veta vartåt jag tror att det lutar? Det klassiska försvaret för våldtäkt. *'Hon bad om det. Hon kunde inte hålla tassarna borta. Jag gav henne bara vad hon ville ha och det är inte mitt fel om hon börjar gasta efteråt. Hon var aggressiv och hon gillade aggressivt sex.'*" Han såg bistrare ut än någonsin. "Harding gör ett nätt litet förarbete för den händelse att vi skulle lyckas få ihop ett åtal mot honom. Sedan kommer han att säga att hennes död var en olyckshändelse … Hon föll från båten och han kunde inte rädda henne."

"Vad anser du om Tony Bridges?"

"Jag gillar honom inte. Det är en kaxig liten jävel och han vet alldeles för mycket om polisförhör. Men hans och hans korkade flickväns berättelser stämmer med Hardings, så om det inte är fråga om något slags jättekonspiration får vi nog godta att de talar sanning." Han log plötsligt och rynkan i pannan slätades ut. "För stunden i alla fall. Det ska bli intressant att se om de ändrar sig när han och Harding har fått en chans att prata med varandra. Du vet att vi har domstolsutslag på att han måste bo hemma hos Bridges."

"Det finns en sak jag håller med Harding om", sade Galbraith tankfullt. "Hannah får det att krypa i mig också." Han lutade sig fram med armbågarna på knäna och ett bekymrat uttryck i ansiktet. "Det är bara skitsnack att hon skriker så fort hon får se en man. Medan jag väntade på att hennes pappa skulle ge mig listor med namnen på deras vänner kom hon in i rummet, satte sig ner på mattan och började pilla på sig själv. Hon hade inga underbyxor på sig, drog bara upp klänningen och satte igång. Hon tittade på mig hela tiden och jag kan svära på att hon visste precis vad hon höll på med." Han suckade. "Jag blev helt ställd och vad doktorn än säger

143

kan jag slå vad om att hon har varit med om någon form av sexuella handlingar."

"Vilket betyder att du satsar på Sumner?"

Galbraith tänkte efter. "Säg så här, det är definitivt han om hans alibi spricker och om jag kan lista ut hur han kunde fixa en båt som låg och väntade vid Isle of Purbeck." Hans vänliga ansikte klövs av ett leende. "Det är något obehagligt med honom, antagligen för att han tycker att han är så satans smart. Det är knappast vetenskapligt men, ja, jag satsar alla gånger på honom framför Steve Harding."

Under de tre dygn som hade gått sedan kroppen påträffades på stranden på Isle of Purbeck hade både den lokala pressen och rikstidningarna rapporterat om mordutredningen. Utifrån teorin att den döda kvinnan och hennes dotter hade befunnit sig på en båt ombads seglare mellan Southampton och Weymouth att höra av sig om de hade lagt märke till en späd, ljushårig kvinna och/eller ett treårigt barn helgen 9–10 augusti. På onsdagen hade ett affärsbiträde i ett av de stora varuhusen i Bournemouth kommit till ortens polisstation under sin lunchrast och lite försagt låtit förstå att hon visserligen inte ville ta upp polisens tid i onödan, men att hon sett något på söndagskvällen som kanske kunde kopplas till kvinnans död.

Hon uppgav att hon hette Jennifer Hale och att hon befunnit sig på en Fairline Squadron vid namn *Gregory's Girl* som tillhörde Gregory Freemantle, en affärsman i Poole.

"Det är min pojkvän", förklarade hon.

Vakthavande blev road av ordvalet. Hon hade passerat de trettio och han undrade hur gammal pojkvännen kunde vara. Närmare femtio, gissade han, om han hade råd med en Fairline Squadron.

"Jag försökte få Gregory att gå hit", anförtrodde hon honom, "för han kan beskriva bättre vad det var, men han sa att det inte var värt besväret eftersom jag vet för lite om båtar för att begripa mig på det här. Han litar mer på sina döttrar, förstår ni. De sa att det var ett oljefat och Gud nåde den som inte håller med. Han vågar aldrig

144

komma i gräl med dem, för då kan de gå till sin mamma och klaga, fast egentligen borde han ..." Hon suckade såsom varje blivande styvmor gjort sedan tidernas begynnelse. "Ärligt talat är de ena riktiga tyranner. Jag tyckte att vi skulle stanna och titta efter vad det var, men" – hon skakade på huvudet – "det var inte värt att bråka om det. Uppriktigt sagt hade jag fått så det räckte den dan."

Vakthavande som hade egna styvbarn gav henne ett medkännande leende. "Hur gamla är de?"

"Femton och tretton."

"Besvärlig ålder."

"Ja, speciellt om föräldrarna ..." Hon avbröt sig tvärt medan hon övervägde hur mycket hon skulle avslöja.

"Det blir bättre om några år när de är lite äldre."

Hon fick en humoristisk glimt i ögonen. "Om jag stannar så länge att jag får uppleva det, ja. Den yngsta är inte så farlig, men för att stå ut med Marie i flera år till måste man ha elefanthud. Hon tror att hon är Naeomi Campbell och Claudia Schiffer i en och samma person och får raseriutbrott om hon inte blir ompysslad och bortklemad hela tiden. Fast ..." Hon återvände till sitt egentliga ärende. "Jag är säker på att det inte var ett oljefat. Jag satt i aktern på övre däck och hade bättre utsikt än de andra. Vad det än kan ha varit så var det inte av metall ... fast det *var* svart ... det såg mer ut som en upp och nedvänd båt ... en gummibåt. Jag tror inte att det var så mycket luft kvar i den för den låg ganska lågt i vattnet."

Vakthavande antecknade. "Varför tror ni att det har något samband med mordet?"

Hon log generat, rädd för att göra sig löjlig. "Därför att det var en båt", sade hon, "och det var inte långt ifrån platsen där man hittade kroppen. Vi låg i Chapman's Pool när de plockade upp kvinnan i helikoptern och vi åkte förbi gummibåten tio minuter efter att vi rundat St Alban's Head på vägen hem. Jag har räknat ut att klockan måste ha varit ungefär kvart över sex och jag vet att vi gjorde tjugofem knop, för min pojkvän nämnde det när vi rundade udden. Han säger att ni letade efter en motorbåt eller en segelbåt men jag tänkte – ja – man kan ju lika väl drunkna om man faller i från en gummibåt? Och den här hade uppenbarligen slagit runt."

Carpenter fick rapporten från Bournemouth klockan tre, studerade fundersamt kartan och skickade sedan över den till Galbraith med ett meddelande.

Är det värt att följa upp? Om den inte har strandat mellan St Alban's Head och Anvil Point så har den sjunkit på djupt vatten någonstans utanför Swanage och är definitivt borta. Men tiden verkar stämma precis, så om man utgår ifrån att den spolades upp före Anvil Point kan din vän Ingram säkert räkna ut var den ligger. Du sa ju att det var synd att han bara jobbar lokalt. Klarar inte han av det får du kontakta sjöräddningen. Det är kanske ändå bäst att vända sig till dem först. De brukar ju bli rasande när landkrabbor blandar sig i. Det är en gissning – kan inte se var Hannah kommer in i bilden eller hur någon kan våldta en kvinna i en gummibåt utan att den slår runt – men man vet aldrig. Det här kanske är båten utanför Isle of Purbeck som du letar efter.

I själva verket vältrade sjöräddningen mer än gärna över ansvaret på Ingram eftersom de ansåg sig ha annat att pyssla med mitt under sommarsäsongen än att leta efter "eventuella" gummibåtar på orimliga platser. Ingram var lika skeptisk som de när han parkerade bilen vid Durlstone Head och gav sig iväg längs kustleden. Han följde den stig Harding påstod att han tagit på söndagen, gick långsamt och stannade till var femtionde meter för att i kikaren granska kustlinjen nedanför klipporna. Han var lika medveten som sjöräddningen om hur svårt det kan vara att urskilja en svart gummibåt mot de glimmande klipporna utmed uddens bas och han undersökte samma sträcka flera gånger. Han litade inte heller på sin egen bedömning att ett flytande föremål som vid kvart över sex på söndagen iakttagits ungefär trehundra meter utanför Seacombe Cliff – det var

146

nog så långt en Fairline Squadron hunnit efter tio minuters färd i en hastighet av tjugofem knop – borde ha strandat ungefär halvvägs mellan Blackers Hole och Anvil Point sex timmar senare. Han visste hur oberäkneligt havet var och hur otroligt det var att en halvtom gummibåt ens skulle komma iland. Förutsatt att den någonsin existerat befann den sig troligtvis halvvägs till Frankrike vid det här laget – eller på tjugo famnars djup.

Han hittade den strax öster om den plats han hade förutspått, det vill säga närmare Anvil Point, och han log med rättmätig tillfredsställelse när han fick syn på den i den kraftiga kikaren. Tack vare trädurken och tofterna hade den behållit formen och nu låg den prydligt upp och nedvänd på den otillgängliga bit av kusten där den strandat. Han ringde kommissarie Galbraith på mobilen. "Hur pass van sjöman är du?" frågade han. "Enda sättet att ta sig till den är med båt. Om du möter mig i Swanage kan jag ta dig med ut ikväll. Du behöver våtdräkt och sjöstövlar", varnade han. "Det kommer att bli blött."

Ingram bjöd med några vänner från Swanages sjöräddningssällskap som fick hålla Miss Creant i rätt läge medan han tog med Galbraith in till stranden i sin egen gummibåt. Sedan han stängt av utombordsmotorn och fällt upp den trettio meter från land manövrerade han dem försiktigt med hjälp av årorna in bland de vassa granitmassorna som låg i försåt för oförsiktiga seglare. Han höll den lilla båten stilla mot ett stort klippblock, gjorde tecken åt Galbraith att kliva ur och vadade sedan efter honom genom vattnet. Han drog gummibåten efter sig in till den ödsliga stranden.

"Där är den", sade han och nickade åt vänster medan han drog upp gummibåten ovanför vattenlinjen, "men det vete gudarna vad den gör här. Folk överger inte utmärkta gummibåtar utan vidare."

Galbraith skakade förundrat på huvudet. "Hur i hela friden fick du syn på den?" Han spanade upp mot de branta klipporna ovanför och tänkte att det måste ha varit som att leta efter en nål i en höstack.

"Det var inte lätt", medgav Ingram medan han gick före mot bå-

147

ten. "Och man kan undra hur i himlens namn den klarade sig un-
dan stenarna." Han lutade sig över den upp- och nedvända båten.
"Den måste ha kommit in så här, annars skulle bottnen ha slitits
loss och då skulle det inte ha funnits något kvar invändigt. Ska vi" –
han höjde frågande på ögonbrynen – "ta och vända på den?"
    Med en nick tog Galbraith tag i aktern medan Ingram grabbade
tag i fören. Det var svårt att vända den rätt eftersom det var så lite
luft i den att den hade sjunkit ihop som en tom ballong. En liten
krabba kilade ut under den och slank in i en pöl mellan stenblocken
strax bredvid. Precis som Ingram hade förutspått fanns ingenting
invändigt utom durken och resterna av en toft som måste ha slitits
av på mitten när båten drivit fram och tillbaka över stenarna. Ändå
var det en gedigen båt, ungefär tre meter lång och drygt en meter
bred, och akterspegeln var fortfarande intakt.
    Ingram pekade på fördjupningarna där tvingarna som höll fast
utombordsmotorn hade skurit i i träet, sedan satte han sig på huk
för att undersöka två metallringar som satt fastskruvade i aktern
och en ensam ring i durken i fören. "Den har hängt i dävertar bak-
till på en båt. De här ringarna är till för att fästa vajrarna innan man
vinschar upp den så att den inte kommer i svängning när båten är i
rörelse." Han letade på båtens utsida efter ett namn, men hittade
inget. Kisande i motljuset från den nedgående solen tittade han upp
på Galbraith. "Det finns inte en chans att den har ramlat av från en
segelbåt utan att det märktes. Båda vajrarna måste gå av i samma
sekund och det är högst osannolikt, anser jag. Om bara en vajer går
av – den i aktern till exempel – börjar den svänga som en pendel,
och eftersom den är så tung förlorar man kontrollen över båten.
Och då måste man sakta in, och det går inte att undgå att se vad det
beror på." Han gjorde en paus. "Och även om vajrarna skulle brista
sitter de fortfarande fast i ringarna."
    "Fortsätt."
    "Jag skulle vilja påstå att det är troligare att den blev sjösatt från
en släpkärra, vilket betyder att vi måste fråga runt i Swanage, Kim-
meridge Bay och Lulworth." Han reste sig upp och kastade en blick

148

västerut. "Om den inte kom från Chapman's Pool förstås, och då är frågan hur den kom dit. Vägen dit ner är avstängd, så man kan inte bara köra dit med ett släp och sjösätta en gummibåt utan vidare." Han strök sig över hakan. "Det är lite märkligt, eller vad säger du?"

"Kan man inte bära den med sig och pumpa upp den på plats?"

"Det beror på hur stark man är. Den väger en del." Han måttade i luften som en fiskare som visar storleken på sin fångst. "Det finns stora smärtingbagar att bära dem i men, tro mig, man måste vara två om det och det är nog ett par kilometer från Hill Bottom till slipen i Chapman's Pool."

"Men sjöbodarna då? Kriminalteknikerna har tagit bilder på hela viken och det ligger en massa gummibåtar på cementplattan bredvid. Kan det vara någon av dem?"

"Bara om den blev stulen. Fiskarna som använder sjöbodarna skulle aldrig bara lämna en utmärkt gummibåt. Jag har inte fått någon anmälan om det, fast det kan ju bero på att ingen har märkt att den saknas. Jag kan kontrollera det imorgon."

"Någon som ville ta sig en sväng?" föreslog Galbraith.

"Det tvivlar jag på." Ingram petade med foten på båten. "Om de inte hade tänkt sig att göra den tuffaste roddturen i sitt liv för att ta sig ut på öppet vatten. Den kan inte ha flutit ut själv. Inloppet är så smalt att den skulle ha förts in mot klipporna i viken av vågorna." Han log åt Galbraiths bristande fattningsförmåga. "Man får inte ut den utan motor", förklarade han, "och en vanlig båttjuv brukar inte ha med sig egna transportmedel. Folk är lika noga med att låsa in sina utombordare som sina juveler. Det är dyra grejer så det är ingen som låter dem ligga ute och skräpa. Det utesluter också dina teorier om att pumpa upp den på plats. Jag har svårt att tänka mig att någon skulle släpa ner en gummibåt *och* en utombordsmotor till Chapman's Pool."

Galbraith mönstrade honom nyfiket. "Och?"

"Det här är lite improviserat."

"Det gör inget. Fortsätt."

"Om den blev stulen i Chapman's Pool måste det ha varit plane-

149

rat. Det handlar om någon som är beredd att släpa en tung utombordsmotor längs en stig ett par kilometer för att sno en båt." Han höjde ögonbrynen. "Varför skulle någon göra det? Och varför lämna kvar den efteråt? Hur kom han tillbaka till stranden?"

"Simmade?"

"Kanske." Ingrams ögon smalnade till springor mot den lysande eldröda solen. Han sade inget på flera sekunder. "Eller så behövde han kanske inte det", sade han sedan. "Han kanske inte satt i den." Han försjönk i tankfull tystnad. "Det är inget fel på akterspegeln, så utombordaren skulle ha dragit ner den så snart luften började gå ur i sidorna."

"Vad innebär det?"

"Att utombordaren inte satt på när den välte."

Galbraith väntade på att han skulle fortsätta och när Ingram förblev tyst gjorde han en otålig gest med handen. "Kom igen, Nick. Vad pratar du om? Jag vet inte ett jota om båtar."

Den långe mannen skrattade. "Förlåt. Jag undrade bara vad en gummibåt som den här gjorde mitt ute i ödemarken utan utombordare."

"Alldeles nyss sa du att den måste ha haft en motor."

"Jag har ändrat mig."

Galbraith stönade. "Kan du inte sluta prata i gåtor? Jag är dyngsur, jag håller på att frysa ihjäl och jag skulle behöva ett glas."

Ingram skrattade igen. "Jag tänkte bara att det mest självklara sättet att få ut en stulen båt ur Chapman's Pool skulle vara att bogsera ut den, förutsatt att man tagit sig dit i båt."

"Varför stjäla en i sådana fall?"

Ingram stirrade ner på den hopsjunkna gummibåten. "Därför att man har våldtagit en kvinna och dumpat henne i båten i totalt utslaget tillstånd?" föreslog han. "Och vill göra sig av med bevisen? Jag tycker att du ska ta hit kriminalteknikerna och undersöka varför luften har gått ur. Om den har blivit punkterad med en kniv skulle jag tro att meningen var att båten och dess innehåll skulle sjunka på öppet vatten när bogserlinan kapades."

150

"Så det är Harding som gäller igen?"

Polisassistenten ryckte på axlarna. "Han är den ende misstänkte som hade tillgång till en båt vid rätt tidpunkt och på rätt plats."

Tony Bridges lyssnade till Steve Hardings oändliga tirader mot polisen med stigande irritation. Hans vän stegade rasande fram och tillbaka i vardagsrummet, sparkade på allt i sin väg och snäste av honom varje gång han försökte komma med ett gott råd. Bibi satt med benen i kors på golvet vid Tonys fötter som tyst och förskrämt vittne till deras växande vrede. Hon dolde sina känslor bakom en ridå av tjockt, blont hår och undrade om situationen skulle förvärras eller förbättras om hon förklarade att hon tänkte gå hem.

Till slut brast Tonys tålamod. "Skärp dig innan jag slår dig på käften!" vrålade han. "Du uppför dig som en tvååring. Okej, polisen anhöll dig. Och? Du får väl vara tacksam över att de inte hittade något."

Steve slängde sig ner i en fåtölj. "Hur vet du det? De vägrar släppa ifrån sig Crazy Daze ... min bil står på nån uppställningsplats ... Vad fan ska jag göra?"

"Sätt advokaten på det. Det är väl för helvete det han har betalt för. Men sluta gnälla på oss för fan. Om inte annat är det urtrist att lyssna på. Det är inte vårt fel att du åkte till Poole i helgen. Du skulle ha följt med oss till Southampton istället."

Bibi stirrade olustigt ner i golvet framför sig. Hon öppnade munnen för att säga något men försiktigheten tog överhanden och hon stängde den igen. Aggressionerna bubblade i rummet som överhettad jäst.

Harding stampade ilsket i golvet. "Advokaten är totalt värdelös, sa att de jävlarna hade rätt att låta grejerna kvarstå i beslag så länge de behövde eller något juridiskt skitsnack i den stilen ..." Hans röst dog bort i en snyftning.

Det blev tyst länge.

Den här gången segrade tillgivenheten för Tonys vän över försiktigheten och Bibi lyfte på huvudet. Hon åstadkom en glipa i hår-

151

manen och tittade på honom. "Men om det inte var du förstår jag inte vad du är orolig för", sade hon på sitt mjuka, ganska barnsliga sätt.

"Precis", sade Tony. "De kan inte åtala dig utan bevis och om de har släppt dig finns det inga bevis."

"Jag vill ha tillbaka min telefon", sade Harding och kom på fötter med våldsam energi. "Var har du gjort av den?"

"Jag gav den till Bob i måndags", sade Tony. "Precis som du sa."

"Har han den påslagen?"

"Inte vet jag. Jag har inte snackat med honom sen dess. Han var rätt packad, så det är risk att han har glömt alltihop."

"Det också." Den arge unge mannen sparkade i väggen.

Bridges tog en klunk ur sin ölburk och granskade tankfullt Harding. "Vad är det som är så viktigt med telefonen?"

"Inget."

"Ge fan i mina väggar i så fall!" röt Tony, kastade sig upp från stolen och ställde sig ansikte mot ansikte med Harding. "Visa lite respekt, din jävel! Det här är *mitt* hem, inte din sketna lilla båt."

"Sluta!" skrek Bibi och hukade sig bakom stolen. "Vad är det med er? Ni får inte göra varandra illa."

Harding tittade på henne med dyster uppsyn och höll sedan upp händerna. "Okej, okej. Jag väntar på ett samtal. Det är därför jag är spänd."

"Använd telefonen i hallen om du vill ringa", sade Bridges kort och dråsade ner i fåtöljen igen.

"Nej." Han tog ett steg bakåt och lutade sig mot väggen. "Vad frågade polisen om?"

"Det man kunde vänta sig. Hur väl jag kände Kate ... om jag trodde att det verkligen rörde sig om trakasserier ... om jag träffade dig i lördags ... var *jag* var ... vad för slags pornografi du sysslar med ..." Han skakade på huvudet. "Jag visste att den där smörjan skulle ställa till problem."

"Det har inget med det här att göra", sade Harding trött. "Jag sa ju att jag hade fått nog av dina förbannade föreläsningar i måndags.

152

Vad sa du till dem?"

Tony nickade varnande mot Bibis nedböjda huvud och rörde sedan vid hennes nacke. "Kan du göra mig en tjänst, Beebs? Stick ner till affärn och köp ett sexpack. Det ligger lite pengar på hyllan i hallen."

Hon såg lättad ut när hon reste sig. "Visst. Varför inte? Jag ställer in dem i hallen och sen går jag hem. Okej?" Hon höll ut handen. "Jag är jättetrött, Tony, och jag skulle behöva sova ordentligt en natt. Det gör inget va?"

"Självklart inte." Han tog tag i hennes fingrar och kramade dem hårt. "Bara du älskar mig. Gör du det?"

Hon vred sig ur hans grepp, satte handen i armhålan och gick mot hallen. "Det vet du."

Han sade ingenting förrän han hörde ytterdörren slå igen. "Du får vara försiktig med vad du säger när hon är i närheten", varnade han Harding. "Hon blev också förhörd och det är inte schyst att blanda in henne mer nu."

"Okej, okej ... Vad sa du till dem?"

"Är du inte mer intresserad av vad jag inte sa?"

"Jovisst, det är klart."

"Ja, jag sa inte att du hade knullat skallen av Kate."

Harding drog ett djupt andetag. "Varför inte?"

"Jag var nära att göra det", medgav Bridges, sträckte sig efter ett paket cigarettpapper på golvet och började rulla en joint. "Men jag känner dig för väl, grabben. Du är en arrogant och självgod jävla typ" – han sneglade upp mot sin vän och hans goda humör tycktes ha återvänt – "men jag kan inte tänka mig att du har mördat någon, speciellt inte en kvinna, även om hon var för jävlig. Så jag knep käft." Han gjorde en vältalig axelryckning. "Men om jag får ångra det ska jag flå dig levande ... och det menar jag verkligen."

"Berättade de att hon hade blivit våldtagen innan hon blev mördad?"

Bridges visslade lågt som om pusselbitarna äntligen föll på plats. "Inte undra på att de var så intresserade av dina porrbilder. Den genomsnittlige våldtäktsmannen är en tragisk figur i sjaskig regn-rock som runkar över den sortens snusk." Han tog upp en plastpåse ur en gömma i fåtöljen och placerade innehållet på cigarettpapperet. "De måste ha blivit alldeles till sig över bilderna."

Harding skakade på huvudet. "Jag slängde dem överbord innan de kom. Jag ville inte att de" – han tänkte efter – "skulle få saker och ting om bakfoten."

"Herregud, vilket arsle du är! Varför kan du inte vara ärlig för en gångs skull? Du blev skitskraj, för om de fick bevis på att du upp-trädde med småungar på porrbilder så skulle de lätt kunna sätta dit dig för våldtäkt."

"Det var inte på riktigt."

"Men du slängde fotona på riktigt. Du är en idiot."

"Varför det?"

"Därför att jag kan slå vad om att William har pratat om bilder-na. *Jag* gjorde det. Nu kommer snuten att undra varför de inte har hittat några."

"Och?"

"De fattar att du väntade dig en påhälsning."

"Och?" sade Harding igen.

Bridges kastade ännu en tankfull blick på honom medan han slickade på cigarettpapperet. "Se det ur deras synvinkel. Varför skulle du vänta dig besök om du inte visste att det var Kates kropp de hade hittat?"

13

"VI KAN GÅ TILL puben", sade Ingram medan han kopplade fast släpet med *Miss Creant* på jeepen, "eller så kan vi äta middag hemma hos mig." Han kikade på klockan. "Hon är halv åtta så puben är nog rätt stimmig vid det här laget och det blir svårt att få något att äta." Han började ta av sig våtdräkten. Vattnet rann fortfarande om den efter doppet vid slipen för att få upp *Miss Creant* på släpet medan Galbraith skötte vinschen. "Hemma däremot", sade han med ett brett leende, "finns det torkmöjligheter, hisnande utsikt och tystnad."

"Jag får en känsla av att du hellre vill hem?" frågade Galbraith med en gäspning, krängde av sig de alldeles för stora sjöstövlarna, vände dem upp och ner och tömde dem i ett Niagarafall över slipen. Han var genomblöt från byxlinningen och ner.

"Det finns öl i kylen och jag kan grilla en färsk havsabborre om du är intresserad."

"Hur färsk?"

"Levde fortfarande i måndags kväll", sade Ingram innan han tog fram ett par extrabyxor ur jeepen och langade över dem.

"Du kan byta om i sjöräddningens båthus."

"Bra", sade Galbraith och satte av i strumplästen mot den grå stenbyggnaden där Swanages sjöräddningsbåt låg mellan utryckningarna. "Och ja, jag är intresserad", ropade han över axeln.

Ingram bodde i ett litet hus vars baksida vette mot hedlandet ovanför Seacombe Cliff. De båda rummen på bottenvåningen hade slagits samman till ett enda med en trappa i mitten och köket låg i en tillbyggnad på baksidan. Det syntes tydligt att det var en ungkarl som bodde där och Galbraith inspekterade det med gillande. Nuförtiden kände han alltför ofta att han måste övertygas om faderskapets fröjder.

"Jag avundas dig", sade han, när han böjde sig ner för att undersöka en ytterst detaljerad kopia av *Cutty Sark* i en flaska på spiselkransen. "Har du gjort den själv?"

Ingram nickade.

"Den skulle inte klara sig en halvtimme hemma hos mig. Allt jag hade av värde gick i bitar när min son fick sin första fotboll." Han skrockade. "Han säger alltid att han kommer att tjäna en förmögenhet när han blir värvad av Manchester United, men jag har lite svårt att se det framför mig."

"Hur gammal är han?" frågade Ingram och gick före till köket.

"Sju. Hans syster är fem."

Polisassistenten tog ut en havsabborre ur kylskåpet innan han räckte Galbraith en öl och öppnade en åt sig själv. "Jag skulle vilja ha barn", sade han och skar upp fisken, tog ur ryggraden och bredde ut hela fisken i stekpannan. Trots sin storlek var han smidig och snabb i rörelserna. "Kruxet är bara att ingen kvinna har stannat så länge att det har hunnit bli några."

Galbraith kom ihåg vad Steven Harding hade sagt på måndagskvällen om att Ingram var tänd på kvinnan med hästen och undrade om det inte snarare handlade om att den *rätta* kvinnan inte hade stannat tillräckligt länge. "En kille som du går väl hem var som helst", sade han medan Ingram tog lite gräslök och basilika från en kryddsamling på fönsterbrädan, finhackade den och strödde den över havsabborren. "Hur kommer det sig att du har valt att bo här?"

"Du menar frånsett storslagen utsikt och ren luft?"

"Ja."

Ingram sköt stekpannan åt sidan, skrubbade några färskpotatisar och lade dem i en kastrull. "Det är hela orsaken", sade han. "Storslagen utsikt, ren luft, båt, fiske, förnöjsamhet."

"Ambitioner då? Blir du inte frustrerad? Känner att du inte kommer någon vart?"

"Ibland. Då minns jag hur vedervärdig karriärjakten var och

frustrationen går över." Han kastade en blick på Galbraith och log självkritiskt. "Jag jobbade på ett försäkringsbolag i fem år innan jag blev polis och det var vidrigt. Jag trodde inte på varan men det enda det handlade om var att sälja mer och det knäckte mig fullständigt. Jag tog mig en funderare en helg över vad jag ville ha ut av livet och sa upp mig på måndagen." Han fyllde kastrullen med vatten och satte den på gaslågan.

Kriminalkommissarien tänkte trött på sitt eget röriga liv, försäkringar och pensionsregler. "Vad är det för fel på försäkringar?"

"Inget." Ingram höjde ölburken i en skål och tog en djup klunk. "Om man behöver dem ... om man kan betala premierna ... om man har läst det finstilta ... Det är som vilken annan vara som helst. Köparen måste ha ögonen med sig."

"Nu blir jag orolig."

Ingram flinade. "Om det kan vara till någon tröst skulle det ha känts precis likadant att sälja lotter."

Polisassistent Griffiths hade somnat fullt påklädd i gästrummet men vaknade med ett ryck när Hannah började skrika i rummet intill. Hon kastade sig ur sängen med bultande hjärta och stötte ihop med William Sumner just som han slank ut ur barnkammaren. "Vad i helvete sysslar du med?" frågade hon argt, uppjagad av det plötsliga uppvaknandet. "Du har blivit tillsagd att inte gå dit in."

"Jag trodde att hon sov. Jag skulle bara titta till henne."

"Vi hade ju kommit överens om att du inte skulle gå in till henne."

"*Du* kanske, inte *jag*. Du har ingen rätt att hindra mig. Det är *mitt* hus och det är *min* dotter."

"Var inte så säker på det", snäste hon av honom. Hon höll på att tillägga: Dina rättigheter kommer i andra hand just nu, men han gav henne aldrig någon möjlighet.

Han låste hennes armar i ett järngrepp och stirrade fylld av motvilja på henne. Ansiktet ryckte okontrollerat. "Vem har du pratat med?" muttrade han.

Hon sade ingenting, bröt sig bara ur hans grepp genom att höja

157

händerna och måttade ett slag mot hans handleder. Med en kvävd snyftning snubblade han iväg bortåt korridoren. Men först efter en stund insåg hon vad hans fråga inneburit.

Det skulle förklara en hel del om Hannah inte var hans barn, tänkte hon.

Galbraith lade ner kniv och gaffel på tallriken med en nöjd suck. De satt i skjortärmarna på den lilla uteplatsen bredvid huset under ett knotigt gammalt plommonträd som spred en doft av jäsande frukt. Fotogenlampan som stilla susade på bordet mellan dem kastade ett gult sken på husväggen och över gräsmattan. Vid horisonten flöt moln som silvriga slöjor över havet i månskenet.

"Jag kommer att få problem med det här", sade han. "Det är alldeles för perfekt."

Ingram föste undan sin tallrik och lade armbågarna på bordet. "Man måste trivas med sig själv. Gör man inte det är det här den ensammaste platsen på jorden."

"Gör du det?"

Den yngre mannen log vänligt. "Så länge folk som du inte tittar in för ofta klarar jag mig", sade han. "Ensamhet är ett sinnestillstånd, inget man strävar efter."

Galbraith nickade. "Det låter vettigt." Han studerade den andres ansikte en stund. "Berätta om Maggie Jenner", sade han sedan. "Enligt Harding pratades de vid innan du kom tillbaka. Han kanske sa mer till henne än hon har berättat för dig?"

"Det är möjligt. Hon verkade komma bra överens med honom."

"Hur väl känner du henne?"

Men det var inte så lätt att få Ingram att prata om sitt privatliv. "Lika väl som jag känner alla andra häromkring", sade han försiktigt. "Vad får du för intryck av Harding, förresten?"

"Svårt att säga. Han var rätt övertygande när han sa att han inte ville ha något med Kate Sumner att göra, men som min chef sa, motvilja kan vara en nog så god anledning till våldtäkt och mord. Han hävdar att hon trakasserade honom genom att smeta ner hans bil med skit därför att han hade nobbat henne. Det kan vara sant, men ingen av oss tror egentligen på det."

"Varför inte? Vi hade en historia här för tre år sedan med en hustru som kraschade mannens Jaguar mot älskarinnans ytterdörr. Kvinnor kan gå ganska hårt fram när de blir övergivna."

"Det är bara det att han aldrig låg med henne."

"Det var kanske det som var felet."

"Hur kommer det sig att du håller på honom helt plötsligt?"

"Det gör jag inte. Reglerna säger att man ska vara öppen, och det är det jag försöker vara."

Galbraith skrockade. "Han vill få oss att tro att han är en donjuan, att vi ska utgå ifrån att en man som kan få hur mycket sex han vill inte behöver våldta någon, men han kan eller vill inte ge oss namnen på kvinnorna han har varit ihop med. Och det kan ingen annan heller." Han ryckte på axlarna. "Hittills är det ingen som har ifrågasatt hans rykte som kvinnokarl. Alla är rätt säkra på att han tar med kvinnor ut till båten trots att teknikerna inte hittar något som bevisar det. Hans lakan är stela av intorkad sperma, men där fanns bara två hårstrån som inte var hans och inget av dem kommer från Kate Sumner. Slutsatsen blir att runkandet är tvångsmässigt hos den här killen." Han gjorde en paus för att tänka efter. "Problemet är att den förbannade båten är bokstavligt talat asketisk i alla andra avseenden."

"Nu hänger jag inte med."

"Inte minsta skymt av något pornografiskt", sade Galbraith. "Sådana här typer, särskilt de som tar steget över till våldtäkt, runkar skallen av sig över hårdporr eftersom känslan enbart sitter i kuken och de behöver grövre och grövre porr för att få det att gå. Så hur får vår vän Harding upp den?"

"Minnen?" föreslog Ingram beskt.

Galbraith skrockade. "Han har ställt upp på några porrfoton själv, men han påstår att de enda bilder han någonsin haft var dem han visade för William Sumner." Han gav en snabb sammanfattning av Hardings och Sumners versioner av historien. "Han säger att han

159

kastade tidningarna i soptunnan efteråt och att han för sin del glömmer bort dem så fort han har fått betalt."

"Det troliga är väl att han kastade bilderna överbord när det slog honom att han kunde bli förhörd igen." Ingram tänkte efter. "Det där Danny Spender sa, frågade du honom om det? Varför gned han sig med telefonen?"

"Han säger att det är lögn, att ungen hittar på."

"Inte en suck. Jag sätter mitt huvud på att Danny talar sanning."

"Varför gjorde han det då?"

"För att återuppleva våldtäkten? Han blev upphetsad när vi hittade hans offer? Maggie Jenner?"

"Vilket av dem?"

"Våldtäkten", sade Ingram.

"Rena spekulationer som baseras på utsagor från en tioåring och en polis. Juryn kommer inte att tro dig, Nick."

"Prata med Maggie Jenner imorgon då. Ta reda på om hon märkte något innan jag kom." Han började duka av bordet. "Jag råder dig att ta det varligt. Hon är inte direkt överförtjust i poliser."

"Menar du poliser i allmänhet eller gäller det bara dig?"

"Antagligen bara mig", sade Ingram ärligt. "Jag tipsade hennes pappa om att mannen hon hade gift sig med hade begått några checkbedrägerier och när gubben gick på honom smet den fan med en nätt liten förmögenhet som han hade lurat av Maggie Jenner och hennes mamma. När vi kollade fingeravtrycken i datorn visade det sig att halva Englands poliskår letade efter honom, för att inte tala om alla fruarna han hade skaffat under sin karriär. Maggie var nummer fyra, fast han hade aldrig skilt sig från nummer ett, så äktenskapet var i alla fall inte giltigt."

"Vad hette han?"

"Robert Healy. Han åkte fast för några år sedan i Manchester. Hon kände honom under namnet Martin Grant men han erkände tjugotvå falska identiteter när han stod inför rätta."

"Och hon ger dig skulden för att hon gifte sig med ett kräk?" frågade Galbraith misstroget.

160

"Inte för det. Hennes pappa hade haft svagt hjärta i åratal och chocken när han upptäckte att de höll på att gå i konkurs tog livet av honom. Hon tror att hon skulle ha lyckats övertala Healy att lämna tillbaka pengarna på något vis om jag hade vänt mig till henne istället, och då skulle pappan fortfarande ha varit i livet."

"Hade hon kunnat det?"

"Det tror jag inte." Han ställde ner tallrikarna. "Healy hade utvecklat sina bedrägerier till fulländning och att låta sig övertalas var inte precis hans stil."

"Hur bar han sig åt?"

Ingram gjorde en grimas. "Använde sin charm. Hon blev helt betagen."

"Är hon korkad?"

"Nej ... bara godtrogen ..." Ingram bringade ordning i sina tankar. "Han var proffs. Skapade ett luftföretag med luftkonton och övertalade dem att investera i det, eller snarare fick Maggie att övertala sin mor. Det var väldigt sofistikerat. Jag såg papperen efteråt och det förvånar mig inte att de gick på det. Det låg tjusiga broschyrer, kontoredovisningar, lönechecker, listor med anställda, deklarationer överallt i huset. Man måste vara väldigt misstänksam för att föreställa sig att någon skulle göra sig så mycket besvär för att lura av en några hundratusen pund. Och eftersom aktierna enligt honom steg med tjugo procent per år sålde gamla fru Jenner alla sina obligationer och värdepapper och överlämnade en check till sin svärson."

"Som han växlade in i kontanter?"

Ingram nickade. "Den passerade minst tre bankkonton på vägen och sedan var pengarna borta. Totalt lade han ner ett års arbete på bluffen – nio månader för att mjuka upp Maggie och tre månader som äkta man – och det var inte bara familjen Jenner som blev barskrapad. Han använde sig av dem för att bluffa andra och en massa av deras vänner råkade också illa ut. Det är sorgligt för det har gjort dem till riktiga enstöringar."

"Vad lever de på?"

"Det Maggie kan få in på stallet. Och det är inte mycket. Hela Broxton House håller på att förfalla."

"Varför säljer de det inte?"

Ingram sköt tillbaka stolen innan han reste sig. "För att det inte är deras. Gamle Jenner ändrade sitt testamente innan han dog och lämnade huset till sonen, med en klausul om att mamman och systern skulle få bo kvar så länge fru Jenner är i livet."

Galbraith rynkade pannan. "Och vad händer sedan? Slänger han ut sin syster då?"

"Något åt det hållet, ja", sade Ingram torrt. "Han är advokat i London, och han har definitivt inte tänkt sig att det ska finnas några hyresgäster i huset när han säljer det till någon exploatör."

Innan Galbraith gav sig iväg för att förhöra Maggie Jenner på torsdagsmorgonen informerade han i korta ordalag Carpenter om den strandade gummibåten. "Jag har ordnat så att vi får dit några tekniker", sade han, "men det skulle förvåna mig om de hittar något. Ingram och jag tittade oss omkring lite och försökte lista ut varför luften har gått ur och det är inte så jäkla lätt – men det kan i alla fall vara värt ett försök. De ska kolla om det går att pumpa upp den och få bort den från stenarna, men ha inte för höga förväntningar. Det är tveksamt om det ger något ens om de lyckas få hit den."

Carpenter räckte honom en bunt papper. "Det här är intressant", sade han.

"Vad är det?"

"Vittnesutsagor från de personer Sumner påstod skulle ge honom alibi."

Galbraith uppfattade ivern i sin överordnades röst. "Gör de det?"

Den andre skakade på huvudet. "Snarare tvärtom. Det saknas ett helt dygn som han inte kan redogöra för, från lunchen i lördags till lunchen i söndags. Nu förhör vi hotellpersonalen och de andra konferensdeltagarna, men det här" – han pekade på papperen Galbraith höll i handen – "är namnen Sumner själv uppgav." Hans ögon glim-

162

made till. "Och om de inte är beredda att ge honom alibi förstår jag inte vem som skulle göra det. Det verkar som om du hade rätt, John."

Galbraith nickade. "Men hur bar han sig åt?"

"Han brukade segla så han måste känna till Chapman's Pool lika väl som Harding. Alltså visste han att det låg gummibåtar där."

"Hur fick han dit Kate?"

"Ringde henne i fredags kväll, sa att det var urtrist på konferensen och att han tänkte komma hem tidigt, föreslog att de skulle göra något spännande för omväxlings skull, till exempel en utflykt till stranden i Studland, och gjorde upp om att möta henne och Hannah på stationen i Bournemouth eller Poole."

Galbraith drog sig i örsnibben. "Det är möjligt", medgav han.

Ett barn på tre år åker gratis, och datautskrifterna från Lymingtons station visade att det sålts åtskilliga enkelbiljetter till Bournemouth och Poole under lördagen, det var en snabb och enkel resa med byte till det reguljära tåget i Brockenhurst. Men om det var Kate Sumner som köpt någon av dessa biljetter hade hon inte betalat med check eller kontokort. Ingen i personalen mindes en blond späd kvinna med ett litet barn, men som de så riktigt påpekade var det inte så konstigt med tanke på alla människor som strömmade genom stationen en lördag under högsäsong på väg till eller från färjan till Isle of Wight.

"Den enda haken är Hannah", fortsatte Carpenter. "Om han nu lämnade henne i Lilliput innan han körde tillbaka till Liverpool, förstår jag inte varför det dröjde så länge innan någon lade märke till henne? Han måste ha satt av henne klockan sex, men paret Green hittade henne inte förrän halv elva."

Galbraith tänkte på spåren av benzodiazepin och paracetamol i Hannahs blod. "Han kanske gav henne mat och tvättade henne och lämnade henne nersövd liggande i en låda utanför en affär", sade han tankfullt. "Glöm inte att han är kemist och jobbar med läkemedel, så han måste veta hur man söver ner en treåring i några timmar. Jag skulle gissa att han har gjort det i åratal. Med tanke på hur hon

163

beter sig när han är i närheten måste hon ha satt en käpp i hjulet för hans sexliv från den dag hon föddes."

Under tiden jagade Ingram stulna gummibåtar. Fiskarna som hade sina båtar vid Chapman's Pool kunde inte hjälpa honom. "Faktum är att det var det första vi kollade när vi fick höra om kvinnan som hade drunknat", sade en av dem. "Men det var ingen som saknades, i så fall hade jag hört av mig."

Det var samma sak i Swanage och Kimmeridge Bay.

Hans sista hamnbesök, i Lulworth Cove, verkade mer lovande. "Lustigt att ni frågar", sade rösten i telefon, "för det är en som har försvunnit, svart tremeters."

"Låter som det kan vara den. När försvann den?"

"För över tre månader sedan."

"Varifrån?"

"Tro det eller ej, från stranden. Någon idiot från Spanien ankrar sin motorbåt i viken, tar med familjen iland för att äta lunch på puben, lämnar gummibåten med utombordaren på och startsnöret dinglande och skäller ut mig efter noter efteråt för att den blev snodd mitt framför näsan på honom. Enligt honom skulle ingen i Spanien drömma om att stjäla en båt – och då spelar det ingen roll att han har lagt den så att vilken byfåne som helst kan ta den – och sedan ger han mig en sjujävla föreläsning om hur framfusiga fiskarna är i Cornwall och menar att det nog är de som ligger bakom. Jag påpekade att spanska fiskare är mycket mer framfusiga än de i Cornwall och att de *aldrig* följer EU:s regler men han sa att han skulle anmäla mig till Europakommissionen för att jag inte hade beskyddat spanska turister."

Ingram skrattade. "Vad hände sedan?"

"Ingenting. Jag körde ut honom och familjen till hans gigantiska femtiofots motorbåt och efter det hördes inte ett ljud. Han fick väl ut dubbla värdet på försäkringen och skyllde på det hemska England. Vi gjorde efterfrågningar så klart, men ingen hade sett någonting. Och det är ju begripligt. Det är hundratals personer här under

164

loven och vem som helst kan ha fått igång den utan problem. Det är bara idioter som lämnar en gummibåt med utombordaren liggande så där. Det var väl någon som ville ta sig en sväng och sänkte den när han tröttnat på den."

"Vilket lov var det?"

"Mitterminslovet, i slutet av maj. Det var packat med folk."

"Gav spanjoren någon beskrivning av båten?"

"Ett helt jäkla manifest snarare. För försäkringen. Jag misstänkte nästan att han ville att den skulle bli snodd så att han kunde skaffa något snobbigare."

"Kan du faxa över det?"

"Visst."

"Jag är mest intresserad av utombordaren."

"Varför det?"

"Om det vill sig har tjuven kanske fortfarande kvar den."

"Och det är han som är mördaren?"

"Mycket troligt."

"Då hade ni tur. Spanjoren har gett mig alla serienummer, och ett av dem är till utombordaren."

14

Rapport från Falmouthpolisen avseende förhör med herr och fru Harding

<u>Ang.: Steven Harding</u>

Makarna Harding bor i ett enkelt enplanshus på Hall Road 18 i västra Falmouth. De flyttade till Cornwall efter pensioneringen. Innan dess drev de en fish&chipsbutik i Lymington i över tjugo år. När deras ende son, Steven, inte klarade gymnasiet lade de ner en ansenlig del av sina besparingar på att bekosta en privat teaterskola åt honom, och de känner en viss bitterhet över att det lett till att de numera har det mycket knapert. Det kan delvis vara en förklaring till att de är så kritiska och negativa till sonen.

De beskriver Steven som en "besvikelse", och talar om honom i hätska ordalag på grund av hans "omoraliska livsföring". De skyller hans normlösa livsstil – "han är bara intresserad av sex, droger och rock" – och bristande framgångar – "han har inte haft ett hederligt arbete i hela sitt liv" – på lättja och inställningen att "världen är skyldig att försörja honom". Herr Harding är stolt över sin arbetarklassbakgrund, och enligt honom ser Steven ner på sina föräldrar, vilket är skälet till att han bara hälsat på dem en enda gång på sex år. Besöket – sommaren 1995 – slog inte väl ut och herr Harding kom med våldsamma och hårda utfall mot sonens arrogans och bristande tacksamhet. Han använde ord som "posör", "knarkare", "parasit", "sexfixerad", "lögnare" och "ansvarslös", men uppenbarligen beror fientligheten snarare på att han inte kan acceptera Stevens förkastande av arbetarklassens värderingar än på att han vet något om sin sons nuvarande livsstil eftersom de inte har haft kontakt sedan juli 1995. Fru Harding nämner en skolkamrat, Anthony Bridges, som hon anser haft dåligt inflytande på Steven. Enligt henne var det Anthony som fick Steven att börja snatta, använda droger och läsa porrtidningar vid tolv års ålder och Stevens dåliga skolresultat har sin förklaring i några polisvarningar de två fick under tonåren för fylla och förargelseväckande beteende, vandalism och stöld av pornografiskt material från en tidningsförsäljare. Efter det blev Steven uppstudsig och omöjlig att hålla styr på. Hon beskriver Steven som "för snygg för sitt eget bästa", och säger att flickorna tidigt började svärma kring honom. Hon säger att Anthony däremot alltid kom i andra hand och att hon tror att det var därför Anthony tyckte om att "ställa till problem för Steven". Hon är mycket bitter över att Anthony trots sina tidigare förseelser var begåvad nog att börja vid universitetet och skaffade sig jobb som lärare medan Steven blev försörjd av sina föräldrar, något han aldrig tackat dem för.

När herr Harding frågade Steven hur han hade råd att köpa båten *Crazy Daze* erkände Steven att han hade fått ihop pengarna genom att uppträda i hårdporrfilmer. Hans föräldrar blev så utom sig att de kastade ut honom ur hemmet i juli 1995 och han har inte hört av sig sedan dess. De har ingen aning om vad han sysslar med eller med vilka han umgås och kan inte sprida något ljus över händelserna 9–10 augusti 1997. Men de betonar att Steven trots alla sina fel och brister enligt deras förmenande inte är någon våldsam eller aggressiv person.

15

MAGGIE JENNER STOD och mockade i en av boxarna när Nick Ingram och John Galbraith körde fram till Broxton House på torsdagsmorgonen. Som alltid när det kom någon var hennes spontana reaktion att dra sig undan och gömma sig. Hon ville vara ifred, och det krävdes en viljeansträngning att övervinna det inneboende motståndet mot att umgås med andra människor. Broxton House, en massiv byggnad i Queen Anne-stil med sadeltak, röda tegelmurar och fönsterluckor skymtade genom en öppning mellan träden till höger om stallbacken och hon såg de två männen stanna och titta beundrande på huset när de klivit ur bilen, innan de vände sig om och gick bort mot henne.

Med ett resignerat leende drog hon uppmärksamheten till sig genom att hiva ut halmen genom stalldörren med hötjugan. Vädret hade inte slagit om de senaste tre veckorna och svetten rann över ansiktet när hon klev ut i det skarpa solljuset. Det irriterade henne att hon kände sig så besvärad och hon önskade att hon hade satt på sig något annat på morgonen eller att polisassistent Ingram varit hövlig nog att förvarna henne om att de skulle komma. Den tunna rutiga skjortan satt kletad mot kroppen och jeansen skavde mot insidan av låren. Ingram fick syn på henne nästan genast och det gladde honom att se att rollerna för en gångs skull var ombytta och att det nu var hon som var varm och besvärad, men som vanligt visade han inte något utåt.

Hon ställde högtjugan mot stallväggen och torkade av handflatorna mot de redan smutsiga jeansen innan hon strök undan håret från det svettiga ansiktet med baksidan av handen.

"Godmorgon, Maggie", sade han med sin vanliga hövliga nickning. "Det här är kriminalkommissarie Galbraith från Dorsetpolisen. Han vill ställa några frågor om händelserna i söndags om det går bra."

Hon granskade händerna innan hon stoppade ner dem i jeansfickorna. "Med tanke på vad jag har sysslat med tar jag er inte i hand, kommissarien."

Galbraith log, tolkade helt riktigt ursäkten som en motvilja mot fysisk kontakt och kastade en intresserad blick på den stenlagda gårdsplanen. På tre sidor var den omgiven av stallängor, vackra gamla tegelhus med solida ekdörrar, men bara ett halvt dussin av boxarna tycktes upptagna. Resten stod oanvända med uppställda dörrar, kala tegelgolv och tomma krubbor, och han kom fram till att det var länge sedan detta hade varit ett blomstrande företag. De hade kört förbi en bleknad skylt vid infarten som ståtade med texten BROXTON HOUSE RID- & INACKORDERINGSSTALL, men det var inte bara skylten som bar spår av det fortgående förfallet, det avspeglades i de vittrande stenmurarna som ansatts av elementen i flera hundra år, i den flagnande målarfärgen och de trasiga fönsterrutorna i sadelkammaren och kontoret som ingen brytt sig om – *eller haft råd?* – att byta ut.

Maggie följde hans blick och läste hans tankar. "Ni har rätt", sade hon. "Det skulle gå att göra mycket av det här om man byggde om det till en semesteranläggning."

"Fast det vore synd."

"Ja."

Han tittade mot en paddock längre bort där några hästar nafsade i det torra gräset. "Är de också era?"

"Nej. Vi arrenderar ut paddocken. Det är meningen att ägarna ska hålla ett öga på dem, men de bryr sig inte och så slutar det med att jag får sköta om de stackars djuren fast det inte ingår i kontraktet." Hon log beklagande. "Jag kan inte få in i ägarnas skallar att vatten dunstar och att karet måste fyllas på varje dag. Det gör mig galen ibland."

169

"Så det är rena grovjobbet emellanåt?"

"Ja." Hon pekade mot en dörr i änden av stallängan bakom sig. "Vi går upp till mig. Jag kan koka lite kaffe."

"Tack." Trots de smutsiga kläderna och det bryska sättet tyckte han att hon var attraktiv, men han var förbryllad över Ingrams stela uppträdande, vilket inte gärna kunde förklaras med historien om hennes bigamist till man. I så fall var det hon som borde vara stel, tänkte han. När han följde efter dem upp för trätrappan kom han fram till att assistenten måste ha gjort en framstöt och fått en näsknäpp eftersom han inte spelade i sin egen division. Även om Maggie Jenner bodde i något som mest liknade en svinstia tillhörde hon överklassen.

Lägenheten var raka motsatsen till Nicks prydliga hem. Oredan var total. På golvet framför teven låg högvis med tomma chipspåsar, tidningar med lösta och halvlösta korsord skräpade på stolar och bord, på soffan låg en smutsig filt som luktade omisskännligt av Bertie och i diskhon stod travar med smutsig disk. "Ursäkta röran", sade hon. "Jag har varit uppe sedan fem och har inte haft tid att städa." Det lät som en sliten fras i Galbraiths öron och han antog att hon drog den för alla som visade antydningar till att kritisera hennes livsstil. Hon förde kranen åt sidan för att trots all disk få plats med kastrullen. "Hur vill ni ha kaffet?"

"Med mjölk och två sockerbitar, tack", sade Galbraith.

"Utan mjölk, inget socker, tack", sade Ingram.

"Går det bra med torrmjölk?" frågade Maggie kommissarien och sniffade på en kartong vid sidan om. "Mjölken är sur." Hon sköljde hastigt av några smutsiga muggar under kranen. "Varför sätter ni er inte ner? Om ni lägger ner Berties filt på golvet kan ni ta soffan."

"Jag tror hon menar dig", mumlade Ingram när de gick in i vardagsrummet. "Chefsförmåner. Det är bästa stället att sitta på."

"Vem är Bertie?" viskade Galbraith.

"Baskervilles hund. Hans favoritsysselsättning är att nosa män i skrevet och dregla ner dem. Fläckarna sitter kvar efter minst tre

170

tvättar har jag märkt, så det kan löna sig att sitta med benen i kors."

"Jag hoppas du skämtar!" sade Galbraith och stönade. Han hade redan blivit av med ett par bra byxor när han vadade omkring i vattnet kvällen innan. "Var är han?"

"Ute och rumlar, skulle jag tro. Hans favoritsyssla nummer två är traktens tikar."

Kriminalkommissarien satte sig ängsligt i fåtöljen. "Har han loppor?"

Med ett flin nickade Ingram mot köksdörren. "Finns det musspillning i sockret?" mumlade han.

"Fan!"

Ingram gick bort till fönsterbrädan och lutade sig försiktigt mot den. "Var tacksam att det inte var hennes mamma som var ute och red i söndags", sade han med låg röst. "Det här köket är sterilt i jämförelse med hennes." Han hade fått prova på gamla fru Jenners gästfrihet en gång för fyra år sedan, den dagen Healy skuddat stoftet av fötterna, och han hade svurit på att aldrig utsätta sig för den upplevelsen igen. Hon hade bjudit honom på kaffe i en sprucken kopp av Spodeporslin som var svart av garvsyra och han hade haft kväljningar hela tiden medan han drack det. Han hade aldrig förstått sig på den utarmade godsägararistokratins besynnerliga seder. De föreföll sätta större värde på benporslin än på hygien.

De väntade utan att säga något på att Maggie skulle bli färdig i köket. Det kom en stank av hästgödsel från en hög med gammal halm på gården utanför och hettan som trängde in genom det oisolerade taket var närmast outhärdlig. De båda männens ansiktsfärg steg snabbt, de torkade sig i pannan och Ingrams föreställning om att han fått ett övertag över Maggie förjagades snabbt. Efter några minuter dök hon upp med en bricka och räckte dem varsin kaffemugg innan hon sjönk ner på Berties filt i soffan.

"Jaha, vad kan jag berätta som Nick inte redan känner till?" frågade hon Galbraith. "Jag vet att det är en mordutredning för det har jag läst i tidningarna, men eftersom jag inte såg kroppen förstår

171

jag inte hur jag skulle kunna hjälpa er."

Galbraith tog upp några anteckningar ur jackfickan. "Faktum är att det är mer än en mordutredning. Kate Sumner blev våldtagen innan hon slängdes i vattnet, så mannen som mördade henne är ytterst farlig och vi måste ta honom innan han gör om det." Han tystnade för att låta upplysningarna sjunka in. "Tro mig, vi är glada för all hjälp vi kan få."

"Men jag vet ingenting", sade hon.

"Ni talade med en man som heter Steven Harding", påminde han henne.

"Åh, gode Gud", sade hon, "ni tror väl inte att det var han?" Hon rynkade pannan när hon tittade på Ingram. "Du har visst siktat in dig på honom, Nick. Han försökte faktiskt bara hjälpa till. Vem som helst som var i Chapman's Pool den dagen kan ha mördat henne."

Ingram förblev förbindligt oberörd både inför hennes rynkade panna och anklagelserna. "Det är möjligt."

"Varför ger ni er på Steve då?"

"Det gör vi inte. Vi försöker avföra honom ur utredningen. Varken kriminalkommissarie Galbraith eller jag har lust att slösa bort tid på att kolla upp oskyldiga åskådare."

"Du slösade bort massor med tid på det i söndags", sade hon syrligt, sårad över att han insisterade på att behandla henne med underdånig och formell artighet.

Han log men sade ingenting.

Hon vände sig till Galbraith igen. "Jag ska göra mitt bästa", sade hon, "fast jag tvivlar på att jag har något att komma med. Vad vill ni veta?"

"Det skulle vara till stor hjälp om ni kunde beskriva var ni möttes. Vad jag har förstått kom ni ridande nerför stigen mot sjöbodarna och stötte på honom och pojkarna vid Ingrams bil. Var det första gången ni såg honom?"

"Ja, men jag red inte. Jag ledde hästen, eftersom han hade blivit skrämd av helikoptern."

172

"Jaha. Vad gjorde Steven och pojkarna?"

Hon ryckte på axlarna."De tittade i kikare på en flicka på en båt, i alla fall Steven och den äldre av pojkarna. Jag tror att den yngre var rätt uttråkad. Sedan blev Bertie rejält i gasen ..."

Galbraith avbröt henne. "Ni sa att *de* tittade i kikare. Hur bar de sig åt? Turades de om?"

"Nej. Det var Paul som tittade, Steve höll bara i kikaren åt honom." Hon såg hans ögonbryn höjas och förutsåg nästa fråga. "Så här." Hon höll ut armen. "Han stod bakom Paul med armarna runt pojkens axlar och höll i kikaren så att han kunde titta. Pojken tyckte det var kul och fnittrade hela tiden. Det var faktiskt riktigt gulligt. Han försökte antagligen få honom att sluta tänka på den döda kvinnan. Jag trodde faktiskt att han var deras pappa, tills jag insåg att han var för ung."

"En av pojkarna sa att han pysslade med telefonen innan ni kom. Lade ni märke till det?"

Hon skakade på huvudet. "Han hade den fastsatt i linningen."

"Vad hände sedan?"

"Bertie blev uppjagad, så Steve tog tag i halsbandet och sedan föreslog han att vi skulle låta pojkarna klappa Bertie och Sir Jasper. Han sa att han var van vid djur eftersom han hade växt upp på en gård i Cornwall." Hon rynkade pannan. "Varför är det här så viktigt? Han ville bara vara hygglig."

"Hur då?"

Hon rynkade pannan ännu mer och stirrade på honom. Det var tydligt att hon undrade vart han ville komma. "Han var inte närgången, om det är det ni är ute efter."

"Varför skulle jag tro att han var närgången?"

Hon knyckte irriterat på nacken. "För att det skulle göra det lättare för er", föreslog hon.

"Hur då?"

"Ni vill ha honom till våldtäktsman, eller hur? I alla fall är det vad Nick vill."

Galbraiths grå ögon synade henne kyligt. "Våldtäkt är lite mer än

173

att vara närgången. Kate Sumner hade fått sömnmedel, hon hade sår på ryggen, strypmärken på halsen, märken efter rep kring handlederna, brutna fingrar och brusten vagina. Hon blev slängd ... *levande* ... i vattnet av någon som säkerligen visste att hon simmade dåligt och inte skulle klara sig, även om hon kvicknade till. Dessutom var hon gravid, vilket innebär att hennes barn också blev mördat." Han smålog. "Jag inser att ni är en mycket upptagen person och att en okänd kvinnas död inte har högsta prioritet i ert liv, men assistent Ingram och jag tar det mer allvarligt, antagligen för att vi båda såg Kates kropp och det gjorde oss tagna."

Hon såg ner på sina händer. "Ursäkta", sade hon.

"Vi ställer inte de här frågorna för nöjes skull", sade Galbraith utan avoghet. "De flesta av oss känner oss väldigt pressade av sådana här fall, även om allmänheten oftast inte förstår det."

Hon höjde blicken och det fanns en antydan till ett leende i hennes mörka ögon. "Budskapet har gått fram", sade hon. "Problemet är att jag får en känsla av att ni siktar in er på Steven Harding bara därför att han var där, och det verkar inte riktigt vettigt."

Galbraith utbytte en blick med Ingram. "Det finns andra skäl till att vi är intresserade av honom", sade han, "men det enda jag kan avslöja för närvarande är att han hade känt den döda kvinnan ett tag. Det är tillräckligt för att vi ska kolla upp honom, vare sig han var vid Chapman's Pool i söndags eller ej."

Hon verkade grundligt omskakad. "Han talade inte om att han kände henne."

"Varför skulle han ha gjort det? Till oss sa han att han inte hade sett kroppen."

Hon vände sig till Ingram. "Nej, det kan han väl inte ha gjort? Han sa att han hade gått från St Alban's Head."

"Man har väldigt bra utsikt över Egmont Bight från kustleden", påminde Ingram henne. "Om han hade kikare måste han ha sett henne tydligt."

"Men det hade han inte", invände hon. "Det enda han hade var en telefon. Det påpekade du också."

174

Galbraith funderade på hur han skulle formulera nästa fråga och kom fram till att det var bäst att gå rakt på sak. Det fanns nog en eller annan hingst i stallet, så det var inte troligt att Maggie skulle svimma om han sa ett ord som penis. "Nick säger att Harding hade stånd när han först såg honom i söndags. Håller ni med om det?"

"Antingen det eller så är han otroligt välutrustad."

"Tror ni att ni kan ha varit orsaken?"

Hon svarade inte.

"Nå?"

"Jag har ingen aning", sade hon. "Just då trodde jag nog att det var flickan på båten som gjorde honom upphetsad. Går man utmed stranden vid Studland en solig dag är det hundratals kåta unga män i vattnet som försöker dölja att snoppen reagerar oberoende av hjärnan. Det är knappast ett brott."

Galbraith skakade på huvudet. "Ni är en tilldragande kvinna och han stod precis bredvid er. Uppmuntrade ni honom på något sätt?"

"Nej."

"Det är faktiskt viktigt."

"Varför det? Det enda jag vet är att den stackars kraken inte hade full kontroll över sig själv." Hon suckade. "Jag är verkligen ledsen för kvinnans skull. Men om Steve hade med det att göra märkte jag det inte i alla fall. För mig var han en ung man som var ute och gick och ringde ett telefonsamtal åt några barn."

Galbraith satte pekfingret i sina anteckningar. "Det här är ett citat från Danny Spender", sade han. "Jag vill bara veta om det ligger något i det. 'Han snackade in sig hos henne med hästen men hon gillade inte honom lika mycket som han gillade henne.' Var det på det viset?"

"Nej, självklart inte", sade hon irriterat, som om blotta tanken på att någon flirtade med henne var bannlyst, "fast jag antar att ungarna kan ha uppfattat det så. Jag sa att han var modig som vågade ta Bertie i halsbandet, så han verkade tro att pojkarna skulle bli imponerade om han skrattade en massa och klappade Jasper på

175

baken. Till slut blev jag tvungen att ställa djuren i skuggan för att få bort honom. Jasper är foglig för det mesta, men inte om någon daskar honom i rumpan varannan minut, och jag ville inte svara för konsekvenserna i händelse av att han skulle få för sig att slå bakut."

"Så Danny hade rätt i att ni inte gillade honom?"

"Jag förstår inte vad det har med saken att göra", sade hon besvärat. "Det är ju subjektivt. Jag är inte särskilt social, så att gilla folk är inte min starka sida."

"Vad var det för fel på honom?" fortsatte han orubbligt.

"Nej, men herregud, det här är ju löjligt!" bet hon av. "Inget alls. Han var genomtrevlig från början till slut." Hon kastade en arg sidoblick på Ingram. "Närmast löjligt artig, faktiskt."

"Varför gillade ni honom inte då?"

Hon andades djupt genom näsan och stred uppenbarligen med sig själv om huruvida hon skulle svara eller ej. "Han kladdade", sade hon i plötslig ilska. "Nöjd? Var det vad ni ville höra? Jag har svårt för män som inte kan hålla fingrarna i styr, kommissarien, men det gör dem inte till våldtäktsmän eller mördare. De är bara sådana." Hon tog ännu ett djupt andetag. "Och medan vi är inne på ämnet och bara för att visa hur lite tilltro man kan sätta till mitt omdöme om män kan jag tala om att jag inte skulle lita på er en minut ens. Fråga Nick om ni vill veta mer." Hon skrattade glädjelöst när Galbraith sänkte blicken. "Jag ser att han redan har berättat ... Fast ... om ni vill ha de saftigare detaljerna om mitt förhållande med en bigamist, får ni ansöka skriftligt så ska vi se vad jag kan stå till tjänst med."

Kriminalkommissarien, som kom ihåg att Sandra Griffiths hade sagt något liknande när han ville veta vad hon tyckte om Sumner, låtsades inte om utbrottet. "Menar ni att Harding tog på er, Miss Jenner?"

Hon gav honom en förintande blick. "Naturligtvis inte, jag gav honom inte chansen."

"Men han rörde vid era djur, och det är det ni ogillar?"

"Nej", sade hon vresigt. "Det var pojkarna han inte kunde hålla

176

fingrarna ifrån. Det var väldigt macho ... tjena-polarn-kul-att-se-dig-köret ... ni vet, en massa klappande på axeln och segergester ... ärligt talat trodde jag han var deras pappa. Den lille var inte särskilt förtjust – han knuffade undan honom hela tiden – men den äldre njöt." Hon log ganska beskt. "Det är sådan där ytlig hjärtlighet som man hittar i varenda Hollywoodfilm, så jag blev inte det minsta förvånad när Nick berättade att han var skådespelare."

Galbraith kastade en frågande blick på Ingram.

"Ja, det är nog en riktig beskrivning", sade polisassistenten. "Han var väldigt vänskaplig mot Paul."

"Hur vänskaplig?"

"Väldigt", sade Ingram. "Och Maggie har rätt. Danny knuffade bort honom hela tiden."

"Pedofil?" skrev Galbraith i sin anteckningsbok. "Såg ni Steve ställa ner en ryggsäck på sluttningen innan han gick ner med pojkarna till Nicks bil?" frågade han Maggie.

Hon gav honom en sidoblick. "Första gången jag såg honom var han vid sjöbodarna", sade hon.

"Såg ni honom hämta den när Nick hade åkt?"

"Jag tittade inte på honom." Hon fick bekymrade rynkor i pannan. "Hör ni ... drar ni inte förhastade slutsatser nu igen? När jag sade att han rörde vid pojkarna menade jag inte att det var ... otillbörligt ... utan, tja, bara överdrivet, kan man väl säga."

"Jag förstår."

"Vad jag försöker säga är att jag inte tror att han är pedofil."

"Har ni någonsin träffat en pedofil?"

"Nej."

"Ja, de ser faktiskt ut som folk gör mest. Budskapet har gått fram, i alla fall", försäkrade han henne och använde medvetet hennes egna ord. Han tog artigt upp sin orörda mugg från golvet och drack ur den innan han drog upp ett visitkort ur fickan och gav det till henne. "Här är mitt telefonnummer", sade han och reste sig. "Om ni kommer på någonting som ni tror är av vikt kan ni alltid nå mig. Tack för hjälpen."

177

Hon nickade och tittade på Ingram. "Du har inte druckit upp ditt kaffe" sade hon med en skadeglad glimt i ögonen. "Du kanske skulle ha velat ha socker i alla fall. Jag har märkt att musspillning alltid sjunker till botten."

Han log. "Men det gör inte hundhår." Han satte på sig mössan och rättade till den. "Hälsa din mor."

Kate Sumners papper och privata ägodelar fyllde flera kartonger som utredarna ägnat tre dagar åt att gå igenom i sina försök att skapa en bild av hur hon hade levt. De hittade ingenting som förknippade henne med Steven Harding eller någon annan man.

Samtliga personer i hennes adressbok kontaktades men det gav inget nytt. Det visade sig undantagslöst vara folk hon träffat sedan hon flyttat till sydkusten och namnen återkom på en prydlig julkortslista som låg i botten av en låda i byrån i vardagsrummet. I ett köksskåp fann man en skrivbok med "Dagbok" på framsidan, men den visade sig till allas besvikelse innehålla en noggrann uppställning över hushållsutgifterna och överensstämde på något pund när med den summa hon regelbundet tilldelades av William.

Hennes korrespondens utgjordes nästan enbart av affärsbrev, de flesta angående arbeten på huset. Där fanns några få privata brev från vänner och bekanta i Lymington, ett från svärmodern och ett från Polly Garrard på Pharmatec, daterat i juli.

Kära Kate,
   Det är evigheter sedan vi pratades vid och varje gång jag ringer tutar det upptaget eller så är du inte hemma. Slå mig en signal när du kan. Jag måste få höra hur du och Hannah har det i Lymington. Det är ingen idé att fråga William. Han nickar bara och säger: "Bra".
   Jag skulle verkligen vilja se huset när du har fått det i ordning. Jag kanske kunde ta ledigt en dag och hälsa på när William är på jobbet? Då kan han inte klaga över att vi bara sitter och skvallrar. Kommer du ihåg Wendy Plater? Hon blev full på lunchen för några veckor

178

sedan och kallade Purdy för en jäkla snåljåp, för han var nere i
entrén när hon kom vinglande alldeles för sent och sa åt henne att det
skulle bli avdrag på lönen. Vilken grej va! Han skulle ha gett henne
sparken på stubinen om inte gamle bussige Trew hade lagt sig ut för
henne. Hon blev tvungen att be om ursäkt, men hon var inte det
minsta ångerfull. Hon säger att hon aldrig har sett Purdy så blodröd
i ansiktet!

Jag tänkte genast på dig, såklart, och det var därför jag ringde. Det
är verkligen <u>evigheter</u> sedan. <u>Ring!</u> Tänker på dig.

Kram,
Polly Garrard

Ett utkast till Kates svar satt fästat vid det med ett gem.

Kära Polly,
Hannah och jag mår bra och det är klart att du måste komma och
hälsa på oss. Jag har lite mycket omkring mig just nu, men jag ringer
så snart jag kan. Huset är jättefint. Du kommer att gilla det.
~~Du lovade på hedersord~~ Historien om Wendy Plater var jättekul!
Hoppas allt är väl med dig.
Vi hörs.
Kramar,
Kate

Bröderna Spenders föräldrar såg oroliga ut när Ingram frågade om
han och kriminalkommissarie Galbraith kunde få prata med Paul i
enrum. "Vad har han gjort?" frågade hans pappa.

Ingram tog av sig mössan och slätade till det mörka håret. "Ing-
enting, vad jag vet", sade han med ett leende. "Det är bara några
rutinfrågor, inget annat."

"Varför vill ni prata med honom i enrum i så fall?"

Ingram såg rakt på honom med öppen blick. "För att den döda
kvinnan var naken och Paul nog blir generad av att prata om det
inför er och er hustru."

Mannen frustade roat till. "Han måste tycka att vi är förskräckligt pryda."

Ingrams leende blev bredare. "Det räcker med att ni är hans föräldrar", sade han. Han pekade ut mot vägen framför stugan de hyrde. "Han kommer nog att känna sig mer avspänd om han får prata med oss här ute."

I själva verket talade Paul förvånansvärt öppet om hur "snäll" Steven Harding hade varit. "Jag tror att han gillade Maggie och att han försökte impa på henne genom att visa hur bra hand han hade med barn", sade han till polismännen. "Min morbror håller alltid på så där. Om han kommer hem till oss ensam pratar han inte med oss, men om han har någon tjej med sig lägger han armen om en och skämtar. Det är bara för att de ska tro att han skulle bli en bra pappa."

Galbraith skrockade. "Och Steve gjorde samma sak?"

"Det verkade så. Han blev mycket snällare när hon dök upp."

"Märkte du att han höll på med telefonen?"

"Så där som Danny säger att han gjorde?"

Galbraith nickade.

"Jag tittade inte på honom för det kanske skulle verka oartigt, men Danny är ganska säker på det och han borde veta för han stirrade på honom hela tiden."

"Varför höll han på så där då, tror du?"

"För att han glömde bort att vi var där", sade pojken.

"Hur då?"

Paul verkade för första gången generad. "Ja, ni vet", sade han allvarligt, "han gjorde det utan att tänka på det ... min pappa gör ofta saker utan att tänka på det, som att slicka på kniven på restauranger. Mamma blir jättearg då."

Galbraith nickade instämmande. "Du är en klipsk kille. Jag borde ha tänkt på det själv." Han strök sig över den fräkniga kinden och begrundade problemet. "Men att gnugga sig med en telefon är inte riktigt samma sak som att slicka på kniven. Du tror inte snarare att han stajlade?"

"Han tittade på en tjej i kikaren, han kanske försökte impa på henne?" föreslog Paul.

"Kanske det." Galbraith låtsades överväga pojkens svar. "Du tror inte att det var dig och Danny han försökte imponera på?"

"Tja ... han pratade en massa om tjejer som han hade sett nakna, men jag fick liksom en känsla av att det mesta inte var sant ... Jag tror att han försökte få oss på bättre humör."

"Tror Danny också det?"

Pojken skakade på huvudet. "Nej, men det har ingen betydelse. Han tror att Steve stal hans tröja så han gillar honom inte."

"Är det sant?"

"Jag tror inte det. Han skyller bara ifrån sig för att han har haft bort den och mamma skällde ut honom. Det står DERBY FC på den och den var jättedyr."

"Hade Danny med sig den i söndags?"

"Han säger att den låg i byltet vi hade kikaren i men jag kommer inte ihåg."

"Jaha." Galbraith nickade igen. "Så vad tror Danny att Steven var ute efter?"

"Han tror att han är pedofil", sade Paul sakligt.

Polisassistent Griffiths visslade tonlöst för sig själv medan hon gjorde i ordning en kopp te i köket i Langton Cottage. Hannah satt hypnotiserad av teven i vardagsrummet och Sandy välsignade det geni som uppfunnit den elektroniska barnvakten. När hon vände sig om för att hämta mjölken i kylskåpet upptäckte hon att William Sumner stod precis bakom henne. "Skrämde jag dig?" frågade han när hon ryckte till.

Det vet du att du gjorde, din dumma fan ...! Hon tvingade sig att le för att dölja att han fick det att krypa i henne. "Ja", erkände hon. "Jag hörde inte att du kom."

"Det brukade Kate också säga. Hon kunde bli rätt arg ibland."

Det var begripligt ... Hon började uppfatta honom som en voyeur, en man som får en kick av att smygtitta på kvinnor som

181

pysslar med sitt. Hon hade slutat räkna alla gånger hon uppfattat en skymt av honom just som han smet igenom en dörr likt en inkräktare i sitt eget hus. Hon ställde ner tekannan på köksbordet och satte sig mittemot honom för att skapa avstånd mellan dem. Det uppstod en lång tystnad medan han tjurigt sparkade på bordsbenen så att bordet ryckvis närmade sig hennes mage.

"Du verkar rädd för mig", sade han plötsligt.

"Varför skulle jag vara det?" frågade hon och höll bordet ifrån sig i ett stadigt grepp.

"Du blev rädd igår kväll." Han såg belåten ut, som om tanken gjorde honom upphetsad och hon undrade hur pass viktigt det var för honom att känna sig överlägsen.

"Hoppas inte för mycket bara", sade hon helt kort, tände en cigarett och blåste avsiktligt röken mot honom. "Lita på mig, om jag hade varit det minsta rädd, skulle jag ha vridit pungkulorna av dig. Anfall är bästa försvar, det är mitt valspråk."

"Jag gillar inte att du röker och använder ovårdat språk i mitt hem", sade han och gav bordsbenet ytterligare en retlig spark.

"Lämna in ett klagomål då", svarade hon. "Då sätter de mig bara på ett annat uppdrag." Hon höll kvar hans blick ett ögonblick. "Och det vore väl inte så kul? Du som är van vid att ha en oavlönad piga."

Tårarna steg honom genast i ögonen. "Du förstår inte hur det är. Allt var så bra innan. Och nu ... Ja, jag vet inte hur jag ska klara av det."

Hans framförande var i bästa fall amatörmässigt, i värsta fall ondsint, och en liten djävul inom Griffiths vaknade till liv. *Trodde han att hon tyckte att manlig hjälplöshet var attraktiv?* "Då borde du skämmas över dig själv", bet hon av. "Enligt distriktssköterskan visste du inte ens var dammsugaren står, än mindre hur man använder den. Hon kom hit för att lära dig elementär föräldrakunskap och hushållsarbete därför att ingen – och jag upprepar *ingen* – kommer att ge dig vårdnaden om en treåring om du försummar henne så totalt som du gör."

Han gick omkring i köket, öppnade och stängde skåp som om

182

han ville visa att han visste vad de innehöll. "Det är inte mitt fel", sade han. "Det var Kate som ville ha det så här. Hon tillät inte att jag lade mig i."

"Är du säker på att det inte var tvärtom?" Hon askade på tefatet. "Jag menar, du gifte dig väl inte för att få en hustru? Du gifte dig för att få en hushållerska och förväntade dig att hon skulle sköta huset så att allt var perfekt och redogöra för vartenda öre hon gjorde av med."

"Så var det inte."

"Hur var det då?"

"Som att bo på ett billigt pensionat", sade han bittert. "Jag gifte mig varken med en hustru *eller* en hushållerska, jag gifte mig med en pensionatsvärdinna som lät mig bo här så länge jag betalade hyran i tid."

Mirage, den franska segelbåten, gick för motor uppför Dartfloden tidigt på torsdagseftermiddagen och förtöjde i Dart Havens marina på Kingswearsidan av flodmynningen, mittemot den vackra staden Dartmouth vid järnvägslinjen till Paignton. Just då den hade lagt till hördes visslan från tre-tåget som gav sig av i ett moln av ånga och hos båtens ägare väcktes en romantisk längtan tillbaka till en tid han själv inte kunde minnas.

Hans dotter däremot satt dystert försjunken i tankar. Hon kunde inte begripa varför de hade förtöjt på den sida av floden som inte kunde skryta med någonting annat än en järnvägsstation när allt som var lockande – affärer, restauranger, pubar, folk, liv, *killar*! – fanns på andra sidan, i Dartmouth. Hon betraktade föraktfullt sin far medan han tog fram videokameran och letade i fodralet efter ett nytt band för att filma ångloken. Hon tyckte att han var som en liten pojke i sin fåniga entusiasm för det lantliga Englands skatter när allt som räknades fanns i London. Hon var den enda bland alla kompisarna som aldrig hade varit där och det grämde henne. Gud, vad töntiga hennes föräldrar var!

Hennes far vände sig en aning frustrerat till henne och undrade var de oinspelade banden låg, och hon blev tvungen att medge att det inte fanns några kvar. Hon hade använt upp dem när hon filmade oväsentligheter för att fördriva tiden och med irriterande överseende (han hörde till de där förstående fäderna som inte tillät sig förfalla till gräl) spolade han tillbaka filmen. Han kikade i linsen för att välja ut vad han skulle spela över.

När han kom till en sekvens med en ung man som var på väg nerför berget ovanför Chapman's Pool mot två pojkar, följda av en sekvens där han satt ensam på stranden bortom båthusen, sänkte han kameran och tittade på sin dotter med en bekymrad rynka i pannan. Hon var fjorton år och han insåg att han inte hade en aning om huruvida hon fortfarande var oskuldsfull eller mycket medveten om vad hon hade filmat. Han beskrev den unge mannen och frågade henne varför hon hade filmat honom så länge. Hennes kinder blev rosenröda under solbrännan. Ingen särskild anledning. Han var där, och han var – hon lät trotsig – snygg. Hur som helst så kände hon honom. De hade pratats vid i Lymington. Och han gillade henne. Sådant märktes.

Hennes far var förfärad.

Hans dotter knyckte på axlarna. Vad var det för konstigt med det? Att han var engelsk? Han var bara en snygg kille som gillade franska tjejer, sade hon.

Bibi Gould blev lång i ansiktet när hon lätt om hjärtat stegade ut från sitt jobb på damfriseringen i Lymington och fick syn på Tony Bridges på trottoaren. Han stod halvt bortvänd och betraktade en ung mor som lyfte upp ett litet barn. Hennes förhållande med Tony hade blivit rätt ansträngt och ett kort ögonblick övervägde hon om hon skulle gå tillbaka in igen, men hon insåg att han måste ha uppfattat henne i ögonvrån. Hon tvingade fram ett blekt leende. "Tjena", sade hon med föga övertygande glättighet.

Han stirrade på henne med sitt typiska grubblande uttryck medan han noterade de snålt tilltagna shortsen och det korta linnet som lämnade de solbrända armarna, benen och mellangärdet bara. Ett blodkärl började dunka i tinningen och han hade svårt att hålla tillbaka ilskan. "Vem ska du träffa?"

"Ingen", sade hon.

"Nähä? Varför ser du så jävla sur ut över att träffa mig då?"

"Det gör jag inte." Hon sänkte huvudet och slängde med sin hårman över ögonen på ett sätt han avskydde. "Jag är bara trött ... Jag hade tänkt gå hem och titta på teve."

Han sträckte sig fram och grep henne om handleden. "Steve har gått upp i rök. Var det honom du skulle träffa?"

"Var inte löjlig."

"Var är han?"

"Hur skulle jag kunna veta det?" sade hon och vred armen för att komma loss ur hans grepp. "Det är din kompis."

"Har han stuckit ut till husvagnen? Är det där ni ska träffas?"

Hon slet sig ilsket loss. "Du är verkligen upphängd på honom, alltså ... du borde gå och snacka med någon istället för att ta ut det på mig hela tiden. Och alla springer faktiskt inte och gömmer sig i mamsens och papsens jävla husvagn varje gång det kör ihop sig. Den är för fan en soptipp ... precis som ditt hus ... och vem vill knulla på en soptipp?" Hon gned sin handled där hans fingrar hade efterlämnat röda märken i skinnet och hennes omogna nittonåriga ansikte fick ett elakt drag. "Det är inte Steves fel att du är så utslagen jämt så att du inte får upp den, och det är ingen idé att du försöker hålla färgen. Problemet med dig är att du inte fixar det, men det kan du inte inse."

Han granskade henne med avsky. "Hur var det i lördags då? Det var inte jag som slocknade i lördags. Jag är utled på att få en massa skit från alla, Beebs."

Hon var på vippen att slänga till med luggen och säga något snorkigt om att sex med honom hade blivit så urtrist att det inte spelade någon roll om hon var medvetslös eller ej men försiktigheten tog överhanden. Han hade ett sätt att ge igen som hon inte riktigt gillade. "Jaha, det är ju knappast mitt fel", muttrade hon lamt. "Man ska inte köpa taskig ecstasy av taskiga polare. Sånt kan ta livet av folk."

185

16

FAX

Från: Polisass. Nicholas Ingram
            Datum: 14 augusti kl.19.05
Till: Kriminalkomm. John Galbraith
                Ang.: **Mordutredning, Kate Sumner**

- -

Jag har funderat på ytterligare ett par saker, speciellt
apropå obduktionsprotokollet och den strandade gummibå-
ten och eftersom jag är ledig imorgon faxar jag över det
här nu. Mina tankegångar utgår visserligen helt ifrån teo-
rin att gummibåten användes vid mordet på Kate, men jag
har hittat en ny vinkel som kan vara värd att överväga.

Jag nämnde i förmiddags 1) att det är tänkbart att gum-
mibåten blev stulen i Lulworth Cove i slutet av maj och om
det stämmer kan tjuven och Kates mördare vara en och
samma person 2) om min "bogseringsteori" är riktig är det
mycket möjligt att tjuven skruvade loss utombordsmotorn
(märke: Fastrigger, serienummer: 240B 5006678) och
fortfarande har den kvar 3) du borde titta i Steven Har-
dings loggbok igen och kolla om han var i Lulworth Cove
torsdagen den 29 maj 4) om han hade en annan gummibåt
ombord på Crazy Daze – det går att pumpa upp den med
en vanlig fotpump – så skulle det lösa några av de krimi-
naltekniska problemen 5) han har antagligen ett förråd

någonstans som ni inte har hittat ännu där den stulna
utombordaren kanske ligger.

*** Jag har grunnat lite på om Harding (eller någon an-
nan båtägare) skulle ha kunnat flytta gummibåten från
Lulworth Cove mitt på ljusa dagen, och jag har kommit
fram till att det skulle ha varit rätt besvärligt.

Man får inte glömma att Crazy Daze sannolikt låg för
ankar i Lulworth Bay och att Harding bara kan ha tagit sig
iland i sin egen jolle. En båttjuv skulle inte ha dragit någon
större uppmärksamhet till sig (folk skulle ha utgått ifrån
att det var hans båt) men en ensam man med två gummi-
båtar skulle ha märkts lång väg (om han inte var beredd
på att slösa tid på att släppa ut luften), speciellt som enda
sättet att få dem därifrån är att bogsera dem efter eller
bredvid varandra bakom Crazy Daze. Det skulle ha sett
väldigt märkligt ut med två jollar bakom en båt och så snart
stölden hade rapporterats skulle sjöräddningen vid utsikts-
punkten ovanför Lulworth ha lagt märke till det.

Jag tror att det är mer realistiskt att tänka sig att stöld-
godset fraktades landvägen. Låt oss anta att tjuven kom-
mer i precis rätt ögonblick, upptäcker att utombordaren
inte är fastlåst, skruvar loss den och bär iväg den någon-
stans – bil/hus/garage/husvagn. En halvtimme senare går
han tillbaka, kollar att ägarna inte har kommit och bär
iväg båten också. Jag vill inte påstå att Kate Sumners mör-
dare hade planerat mordet redan på det här stadiet, men
jag tror att stölden av den spanska gummibåten gav ho-
nom uppslaget till det idealiska sättet att göra sig av med
hennes kropp i augusti. (OBS: stölder av eller från båtar
toppar brottsstatistiken utmed sydkusten). Mitt tips är att
ni hör efter om någon som har anknytning till Kate bodde
i eller i närheten av Lulworth mellan 24 och 31 maj. Jag
misstänker att den sorgliga sanningen är att hon var där
med sin familj – det finns flera campingplatser kring Lul-

187

worth – men det lär väl passa dig, eftersom det stärker misstankarna mot hennes man.

Jag är inte längre så säker på att du kommer att hitta utombordaren av följande skäl: Om man utgår ifrån att avsikten var att den stulna båten och dess innehåll (dvs Kate) skulle sjunka måste utombordaren ha funnits ombord.

Du kanske minns mina frågor angående nedkylningen i obduktionsprotokollet du visade mig i måndags. Rättsläkaren ansåg att Kate hade simmat länge innan hon drunknade, vilket orsakade stress och nedkylning. Jag undrade då varför det tog så lång tid för henne att simma en jämförelsevis kort sträcka och undrade om inte nedkylningen kunde bero på att hon utsatts för den kalla nattluften – det brukar vara varmare i vattnet än i luften vid den tiden på dygnet. Det beror förstås på hur bra hon simmade, särskilt som rättsläkaren framhöll att hon hamnat i vattnet minst åttahundra meter västsydväst om Egmont Bight, och jag utgick ifrån att hon måste ha simmat en bra bit längre än han beräknade. Men imorse sade du till Maggie Jenner att Kate simmade dåligt, och sedan dess har jag undrat hur någon som inte var särskilt bra på att simma kunde hålla sig flytande så pass länge i hög sjö att hon uppvisar tecken på nedkylning innan hon dog. Jag har också undrat varför hennes mördare var säker på att han tryggt kunde gå in till land vid den delen av kusten där det inte finns några ljus och strömmarna är oförutsägbara.

En förklaring till allt detta är att Kate blev våldtagen på stranden och att hennes mördare antog att hon var död efter strypförsöket samt att han hade tänkt ut hela "drunkningsscenariot" för att kunna göra sig av med kroppen vid en ödslig del av kusten.

Vad tror du om det här resonemanget? 1) Han lade över hennes nakna, medvetslösa kropp i den stulna gummibåten

188

och åkte en bra bit – från Lulworth Cove till Chapman's Pool = ungefär 8 sjömil – innan han band fast henne vid utombordaren och övergav båten i tanken att den skulle sjunka (vind och kyla skulle redan då ha orsakat nedkylning hos en naken kvinna). 2) När båten börjat driva vaknade Kate till efter strypförsöket/rohypnolen och insåg att hon måste rädda sig. 3) Hon bröt fingrar och naglar när hon kämpade för att få loss repen och tvingarna som höll utombordaren på plats. Sedan vräkte hon motorn överbord, vilket antagligen fick båten att välta. 4) Hon använde båten som flythjälp men tappade taget när hon förlorade medvetandet eller inte orkade hålla sig kvar längre. 5) Under alla omständigheter tror jag att båten var mycket närmare kusten än rättsläkaren anser, för annars skulle den ha vattenfyllts och mördaren skulle själv ha fått problem. 6) Mördaren klättrade uppför klinten och återvände i skydd av nattmörkret till Lulworth/Kimmeridge via kustleden.

Jag har inte kommit längre än så här i mina funderingar men om gummibåten verkligen var inblandad i mordet måste den ha kommit västerifrån – Kimmeridge Bay eller Lulworth Cove – eftersom den inte är tillräckligt stadig för att klara strömmarna vid St Alban's Head. Jag inser att inget av detta förklarar vad som hände med Hannah, fast jag tror att om du kan hitta den plats där den stulna gummibåten förvarades i två månader, hittar du kanske också platsen där Kate våldtogs och där Hannah befann sig medan mördaren dränkte hennes mamma.

(Obs: Inget av det jag tagit upp här avskriver Harding – våldtäkten kan ha ägt rum på hans båtdäck; bevisen kan ha spolats bort och gummibåten kan ha gömts undan på Crazy Daze – men gör det honom mindre misstänkt?)

Nick Ingram

17

KNAPPT EN TIMME efter soluppgången på fredagsmorgonen gav sig Maggie Jenner iväg längs ridstigen bakom Broxton House i sällskap med Bertie. Hon red en lättskrämd brun valack som hette Stinger, vars ägarinna kom åkande från London till sin stuga i Langton Matravers varje helg för att göra våldsamma ridturer vid kusten som ett motgift mot sitt ytterligt pressande jobb som börsmäklare i City. Maggie älskade hästen men avskydde kvinnan som hade händer ungefär lika känsliga som bultsaxar och förmodligen uppfattade Stinger som ett slags kokain – ett sätt att få en snabb adrenalinkick. Om hon inte hade gått med på att betala mycket mer än det kostade att ha hästen inackorderad skulle Maggie ha vägrat utan att tveka en sekund, men i detta fall, som i så många andra i det liv hon numera levde, tvangs hon kompromissa för att inte hamna på ruinens brant.

Hon tog till höger vid stenbrottet vid St Alban's Head, öppnade grinden och fortsatte in i den djupa, breda sänkan som utgjordes av en gräsbeväxt lågländ fåra ner mot havet med St Alban's Head i söder och det höglänta området ovanför Chapman's Pool i norr. Hon drev upp hästen i galopp så att han flög fram över gräset i storslagen frihet. Det var fortfarande svalt men nästan helt vindstilla och som alltid sådana här morgnar kände hon sig helad. Hur hemsk tillvaron än var, och den kunde verkligen vara hemsk ibland, slutade hon att oroa sig när hon var här. Om livet hade någon mening, hade hon lättast att finna den här, där hon var ensam och fri och upplevde den förnyade tillförsikt som den uppstigande solen skapade varje morgon.

Hon höll in hästen efter någon kilometer och lät honom skritta fram mot den inhägnade kustleden som klättrade utmed sänkans väggar i form av en rad höga trappsteg som huggits in i klipporna. Man måste vara en van fotvandrare för att klara av den mödosamma nedfärden och väl nere i sänkan mötas av den än värre klättringen uppför och Maggie, som aldrig gjort någondera, tänkte på hur mycket förståndigare det var att rida nere i sänkan om man ville njuta av landskapet. Framför henne låg havet gnistrande blått. Det var kav lugnt – inte ett segel i sikte – och hon gled lätt ner ur sadeln medan Bertie, som flämtade av ansträngningen att hänga med, njutningsfullt rullade sig i det varma gräset framför valackens hovar. Hon lade Stingers tyglar runt den översta staketspjälan, klev över stättan och gick de få metrarna fram till klippkanten för att njuta av den enorma blåa vidden där skiljelinjen mellan himmel och hav nästan suddats ut. Det enda som hördes var det svaga ljudet av bränningarna mot stranden, djurens andhämtning och en lärka som drillade i skyn ...

Det var svårt att säga vem som blev mest förskräckt, Maggie eller Steven Harding, när han hävde sig upp framför henne över klippkanten där slänten stupade ner mot havet. Han stod i flera sekunder på alla fyra och flämtade tungt. Det orakade ansiktet var blekt och han såg långt mindre tilltalande ut än fem dagar tidigare. Mer som en våldtäktsman, mindre som en Hollywoodstjärna. Han utstrålade något våldsamt och skrämmande och i de mörka ögonen fanns en beräknande glimt som Maggie inte lagt märke till tidigare, men det var inte förrän han plötsligt reste sig upp i hela sin längd som hon skrek till. Hennes rädsla överfördes omedelbart till Stinger som dansade bakåt och slet loss tyglarna från staketet, och vidare till Bertie som flög upp och reste ragg.

"DIN JÄVLA IDIOT!" skrek Maggie och gav luft åt sin rädsla i en ursinnig protest när hon hörde Stingers fnysning av skräck och ljudet av stampande hovar. Hon vände sig om i ett fruktlöst försök att fånga in den upprörda valackens tyglar innan han rusade iväg.

Gode Gud, bara han inte ... han var värd en förmögenhet för

191

Broxtons inackorderingsstall ... hon hade inte råd med att han kom till skada ... Gode Gud, gode Gud ...

Men av någon obegriplig anledning rusade Harding förbi henne och kastade sig efter Stinger. Med rullande ögon brakade valacken iväg uppför sluttningen.

"FAN OCKSÅ!" rasade Maggie mot den unge mannen och stampade ursinnigt med foten. Ansiktet blev fult och högrött av ett raseri hon inte kunde bemästra. "Hur kan du vara så in i helvete barnslig – ditt ÄCKEL! Vad i *helvete* tror du att du håller på med? Om Nick Ingram fick höra var du var skulle han hugga dig i småbitar. Han tror redan att du är fullständigt sjuk i huvudet!"

Hon var fullkomligt oförberedd på det våldsamma slaget med handryggen mot ansiktet och när hon föll omkull med en ljudlig duns hade hon bara en tanke i huvudet: Vad i hela friden tror den där idioten att han håller på med ...?

Ingram kisade plågat på väckarklockan när telefonen ringde halv sju. När han lyfte luren hörde han bara en rad gälla, obegripliga skrin. Han kände igen Maggie Jenners röst.

"Du måste lugna ner dig", sade han när hon äntligen drog efter andan. "Jag förstår inte ett ord av vad du säger."

Fler skrin.

"Skärp dig, Maggie", sade han bestämt. "Du är inte så här hispig i vanliga fall, så samla dig nu."

"Ursäkta", sade hon och gjorde ett tappert försök att ta sig samman. "Steven Harding slog mig, så Bertie gav sig på honom ... det är blod överallt ... jag har försökt lägga ett tryckförband om armen på honom men det funkar inte ... jag vet inte vad jag ska göra nu ... han dör nog om han inte kommer till sjukhus."

Ingram satte sig upp och gned sig hårt i ansiktet för att vakna till. Han kunde höra det vita bruset av tom rymd och ljudet av fågelkvitter i bakgrunden. "Var är du någonstans?"

"Längst ner i sänkan ... nära trappstegen upp till kustleden ... mittemellan Chapman's Pool och St Alban's Head ... Stinger har slitit sig och han kommer att bryta benen om han trampar på tyglarna ... vi kommer att bli ruinerade ... jag tror att Steven håller på att dö ..." Rösten tonade bort när hon vände sig om på att mottagningen blev sämre "Jag kommer att bli åtalad för dråp ... Bertie lydde mig inte ..."

"Jag hör dig inte, Maggie", skrek han.

"Ursäkta." Rösten återkom i en ström av ord. "Han reagerar inte på någonting. Jag är rädd att Bertie har slitit upp pulsådern på honom, men jag kan inte dra åt förbandet tillräckligt hårt för att få det att sluta blöda. Jag har tagit Berties koppel men det är för elastiskt och alla grenar jag hittar är så murkna att de bara går av."

"Strunta i kopplet i så fall och använd något annat – en T-shirt till exempel. Linda den runt hans arm så hårt du kan ovanför armbågen någonstans och sno ändarna flera varv så att det blir tryck. Om det inte går får du försöka hitta pulsådern på undersidan av överarmen med fingrarna. Sedan trycker du hårt mot benet så att blodflödet stoppas. Men du får inte släppa efter även om fingrarna domnar, Maggie, för då börjar han blöda igen."

"Jag förstår."

"Duktig flicka. Jag ska skaffa hjälp så fort jag kan." Han lade på och ringde Broxton House. "Fru Jenner?" sade han och knäppte på högtalaren när luren lyftes i andra änden. "Det är Nick Ingram." Han kastade sig ur sängen och började dra på sig kläderna. "Maggie behöver hjälp och ni är närmast till. Hon försöker rädda en man som håller på att förblöda i sänkan vid stenbrottet. De är nere vid kuststigen. Om ni tar Sir Jasper och skyndar er dit har han en chans, men annars ..."

"Men jag är inte påklädd", avbröt hon indignerat.

"Det skiter jag fullständigt i", sade han kort. "Se till att få arslet ur vagnen och hjälp er dotter för en gångs skull. Det blir första gången i historien i så fall."

"Hur vågar du ..."

Han lade på och ringde sedan alla de samtal som krävdes för att Portlands räddningshelikopter skyndsamt skulle lyfta mot St Alban's Head för andra gången inom loppet av mindre än en vecka, eftersom ambulanstjänsten förklarade att de knappast skulle hinna fram till en man i en svåråtkomlig gräsbeväxt ravin innan han förblödde.

Nick Ingram körde jeepen i halsbrytande hastighet på smala vägar och längs ridstigen, men när han nådde fram var dramat i stort sett över. Helikoptern stod med motorn på tomgång ungefär femtio meter från olycksplatsen, Harding som var vid medvetande och satt upp blev omhändertagen av en sjukvårdare från räddningstjänsten. Ytterligare hundra meter söder om helikoptern och halvvägs upp för slänten försökte Maggie fånga in Stinger som rullade med ögonen och backade undan så fort hon kom i närheten. Det syntes att hon försökte få iväg honom från klippkanten men han var alldeles för uppskrämd av helikoptern för att gå åt rätt håll och det enda resultatet blev att hon drev honom fram mot det meterhöga staketet och de otäckt höga stegen som huggits in i branten. Iförd pyjamasbyxor och en tefläckad bäddkofta stod Celia högdraget ett stycke bort med ena handen i ett fast grepp om Sir Jaspers tyglar strax under hästens haka och den andra virad om den yttersta änden av tygeln för den händelse han också skulle börja konstra. Hon gav Ingram en kylig blick, som såg ut att vara tänkt att frysa honom till is, men han struntade i henne och vände sig mot Harding.

"Allt väl?"

Den unge mannen nickade. Han var iförd ett par jeans och en ljusgrön tröja som var totalt nedblodade. Runt höger arm satt ett stadigt tryckförband.

Ingram vände sig till sjukvårdaren. "Hur är det med honom?"

"Han kommer att klara sig. De båda kvinnorna här lyckades stoppa blödningen. Han behöver sys så vi tar honom till Poole och fixar det där." Han tog Nick åt sidan. "Den yngre av dem behöver ses till. Hon darrar som ett asplöv, men hon säger att det enda viktiga är att fånga in hästen. Problemet är att han har slitit av tyglarna och hon kan inte komma så nära att hon får tag i betslet." Han nickade mot Celia. "Den gamla är nästan lika illa däran. Hon har ledgångsreumatism och det har tagit hårt på höften att rida hit. Vi borde egentligen ta dem med oss, men de vägrar att lämna djuren. Kruxet är att vi har ont om tid. Vi måste ge oss av, men hästen kommer att skena säkert som amen i kyrkan i samma stund vi lyfter. Den är panikslagen redan nu och det var nära att den kanade över klippkanten när vi landade."

"Var är hunden?"

"Försvunnen. Jag tror att tjejen här var tvungen att ge honom en rejäl omgång med kopplet för att få honom att släppa taget och han stack iväg med svansen mellan benen."

Nick drog med handen genom det sömnrufsiga håret. "Klarar du att vänta fem minuter? Om jag hjälper tjejen att fånga in hästen kanske vi kan övertala hennes mamma att åka med. Vad säger du om det?"

Sjukvårdaren vände sig om och tittade på Steven Harding. "Varför inte? Han säger att han klarar att gå, men det kommer att ta mig minst fem minuter att få in honom i helikoptern och fastspänd där. Jag tror inte du har någon större chans, men lycka till."

Med ett skevt leende stack Nick fingrarna i munnen och gav till en genomträngande vissling, innan han med smalnande ögon synade båda klippsidorna. Till sin lättnad såg han Bertie resa sig i gräset uppe på Emmetts Hill ungefär tvåhundra meter bort. Han visslade igen och hunden kom emot honom som skjuten ur en kanon. Han lyfte armen och fick hunden att lägga sig ner ett stycke ifrån dem. Sedan gick han tillbaka till Celia. "Jag måste få ett snabbt besked", sade han till henne. "Vi har fem minuter på oss innan helikoptern lyfter och det slog mig att Maggie har större chanser om hon rider på Sir Jasper. Ni vet bäst. Ska jag ta upp honom till henne eller lämna honom hos er, med tanke på att jag inte vet något om hästar och att Sir Jasper troligen kommer att bli lika rädd för ljudet som Stinger?"

Hon var en förnuftig kvinna och spillde ingen tid på förebråelser. Hon räckte över yttersta änden av tygeln som han tog i vänster

195

hand och visade honom hur han skulle hålla höger hand under hästens haka. "Klicka med tungan hela tiden", sade hon, "så följer han med. Börja inte springa och släpp honom inte. Vi har inte råd att bli av med bägge. Påminn Maggie om att hästarna kommer att bli vansinniga när helikoptern lyfter och säg åt henne att rida så fort hon någonsin kan inåt land så att hon får fria ytor omkring sig."

Han satte av uppför slänten, visslade till sig Bertie och fick honom att gå fot tätt intill hans vänstra ben.

"Jag fattade inte att det var hans hund", sade sjukvårdaren till Celia.

"Det är det inte heller", sade hon fundersamt och skuggade ögonen med handen för att kunna se vad som hände.

Hon såg sin dotter komma rusande ner mot den långe polisen. De bytte några ord och sedan hjälpte han henne upp i sadeln på Sir Jasper innan han gjorde en gest med armen som fick Bertie att rusa ut till klippkanten i en kringgående rörelse och springa fram och tillbaka bakom den upphetsade valacken. Han följde efter Bertie och ställde sig som ett orubbligt hinder mellan hästen och branten, medan han fick hunden att ställa sig ovanför Stinger på stigen så att hästen inte kunde ta sig längre uppåt. Under tiden hade Maggie styrt ner Sir Jasper mot stenbrottet och satt av i galopp. Ställd inför tre motbjudande alternativ – en hund på ena sidan, en helikopter på den andra och en människa bakom sig – gjorde Stinger det enda förnuftiga och följde efter den andra hästen i säkerhet.

"Imponerande", sade sjukvårdaren.

"Ja", sade Celia ännu mer fundersamt. "Visst var det?"

Polly Garrard var på väg till arbetet när kriminalkommissarie John Galbraith ringde på dörren och frågade om hon kunde tänka sig att besvara några fler frågor om sin bekantskap med Kate Sumner. "Det går inte", sade hon. "Jag kommer för sent. Ni kan komma med till kontoret om ni vill."

"Visst, det går fint om du hellre vill det", försäkrade han henne. "Fast det kanske inte blir så kul för dig. Det är vissa saker jag hade

196

tänkt fråga om som du nog inte vill att någon annan ska höra."

"Fan också!" sade hon genast. "Jag visste att det skulle bli så här." Hon slog upp dörren på vid gavel. "Det är bäst att ni kommer in", sade hon och gick före in i ett litet vardagsrum, "men det får inte ta för lång tid. Max en halvtimme, då? Jag har redan kommit för sent två gånger den här månaden och jag kan snart inte hitta på fler ursäkter."

Hon slog sig ner i soffan, lade armen på soffryggen och bad honom sätta sig i andra änden. Hon vred sig så att hon kunde se honom och lade ena benet under sig. Ställningen fick kjolen att dras upp ända till skrevet och brösten att puta. Det var mycket utstuderat, noterade Galbraith en smula roat, då han slog sig ner bredvid henne. Hon var en välskapt ung kvinna med förkärlek för trånga T-shirts, kraftig make-up och blått nagellack, och han undrade vad Angela Sumner skulle ha tyckt om att få Polly som svärdotter istället för Kate. Oavsett alla verkliga eller påstådda synder hade Kate till det yttre passat in i rollen som Williams hustru, även om hon saknade den utbildning och de sociala färdigheter hennes svärmor hade efterlyst.

"Jag tänkte fråga om ett brev du skrev till Kate i juli. Det berör några av dina arbetskamrater", sade han till Polly och tog upp en fotostatkopia ur bröstfickan. Han slätade ut den mot knäet innan han räckte den till henne. "Kommer du ihåg att du skickat det?"

Hon läste snabbt igenom det och nickade sedan. "Japp. Jag hade ringt och ringt i ungefär en vecka och jag tänkte att vad fan, hon är tydligen upptagen, så jag skriver några rader istället så kan hon ringa mig." Hon drog ner mungiporna i en överdrivet sårad grimas. "Inte för att hon någonsin gjorde det. Hon skickade bara några futtiga rader och sa att hon skulle ringa när hon fick tid."

"Det här?" Han räckte henne kopian av Kates utkast.

Hon kastade en blick på det. "Det ser så ut. Det var i varje fall vad där stod, mer eller mindre. Det var på något tjusigt brevpapper med vattentryck, det kommer jag ihåg, men jag var skitsur över att hon inte hade brytt sig om att skriva ett ordentligt brev tillbaka.

Egentligen tror jag inte att hon ville att jag skulle komma. Hon var väl rädd för att jag skulle göra bort henne inför hennes Lymington-vänner. Och det hade hon nog rätt i", tillade hon uppriktigt.

Galbraith log. "Hälsade du på henne när de hade flyttat?"

"Nix. Blev aldrig bjuden. Hon sa hela tiden att jag skulle komma så snart hon fixat i ordning, men" – hon gjorde ytterligare en grimas – "det var bara en ursäkt för att hålla mig borta. Det gjorde mig inget. Faktum är att jag förmodligen hade gjort likadant själv om jag varit i hennes ställe. Hon hade fått ett nytt liv – nytt hus, nya vänner – och då växer man ifrån folk."

"Inte ett helt nytt liv", påpekade han. "Du finns ju kvar eftersom du fortfarande arbetar med William."

Polly fnissade. "Jag arbetar i samma hus som William", rättade hon honom, "och han tycker det är urjobbigt att jag berättar för alla att han har gift sig med min bästa vän. Jag vet att det inte är sant – vi har egentligen aldrig varit nära vänner – alltså, jag gillade henne och så, men hon var ingen bästis-typ, om ni förstår vad jag menar. För självupptagen milt sagt. Jag säger så där bara för att reta William. Han tycker inte jag är fin nog och han höll på att dö när jag sa att jag hälsat på Kate i Chichester och träffat hans morsa. Men det är inte så konstigt. Herregud, vilken gammal hagga! Tjat och tjat. Gör si. Gör inte så. Uppriktigt sagt skulle jag ha kört ut rullstolen framför bussen om hon hade varit min svärmor."

"Hade hon kunnat bli det?"

"Äh, lägg av, va! Enda chansen att jag hade gift mig med William Sumner hade varit om jag låg i koma. Han är ungefär lika sexig som en kålrot."

"Vad såg Kate hos honom då?"

Polly gnuggade tummen mot pekfingret. "Pengar."

"Vad mer?"

"Ingenting mer. Ja, att han var lite finare kanske, men hon har alltid varit ute efter en ogift snubbe utan barn men med pengar." Hon lade huvudet åt sidan, road av hans misstrogna min. "Hon sa

198

en gång att Williams apparat var så slapp att den var mer som en okokt korv än en batong även när han hade ståfräs. Så jag sa, hur gör ni då när han ska komma till? Och hon sa, en liter barnolja och fingret upp i hans arsle." Hon missade igen åt Galbraiths min som uttryckte medkänsla med en annan mans problem. "Han älskade det för fan. Varför skulle han annars ha gift sig med henne trots att morsan hans spydde galla? Visst, Kate var kanske ute efter pengar, men stackars gamle Williamgubben ville bara ha ett fnask som talade om att han var lysande oavsett hur han fick till det. Det var en megahit. Båda fick vad de ville ha."

Han granskade henne ett ögonblick och undrade om hon var lika naiv som hennes ord antydde. "Fick de?" frågade han. "Kate är död, glöm inte det."

Hon blev omedelbart allvarlig. "Jag vet. Det är för jävligt. Men jag har inget att komma med. Jag har inte träffat henne sedan hon flyttade."

"Nej, men du kan berätta sånt du vetat sedan tidigare. Varför tänkte du på Kate när du fick höra att Wendy Plater hade förolämpat James Purdy?" frågade han.

"Varför skulle jag ha tänkt på Kate?"

Han läste upp ur brevet. "'*Hon*' – Wendy alltså – '*blev tvungen att be om ursäkt, men hon var inte det minsta ångerfull. Hon säger att hon aldrig har sett Purdy så blodröd förut! Jag tänkte genast på dig, såklart ...*'" Han lade papperet mellan dem på soffan. "Varför skrev du det sista, Polly? Varför tänkte du på Kate Sumner när Purdy blev blodröd?"

Hon satt tyst och funderade innan hon svarade. "Därför att hon hade arbetat på Pharmatec?" försökte hon men det lät inte särskilt övertygande. "För att hon tyckte att Purdy var en riktig fitta? Bildligt talat alltså."

Han satte fingret på kopian av Kates svarsutkast. "Hon strök över '*Du lovade på hedersord*' innan hon skrev '*Historien med Wendy Plater var verkligen kul!*'", sade han. "Vad hade du lovat, Polly?"

Hon skruvade på sig. "Allt möjligt, skulle jag tro."

"Det enda som intresserar mig är sånt som rör antingen Wendy Plater eller James Purdy."

Hon tog bort armen från soffryggen och lutade sig framåt. "Det har inget att göra med att hon blev mördad. Det var bara en grej som hände", sade hon uppgivet.

"Vad då?"

Hon svarade inte.

"Om det verkligen inte har med mordet att göra så lovar jag att det stannar oss emellan", sade han lugnande. "Jag är inte ute efter att avslöja hennes hemligheter, jag vill bara hitta den som mördade henne." Redan när han uttalade orden visste han att de var osanna. Alltför ofta innebar rättvisa för ett våldtäktsoffer att hon måste utstå förödmjukelsen att få alla sina hemligheter avslöjade. Han tittade på Polly med en oväntad känsla av förståelse. "Men tyvärr är det *jag* som måste avgöra om det är viktigt."

Hon suckade. "Jag skulle kunna bli av med jobbet om Purdy någonsin får reda på att jag har berättat det för er."

"Det tror jag inte han behöver få veta."

"Tror ni inte det?"

Galbraith sade ingenting. Erfarenheten hade lärt honom att tystnad ofta utövade större tryck än ord.

"Ja, vad fan!" sade hon sedan. "Ni har väl förstått det i alla fall. Kate hade ihop det med honom. Han var tokig i henne, ville lämna sin fru och allt, men sen gjorde hon slut och sa att hon tänkte gifta sig med William istället. Stackars gamle Purdy fattade ingenting. Han är ingen ungdom precis och han hade slitit som ett djur för att hon inte skulle tröttna. Jag tror att han till och med hade sagt till sin fru att han ville skiljas. I varje fall berättade Kate att han blev blodröd och föll ihop över skrivbordet. Han var sjukskriven i tre månader efter det, så jag tror att han fick en hjärtinfarkt, men Kate sa att han inte pallade att komma dit medan hon fortfarande var kvar." Hon ryckte på axlarna. "Han började jobba igen veckan efter att hon hade slutat, så det kanske stämmer."

"Varför valde hon William?" undrade Galbraith. "Hon var väl inte mer kär i honom än i Purdy?"

Polly gnuggade tummen mot pekfingret igen. "Stålar", sade hon. "Purdy hade fru och tre vuxna barn som skulle ha krävt sitt innan Kate fick ut något." Hon gjorde en grimas. "Som sagt, hon var egentligen ute efter en ogift kille utan barn. Skulle hon behöva jobba arslet av sig för att göra nån träbock lycklig ville hon ha tillgång till allt han ägde."

Galbraith skakade förundrat på huvudet. "Varför gjorde hon sig besvär med Purdy överhuvudtaget?"

Polly lade armen på soffryggen igen och sköt fram brösten i ansiktet på honom. "Hon hade ju ingen pappa. Det har inte jag heller."

"Så ...?"

"Så hon tände på äldre män." Hon spärrade flirtigt upp ögonen. "Det gör jag också, om ni vill veta det."

Galbraith skrockade. "Äter du dem levande?"

Hon stirrade menande på hans gylf. "Jag sväljer dem hela", sade hon med ett skratt.

Han skakade roat på huvudet. "Du höll på att berätta om varför Kate gjorde sig besvär med Purdy", påminde han henne.

"Det var han som var chef", sade hon, "och han var tät. Hon tänkte att hon skulle sno honom på lite stålar, få honom att betala för att göra i ordning lägenheten medan hon såg sig om efter något bättre. Problemet var att hon inte hade räknat med att han skulle bli så förälskad som han blev, så enda sättet att bli av med honom var att vara grym. Hon ville ha trygghet, inte kärlek, förstår ni, och hon trodde inte att hon skulle få det av Purdy, inte när frun och barnen hade fått sin bit av kakan. Han var trettio år äldre än hon, glöm inte det. Dessutom ville han inte ha fler barn och hennes stora dröm var att få barn. Hon var rätt så knäpp på sitt sätt. Jag skulle tro att det berodde på att hon hade haft det jobbigt när hon växte upp."

"Visste William att hon hade haft ett förhållande med Purdy?"

Polly skakade på huvudet. "Jag var den enda som kände till det.

201

Det var därför hon fick mig att lova att hålla tyst. Hon sade att William skulle ställa in bröllopet om han fick reda på det."

"Skulle han ha gjort det?"

"Ja, absolut. Han var trettiosju och inte typen som gifter sig. Wendy Plater fick honom nästan fram till altaret en gång, tills Kate satte p för det genom att säga att hon söp. Han dumpade henne på stubinen." Hon log vid minnet. "Kate fick praktiskt taget sätta nosring på honom för att få honom till rådhuset. Det skulle ha varit en annan sak om hans morsa hade varit med på det, men Will och hans morsa var som ett strävsamt gammalt par och Kate fick jobba häcken av sig varenda natt för att den stackars dumskallen skulle tycka att sex var häftigare än att få tvätten fixad varje vecka av mamsen."

"Var det sant det där om Wendy Plater?"

Polly såg besvärad ut igen. "Hon dricker sig full ibland men inte jämt. Fast som Kate sa, om Will hade velat gifta sig med henne skulle han knappast ha trott på det. Han tog bara till första bästa ursäkt för att dra sig ur."

Galbraith tittade ner på Kate Sumners barnsliga handstil i brevutkastet och undrade över hänsynslöshetens väsen. "Fortsatte hon att träffa Purdy när hon hade gift sig med William?"

"Nej", sade Polly bestämt. "När Kate väl hade bestämt sig för något höll hon fast vid det."

"Betyder det att hon inte kan ha haft ett förhållande med någon annan heller? Låt oss säga att hon ledsnade på William och träffade någon yngre – skulle hon inte ha kunnat vara otrogen då?"

Polly ryckte på axlarna. "Jag vet inte. På något sätt fick jag för mig att hon hade något på gång eftersom hon aldrig ringde, men det betyder inte att det måste ha varit så. Det kan i alla fall inte ha varit något allvarligt. Hon var helnöjd med att flytta till Lymington och få ett tjusigt hus och jag har svårt att föreställa mig att hon skulle ha släppt allt det där utan vidare."

Galbraith nickade. "Har du någonsin hört talas om att hon använt exkrementer för att hämnas?"

"Vad är esskrememter för nåt?"

"Avföring", sade Galbraith tjänstvilligt, "bajs, dynga, lortar."

"Skit!"

"Precis. Har du någonsin hört att hon smetat skit på någon annans grejor?"

Polly fnissade. "Nej. Det var hon alldeles för sjåpig för. Hon hade renlighetsmani, faktiskt. När Hannah var bebis brukade hon gå över hela köket med klorin så att det inte skulle finnas några bakterier någonstans. Jag sa åt henne att hon var helknäpp – jag menar det finns ju bakterier överallt, va – men hon fortsatte i alla fall. Inte en chans att hon skulle rört vid skit. Hon brukade hålla Hannahs blöjor på armslängds avstånd när hon hade bytt på henne."

Underligare och underligare, tänkte Galbraith. "Jaha. Kan du tala om för mig ungefär när allt det här hände? Dröjde det länge efter det att hon hade gjort slut med Purdy innan hon gifte sig med William?"

"Jag minns inte. En månad kanske."

Han gjorde ett snabbt överslag i huvudet. "Så om Purdy hade varit borta ur leken i tre månader slutade hon jobba två månader efter bröllopet därför att hon var med barn?"

"Något sånt."

"Och i vilken månad var hon, Polly? Andra? Tredje? Fjärde?"

Ett resignerat uttryck drog över den unga kvinnans ansikte. "Hon sa att så länge ungen liknade henne spelade det ingen roll, för William var så kär att han skulle gå på vad som helst." Hon avläste helt riktigt Galbraiths uttryck som förakt. "Det var inte för att vara taskig. Hon var bara desperat. Hon visste hur det var att växa upp i fattigdom."

Eftersom Celia benhårt hållit fast vid sin vägran att följa med Harding i helikoptern och eftersom hon inte kunde böja höften skulle hon antingen bli tvungen att gå hem under svåra smärtor eller ligga på rygg i Ingrams jeep på ett golv som var belamrat med oljekläder, sjöstövlar och fiskedon. Han röjde undan grejorna med ett snett leende och böjde sig ner för att lyfta upp henne. Men hon var om

203

möjligt än mer benhård i sin vägran att bli buren. "Jag är ingen barnunge", fräste hon.

"Jag vet inte hur vi ska göra annars", påpekade han, "såvida ni inte glider in på mage och ligger med ansiktet mot golvet där jag brukar ha fisken."

"Skulle det där vara roligt?"

"Det är bara fakta. Tyvärr kommer det nog att göra ont hur vi än gör."

Hon tittade på det obekväma, hårda golvet och gav med illa dold motvilja efter. "Gör inte någon stor affär av det bara", sade hon vresigt. "Jag avskyr tjafs."

"Jag vet." Han lyfte upp henne och lade försiktigt in henne i jeepen. "Det kommer att bli skumpigt", varnade han medan han stoppade oljekläderna omkring henne som stötdämpare. "Skrik om det blir för jobbigt så stannar jag."

Det var redan för jobbigt men det tänkte hon inte berätta. "Jag är orolig för Maggie", sade hon sammanbitet. "Hon borde vara tillbaka vid det här laget."

"Hon måste nog rida i riktning mot stallet för att få med sig Stinger dit", sade han.

"Har du någonsin fel?" frågade hon syrligt.

"Inte när det gäller er dotters kunskap om hästar", svarade han. "Jag litar på henne och det borde ni också göra." Han stängde dörren och satte sig bakom ratten. "Jag ber om ursäkt i förskott", ropade han när han startade bilen.

"För vadå?"

"Den usla fjädringen", muttrade han när han lade i växeln och i snigelfart började rulla över grästorvorna. Hon gav inte ett ljud ifrån sig på hela vägen och han log för sig själv när han kom in på uppfarten till Broxton House. Oavsett övriga egenskaper var Celia Jenner en tapper kvinna och det beundrade han henne för.

Han öppnade bakluckan. "Fortfarande vid liv?" frågade han när han sträckte sig in.

Hon var grå av smärta och utmattning men det krävdes mer än en skumpig bilfärd för att släcka gnistan. "Du är en mycket irriterande ung man", muttrade hon. Hon lade armen kring hans hals igen och grymtade till av smärta när han drog henne mot sig. "Men du hade rätt i fråga om Martin Grant", medgav hon motsträvigt, "och jag har alltid ångrat att jag inte lyssnade på dig. Är du nöjd nu?"

"Nej."

"Varför inte? Maggie skulle säga att det är det närmaste jag kommer till en ursäkt."

Han smålog, lyfte upp henne och klev iväg. "Att vara envis, är det något att vara stolt över?"

"Jag är inte envis, jag är principfast."

"Jaha, om ni inte var så" – han log brett – "principfast, skulle ni vara på sjukhuset i Poole nu och få riktig vård."

"Man ska alltid kalla saker vid deras rätta namn", sade hon vresigt. "Och uppriktigt sagt, om jag varit hälften så envis som du tycks tro skulle jag inte befinna mig i det här tillståndet. Jag tycker inte om att någon nämner mitt 'arsle' i telefon."

"Vill ni ha en ursäkt *till*?"

Hon tittade upp, mötte hans blick och såg bort igen. "För Guds skull, sätt ner mig", sade hon. "Det här är totalt ovärdigt en kvinna i min ålder. Vad skulle min dotter säga om hon fick se mig så här?"

Han brydde sig inte om henne utan stegade vidare över det ogräsbevuxna gruset mot ytterdörren och satte inte ner henne förrän han hörde ljudet av springande fötter. Andfådd och orolig dök Maggie upp bakom husknuten med en käpp i varje hand. Hon räckte över dem till sin mor. "Hon får inte rida", sade hon till Nick och böjde sig fram för att hämta andan. "Läkarens order. Men tack och lov lyssnar hon aldrig på någon. Jag hade aldrig klarat det själv och jag hade absolut inte fått hem Stinger utan Sir Jasper."

Nick höll om Celias armbågar medan hon stödde sig mot käpparna. "Ni skulle ha bett mig fara och flyga", sade han.

Hon vrickade sig långsamt framåt som en stor krabba. "Var inte löjlig", muttrade hon irriterat. "Det var just det misstaget jag gjorde förra gången."

18

Vittnesutsaga

Vittne: James Purdy, verkställande direktör, Pharmatec UK
Förhörsledare: Kriminalkommissarie Galbraith

Någon gång under sommaren 1993 arbetade jag över. Jag trodde jag var ensam i huset. När jag var på väg ut vid niotiden lade jag märke till att ljuset var tänt i ett kontorsrum i andra änden av korridoren. Det var inne hos Michael Sprates sekreterare Kate Hill, och eftersom jag tyckte att det var ambitiöst av henne att arbeta så sent gick jag in för att tala om det. Jag hade lagt märke till henne när hon började på företaget därför att hon var så liten till växten. Hon var späd och ljushårig och hade intensivt blå ögon. Jag tyckte att hon var väldigt tilldragande, men det var inte därför jag gick in till henne den kvällen. Hon hade aldrig visat några tecken på intresse för mig. Därför blev jag förvånad och smickrad när hon reste sig från skrivbordet och sade att hon hade stannat kvar så sent för att hon hade hoppats att jag skulle komma in.

Jag är inte stolt över det som hände sedan. Jag är femtioåtta och har varit gift i trettiotre år och ingen har någonsin gjort vad Kate gjorde med mig den kvällen. Jag vet att det låter löjligt, men det är en sådan sak de flesta män drömmer om: man kommer in i ett rum och en vacker kvinna lägger upp sig för en utan någon som helst anledning. Jag blev förskräckligt orolig efteråt eftersom jag trodde att hon hade något i kikaren. De närmaste dagarna var jag rädd att hon i bästa fall skulle ta sig friheter i sitt uppförande mot mig eller i värsta fall skulle försöka utöva något slags utpressning. Men hon var väldigt diskret, begärde ingenting i gengäld och var alltid artig när vi träffades. När jag insåg att det inte fanns något att frukta blev jag helt besatt av henne och drömde om henne varenda natt.

Några veckor senare var hon på sitt rum igen när jag kom förbi och det hela upprepades. Jag frågade varför och hon sade: "För att jag vill." Från det ögonblicket kunde jag inte styra mina handlingar längre. På ett sätt kan jag se det som det bästa som har hänt mig, och jag skulle inte vilja vara utan en sekund av det. På ett annat sätt känns det som en mardröm när jag ser tillbaka på det. Jag trodde inte att hjärtan kunde brista, men mitt brast flera gånger på grund av Kate, inte minst när jag fick höra att hon var död.

Vårt förhållande varade flera månader, fram till januari 1994. För det mesta höll vi till i Kates lägenhet, men en eller två gånger tog jag med henne till olika hotell i London under förevändning att det rörde sig om affärsresor. Jag var beredd att skilja mig för att kunna gifta mig med Kate, trots att jag alltid har älskat min fru och aldrig med vilje skulle såra henne. Jag kan bara beskriva Kate som en feber i blodet som fick mig att tappa fotfästet, för när jag väl blivit fri från henne var jag mig själv igen.

En fredag i slutet av januari 1994 kom Kate in på mitt kontor vid halvfyratiden och berättade att hon skulle gifta sig med William Sumner. Jag blev fruktansvärt upprörd och minns mycket lite av vad som hände. Jag vet att jag svimmade och när jag vaknade upp igen befann jag mig på sjukhus. Jag fick höra att jag hade haft en mindre hjärtinfarkt. Senare bekände jag allt för min fru.

Såvitt jag vet känner William Sumner inte till mitt förhållande

207

med Kate. Jag har förvisso inte berättat det och jag har inte så mycket som antytt att vi ens var vänner. Jag har varit inne på tanken att dottern skulle kunna vara mitt barn, men jag har inte nämnt det för någon eftersom jag inte tänkt göra anspråk på faderskapet.

Jag kan intyga att jag inte haft någon kontakt med Kate Hill-Sumner sedan januari 1994 då hon berättade att hon skulle gifta sig med William Sumner.

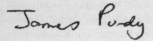

Vittnesutsaga

Vittne: Vivianne Purdy, The Gables, Drew Street, Fareham
Förhörsledare: Kriminalkommissarie Galbraith

Jag fick höra om min mans förhållande med Kate Hill ungefär
fyra veckor efter det att han fått en hjärtinfarkt i januari 1994.
Jag minns inte exakt datum, men det var antingen då hon gifte
sig med William Sumner eller dagen efter. James satt och grät
och jag blev orolig eftersom han hade blivit mycket bättre. Han
berättade att han grät därför att hans hjärta höll på att brista och
förklarade varför.
  Jag blev varken sårad eller förvånad över hans bekännelse.
James och jag har varit gifta länge och jag förstod mycket väl
att han hade ett förhållande med någon annan. Han har aldrig
varit bra på att ljuga. Min enda känsla var lättnad över att han
äntligen bestämt sig för att rensa luften. Jag kände inget agg
mot Kate Hill-Sumner av följande skäl:
  Det kanske låter känslokallt men jag skulle inte ha betraktat
det som en katastrof att mista mannen jag levt med i trettio år.
På sätt och vis skulle jag faktiskt ha välkomnat det som ett till-
fälle att börja ett nytt liv, fritt från plikt och ansvar. Före händel-
serna 1993-94 var James en plikttrogen far och make, men hans
familj har alltid fått stå tillbaka för hans ambitioner och önsk-
ningar. När jag insåg att han hade ett förhållande gjorde jag
diskreta förfrågningar om var jag stod ekonomiskt om det skulle
gå så långt som till skilsmässa och det kändes skönt att veta att
jag skulle klara mig bra om det blev bodelning. Jag återupptog
mitt arbete som lärare för ungefär tio år sedan och har en god
inkomst. Jag har också lagt undan pengar till en ordentlig pen-
sionsfond åt mig själv. Därför skulle jag ha gått med på skils-

209

mässa om James begärt det. Våra barn är vuxna och även om jag insåg att de skulle bli ledsna om deras föräldrar skildes visste jag att James skulle hållit kontakten med dem.

Jag förklarade allt det här för James våren 1994 och visade honom brevväxlingen jag hade haft med min advokat och min revisor. Jag tror att det fick honom att tänka på vilka valmöjligheter han hade och jag är säker på att han lade alla tankar på att återuppta förhållandet med Kate Hill-Sumner åt sidan då. Jag tror inte att jag går för långt om jag påstår att det var en chock för honom att inse att jag inte längre var en självklar del av hans liv och att han uppfattade det som viktigare att rädda vårt äktenskap än att återuppta förhållandet med Kate Hill-Sumner. Jag är helt uppriktig när jag säger att jag inte hyser något agg mot James eller Kate längre, eftersom det var jag som blev styrkt av erfarenheten. Resultatet är att jag har fått mycket större tro på mig själv och min framtid.

Jag vet att William och Kate Hill-Sumner fick barn någon gång under hösten 1994. Det var lätt att räkna ut att barnet skulle kunna vara min mans. Men jag tog inte upp den frågan med honom. Och definitivt inte med någon annan heller. Jag tyckte inte att det fanns någon anledning att göra de inblandade mer olyckliga, speciellt inte barnet.

Jag har varken träffat Kate Hill-Sumner eller hennes man.

Vivienne Pendy

19

INNE I BROXTON HOUSE lämnade Nick Ingram de båda kvinnorna i köket och gick för att ringa till spaningsrummet i Winfrith. Han talade med kriminalintendent Carpenter och gav honom en detaljerad redogörelse för vad Steven Harding sysslat med på morgonen. "Han har förts till sjukhuset i Poole. Jag ska förhöra honom senare om överfallet, men under tiden kanske ni kan hålla ett öga på honom. Det är inte troligt att han ger sig av just nu, för de måste sy hans arm, men förmodligen har det slagit över för honom, annars skulle han inte ha hoppat på Maggie Jenner."

"Vad var han ute efter? Hade han tänkt våldta henne?"

"Hon vet inte. Hon säger att hon skrek åt honom när hästen slet sig och att han slog till henne så att hon föll omkull."

"Mmm." Carpenter tänkte efter. "Jag trodde att du och John Galbraith hade bestämt er för att han var intresserad av småpojkar."

"Jag är beredd att låta mig överbevisas om motsatsen."

Det hördes ett ironiskt skrockande i luren. "Vad är den första regeln i polisarbete?"

"Att vara öppen för allt."

"Fotarbetet först. Slutsatserna sedan." Det uppstod ännu en kort tystnad. "Kriminalkommissarien har verkligen gått in för William Sumner sedan han läste ditt fax. Han kommer inte att bli glad om det visar sig vara Harding när allt kommer omkring."

"Jag ber om ursäkt. Om jag får några timmar på mig att åka ut till udden ska jag se om jag kan ta reda på vad han höll på med. Det går fortare än om du skickar någon av dina killar."

211

Till slut blev han i alla fall försenad eftersom de båda kvinnorna var i så eländigt skick. Celia hade så ont att hon inte kunde sitta och där hon stod mitt i köket stödd på sina käppar såg hon mer ut som en arg bönsyrsa än en krabba. Efterverkningarna av chocken fick Maggie att skallra tänder. Hon hämtade en smutsig, illaluktande hästfilt från grovköket och svepte den om sig. "F-f-förlåt", sade hon gång på gång, "jag f-f-fryser så h-h-hemskt."

Ingram fick resolut ner henne på en stol vid spisen och sade åt henne att inte röra sig ur fläcken medan han tog hand om hennes mamma. "Jaha", sade han till Celia, "vilket är bekvämast, att ligga i sängen eller att sitta på en stol?"

"Att ligga", sade hon.

"Då tar jag ner en säng hit till undervåningen. Vilket rum vill ni ligga i?"

"Jag vet inte", sade hon upproriskt. "Jag kommer att se ut som en invalid."

Han lade armarna i kors och gjorde en barsk grimas. "Jag har inte tid att käbbla om det här, fru Jenner. Ni kan omöjligt komma upp, så sängen får komma ner till er." Hon svarade inte. "Jaha", sade han och gick mot hallen, "då får väl jag bestämma det själv då."

"Vardagsrummet", ropade hon efter honom. "Och ta sängen från rummet längst bort i korridoren."

Han insåg att hennes motspänstighet nog mer berodde på att hon inte ville släppa upp honom i övervåningen än på att hon var rädd för att bli betraktad som invalid. Han hade inte fattat hur illa det var ställt förrän han såg de tomma rummen på övervåningen. Dörrarna i korridoren stod öppna – åtta stycken inalles – och alla rum utom Celias var helt tömda på möbler. Han kunde känna lukten av gammalt damm och fukt som trängde in genom det otäta taket och det förvånade honom inte att Celia hade blivit sämre. Han kom att tänka på hur Jane Fielding klagat över att hon tvingats sälja släktklenoderna för att ta hand om svärföräldrarna, men de levde furstligt jämfört med detta.

Rummet längst ner i korridoren var uppenbarligen Celias eget och hennes säng förmodligen den enda som fanns kvar i huset. Det tog honom inte ens tio minuter att plocka isär den och sätta ihop den igen i vardagsrummet där han ställde den nära de franska fönstren som vette mot trädgården. Det var ingen särskilt upplyftande utsikt, bara ännu ett försummat och vanskött stycke mark, men vardagsrummet hade i alla fall fått behålla lite av sin forna prakt, och alla tavlor och det mesta av möblemanget fanns kvar. Han hann tänka att Celias bekanta förmodligen inte hade en aning om att hallen och vardagsrummet innehöll det enda av värde hon fortfarande hade i sin ägo. Men vad var det för slags galenskap som fick folk att leva på det här viset, undrade han. Stolthet? Rädsla för att misslyckandet skulle bli känt? Skam?

Han gick tillbaka till köket. "Hur ska vi göra det här?" sade han. "På det lätta eller det svåra sättet?"

Tårar av smärta trängde fram i Celias ögon. "Du är verkligen en fruktansvärt enerverande ung man", sade hon. "Du har visst bestämt dig för att beröva mig all värdighet?"

Han log brett när han lade ena armen under hennes knän och den andra kring ryggen och försiktigt lyfte upp henne. "Varför inte?" mumlade han. "Det kanske är mitt enda sätt att göra upp räkningen med er."

"Jag vill inte prata med dig", sade William Sumner argt till kommissarie Galbraith och ställde sig framför ytterdörren. Han var rödflammig i ansiktet och medan han pratade drog han i fingrarna på vänster hand så att det knakade ljudligt i lederna. "Jag är trött på att polisen behandlar mitt hem som något slags genomfartsled och jag är trött på att svara på frågor. Varför kan ni inte lämna mig ifred?"

"Därför att din fru har blivit mördad", sade Galbraith lugnt, "och vi försöker ta reda på vem som dödade henne. Jag är ledsen om du tycker att det är besvärligt men jag har faktiskt inget val."

"Då kan du prata med mig här. Vad vill du veta?"

213

Kriminalkommissarien kastade en blick ut mot gatan där en grupp intresserade åskådare höll på att samlas. "Vi kommer att ha pressen här inom några minuter, William", sade han sakligt. "Vill du diskutera det alibi du uppgivit inför journalisterna?"

Sumners blick irrade nervöst mot klungan vid grinden. "Det är inte rättvist. Allt är så fruktansvärt offentligt. Varför kan du inte köra bort dem härifrån?"

"De går självmant om du släpper in mig. De stannar om du envisas med att låta mig stå här utanför. Sådan är dessvärre den mänskliga naturen."

Med ett jagat ansiktsuttryck grep Sumner polismannen i armen och drog in honom. Den psykiska pressen började kräva sin tribut, tänkte Galbraith. Borta var den självsäkre, om än trötte mannen från i måndags. Det betydde ingenting i sig. Det tog tid att hämta sig från en chock och nerverna började alltid svikta när det inte gick att lösa ett knivigt fall omedelbart. Han följde efter Sumner in i vardagsrummet och satte sig liksom förra gången i soffan.

"Vad menar du med det alibi jag *uppgivit?*" frågade Sumner som valde att förbli stående. "Jag var ju i Liverpool. Hur skulle jag kunna vara på två platser samtidigt?"

Kommissarien öppnade sin portfölj och tag upp några papper. "Vi har fått vittnesmål från dina kolleger, från personalen på hotell Regal och bibliotekarierna på universitetsbiblioteket. Ingen av dem kan bekräfta att du var i Liverpool i lördags kväll." Han höll upp papperen. "Jag tycker att du ska läsa det här."

Vittnesutsaga: Harold Marshall, forskare, Campbell Ltd, Lee Industrial Estate, Lichfield, Saffordshire
Jag minns att jag träffade William vid lunchdags lördagen den 9 augusti 1997. Vi diskuterade hans studie om magsår i förra veckans nummer av *Lancet*. William hävdar att han arbetar med ett nytt läkemedel som kommer att slå det ledande preparatet med hästlängder. Jag var skeptisk och det blev en rätt hetsig

214

diskussion. Nej, jag träffade honom inte vid middagen den kvällen, men det hade jag inte heller väntat mig. Både han och jag har åkt på sådana här konferenser i åratal och det blir kors i taket den dag William bestämmer sig för att släppa loss och delta i något lättsamt. Jag är säker på att han var med på lunchen i söndags för då grälade vi om magsår igen.

Vittnesutsaga: Paul Dimmock, forskare, Wryton's, Holborne Way, Colchester, Essex

Jag träffade William vid tvåtiden i söndags. Han sade att han skulle till universitetsbiblioteket för att göra lite efterforskningar, vilket är vad man kan vänta sig av honom. Han är aldrig med på konferensmiddagarna. Han är bara intresserad av den teoretiska delen och avskyr den sociala biten. Mitt rum låg bara två dörrar från hans. Jag minns att jag såg STÖR EJ-skylten på dörren när jag skulle gå och lägga mig ungefär halv ett, men jag har ingen aning om när han kom tillbaka. Jag tog en drink med honom före lunch i söndags. Nej, han verkade inte alls trött. Faktum är att han var mer avspänd än vanligt. Faktiskt riktigt munter.

Vittnesutsaga: Ann Smith, forskare, Bristols universitet, Bristol

Jag träffade honom inte alls i lördags, men jag tog en drink med honom och Paul Dimmock i söndags förmiddag. Han föreläste i fredags på eftermiddagen och kom med en del intressanta uppgifter. Hans forskning kring magsårsbehandling är intressant.

215

Vittnesutsaga: Carrie Wilson, städerska, hotell Regal, Bristol

Jag minns herrn i nummer två-två-tre-fem. Han var väldigt or-dentlig, packade upp resväskan och lade allting i lådorna. En del bryr sig inte. Jag slutade vid tolv på söndagen, men jag städade hans rum när han gick ner för att äta frukost och jag såg honom inte efter det. I söndags morse satt en STÖR EJ-skylt på dörren så jag lät honom sova. Vad jag kan minnas gick han ner vid halvtolvtiden och jag städade hans rum då. Javisst hade han sovit i sin säng. Det låg vetenskapliga böcker överallt så han måste ha läst en hel del. Jag minns att jag tänkte att han nog inte var så ordentlig när det kom till kritan.

Vittnesutsaga: David Forward, dörrvaktmästare, hotell Regal, Liverpool

Vi har inte så stort parkeringsutrymme och herr Sumner bokade en plats samtidigt som han bokade rummet. Han fick nummer trettiofyra som ligger bakom hotellet. Vad jag vet stod bilen där från torsdag den 7 till måndag den 11. Vi ber våra gäster att lämna bilnycklarna till oss och Sumner hämtade inte ut sina förrän i måndags. Javisst kan han ha använt bilen om han hade extranycklar. Det finns inga bommar vid utfarten.

Vittnesutsaga: Jane Riley, bibliotekarie, universitetsbiblioteket, Liverpool

(Visad ett foto av William Sumner)
Några av konferensdeltagarna kom till biblioteket i lördags, men jag minns inte den här mannen. Det betyder inte att han inte kan ha varit här. De som har kort som visar att de är där på någon konferens och vet vad de letar efter har fri tillgång till biblioteket.

Vittnesutsaga: Les Allen, bibliotekarie, universitetsbiblioteket, Liverpool

(Visad ett foto av William Sumner)

Han kom in i fredags morse. Jag tillbringade ungefär en halvtimme med honom. Han ville titta på det vi hade om magsår och jag visade var han kunde hitta det. Han sade att han skulle komma tillbaka dagen efter, men jag såg honom inte då. Det här är ett stort bibliotek. Jag lägger bara märke till dem som ber om hjälp.

"Det är inte så lätt som du förstår", sade Galbraith när Sumner hade läst igenom vittnesutsagorna. "Under ett dygn, mellan klockan två i lördags och halv tolv i söndags, är det ingen som kommer ihåg att de har sett dig. Och ändå är de tre första vittnesutsagorna från personer som du sade skulle ge dig ett vattentätt alibi."

Sumner såg förvirrat på honom. "Men jag var där", sade han igen. "Någon måste ha sett mig." Han satte fingret på Paul Dimmocks vittnesutsaga. "Jag träffade Paul i lobbyn. Jag sa till honom att jag skulle gå till biblioteket och han följde mig en bit på vägen. Då måste klockan ha varit en bra bit över två. Klockan två höll jag fortfarande på och diskuterade med den där hopplöse Harold Marshall."

Galbraith skakade på huvudet. "Det spelar ingen roll om klockan så var fyra. I måndags bevisade du att du kan köra till Dorset på fem timmar."

"Det här är inte klokt!" fräste Sumner nervöst. "Du får lov att prata med fler, helt enkelt. Någon måste ha sett mig. Det satt en man vid samma bord som jag i biblioteket. Rödblont hår och glasögon. Han kan intyga att jag var där."

"Vad heter han?"

"Det vet jag inte."

Galbraith tog fram en ny pappersbunt ur portföljen. "Vi har förhört sammanlagt trettio personer, William. Det här är resten av vittnesutsagorna. Det finns ingen som är beredd att säga att de såg dig under de tio timmarna innan din fru blev mördad eller de tio timmarna direkt efter. Vi har kontrollerat hotellräkningen. Mellan lunchen i lördags och drinkarna före lunch i söndags använde du dig inte alls av hotellets service." Han lade ner papperen på soffan. "Hur förklarar du det? Var åt du i lördags kväll till exempel? Du var inte på konferensmiddagen och du beställde inte upp något på rummet."

Sumner satt och drog i fingerlederna igen. "Jag åt inte, inte varm mat i alla fall. Jag avskyr sådana där middagar, så för att slippa stöta på någon stannade jag på rummet. Alla blir berusade och beter sig som idioter. Jag använde minibaren", sade han, "drack öl och åt jordnötter och choklad. Står inte det uppsatt på räkningen?"

Galbraith nickade. "Fast det står ingen tid specificerad där. Du kan ha ätit och druckit klockan tio i söndags förmiddag. Det skulle förklara varför du var på så gott humör när du träffade dina vänner i baren. Varför beställde du inte upp något på rummet om du inte ville gå ner?"

"För att jag inte var så hungrig." Sumner gick med osäkra steg bort till fåtöljen och sjönk ner i den. "Jag visste att det skulle bli så här", sade han bittert. "Jag visste att ni skulle ge er på mig när ni inte hittade någon annan. Jag var på biblioteket hela eftermiddagen och sedan gick jag tillbaka till hotellet och läste böcker och tidningar tills jag somnade." Han satt tyst och masserade tinningarna. "Hur skulle jag ha kunnat dränka henne förresten?" frågade han plötsligt. "Jag har ingen båt."

"Nej", medgav Galbraith. "Att hon drunknade talar emot att det skulle vara du."

En mängd känslor – *lättnad? segervisshet? glädje?* – avspeglades hastigt i Sumners ögon. "Där ser du", sade han barnsligt.

"Vad är det du och mamma måste göra upp räkningen om?" frågade Maggie när Ingram kom tillbaka in i köket efter att ha bäddat ner Celia och ringt distriktsläkaren. Hon hade fått lite färg på kinderna och darrade inte längre.

218

"Det är en grej oss emellan", sade han, hällde vatten i kastrullen och satte den på spisen. "Var har hon muggarna?"

"I skåpet vid dörren."

Han tog fram två muggar och ställde dem på diskbänken, öppnade underskåpet och hittade diskmedel, skurpulver och stålull. "Hur länge har hon varit så här dålig i höften?" frågade han medan han kavlade upp ärmarna och satte igång med stålull och rengöringsmedel för att göra ren diskhon innan han tog itu med fläckarna i muggarna. Att döma av den starka odören av hund och fuktiga hästfiltar som svävade över köket som en gammal gengångare misstänkte han starkt att diskbänken inte enbart användes för att diska porslin.

"Ett halvår. Hon står på väntelista för en höftledsoperation men det sei inte ut att bli av förrän i december." Hon såg på medan han spolade av bänken och diskhon. "Du tycker visst att vi är grisiga?"

"Det är inte utan att", sade han rakt på sak. "Jag skulle vilja påstå att det är ett under att ingen av er blivit matförgiftad, speciellt med tanke på att din mammas hälsa inte är den bästa."

"Det finns för mycket annat att ta hand om", sade hon bekymrat, "och mamma har så ont för det mesta att hon inte klarar att hålla rent ... det är i alla fall vad hon säger. Emellanåt tror jag att det bara är en ursäkt för att slippa eftersom hon anser att det är under hennes värdighet att göra grovjobb. Men ibland ..." Hon suckade tungt. "Jag håller hästarna i perfekt skick men att städa här eller hemma hos mig själv hamnar alltid längst ner på listan. Och jag avskyr att gå hit. Det är så" – hon sökte det rätta ordet – "nedslående."

Han tyckte att det var rätt magstarkt av henne att sätta sig till doms över sin mors sätt att leva, men han sade inget. Stress, depression och retlighet tycktes alltid gå hand i hand. Istället skrubbade han muggarna, fyllde dem med vatten och rengöringsmedel och ställde dem åt sidan innan han vände sig om. "Var det därför du flyttade ner till stallet?" frågade han.

"Egentligen inte. Om jag och mamma har för mycket med varandra att göra ryker vi ihop. Om vi inte bor ihop gör vi inte det. Så enkelt är det. Det gör livet lättare."

Med tanke på vad hon hade varit med om på morgonen var det inte så konstigt att hon såg mager och härjad ut, i synnerhet som blåmärkena började framträda på kinden. Håret hängde i livlösa testar kring ansiktet som om hon inte hade varit i närheten av en dusch på veckor, men Ingram mindes henne sådan hon varit en gång i världen, före Robert Healy, en strålande, livfull kvinna med okynnig humor och glittrande ögon. Han saknade den personen – hon hade varit bländande – men hon var fortfarande den mest åtråvärda kvinna han någonsin hade träffat.

Han lät blicken långsamt glida över köket. "Om du tycker att det här är deprimerande skulle du försöka bo på ett härbärge för hemlösa en vecka."

"Skulle det där vara ett sätt att pigga upp mig?"

"En hel familj skulle få plats i det här rummet."

"Du låter som Ava, min svägerska", sade hon snarstucket. "Enligt henne lever vi ett liv i lyx trots att huset håller på att falla ihop över oss."

"Varför slutar du inte gnälla och gör något konstruktivt istället?" föreslog han. "Om du målade det här rummet skulle det bli ljusare och du skulle ha mindre anledning att vara deprimerad och mer att vara tacksam för."

"Åh, herregud", sade hon iskallt, "snart säger du väl att jag ska börja sticka. Jag behöver ingen hemsnickrad terapi, Nick."

"I så fall får du förklara varför du sitter och gnäller över hur här ser ut? Du är ju inte handikappad? Eller det kanske är du och inte din mamma som tycker att det är pinsamt att göra grovjobb?"

"Målarfärg kostar pengar."

"Din lägenhet ovanpå stallet kostar bra mycket mer", påpekade han. "Du vill inte lägga ut pengar på billig färg, men du betalar dubbelt för gas, el och telefon för att slippa ta itu med ditt förhållande till din mamma. På vilket sätt gör det livet enklare? Det verkar inte särskilt ekonomiskt i alla fall. Och vad ska du göra när hon ramlar och bryter höften så illa att hon blir rullstolsbunden? Titta in någon gång ibland och kolla att hon inte har frusit ihjäl på natten för att hon inte har kunnat ta sig i säng själv? Eller det kanske är så deprimerande att du undviker henne helt och hållet?"

"Jag tänker inte lyssna på det där. Det är orättvist", sade hon trött. "Och det angår inte dig. Vi klarar oss utmärkt själva."

Han tittade på henne ett ögonblick och vände sig sedan mot diskbänken igen, tömde muggarna och sköljde av dem under kranen. Han nickade mot kastrullen. "Din mamma skulle vilja ha en kopp te, och jag föreslår att du lägger i flera skedar socker så hon får upp blodsockret. Ta en kopp själv också. Distriktsläkaren sa att han skulle komma vid elva." Han torkade händerna på en kökshandduk och rullade ner ärmarna.

"Vart ska du?", frågade hon.

"Upp till udden. Jag ska försöka ta reda på varför Harding kom tillbaka. Har din mamma några fryspåsar?"

"Nej, vi har inte råd med någon frys."

"Plastfolie då?"

"I lådan vid diskbänken."

"Kan jag ta den?"

"Det går väl bra." Hon följde honom med blicken medan han tog rullen och stoppade den under armen. "Vad ska du ha den till?"

"Bevismaterial", sade han korthugget och gick mot dörren.

Hon tittade på honom med ett nästan förtvivlat uttryck i ansiktet. "Mamma och jag då?"

Han vände sig om med rynkade ögonbryn. "Vad är det med er?"

"Jag vet faktiskt inte", sade hon ilsket. "Vi är bara lite omskakade, vet du. Den där karlen slog ner mig om du råkar ha glömt det. Ska inte polisen stanna hos kvinnor som har blivit överfallna? Höra dem eller något?"

"Antagligen", medgav han, "men det här är min lediga dag. Jag rusade iväg för att hjälpa dig i egenskap av vän, inte som polis, och det enda skälet till att jag kollar upp Harding är att jag är inblandad i utredningen av mordet på Kate Sumner. Var inte orolig", sade han

221

med ett tröstande leende, "ni är inte i fara, inte så länge han är i Poole, men ring larmcentralen om ni behöver någon att hålla i handen."

Hon blängde argt på honom. "Jag vill att han ska åtalas, och det betyder att jag vill bli förhörd med en gång."

"Mmm, glöm inte att jag ska höra honom också", påpekade Ingram, "och du kanske inte är lika tänd på att sätta åt honom om han väljer att komma med ett motåtal. Det är faktiskt han som har blivit skadad på grund av att du inte hade pli på din hund. Det blir ditt ord mot hans", sade han och gick mot dörren, "vilket är ett av skälen till att jag åker dit upp igen."

Hon suckade. "Jag antar att du är sårad över att jag sa åt dig att sköta ditt."

"Inte det minsta", sade han och försvann in i grovköket. "Försök med arg och uttråkad."

"Vill du att jag ska be om ursäkt?" ropade hon efter honom. "Ja, okej ... jag är trött, jag är genomstressad och inte på mitt soligaste humör, men" – hon bet ihop tänderna – "jag ska be om ursäkt om det är det du vill."

Men hennes ord föll ohörda, det enda hon uppfattade var ljudet av bakdörren som stängdes efter honom.

Kriminalkommissarien hade varit tyst så länge att William Sumner blivit märkbart nervös. "Där ser du", sade han igen. "Jag kan ju inte ha dränkt henne." Oron hade fått det att börja rycka i ena ögonlocket och han såg löjligt komisk ut varje gång det blinkade till. "Jag förstår inte varför du är på mig hela tiden. Du sa att ni letar efter någon med båt, men ni vet att jag inte har någon. Och jag förstår inte varför ni släppte Steven Harding. Polisassistent Griffiths sa att folk såg honom prata med Kate utanför Tesco i lördags morse."

Assistent Griffiths borde ha vett att hålla mun, tänkte Galbraith irriterat. Men han förstod henne. Sumner var klipsk nog att läsa mellan raderna i tidningsreferaten om "en ung skådespelare från Lymington som tagits in för förhör" och sedan kräva svar. "Som hastigast", sade han, "sedan gick de åt varsitt håll. Hon pratade med någon vid salustånden efteråt, men då var Harding inte med."

"Ja, det var inte jag som gjorde det." Han blinkade. "Så det måste ha varit någon annan som ni inte har hittat än."

"Så kan man ju också se det." Galbraith tog upp ett fotografi av Kate som stod på bordet bredvid honom. "Problemet är att utseendet kan bedra. Titta på Kate här till exempel." Han vände bilden mot Sumner. "Det första intrycket man får är att hon är oskulden personifierad, men ju mer man hör om henne desto mer inser man att det inte är så. Låt mig berätta vad jag vet om henne." Han räknade av punkt för punkt på fingrarna. "Hon var ute efter pengar och struntade i hur hon kom över dem. Hon manipulerade folk för att få det hon ville ha. Hon kunde vara elak. Hon ljög om så krävdes. Hon ville ta sig upp och bli accepterad i den miljö hon beundrade och hon var beredd att spela vilken roll som helst om det förde henne närmare målet. Sex var hennes tyngsta vapen. Det fanns bara en person hon inte kunde styra och det var din mor, så hon gjorde det enda rätta, hon flyttade." Han lade ner handen i knäet och tittade på Sumner med äkta medkänsla. "Hur lång tid tog det innan du insåg att du hade gått på en nit, William?"

"Jag antar att du har pratat med Griffiths?"

"Bland annat."

"Jag blev arg. Jag sa saker jag inte menade."

Galbraith skakade på huvudet. "Din mor ser ert äktenskap på ungefär samma sätt", påpekade han. "Hon kanske inte använde orden 'pensionatsvärdinna' och 'billigt pensionat' men hon beskrev ert äktenskap som halvdant och otillfredsställande. Andra har talat om det som olyckligt, grundat på sex, kallt, tråkigt. Stämmer någon av beskrivningarna? Allihop kanske?"

Sumner pressade tummen och pekfingret mot näsryggen. "Man dödar inte sin fru för att man är less på henne", muttrade han.

Galbraith förundrades än en gång över mannens naivitet. Skälet till att män dödade sina hustrur var ofta just leda. De kanske hävdade att de blivit provocerade eller att det skett av svartsjuka, men när

allt kom omkring var orsaken i de flesta fall längtan efter något nytt
– även om detta nog bara innebar en flykt. "Fast efter vad jag har
hört handlade det inte så mycket om leda som om att du tog henne
för given. Och det vill jag gärna höra mer om. Du förstår, jag undrar
vad en man som du skulle göra om kvinnan du tagit för given plöts-
ligt bestämde sig för att inte spela med längre."

Sumner gav honom en högdragen blick. "Jag förstår inte vad du
talar om."

"Eller", fortsatte Galbraith obevekligt, "om du upptäckte att sa-
ker du tagit för givna var lögn. Som att du var far till exempel."

Ingram utgick ifrån att Harding hade kommit tillbaka för att hämta
sin ryggsäck, för trots att han påstod att det var samma ryggsäck
som polisen funnit ombord på *Crazy Daze*, var Ingram fortfarande
övertygad om att han ljög. Paul och Danny Spender hade båda en-
vist hävdat att den var stor, och Ingram tyckte inte att en liten tre-
punktsryggsäck stämde in på beskrivningen. Han fann det fortfa-
rande misstänkt att Harding hade lämnat kvar den medan han följ-
de med pojkarna ner till sjöbodarna. Ändå kunde han inte se logi-
ken i att han tagit sig ner till stranden imorse men kommit upp igen
tomhänt. Hade någon annan hittat ryggsäcken och tagit den? Hade
Harding lagt en sten i den och kastat den i havet? Hade han lämnat
den där överhuvudtaget? Irriterad hasade Ingram ner i en klyfta i
skifferbranten till den plats där den gräsbevuxna slänten längst ut i
sänkan som bildats vid stenbrottet sluttade mjukt ner mot havet.
Det var en skuggig brant som vette mot väster och han huttrade till
när kylan och fukten trängde igenom hans tunna tröja. Han vände
sig om och tittade upp mot klyftan för att få en ungefärlig bild av
var Harding dykt upp framför Maggie. Det rasslade fortfarande ner
skiffer i klyftan efter Ingram och han fick syn på något som uppen-
barligen var ett nytt skred längre till vänster. Han gick dithän och
undrade om Harding hade sparkat igång det när han klättrade upp,
men ytan var fuktig av dagg och han kom fram till att det måste ha
inträffat flera dagar tidigare.

224

Han vände sig om och såg mot stranden nedanför och klev sedan ner genom gräset för att ta sig en närmare titt. Drivved och gamla plastförpackningar hade kilats fast mellan stenarna, men han kunde inte få syn på någon svart eller grön ryggsäck. Plötsligt kände han sig utmattad och undrade vad i helvete han sysslade med. Han hade planerat att vara ute med Miss Creant och göra absolut ingenting och uppskattade inte riktigt att avstå från det för att ägna sig åt detta utsiktslösa letande. Han höjde blicken och tittade upp mot molnen som jagade fram i den sydvästliga vinden och suckade uppgivet …

Maggie ställde en tekopp på nattygsbordet bredvid moderns säng. "Jag har haft i massor med socker", sade hon. "Nick sa att du behövde höja blodsockret." Hon tittade på den bedrövligt nötta och fläckiga filten och lade sedan märke till tefläckarna på Celias bädd kofta. Hon undrade hur lakanen såg ut – Broxton House hade inte kunnat skryta med en tvättmaskin på åratal – och önskade argt att hon aldrig hade nämnt ordet "grisig" i samtalet med Nick.

"Jag skulle hellre vilja ha en konjak", sade Celia med en suck.

"Jag också", sade Maggie kort, "men det har vi inte." Hon stod vid fönstret och tittade ut i trädgården med sin egen kopp i båda händerna."Varför vill han göra upp räkningen med dig, mamma?"

"Frågade du honom?"

"Ja. Han sa att det var en grej er emellan."

Celia skrockade. "Var är han?"

"Han har åkt."

"Jag hoppas att du tackade från mig."

"Det gjorde jag inte. Han började hunsa med mig och jag gav honom en utskällning så att han lomade iväg."

Hennes mamma tittade intresserat på henne. "Konstigt", sade hon och sträckte sig efter teet. "På vilket sätt hunsade han med dig?"

"Han försökte sätta sig på mig."

"Åh, jag förstår."

Maggie skakade på huvudet. "Det tvivlar jag på", sade hon vänd mot trädgården. "Han är som Matt och Ava, tycker att samhället skulle ha större glädje av det här huset om vi åkte ut och det kunde gå till en hemlös familj."

Celia tog en klunk te och lutade sig tillbaka mot kuddarna. "Då förstår jag varför du är så arg", sade hon lugnt. "Det är alltid jobbigt när någon annan har rätt."

"Han sa att du var grisig och att det var ett under att du inte hade fått matförgiftning."

Celia begrundade detta. "Det har jag svårt att tro om han inte var beredd att säga varför han ville göra upp räkningen med mig. Och dessutom är han en artig ung man så han skulle aldrig använda ett ord som grisig. Det är väl mer din stil, gumman?" Hon tittade på dotterns stela rygg, men när hon inte fick något svar fortsatte hon: "Om han *verkligen* ville göra upp räkningen med mig, skulle han ha täppt till munnen på mig för länge sedan. Jag var oerhört oförskämd mot honom och det har jag ångrat sedan dess."

"Vad gjorde du?"

"Han kom till mig två månader före ditt bröllop och varnade mig för din fästman. Jag gav honom en utskällning så att han" – Celia gjorde en paus för att minnas Maggies ord – "lomade iväg." Varken hon eller Maggie kunde någonsin tänka på mannen som under falska förespeglingar nästlat sig in i deras liv som Robert Healy, utan bara som Martin Grant, det namn de hade kommit att förknippa honom med. Det var svårare för Maggie som hade varit fru Martin Grant i tre månader innan hon ställts inför den föga avundsvärda uppgiften att informera banker och företag om att varken namn eller titel tillhörde henne. "Visserligen hade Nick inte så mycket att komma med", fortsatte Celia. "Han anklagade honom för att ha försökt lura av Jane Fieldings svärföräldrar flera tusen pund genom att utge sig för att vara antikhandlare – alltihop grundade sig på att gamla fru Fielding bestämt påstod att det var Martin som knackat på hos dem ..." Hon avbröt sig. "Saken var den att han gjorde mig arg. Han frågade hela tiden hur mycket jag kände till om Martins

226

bakgrund, och när jag sa att Martins pappa var kaffeodlare i Kenya skrattade han och sa att det kunde ju vem som helst dra till med."

"Visade du breven de hade skrivit till oss?"

"*Påstods* ha skrivit", rättade Celia henne. "Och, ja, självklart. Det var ju det enda beviset vi hade på att Martin hade en respektabel bakgrund. Men, som Nick så riktigt påpekade var adressen en postbox i Nairobi, vilket inte bevisade någonting. Han sa att vem som helst kunde ordna en falsk brevväxling via ett anonymt postboxnummer. Han ville ha Martins förra adress i England och det enda jag kunde ge honom var adressen till lägenheten som han hyrt i Bournemouth." Hon suckade. "Men som Nick sa behöver man inte vara son till en plantageägare för att hyra en lägenhet. Han tyckte att jag borde höra mig för lite innan jag lät min dotter gifta sig med någon jag inte visste ett dyft om."

Maggie vände sig om och tittade på henne. "Varför gjorde du inte det då?"

"Åh, jag vet inte." Hennes mamma suckade. "Kanske för att Nick var så vansinnigt dryg ... Kanske för att den enda gång jag vågade ifrågasätta Martins lämplighet som make" – hon höjde på ögonbrynen – "kallade du mig en hagga som lade näsan i blöt och vägrade att prata med mig på flera veckor. Det var väl då jag frågade om du verkligen kunde tänka dig att vara gift med en man som var rädd för hästar?"

"Ja-a", sade hennes dotter långsamt, "och jag borde ha lyssnat på dig. Det ångrar jag nu." Hon lade armarna i kors. "Vad sa du till Nick?"

"Mer eller mindre vad du precis har sagt om honom", sade Celia. "Jag kallade honom en stöddig liten underklassare med Hitlerkomplex och gav honom en avhyvling för att han var fräck nog att förtala min blivande svärson. Sedan frågade jag honom vilken dag fru Fielding påstod att hon hade träffat Martin och när han berättade det ljög jag och sa att det var omöjligt för då var Martin ute och red med mig."

"Åh, gode Gud!" sade Maggie. "Hur kunde du!"

"För att jag aldrig kom på tanken att Nick kunde ha rätt", sade Celia med ett ironiskt leende. "När allt kom omkring var han bara en enkel polis och Martin var en riktig gentleman. Med Oxfordexamen. Före detta Etonelev. Arvtagare till ett kaffeplantage. Så vem vinner första pris i dumhet nu, gumman? Du eller jag?"

Maggie skakade på huvudet. "Kunde du inte ha berättat det för mig i alla fall? Hade jag varit förvarnad hade jag vetat vad jag gav mig in på."

"Det tror jag faktiskt inte. Du sa alltid elakheter om Nick efter att Martin hade sagt att den stackarn blev röd som en tomat bara han såg dig. Jag minns att du skrattade och sa att det osexigaste du visste var rödflammiga och överviktiga neandertalare i uniform."

Maggie skruvade på sig vid minnet. "Du kunde ha berättat det efteråt."

"Det är klart jag kunde", sade Celia kort, "men jag ville inte ge dig en förevändning att skyffla över skulden på mig. Det var lika mycket ditt fel. Du bodde med den där typen i Bournemouth så du hade alla möjligheter att genomskåda honom. Du var ingen barnunge precis, Maggie. Om du hade bett att få komma till hans kontor en enda gång så skulle hela korthuset ha fallit ihop."

Maggie suckade irriterat – över sig själv – över sin mor – över Nick Ingram. "Tror du inte jag vet det? Varför litar jag aldrig på någon nuförtiden tror du?"

Celia såg henne i ögonen och vände sedan bort blicken. "Det har jag ofta frågat mig", mumlade hon. "Emellanåt tror jag att det är för att trilskas, ibland för att du är omogen. Oftast skyller jag på att jag skämde bort dig när du var liten och gjorde dig fåfäng." Hon såg på Maggie igen. "Det är fruktansvärt förmätet att ifrågasätta andras motiv om man aldrig är beredd att granska sina egna. Ja, visst var Martin en bedragare, men varför valde han att lura just oss? Har du någonsin frågat dig det?"

"Vi hade pengar."

"Massor av människor har pengar, gumman. Få av dem blir bedragna på det sätt vi blev. Nej", och nu hade rösten en bestämd ton,

228

"jag lät mig luras därför att jag var girig och du lät dig luras därför att du tog för givet att alla män tyckte att du var tilldragande. Hade du inte gjort det hade du ifrågasatt Martins löjliga vana att berätta för alla hur mycket han älskade dig. Det var *så* amerikanskt och *så* falskt och jag förstår inte hur vi kunde gå på det."

Maggie vände sig mot fönstret igen så att hennes mor inte såg hennes ögon. "Nej", sade hon med skrovlig röst. "Det gör inte jag heller ... inte nu."

En mås svepte ner mot stranden och slet i något vitt som guppade i vattenbrynet. Ingram som roat stod och tittade på den tog för givet att den skulle flyga iväg med en död fisk i näbben, men när den övergav sin syssla och förtretat flaxade iväg under hesa skrin blev han nyfiken på vad det var för vit tingest som kom i dagen varje gång en våg sköljde in. *En plastkasse som fastnat mellan stenarna? Ett klädesplagg?* Det svällde upp på ett obehagligt sätt när det fylldes med vatten och lyftes ibland i det svallande skummet när en kraftigare våg strömmade in.

229

20

GALBRAITH LUTADE sig framåt och stödde hakan i sina fräkniga händer. Han såg fullkomligt ofarlig, närmast beskedlig ut, som en rundkindad inställsam skolpojke. I likhet med de flesta polismän var han en riktig skådespelare och kunde anpassa sina ansiktsuttryck efter situationen. Han försökte få Sumner att öppna sig. "Känner du till Lulworth Cove, William?" mumlade han i lätt ton.

Sumner såg förskräckt ut, men om det berodde på skuld eller på kommissariens plötsliga kursändring var omöjligt att avgöra. "Ja."

"Har du varit där nyligen?"

"Inte vad jag kan minnas."

"Det är väl knappast något man glömmer?"

Sumner ryckte på axlarna. "Det beror på vad man menar med nyligen. Jag har varit där åtskilliga gånger med båten, men det är flera år sedan."

"Har du hyrt en husvagn eller stuga? Du kanske tog med familjen dit på semestern?"

Han skakade på huvudet. "Kate och jag fick bara en semester ihop och då var vi på ett hotell i Lake District. Det blev rena katastrofen", sade han och lät trött vid minnet. "Det gick inte att få Hannah att somna så vi fick sitta på rummet, kväll efter kväll, och titta på teve så att hon inte skulle gallskrika och störa de andra gästerna. Vi hade tänkt vänta tills hon blev äldre innan vi gjorde ett nytt försök."

Det lät trovärdigt och Galbraith nickade. "Hannah är visst ganska besvärlig?"

"Kate hade god hand med henne."

230

"Det kanske berodde på att hon gav henne sömnmedel?"

Sumner såg ut att bli på sin vakt. "Det vet jag inget om. Du får fråga doktorn."

"Det har vi redan gjort. Han har aldrig skrivit ut lugnande tabletter eller sömnmedel till vare sig Kate eller Hannah."

"Då så."

"Du är i branschen, William. Du kan säkert få gratisprover av vartenda preparat som finns på marknaden. Och med tanke på alla konferenser du åker på kan det inte vara mycket du inte känner till om läkemedel."

"Dumheter", sade Sumner och blinkade okontrollerat. "Jag måste ha recept som alla andra."

Galbraith nickade igen som för att övertyga William om att han trodde honom. "Men ändå ... ett besvärligt, krävande barn var väl inte vad ni hade tänkt er när ni gifte er? Det måste milt sagt ha spolierat ert sexliv?"

Sumner svarade inte.

"Du måste ha tyckt att du hade vunnit högsta vinsten i början. En söt fru som dyrkade marken du gick på. Visserligen hade ni inte så mycket gemensamt och det kanske inte var så kul att vara far alla gånger, men i stort sett var livet en dans på rosor. Sexlivet var bra, du hade inga svårigheter att betala dina lån, resan till jobbet var en lätt match, din mor höll ögonen på din fru under dagarna, middagen stod på bordet när du kom hem på kvällen och du kunde segla när du hade lust." Han gjorde en paus. "Sedan flyttade ni till Lymington och det började bli jobbigt. Jag kan tänka mig att Kate blev mindre och mindre intresserad av att tillfredsställa dig eftersom hon inte behövde låtsas längre. Hon hade fått vad hon ville ha – ingen mer övervakning från sin svärmor ... ett eget hus ... respektabilitet – allt det gav henne självförtroende nog att bygga upp ett liv för sig och Hannah där det inte fanns någon plats för dig." Han tittade ingående på Sumner. "Och plötsligt var det du som blev tagen för given. Var det då du började misstänka att det inte var ditt barn?"

Sumner brast helt oväntat i skratt. "Jag har vetat sedan hon bara

231

var några veckor gammal att hon omöjligt kunde vara mitt barn. Kate och jag har blodgrupp 0 och Hannah har A. Det betyder att hennes pappa antingen måste ha blodgrupp A eller AB. Jag är ingen idiot. Jag gifte mig med en gravid kvinna och jag visste precis hurdan hon var, oavsett vad min mor tror."

"Ställde du Kate mot väggen?"

Sumner tryckte ett finger mot sitt fladdrande ögonlock. "Det handlade inte om att ställa henne mot väggen. Jag visade henne bara en karta över AB0-systemet och förklarade hur det kom sig att två personer som har blodgrupp 0 bara kan få ett barn med blodgrupp 0. Hon blev lite skakad över att bli avslöjad så lätt, men jag ville bara visa henne att jag inte var så lättlurad som hon tycktes tro. Det var ingenting vi bråkade om. Jag erkände gärna faderskapet till Hannah och det var allt Kate begärde."

"Berättade hon vem fadern var?"

Han skakade på huvudet. "Jag ville inte veta det. Jag antar att det är någon jag arbetar – eller har arbetat – med, men eftersom hon slutade träffa alla på Pharmatec, med undantag för Polly Garrard som kom på besök en enda gång, visste jag att fadern var borta ur bilden." Han strök med handen över armstödet på stolen han satt i. "Du tror mig kanske inte, men jag tyckte att det var meningslöst att hetsa upp sig över någon som hon inte brydde sig om längre."

Han hade rätt. Galbraith trodde honom inte. "Så att du inte bryr dig om Hannah beror alltså på att hon inte är ditt barn?"

Sumner svarade inte nu heller och tystnaden bredde ut sig mellan dem.

"Berätta vad som gick snett när ni flyttade till Lymington", sade Galbraith sedan.

"Det var inget som gick snett."

"Du menar alltså att det kändes som att bo på pensionat från *första"* – han betonade ordet – "dagen? Det är väl inget positivt omdöme?"

"Det beror på vad man är ute efter", sade Sumner. "Hur skulle du beskriva en kvinna som såg såpoperor som en intellektuell utma-

232

ning, som inte hade någon smak överhuvudtaget, som var så överdrivet pedantisk att renlighet nästan framstod som en religion, som föredrog sönderkokt korv och vita bönor framför en blodig biff och utan att vara ombedd redogjorde för varenda penny vi gjorde av med?"

Hans röst fick en hård ton som i Galbraiths öron lät mer som skuld över att ställa ut sin hustrus brister än bitterhet över att hon haft dem, och han fick intrycket att William inte kunde bestämma sig för om han hade älskat Kate eller avskytt henne. Men om det innebar att han var skyldig kunde Galbraith inte avgöra.

"Men varför gifte du dig med henne om du såg ner på henne?"

Sumner lade huvudet mot stolsryggen och stirrade upp i taket. "Därför att jag fick ligga med henne när jag ville som tack för att jag hade hjälpt henne upp ur hålet hon hade grävt åt sig själv." Han vred på huvudet och tittade på Galbraith och hans ögon glänste av tårar. "Det var det enda jag var ute efter. Det är det enda män är ute efter. Eller hur? Fri tillgång till sex. Så länge jag bara var beredd att erkänna Hannah som mitt barn skulle Kate ha sugit av mig tjugo gånger om dagen om jag hade sagt åt henne."

Minnet beredde honom tydligen föga glädje, för tårarna började strömma nedför kinderna medan ögonlocket blinkade ... och blinkade ...

Det tog en och en halv timme innan Ingram kom tillbaka till Broxton House. Han bar på något som var inslaget i tjocka lager av plastfolie. Maggie såg honom gå förbi köksfönstret och gick genom grovköket för att släppa in honom. Han var genomblöt och utmattad och stödde sig med hängande huvud mot dörrposten.

"Hittade du något?" frågade hon.

Han nickade och höll upp byltet. "Jag måste ringa men jag vill inte blöta ner din mammas golv. Jag antar att du hade mobilen med dig imorse. Kan jag få låna den?"

"Det hade jag tyvärr inte. Så det går inte. Jag fick den gratis för två år sedan mot att jag tecknade ett ettårsabonnemang, men det

233

var så satans dyrt så jag förnyade det inte och jag har inte använt den på ett år. Den ligger här någonstans." Hon höll upp dörren på vid gavel. "Det är bäst du kommer in. Det finns ett jack i köket och golvet i grovköket tar inte skada av lite vatten." Hon gjorde en liten grimas. "Det kanske till och med är bra för det. Jag vågar inte tänka på när det sist såg en skurborste."

Det klafsade om skorna när han traskade efter henne. "Hur kunde du ringa imorse om du inte hade någon telefon?"

"Jag använde Steves", sade hon och pekade på en mobiltelefon på köksbordet.

Han föste den åt sidan med pekfingret och lade knytet i plastfolie bredvid. "Vad gör den här?"

"Jag stoppade den i fickan och glömde bort den", sade hon. "Jag kom inte ihåg det förrän den började ringa. Den har ringt fem gånger sedan du åkte."

"Har du svarat?"

"Nej. Jag tänkte låta dig ta itu med det när du kom tillbaka."

Han gick fram till väggtelefonen och lyfte av luren. "Du har verkligen stort förtroende för mig", mumlade han och knappade in numret till spaningsrummet. "Tänk om jag hade bestämt mig för att låta er klara er bäst ni kan ett tag?"

"Det skulle du aldrig göra", sade hon uppriktigt. "Du är inte sån."

Han grubblade fortfarande över hur han skulle tolka det när han fick intendent Carpenter på tråden. "Jag har fiskat upp en T-shirt i pojkstorlek ur vattnet ... Jag är säker på att den tillhör en av pojkarna Spender. Det står Derby County FC på framsidan och Danny påstod att Harding stal den från honom." Han lyssnade ett tag. "Ja, Danny kan ha tappat den ... Nej, jag håller med om att det inte gör Harding till pedofil." Han höll luren en bit ifrån sig när Carpenters skällande höll på att spränga trumhinnan. "Nej, jag har inte hittat ryggsäcken än, men faktum är att ... ja, jag tror att jag vet var den kan ligga." Mer skällande. "Jag är rätt övertygad om att det var därför han kom tillbaka ..." Han gjorde en grimas mot luren. "Ja-

234

visst, jag är säker på att den finns vid Chapman's Pool." Han kastade en blick på klockan. "Sjöbodarna om en timme. Vi ses där." Han lade på luren, uppfattade Maggies roade min över hans underläge och gjorde en tvär gest mot hallen. "Har doktorn tittat till din mamma?"

Hon nickade.

"Och?"

"Han sa att det var dumt av henne att inte ta fasta på erbjudandet om att få komma in som akutfall imorse, sedan klappade han henne på huvudet och gav henne värktabletter." Hon lät ana ännu ett leende. "Och så sa han att hon behöver en rullator och en rullstol och föreslog mig att titta in på närmaste Rödakorsförråd i eftermiddag och se efter vad de har."

"Det låter förnuftigt."

"Det är klart det gör, men sedan när har mamma blivit förnuftig? Hon säger att hon aldrig skulle använda en sådan där tingest och att om jag tar hit den tänker hon aldrig mer prata med mig. Och hon menar det. Hon säger att hon hellre kryper på alla fyra än ger intryck av att vara ute ur leken." Hon suckade trött. "Idéer mottages tacksamt på ett vykort, c/o Broxton House Dårhus. Vad i hela friden ska jag ta mig till?"

"Vänta", föreslog han.

"På vad?"

"Ett mirakulöst tillfrisknande eller en begäran om att få en rullator. Hon är arg både på dig och på mig och på doktorn. När hon inte är lika upprörd längre kommer förnuftet att segra. Var snäll mot henne under tiden. Hon gjorde sig illa för din skull imorse och lite tacksamhet och öm och kärleksfull omvårdnad är säkert det snabbaste sättet att få henne på fötter."

"Jag har ju redan sagt att jag aldrig skulle ha klarat det utan henne."

Han såg road ut. "Äpplet faller visst inte så långt från trädet?"

"Jag förstår inte."

"*Hon* kan inte säga förlåt. *Du* kan inte säga förlåt."

235

Plötsligt gick det upp ett ljus för henne. "Åh, jag förstår. Så det var därför du blev stött och gav dig av förut. Det var tacksamhet du ville ha. Så dumt av mig. Jag trodde du var arg över att jag sa åt dig att inte lägga näsan i blöt." Hon slog armarna kring sin tunna kropp och gav honom ett trevande leende. "Ja, tack så mycket, Nick, jag är ytterst tacksam för din hjälp."

Han tog på sig en undergiven min. "Synnerligen tacksam, det är jag säker på, Miss Jenner", sade han med skorrande Dorsetaccent. "Men en fin dam som ni ska väl inte behöva tacka en man för att han gör sitt jobb."

Hennes förbryllade ögon sökte hans innan hon insåg att han drev med henne. Hennes överansträngda nerver reagerade omedelbart. "Dra åt helvete!" sade hon och en ursinnig knytnäve landade på sidan av hans käke innan hon marscherade ut i hallen och slog igen dörren bakom sig.

Två Dartmouthpoliser lyssnade intresserat till fransmannens berättelse medan hans dotter stod tyst bredvid honom och nervöst snurrade en hårtest runt fingret. På god engelska om än med kraftig brytning gav mannen en ingående beskrivning av var han och hans båt hade befunnit sig på söndagen. Han hade kommit därför att han hade läst i engelska tidningar att kvinnan de hämtat på stranden hade blivit mördad, sade han. Han lade en kopia av onsdagens *Telegraph* på disken ifall de inte visste vilken utredning han talade om. "Kate Sumner", sade han. "Känner ni till detta ärende?" När de sade att de gjorde det tog han upp en videokassett ur en kasse och lade den bredvid tidningen. "Min dotter filmade en man den dagen. Ni förstår – jag vet ingenting om den här mannen. Han kan vara – hur säger man – oskyldig. Men jag är oroad." Han sköt kassetten över disken. "Det är inte bra det han gör, så spela den. Ja? Det är viktigt, kanske."

Hardings mobiltelefon var ett sofistikerat litet föremål med kapacitet att ringa både till och från utlandet. Den krävde SIM-kort och

PIN-kod, men eftersom någon, förmodligen Harding själv, hade knappat in bådadera, gick det att ringa på den. Annars hade Maggie inte kunnat använda den. Kortet hade många minnesfunktioner och om ägaren hade programmerat in det lagrades telefonnummer och meddelanden, plus de tio senast slagna och de tio senast mottagna numren.

På displayen stod "fem samtal missade" och ett "nytt meddelande". Med en vaksam blick mot dörren ut till hallen gick Ingram in under "meny", letade reda på "röstbrevlåda", tryckte ner knappen för "ring" och satte telefonen mot örat. Han gned sig försiktigt om hakan medan han lyssnade och undrade om Maggie hade någon aning om vilken styrka hon hade i knytnäven.

"Du har tre nya meddelanden" sade en datoriserad kvinnoröst.

"Steve?" En läspande, svag – utländsk? – stämma, fast Ingram kunde inte avgöra om det var en man eller en kvinna. *"Var är du? Jag är rädd. Snälla, ring mig. Jag har försökt tjugo gånger sedan i söndags."*

"Steven Harding?" En mansröst, helt klart utländsk. *"Det här är hotell Angélique i Concarneau. Om ni vill att vi ska hålla rummet åt er måste ni bekräfta er bokning senast klockan tolv idag med ert kreditkort. Utan bekräftelse kan vi tyvärr inte hålla rummet."*

"Hej", sade en engelsk röst. *"Var i helvete är du, din dumma jävel. Du skulle ju för fan slagga här. Polisen har ju bestämt att du skulle bo här och jag kommer att ge dig en fet smäll om du ställer till det mer för mig. Vänta dig bara inte att jag ska knipa käft nästa gång. Jag varnade dig för att jag skulle klämma åt dig om du lät mig ta skiten. Och för övrigt är det en jävla snokande journalist här som vill veta om det är sant att du har blivit förhörd angående mordet på Kate. Det är skitjobbigt så se till att få arslet ur vagnen illa kvickt innan jag sätter dit dig så det visslar om det."*

Ingram tryckte på "avsluta" och gick igenom hela proceduren en gång till medan han klottrade ner de viktigaste stödorden på baksidan av ett papper som han tog från ett anteckningsblock under väggtelefonen. Sedan tryckte han två gånger på piltangenten för att

237

få upp numren på de tio personer som senast hade ringt. Han tryckte bort "röstbrevlåda" och anteckande resten, tillsammans med de senaste tio samtalen Harding hade gjort. Det första numret som dök upp var Maggies samtal till honom själv. För fullständighetens skull – *För helvete! Har man gett sig in i leken ...* – bläddrade han igenom "telefonbok" och skrev ner namn och nummer.

"Gör du något olagligt?" frågade Maggie från dörren.

Han hade varit så upptagen att han inte hört när dörren öppnades och han hajade skuldmedvetet till. "Inte om kommissarie Galbraith redan har de här upplysningarna." Han vickade med handen. "Om han inte har det är det förmodligen ett brott mot Hardings rättigheter enligt dataskyddslagen. Det beror på om telefonen fanns ombord på *Crazy Daze* när de letade igenom båten."

"Kommer inte Steven Harding att se att du har spelat upp hans meddelanden när han får tillbaka sin telefon? Vår telefonsvarare spelar inte upp de meddelanden vi redan har lyssnat av igen om man inte spolar tillbaka bandet."

"Det är inte samma sak med röstbrevlådor. Man måste radera meddelandena om man ska slippa höra dem igen." Han log brett. "Men om han blir misstänksam får vi hoppas att han tror att du klantade till det när du ringde."

"Varför dra in mig?"

"Därför att han kan se att du har ringt mig. Mitt nummer finns i minnet."

"Herre min skapare", sade hon uppgivet. "Förväntar du dig att jag ska ljuga för din skull?"

"Nej." Han reste sig upp, knöt händerna ovanför huvudet och tänjde ut ryggmusklerna under sina fuktiga kläder. Han var så lång att han nästan snuddade vid taket, och där han stod som en koloss mitt i köket fyllde han utan svårighet ut ett rum som hade kunnat rymma en hel familj.

Maggie tittade på honom och undrade hur hon någonsin hade kunnat kalla honom en överviktig neandertalare. Det var Martins beskrivning av honom, mindes hon, och hon tyckte att det var fruktansvärt pinsamt att tänka på hur hon utan vidare hade tagit den till sig eftersom den hade gått hem hos människor hon en gång betraktat som sina vänner men numera skydde som pesten. "Jamen, det gör jag", sade hon med plötslig beslutsamhet.

Han sänkte armarna och skakade på huvudet. "Det skulle inte tjäna något till. Du kan inte ljuga om det så gällde livet. Och det var en komplimang, förresten", sade han när hon blängde på honom, "så slå inte till mig igen. Jag gillar inte folk som ljuger."

"Förlåt", sade hon plötsligt.

"Ingen orsak. Det var mitt fel. Jag skulle inte ha retat dig." Han började samla ihop sakerna på bordet.

"Vart ska du nu?"

"Hem och byta om, sedan ner till sjöbodarna vid Chapman's Pool. Men jag tittar in igen i eftermiddag innan jag träffar Harding. För som du så riktigt påpekade måste jag höra dig om vad som hände." Han gjorde en paus. "Vi får prata mer ingående om det här sedan, men hörde du något innan han dök upp?"

"Som vadå?"

"Småsten som rasade?"

Hon skakade på huvudet. "Det enda jag minns är hur tyst det var. Det var därför jag blev så rädd. Ena minuten var jag ensam och nästa kröp han där på marken framför mig som en rabiessmittad hund. Det var verkligen underligt. Jag fattar inte vad han var ute efter, men det finns massor med snår runt omkring så jag tror att han måste ha hört att jag kom och kröp ihop för att inte synas."

Han nickade. "Hans kläder då? Var de blöta?"

"Nej."

"Smutsiga?"

"Du menar innan han blödde ner dem?"

"Ja."

Hon skakade på huvudet igen. "Jag minns att jag tänkte på att han var orakad, men jag har inget minne av att han var smutsig."

Han travade upp T-shirten han hittat på stranden, papperen och telefonen i en bunt på bordet och lyfte upp den. "Bra. Jag kommer tillbaka och hör dig i eftermiddag." Han såg henne i ögonen. "Du klarar dig", sade han. "Harding kommer inte tillbaka."

"Han skulle bara våga", sade hon och knöt nävarna.

"Inte om han har något vett i kroppen", mumlade Ingram och flyttade sig utom räckhåll.

"Har du någon konjak hemma?"

Övergången var så plötslig att han fick tänka efter. "Ja-a", mumlade han försiktigt, rädd för ytterligare ett angrepp om han hade mage att fråga varför hon undrade. Han misstänkte att det var fyra års ilska och besvikelse som låg bakom kraften i slaget och önskade att hon hade valt Harding som måltavla istället.

"Kan jag få låna lite?"

"Visst. Jag lämnar den när jag kommer tillbaka från Chapman's Pool."

"Om du väntar en sekund så att jag hinner tala om för mamma vart jag ska kan jag följa med. Jag kan gå tillbaka."

"Kommer hon inte att behöva dig?"

"Inte om jag bara är borta en timme. Värktabletterna har gjort henne sömnig."

När Ingram stannade jeepen vid grinden låg Bertie på tröskeln i solskenet. Maggie hade aldrig varit inne i Nicks lilla hus men hon hade alltid tyckt att trädgården var motbjudande i sin prydlighet. Med sina vackert klippta ligusterhäckar, välordnade hortensior och rosor arrangerade i slutna formationer mot husets gula stenväggar var den som en förebråelse riktad mot alla hans mindre ordningsamma grannar. Hon hade ofta undrat hur han fick tid över att rensa ogräs när han tillbringade varje ledig stund i båten, och i sina mer kritiska ögonblick förklarade hon det med att han var tråkig och delade upp livet i fack enligt någon förståndig pliktlista.

Hunden lyfte sitt raggiga huvud och dunkade svansen mot dörrmattan innan den makligt gäspande kom på fötter. "Så det är här han håller till", sade Maggie. "Jag har ofta undrat. Hur lång tid tog det att träna upp honom om man får fråga?"

240

"Inte särskilt lång tid. Det är en klok hund."

"Varför gjorde du det?"

"Därför att han älskar att gräva och jag blev utled på att få trädgården förstörd", sade han prosaiskt.

"Åh, herregud", svarade hon skuldmedvetet. "Förlåt. Problemet är att han inte bryr sig om vad jag säger."

"Behöver han det?"

"Det är *min* hund", sade hon.

Ingram öppnade bildörren. "Har du fått honom att fatta det?"

"Det är klart jag har. Han kommer ju hem på kvällarna."

Han sträckte sig bakåt efter högen med bevismaterial. "Jag ifrågasatte inte äganderätten", sade han. "Jag undrade bara om Bertie vet att han är en hund. Som han ser det är det han som bestämmer hemma hos dig. Han får mat först, sover på din soffa, slickar av dina tallrikar. Jag slår vad om att du till och med makar på dig i sängen så att han ska ligga bekvämare?"

Hon rodnade lätt. "Än sen då? Jag har hellre honom i sängen än den där hala ålen som brukade ligga där. Hur som helst får han göra tjänst som varmvattenflaska."

Ingram skrattade. "Kommer du in eller ska jag komma ut med konjaken till dig? Jag kan garantera att Bertie inte kommer att skämma ut dig. Han har blivit oerhört väluppfostrad sedan jag tog en diskussion med honom när han hade gnidit av baken mot min matta."

Maggie satt obeslutsamt kvar. Hon hade aldrig velat gå in eftersom det skulle avslöja saker om honom som hon inte ville veta. Om inte annat skulle det vara vidrigt välstädat, tänkte hon, och hundkräket skulle skämma ut henne genom att göra precis som han blev tillsagd.

"Jag kommer med in", sade hon trotsigt.

Precis när Carpenter var på väg att ge sig av till Chapman's Pool fick han en påringning från en polisinspektör i Dartmouth. Han fick en beskrivning av vad som fanns på fransmannens video och frågade

241

sedan: "Hur ser han ut?"

"En och sjuttio, normalt byggd, lite ölmage, mörkt hår, börjar bli tunnhårig."

"Jag tyckte du sa att det var en ung kille."

"Nej. Fyrtiofem, minst. Dottern är fjorton."

Rynkorna i Carpenters panna djupnade. "Jag menar för fan inte fransmannen", skrek han, "utan skitstöveln på videon."

"Åh, förlåt. Ja, han är ung. Drygt tjugo, skulle jag tro. Rätt långt mörkt hår, ärmlös T-shirt och cykelbyxor. Muskulös. Solbränd. Riktigt tjusig typ, faktiskt. Ungen som filmade honom säger att hon tyckte att han liknar Jean-Claude Van Damme. Nu är hon förstås fullständigt knäckt och fattar inte att hon inte insåg vad han höll på med, med tanke på att han har en kuk som en jävla salami. Den här killen skulle kunna göra stora pengar på porrfilm."

"Ja, ja, ja", sade Carpenter retligt. "Jag har förstått. Och du säger att han runkar i en näsduk?"

"Ser så ut."

"Skulle det kunna vara en T-shirt i barnstorlek?"

"Kanske. Det är svårt att se. Faktum är att jag är förvånad över att fransosen upptäckte vad han höll på med. Det är rätt diskret. Det är bara för att han har sånt enormt stånd som man kan se något alls. Första gången jag tittade trodde jag att han skalade en apelsin i knäet." Det hördes ett djupt skratt i andra änden. "Fast, du vet vad man säger om fransoser. Runkare är de allihopa. Så jag antar att vår lille gubbe har pysslat lite med ett och annat själv och visste vad han skulle titta efter. Har jag rätt eller har jag rätt?"

Carpenter, som alltid åkte till Frankrike på semestern, böjde pekfingret och tummen mot telefonen som om han avfyrade en pistol – jäkla rasist, tänkte han – men när han svarade hördes inte en antydan till irritation i rösten. "Du sade att den unge mannen har en ryggsäck. Kan du beskriva den för mig?"

"Vanlig campingmodell. Grön. Ser inte ut att vara mycket i den."

"Stor?"

"Visst. Det är en riktig långfärdsgrej."

"Vad gör han med den?"

"Han sitter på den medan han runkar."

"Var? Vilken del av Chapman's Pool? På östra sidan? Västra? Beskriv hur det ser ut runtomkring."

"Östra sidan. Fransmannen visade mig på kartan. Killen satt på stranden nedanför Emmetts Hill, med utsikt över hela Engelska kanalen. Grön sluttning bakom sig."

"Vad gjorde han med ryggsäcken när han hade suttit på den?"

"Vet inte. Filmen slutar där."

Carpenter bad att få bandet skickat med bud tillsammans med namnet på fransmannen, hans färdplaner under resten av semestern och adressen i Frankrike, tackade inspektören och lade på.

När Ingram kom nedför trappan hade han klätt om till uniform och knäppte knapparna i skjortärmarna. Maggie stod och kikade på *Cutty Sark* i flaskan på spiselkransen. "Har du gjort den här själv?" frågade hon.

"Ja."

"Jag tänkte väl det. Det är som allt annat här i huset. Så" – hon viftade med glaset i luften – "*välartat.*" Hon kunde ha sagt manligt, minimalistiskt eller klosterlikt, som ett eko av Galbraiths beskrivning av Hardings båt, men hon ville inte vara ohövlig. Det var som hon hade förutsett, olidligt rent och olidligt tråkigt därtill. Det fanns inget som tydde på att huset tillhörde en intressant person, bara ett hav av bleka väggar, bleka mattor, bleka gardiner och bleka möbeltyger, som här och var bröts av ett prydnadsföremål på en hylla. Hon tänkte inte på att han var bunden till huset genom sitt jobb, men även om hon hade gjort det skulle hon fortfarande väntat sig några anslående inslag av individualitet i allt det likformiga.

Han skrattade. "Jag får en känsla av att du inte är så förtjust?"

"Jo, det är jag. Den är – tja ..."

"Gullig?" föreslog han.

"Ja."

"Jag gjorde den när jag var tolv." Han spärrade ut sina stora fing-

243

rar under näsan på henne. "Jag skulle inte klara det nu." Han rättade till slipsen. "Hur smakar konjaken?"

"Mycket bra." Hon slog sig ner i en fåtölj. "Precis vad jag behövde."

Han tog hennes tomma glas. "Var det länge sedan du drack sprit senast?"

"Fyra år."

"Ska jag köra dig hem?"

"Nej." Hon slöt ögonen. "Jag håller på att somna."

Han tog på sig jackan. "Jag tittar till din mamma på vägen hem från Poole", lovade han. "Låt inte din hund sitta på min soffa medan jag är borta. Det är dåligt för karaktären, och det gäller er båda."

"Vad händer om jag gör det?"

"Samma sak som hände Bertie när han hade torkat baken på min matta."

Trots ännu en dag med strålande solsken låg Chapman's Pool öde. Den sydvästliga brisen hade skapat obehagliga dyningar och det fanns inget som så effektivt avskräckte eventuella besökare som risken att kräkas upp lunchen. Carpenter och två polisassistenter följde Ingram från sjöbodarna till strandområdet som var täckt med stenar och drivved.

"Vi kan inte vara säkra förrän vi har sett bandet, förstås", sade Carpenter, som sökte sig fram till platsen där Harding suttit utifrån den beskrivning han fått av polisen i Dartmouth, "men det måste ha varit här någonstans. Det var i varje fall på den här sidan av viken." De stod på en sten ute vid vattenbrynet och han sparkade upp en liten grushög med skon. "Och det var alltså här du hittade T-shirten?"

Ingram nickade, satte sig på huk och stack handen i vattnet som skvalpade mot stenen. "Men den var ordentligt fastkilad. En mås försökte dra loss den, men misslyckades och jag blev genomblöt när jag fiskade upp den."

"Har det någon betydelse?"

"Harding var inte det minsta blöt när jag såg honom, så det kan inte ha varit T shirten han var ute efter. Jag tror att den har legat där i flera dagar."

"Mmm." Carpenter tänkte efter. "Fastnar tyg lätt mellan stenarna?"

Ingram ryckte på axlarna. "Vad som helst kan fastna om en krabba gillar det."

"Mmm", sade Carpenter igen. "Jaha. Men var är ryggsäcken då?"

"Det är bara en gissning, och den är dessutom tagen ur luften", sade Ingram och reste sig.

"Få höra."

"Jo, jag har grubblat över den där jäkla ryggsäcken i flera dagar. Han ville uppenbarligen inte att någon polis skulle se den för annars hade han tagit med den ner till sjöbodarna i söndags. Och det var därför den inte fanns på hans båt när ni letade igenom den – det är i alla fall vad jag tror – och då får jag för mig att den innehöll något komprometterande och att han måste göra sig av med det."

"Du har nog rätt", sade Carpenter. "Harding vill få oss att tro att han hade med sig den svarta som vi hittade i hans båt, men enligt polisassistenten i Dartmouth var den som finns med på videon grön. Var har han gjort av den i så fall? Och vad är det han försöker dölja?"

"Det beror på om innehållet är värdefullt för honom. Om det inte var det har han slängt den i vattnet när han gick tillbaka till Lymington med båten. Om det var av värde har han lämnat den på något gömställe där han kan plocka upp den igen." Ingram satte handen för ögonen som skydd mot solen och pekade mot sluttningen bakom dem. "Det har varit ett litet skred där", sade han. "Jag lade märke till det därför att det är precis till vänster om den plats där Maggie sa att Harding dök upp. Skiffer ligger rätt löst – det är därför det finns varningsskyltar överallt – och det ser ut att ha rasat ganska nyligen."

245

Carpenter följde hans blick. "Tror du att ryggsäcken ligger där under?"

"Ja, jag kan i alla fall inte komma på något snabbare eller bättre sätt att begrava något än att sätta igång ett skifferskred. Det är lätt ordnat. Sparka på en lös sten och vips har man fixat ett nätt litet ras över det man vill gömma. Ingen skulle tänka på det. Sådana där ras inträffar varje dag. Bröderna Spender satte igång ett när de tappade sin pappas kikare och jag har en känsla av att det kanske gav Harding uppslaget."

"Då skulle han alltså ha gjort det i söndags?"

Ingram nickade.

"Och kom tillbaka imorse för att försäkra sig om att ingen hade rört ryggsäcken?"

"Det är nog troligare att han tänkte hämta den."

Carpenter lät sin bistra blick vila på assistenten. "Varför hade han den inte med sig när du såg honom i så fall?"

"Därför att skiffret torkade i solskenet och blev till en kompakt klump. Jag tror att han var på väg efter en spade när han råkade stöta ihop med Maggie."

"Är det den bästa idén du har att komma med?"

"Ja."

"Du är något av en idémissbrukare, min gosse", sade Carpenter och såg ännu bistrare ut. "Kommissarie Galbraith har jagat omkring över halva Hampshire på grund av idéerna du faxade över igår kväll."

"Det betyder inte att de är felaktiga."

"Det betyder inte att de är riktiga heller. Vi hade ett gäng här som finkammade området i måndags och de hittade inte ett förbannat dugg."

Ingram nickade bort mot nästa vik. "De letade i Egmont Bight och du får ursäkta att jag säger det, men då var ingen intresserad av vad Steven Harding hade haft för sig."

"Mmm. Sådana där utryckningar kostar pengar, min gosse, och jag skulle vilja vara lite säkrare innan jag använder skattebetalarnas

246

pengar på gissningar." Carpenter stirrade ut över vattnet. "Jag skulle kunna förstå om han kom tillbaka till brottsplatsen för att återuppleva spänningen – det är sådant man kan vänta sig av en kille av hans typ – men du säger att han inte var intresserad av det."

Det hade Ingram inte nämnt ett ord om, men han tänkte inte säga emot Carpenter. Polisintendenten kunde mycket väl ha rätt. Det var kanske just därför Harding hade kommit tillbaka. Hans egen skredteori verkade fruktansvärt futtig bredvid den storslagna bilden av en psykopat som njöt av anblicken av mordplatsen.

"Nå?" frågade Carpenter.

Polisassistenten log förläget. "Jag tog med min egen spade", sade han. "Den ligger bak i jeepen."

21

Galbraith reste sig och gick bort till ett av fönstren som vette ut mot gatan. Folksamlingen hade skingrats och bara ett par äldre kvinnor stod kvar ute på trottoaren och småpratade medan de allt emellanåt sneglade bort mot Langton Cottage. Han betraktade dem en lång stund under tystnad, avundsjuk på deras normala liv. De slapp lyssna till mordmisstänkta människors smutsiga små hemligheter. Ibland när han fick ta emot bekännelser från män som Sumner tyckte han att han var som en präst som erbjuder absolution bara genom att lyssna, men han varken kunde eller ville förlåta synder och kände sig alltid lika solkig när han fick ta emot deras förstulna förtroenden.

Han vände sig om mot Sumner. "Så ert äktenskap var snarare en form av sexuellt slaveri? Var Kate så förtvivlat mån om att hennes dotter skulle få den trygghet hon själv aldrig upplevt att du kunde bedriva utpressning mot henne?"

"Jag sa att hon kunde ha gjort det, inte att hon gjorde det eller att jag någonsin bad henne om det." Sumner fick något triumferande i blicken som om han hade vunnit en avgörande seger. "För dig är visst allt svart eller vitt? För en halvtimme sedan behandlade du mig som en idiot för att du trodde att Kate lurat in mig i äktenskapet. Nu anklagar du mig för sexuellt slaveri för att jag blev så trött på hennes lögner om Hannah att jag påpekade – väldigt försiktigt, faktiskt – att jag visste hur det låg till. Varför skulle jag ha köpt det här huset till henne om hon inte hade haft något att säga till om? Du sa ju själv att jag hade det bättre i Chichester."

"Jag vet inte. Berätta."

248

"För att jag älskade henne."

Galbraith skakade otåligt på huvudet. "Du beskriver ert äktenskap som en stridszon och så tror du att jag ska svälja sådan där smörja. Vad handlade det om egentligen?"

"Det var så det var. Jag älskade min hustru och jag skulle ha gett henne allt hon pekade på."

"Samtidigt som du utövade utpressning för att hon skulle suga av dig när du kände för det?" Stämningen i rummet var tryckande och han kände att hans egen grymhet var ett eko av grymheten i Kates och Williams äktenskap. Han kunde inte göra sig fri från minnet av den späda, gravida kvinnan på obduktionsbordet och hur doktor Warner nonchalant hållit upp hennes hand och skakat den för att åskådliggöra att fingrarna var brutna. Ljudet av krasande ben hade borrat sig in i Galbraiths huvud och hans drömmar utspelade sig på bårhus. "Saken är den att jag kan inte bestämma mig för om du älskade eller hatade henne. Eller var det kanske båda delarna? Ett hatkärleksförhållande som gick snett?"

Sumner skakade på huvudet. Plötsligt såg han slagen ut som om det spel han spelade inte längre var mödan värt. Galbraith granskade honom villrådigt och önskade att han kunde förstå vad Sumner ville uppnå med sina svar. Antingen var han extremt uppriktig eller extremt skicklig på att dölja sanningen. Känslan av att han var ärlig vägde över och Galbraith fick för sig att han på ett tafatt sätt ville låta påskina att hans fru var en kvinna av det slag som lätt hade kunnat provocera en man till våldtäkt. Han mindes vad James Purdy hade sagt om Kate: *"Ingen har någonsin gjort det Kate gjorde med mig den kvällen ... Det är en sådan sak som de flesta män drömmer om ... Jag kan bara beskriva Kate som en feber i blodet ..."*

"Älskade hon dig, William?"

"Jag vet inte. Jag frågade aldrig."

"För att du var rädd för att hon skulle säga nej?"

"Tvärtom. Jag visste att hon skulle säga ja."

"Och du ville inte att hon skulle ljuga för dig?"

Mannen nickade.

"Jag tycker inte om när folk ljuger för mig", mumlade Galbraith med blicken fäst på Sumner. "Det betyder att de utgår från att jag är så dum att jag går på allt de säger. Hade hon ett förhållande och ljög för dig?"

"Hon hade inget förhållande."

"Hon besökte i alla fall Steven Harding på båten", påpekade Galbraith. "Hennes fingeravtryck fanns överallt. Upptäckte du det? Du kanske misstänkte att barnet hon väntade var hans? Du kanske var rädd för att hon skulle lura på dig en oäkting till?"

Sumner stirrade ner på sina händer.

"Våldtog du henne?" fortsatte Galbraith obevekligt. "Ingick det i priset för att du skulle erkänna faderskapet till Hannah? Rätten att ta Kate när du hade lust?"

"Varför skulle jag våldta henne när det inte behövdes?" frågade han.

"Jag vill bara ha ett ja eller nej, William."

Hans ögon blixtrade till av ilska. "Nej, i så fall. I helvete heller. Jag har aldrig tagit min fru med våld."

"Du kanske sövde ner henne med Rohypnol för att hon skulle bli mer medgörlig?"

"Nej."

"Berätta varför Hannah är så intresserad av sex i så fall", sade Galbraith sedan. "Låg ni med varandra när hon såg på?"

Mer ilska. "Det här är motbjudande."

"Ja eller nej, William."

"Nej." Ordet kom ut i en kvävd snyftning.

"Du ljuger, William. För en halvtimme sedan beskrev du hur ni blev tvungna att sitta på hotellrummet därför att hon gallskrek hela tiden. Jag tror att det var likadant hemma. Jag tror att Hannah såg på när ni låg med varandra för du blev så utled på att Kate använde henne som ursäkt för sina evinnerliga avspisningar att du krävde att få komma till fast hon var med. Har jag rätt?"

Sumner begravde ansiktet i händerna och vaggade av och an.

"Du vet inte hur det var ... hon lämnade oss inte ifred ... hon sover aldrig ... skrik och gnäll hela tiden ... Kate använde henne som sköld ..."

"Betyder det ja?"

Svaret kom i en viskning. "Ja."

"Polisassistent Griffiths sa att du gick in i Hannahs rum igår kväll. Jag skulle gärna vilja veta varför."

Ännu en viskning. "Du kommer ändå inte att tro mig."

"Vi får väl se."

Sumner höjde sitt tårdränkta ansikte. "Jag ville titta på henne", sade han förtvivlat. "Hon är det enda minne jag har kvar av Kate."

Carpenter tände en cigarett när Ingram efter idogt grävande stötte på ryggsäckens remmar. "Snyggt jobbat, grabben", sade han uppskattande. Han skickade iväg en av kriminalassistenterna till bilen för att hämta plasthandskar och plastväv och såg sedan på medan Ingram fortsatte att skyffla undan skiffret kring den tillplattade ryggsäcken.

Det tog Ingram ytterligare tio minuter att frilägga den helt och hållet och få över den på plastväven. Det var en slitstark grön campingryggsäck med avbärarbälte och remmar under att spänna fast tältet med. Den var gammal och sliten och hela mesen hade av någon anledning skurits bort och efterlämnat fransiga kanter av kanvastyg mellan spåren efter sömmarna som hållit den på plats. Men det syntes på de trasiga ställena att det var länge sedan ägaren av någon anledning hade skurit loss den. Nu stod den på plastväven och hade säckat ihop under tyngden av remmarna. Innehållet kunde inte uppta mer än någon tredjedel av volymen.

Carpenter sade åt den ene av kriminalassistenterna att försegla varje föremål i en plastpåse allteftersom han tog upp dem, och den andre att anteckna dem, sedan satte han sig på huk bredvid ryggsäcken, tog på sig handskarna, knäppte försiktigt upp spännena och öppnade den. "Föremål", dikterade han. "En kikare, 20 x 60, namnet bortnött, troligen Optikon ... en flaska mineralvatten, Vol-

251

vic ... tre tomma chipspåsar, Smiths ... en basebollmössa med tex-ten New York Yankees ... en blå- och vitrutig herrskjorta – River Island ... ett par ljusa bomullsbyxor ... ett par kängor, safaristil, storlek fyrtio."

Han kände i fickorna och fick upp hopskrumpnade apelsinskal, fler tomma chipspåsar, ett öppnat paket Camel med en tändare ned-stoppad bland cigaretterna samt en liten mängd av något som före-föll vara marijuana, inslaget i plastfolie. Han kikade upp på sina tre kolleger.

"Nå? Vad får ni ut av den här lilla samlingen? Vad är det som är så komprometterande med det här att han inte ville att Nick skulle få se det?"

"Marijuanan", sade den ene. "Han var rädd för att åka dit för innehav."

"Kanske det."

"Ingen aning", sade den andre.

Polisintendenten reste sig upp. "Vad säger du då, Nick? Vad tror du?"

"Jag tycker nog att skorna är intressantast."

Carpenter nickade. "För små för Harding, som är minst en och åttio, och för stora för Kate Sumner. Så varför gick han omkring med ett par skor i storlek fyrtio?"

Ingen av dem hade något svar att komma med.

Kommissarie Galbraith var på väg från Lymington när Carpenter ringde och sade åt honom att leta reda på Tony Bridges och sätta tumskruvar på den "lille skiten". "Det är något han kniper käft om, John", förklarade han. Han berättade om innehållet i ryggsäcken och fransmannens video och upprepade därefter ordagrant de med-delanden Ingram avlyssnat från röstbrevlådan. "Bridges måste veta mer än han berättar så grip honom som misstänkt för medhjälp om så krävs. Ta reda på varför och när Harding hade tänkt åka till Frankrike och ta reda på vad den lille runkaren har för sexuell lägg-ning om du kan. Det är fan så besynnerligt, faktiskt."

"Vad gör vi om jag inte hittar Bridges?"

"Han måste ha varit hemma för två, tre timmar sedan, för det senaste meddelandet är från hans nummer. Han är lärare, glöm inte det – såvida han inte har något felleknack är han inte på jobbet. Campbells tips är att kolla pubarna."

"Ska bli."

"Kom du någon vart med Sumner?"

Galbraith tänkte efter. "Han håller på att bryta ihop", sade han. "Jag tycker synd om honom."

"Så du är inte lika säker längre?"

"Eller säkrare", sade Galbraith torrt. "Det beror på hur man ser det. Hon hade tydligen ett förhållande som han kände till. Jag tror att han ville ta livet av henne ... och det är antagligen därför han håller på att bryta ihop."

Galbraith hade tur. Inte nog med att Tony Bridges var hemma, han var dessutom så påtänd att han öppnade ytterdörren spritt språngande naken. Galbraith drabbades för några ögonblick av betänkligheter mot att sätta Carpenters "tumskruvar" på någon i det tillståndet, men det gick snabbt över. När allt kommer omkring är det enda som räknas för en polisman att vittnena talar sanning.

"Jag sa åt den dumme jäveln att ni skulle kolla upp honom", pladdrade Bridges på medan han gick före genom hallen och in i det röriga vardagsrummet. "Jag menar man spelar inte idiot inför snuten om man inte är totalt pantad. Men problemet är att han inte lyssnar – han tar aldrig in ett ord av vad jag säger. Han tycker att jag har sålt mig och att mina åsikter inte är värda ett skit längre."

"Sålt dig till vem?" frågade Galbraith medan han banade sig väg fram till en tom stol och mindes att Harding enligt ryktet helst gick omkring naken ombord på *Crazy Daze*. Han undrade dystert om nakenhet plötsligt hade blivit ett viktigt inslag i ungdomskulturen och hoppades att det inte förhöll sig så. Han var inte särskilt trakterad av tanken på polisceller fulla med pundare med hårlösa bröst och finnar i baken.

253

"Systemet", sade Bridges. Han satte sig på golvet i skräddarställning och plockade upp en halvrökt joint ur askfatet framför sig. "Fast anställning. Lön." Han sträckte fram jointen. "Vill du ha?"

Galbraith skakade på huvudet. "Vad för slags anställning?" Han hade läst alla rapporter om Harding och hans vänner och visste allt som fanns att veta om Bridges, men för ögonblicket passade det honom bättre att inte låtsas om det.

"Lärarjobb", förklarade den unge mannen med en axelryckning. Han var för påtänd – eller *verkade* vara för påtänd, påminde Galbraith krasst sig själv – för att minnas att han redan hade upplyst polisen om det. "Lönen är väl inte så lysande precis men, vad fan, man har långa lov. Och det måste vara bättre än att visa upp häcken för någon sketen fotograf. Problemet med Steve är att han har svårt för barn. Han blev tvungen att jobba med ett par ungar som var helt för jävliga och det avskräckte honom." Han försjönk i förnöjd tystnad med sin joint.

Galbraith tog på sig en förvånad min. "Är du lärare?"

"Just det." Bridges kisade genom röken. "Och hetsa inte upp dig över det. Jag röker marijuana på fritiden och jag har inte större lust att dela min vana med barnen än vad min rektor har att dela med sig av sin whisky."

Ursäkten var så förenklad och så väl inövad av marijuanaförespråkarna att Galbraith log. Det fanns bättre argument för en legalisering, tänkte han alltid, men den genomsnittlige cannabisrökaren var antingen för grumlig i skallen eller för påtänd att framföra dem. "Ja, ja", sade han och höll avväpnande upp händerna. "Det är inte min avdelning, så jag behöver inga föreläsningar."

"Det gör du visst. Ni är likadana hela bunten."

"Jag är mer intresserad av Steves pornografi. Jag har förstått att du inte gillar den?"

Den unge mannens ansikte fick ett spänt uttryck. "Det är billigt snusk. Jag är lärare. Jag gillar inte sån skit."

"Vad för slags skit är det? Beskriv den för mig."

"Vad finns det att beskriva? Hans kuk är i klass med Eiffeltornet

254

och han gillar att skylta med den." Han gjorde en avfärdande gest. "Men det är hans problem."

"Är du säker på det?"

Bridges kisade med tårade ögon genom röken. "Och vad skulle det betyda?"

"Vi har fått höra att du alltid kom i andra hand i förhållande till honom."

"Vem har sagt det?"

"Steves föräldrar."

"Lyssna inte på dem", sade han avvisande. "De dömde ut mig för tio år sedan och har inte ändrat åsikt sedan dess. De tycker att jag har dåligt inflytande på honom."

Galbraith skrockade. "Har du det då?"

"Mina föräldrar tycker att det är Steve som har dåligt inflytande på mig. Vi hamnade i lite trubbel när vi var yngre, men det är gammalt och glömt."

"Vad har du för ämnen?" frågade Galbraith. Han såg sig om i rummet och undrade hur någon kunde bo i en sådan svinstia. Än mer intressant var frågan hur någon som var så slafsig kunde skryta med en flickvän? Var Bibi lika lortaktig?

Campbell hade givit en kärnfull beskrivning av inredningen efter förhöret med Bridges på måndagen. "Det är rena helvetet", sade han. "Killen är påtänd, huset stinker, han hänger ihop med en brutta som ser ut som om hon hade legat med varenda snubbe i Lymington och han ska föreställa lärare."

"Kemi." Han misstolkade Galbraiths uttryck och hånlog. "Och ja, jag kan framställa lysergsyradietylamid. Jag kan spränga Buckingham Palace i luften också. Kemi är användbart. Problemet är" – han avbröt sig och tog tankfullt ett bloss på jointen – "att folk som undervisar i kemi är så förbannat tråkiga att ungarna tappar intresset långt innan de har hunnit till den spännande delen."

"Men inte du?"

"Nej. Jag är bra."

Galbraith trodde honom. Oavsett sina skavanker var rebeller alltid karismatiska i ungdomens ögon. "Din kompis är på sjukhuset i Poole", sade han till den unge mannen. "Han blev angripen av en hund på Isle of Purbeck imorse och fick hämtas med helikopter för att få armen ihopsydd." Han tittade frågande på Bridges. "Har du någon aning om vad han hade där att göra? Med tanke på att domstolen har beslutat att han ska bo hos dig tillsvidare borde du väl ha någon hum om vad han håller på med."

"Tyvärr, tyvärr, det har du fått om bakfoten. Steve säger aldrig ett ljud om vad han har på gång."

"Du berättade för honom att du visste att jag skulle kolla upp honom."

"Inte du personligen. Jag har inte den blekaste om vem du är. Jag sa att snuten skulle komma hit. Det är en viss skillnad."

"Men du varnade honom, Tony, så du måste ha vetat att han skulle sticka. Så vart hade han tänkt åka och vad skulle han göra?"

"Jag sa ju att han aldrig säger ett ljud."

"Jag trodde att ni var gamla skolkamrater?"

"Vi har växt ifrån varandra."

"Sover han inte över här när han inte är på båten?"

"Inte särskilt ofta."

"Vad vet du om hans förhållande till Kate då?"

Bridges skakade på huvudet. "Jag berättade allt jag vet om henne när jag blev förhörd", sade han självrättfärdigt. "Visste jag mer skulle jag ha sagt det."

Galbraith tittade på klockan. "Vi har ett litet problem, grabben", sade han älskvärt. "Jag har ett pressat schema så du har bara en halv minut på dig."

"För vad?"

"För att berätta sanningen." Han tog loss handbojorna som hängde i bältet.

"Försök med något annat", hånskrattade Bridges. "Du tänker inte gripa mig."

"Det kan du ge dig på att jag tänker göra. Och jag är en hård jävel, Tony. När jag griper en vidrig liten lögnare som du tar jag

256

honom som han är, oavsett om hans häck ser ut som en pizza och kuken har krympt i tvätten."

Bridges skrockade hest. "Snuten skulle bli uthängd i pressen. Du kan inte släpa en naken snubbe genom gatorna för olagligt innehav. Det är knappt ens ett brott längre."

"Vänta får du se."

"Sätt igång då."

Galbraith satte ena handbojan om sin egen handled, lutade sig sedan fram och klämde fast den andra kring Bridges arm. "Anthony Bridges, härmed griper jag dig som misstänkt för medhjälp till våldtäkt och mord på Kate Sumner, Langton Cottage och för misshandel av Margret Jenner, Broxton House." Han reste sig upp och drog Bridges efter sig mot dörren. "Du har rätt att tiga men allt du ..."

"Herre jävlar!" sade den unge mannen och snubblade efter. "Du skämtar väl?"

"Nix." Kommissarien vred den glödande jointen ur den unge mannens grepp och slängde ut den i hallen. "Anledningen till att Steven Harding blev anfallen av en hund imorse var att han överföll en annan kvinna på den plats där Kate Sumner dog. Antingen talar du om vad du vet nu eller så följer du med mig till Winfrith där du blir formellt anhållen och får genomgå ett bandat förhör." Han mönstrade mannen uppifrån och ner och skrattade. "Uppriktigt sagt struntar jag fullkomligt i vilket. Det besparar mig tid om du pratar nu, men" – han skakade beklagande på huvudet – "jag vill absolut inte beröva dina grannar deras lilla roliga. Det måste vara ett helvete att bo bredvid dig."

"Jointen kommer att sätta eld på huset!"

Galbraith tittade på jointen som låg och pyrde på brädgolvet. "Den är för fuktig. Du har inte låtit den torka tillräckligt länge."

"Det där vet ju du förstås."

"Lita på mig." Han ryckte med sig Bridges genom hallen. "Hur långt hade vi hunnit? Jo. Allt du säger kan vändas emot dig i rätten." Han slet upp dörren och föste ut Bridges. "Allt du säger kan användas som bevis." Han knuffade ut honom på trottoaren mitt

257

framför en förskräckt gammal dam med burrigt vitt hår och ögon som golfbollar bakom de tjocka glasögonlinserna. "Godmorgon", sade han artigt.

Hon gapade.

"Jag har parkerat bakom Tesco", sa han till Bridges, "så den snabbaste vägen är nog High Street."

"Du kan inte gå med mig på High Street så här. Säg åt honom, fru Crane."

Den gamla damen lutade sig fram och satte handen bakom örat. "Säga åt honom vad då, käre vän?"

"Åh, herregud! Det var inget! Glöm det!"

"Jag är inte så säker på att det går", mumlade hon i förtrolig ton. "Vet du om att du är naken?"

"Det är klart jag gör!" skrek han i hennes döva öra. "Polisen förvägrar mig mina rättigheter och ni är vittne."

"Det var trevligt. Jag har alltid velat bli vittne till något." Hennes ögon fylldes av munterhet. "Jag ska berätta det för min man. Han kommer att bli väldigt belåten. Han har alltid sagt att det enda som händer om man bränner sitt ljus i båda ändarna är att veken blir mindre. Och jag som trodde att det bara var ett skämt." Muntert skrattande gick hon vidare.

Galbraith log brett efter henne. "Vad ska jag göra med ytterdörren?" frågade han och tog tag i handtaget. "Ska jag slå igen den?"

"Nej, för guds skull!" Bridges drog sig bakåt för att hindra dörren från att gå igen. "Jag har ju ingen nyckel."

"Börjar du redan tappa fattningen?"

"Jag skulle kunna stämma dig för det här."

"Inte en chans. Du har själv valt, glöm inte det. Jag förklarade att om jag måste gripa dig skulle jag ta med dig som du gick och stod och du sa att det bara var att sätta igång."

Bridges tittade skräckslaget på en man som just kom runt hörnet och Galbraith fick nöjet att uppleva en vild tjurrusning in mot hallens trygghet. När han stängt dörren bakom sig, ställde han sig med ryggen mot den och ryckte till i handbojan för att hindra Bridges från att gå längre in. "Då så. Ska vi ta det från början igen? Varför åkte Steven tillbaka till Chapman's Pool imorse?"

"Jag vet inte. Jag visste inte ens att han var där." Hans ögon spärrades upp när Galbraith sträckte sig mot dörrhandtaget igen. "Hör på här, din jävla galning, killen som kom på gatan är journalist och han har hängt mig i hälarna hela morgonen för att få veta något om Steve. Om jag hade vetat var fanskapet var hade jag bussat journalisten på honom men Steve svarar inte ens på mobilen." Han nickade mot vardagsrummet. "Vi kan väl åtminstone gå utom hörhåll", muttrade han. "Han lyssnar antagligen vid dörren och du vill väl inte heller ha pressen i hasorna."

Galbraith låste upp handbojan runt sin egen handled. Han följde efter Bridges in i vardagsrummet och trampade på jointen i förbifarten. "Berätta om Steves och Kates förhållande", sade han och satte sig igen. "Och se till att det låter övertygande, Tony", tillade han med en suck och tog fram anteckningsblocket ur fickan, "för A: jag är helt slut; B: du irriterar mig och C: jag skiter fullkomligt i om du får skylta med ditt namn på alla löpsedlar imorgon som misstänkt för våldtäkt och mord."

"Jag förstod aldrig vad han såg hos henne. Vi möttes bara en gång och det var den tråkigaste kvinna jag någonsin träffat. Det var på en pub en fredag vid lunchdags och hon satt och glodde på Steve hela tiden som om han var Leonardo DiCaprio. Men det blev ännu värre när hon började prata. Gud vad korkad hon var! Hon var så tråkig att klockorna stannade. Hon måste ha levt på såpoperor för vad jag än sa påminde det henne om något som hade hänt i *Neighbours* eller *EastEnders*, och det gick mig på nerverna efter ett tag. Jag frågade Steve efteråt vad i helvete han sysslade med och han skrattade och sa att det inte var det intellektuella utbytet han var ute efter. Han tyckte att hon hade häftig häck och det var det enda han brydde sig om. Ärligt talat tror jag aldrig att han hade tänkt sig att det skulle bli så allvarligt som det blev. De träffades på stan dagen efter att han hjälpt henne med barnvagnen och hon bjöd med honom

259

hem. Han sa att det var världens grej. Ena sekunden satt han och svettades och försökte komma på något att prata om över en kopp kaffe i köket, nästa klättrade hon formligen på honom. Han berättade att enda haken var att ungen satt i en barnstol i köket och tittade på, för Kate sa att hon skulle börja gallskrika om hon försökte ta ut henne därifrån.

För Steves del var det inget mer. Det var i alla fall vad han sa. Pang på rödbetan, tack för kaffet och ajöss. Så jag blev aningen förvånad när han i höstas frågade om han kunde ta hit henne några gånger. Det var mitt på dagen när hennes man arbetade, så jag träffade henne aldrig. Andra gånger höll de till på båten eller hemma hos henne, men för det mesta var de i hans Volvokombi. Han körde till New Forest och de gav ungen sömnmedel så hon somnade i framsätet medan de höll på där bak. Så där fortsatte det ett par månader tills han började tröttna. Problemet var att Kates häftiga häck var hennes enda tillgång. Hon drack inte, rökte inte, seglade inte, hon hade ingen humor och det enda hon ville var att Steve skulle få en roll i *EastEnders*. Det var verkligen bedrövligt. Jag tror att det var hennes högsta dröm att ha ihop det med en såpastjärna och bli fotograferad arm i arm med honom. Ärligt talat tror jag inte att det någonsin slog henne att han bara knullade henne för att hon fanns till hands och inte kostade honom ett öre. Han berättade att hon blev fullkomligt mållös när han sa att han hade fått nog och inte ville träffa henne mer. Det var då det började bli jobbigt. Jag antar att hon hade lurat idioter som sin man så länge att hon blev råförbannad över att hon hade blivit blåst av en yngre kille. Hon smetade in skit på hans lakan på båten och efter det började hon hålla på med hans billarm och smetade in hans bil med skit. Steve blev helskärrad. Det var skit på allt han tog i. Det som verkligen knäckte honom var gummibåten. Han kom ner en fredag och då var det en äcklig sörja i den upp till anklarna. Han sade att hon måste ha sparat skit i flera veckor för att få ihop så mycket. Hur som helst var det då han började prata om att gå till polisen.

Jag sa att det var helkorkat. Om man blandar in snuten blir det aldrig nån ände på det, sa jag. Och då har du inte bara Kate efter dig, utan William också. Du kan inte gå omkring och ligga med andras fruar och vänta dig att deras män ska blunda för det. Jag sa åt honom att ta det lugnt och ställa bilen på en annan parkeringsplats. Och då sa han: 'Men gummibåten då?' Och jag sa att han kunde få låna en av mig som hon inte kände igen. Och så var det fixat. Lätt som en plätt. Alla problem ur världen. Vad jag vet har han inte haft något mer besvär av henne efter det."

Det tog ett tag innan Galbraith svarade. Han hade lyssnat uppmärksamt och skrivit ner allting och först när han var färdig med anteckningarna frågade han: "Lånade du honom en gummibåt?"

"Visst."

"Hur såg den ut?"

Bridges rynkade pannan. "Som alla andra gummibåtar. Hurså?"

"Jag undrar bara. Vilken färg hade den?"

"Svart."

"Var fick du tag i den?"

Bridges började dra ut cigarettpapper ur Rizlapaketet och gjorde ett lapptäcke av dem framför sig på bordet. "En postorderkatalog, tror jag. Det var den jag hade innan jag köpte en ny."

"Har Steven kvar den?"

Han tvekade men skakade till slut på huvudet. "Ingen aning, faktiskt. Fanns den inte på *Crazy Daze* när ni letade där?"

Kommissarien knackade fundersamt med pennan mot tänderna. Han mindes Carpenters ord på onsdagen:*"Jag gillar honom inte. Det är en kaxig liten jävel och han vet alldeles för mycket om polisförhör."* "Jaha", sade han sedan. "Vi går tillbaka till Kate istället. Du sa att problemen var ur världen. Vad hände sedan?"

"Inget. Det var allt. Om man bortser från att hon låg död på stranden i Dorset den helg då Steve råkade vara där."

"Det gör jag inte. Och jag bortser inte från att hennes dotter påträffades ensam på en väg ungefär tvåhundra meter från den plats där Steves båt hade legat förtöjd."

"Det var en fälla", sade Bridges. "Du borde grilla William. Om

261

någon hade motiv att mörda Kate var det väl han. Det var ju honom hon bedrog."

Galbraith ryckte på axlarna. "Det är bara det att William inte hatade sin fru, Tony. Han visste hurdan hon var när han gifte sig med henne och han struntade i det. Steve å andra sidan hade strulat till det för sig och visste inte hur han skulle komma undan."

"Det gör honom inte till mördare."

"Han kanske tyckte att han måste få slut på det en gång för alla."

Bridges skakade på huvudet. "Steve är inte sådan."

"Men det är William Sumner?"

"Inte vet jag. Jag har aldrig träffat honom."

"Vid förhöret sa du att Steve och du tog ett glas med honom en kväll."

"Rättelse. Jag *känner* honom inte. Jag var kvar högst en kvart och vi sa kanske tio ord till varandra."

Galbraith förde samman händerna framför munnen och studerade den unge mannen. "Men du verkar veta en massa om honom", sade han. "Om Kate också, trots att du bara träffade dem en gång."

Bridges koncentrerade sig på sitt lapptäcke igen och flyttade omkring papperen. "Steve pratar mycket."

Galbraith nickade som om han godtog förklaringen. "Varför hade Steve tänkt åka till Frankrike den här veckan?"

"Det visste jag inte."

"Han hade bokat rum på ett hotell i Concarneau, men de strök beställningen imorse eftersom han aldrig bekräftade den."

Bridges fick plötsligt ett vaksamt uttryck i ansiktet. "Det har han inte sagt ett ljud om."

"Är det så konstigt?"

"Ja, faktiskt."

"Du sa att ni hade vuxit ifrån varandra", påminde Galbraith honom.

"Bildligt talat, vet du."

Det kom en hånfull glimt i Galbraiths ögon. "Sista frågan. Var ligger Steves förråd, Tony?"

"Vilket förråd?" frågade den andre oskyldigt.

"Jaha, då säger vi så här istället då. Var förvarar han utrustningen till sin båt när han inte använder den? Gummibåten och utombordaren, till exempel."

"Lite varstans. Här. I lägenheten i London. I bakluckan på bilen."

Galbraith skakade på huvudet. "Inga oljefläckar", sade han. "Vi har letat överallt." Han log älskvärt. "Och kom inte och påstå att en utombordare inte läcker olja när den ligger ner, för det går jag inte på."

Bridges kliade sig på hakan men sade ingenting.

"Du är inte hans vårdare, grabben", muttrade Galbraith vänligt, "och det finns ingen lag som säger att man måste falla i groparna ens vänner gräver åt sig själva."

Bridges gjorde en grimas. "Jag varnade honom, vet du. Jag sa att han borde lämna upplysningar frivilligt istället för att låta polisen dra dem ur honom bit för bit. Fast han ville inte lyssna. Han har liksom fått för sig att han kan styra allting när det i själva verket är så att han inte har haft koll på någonting så länge jag har känt honom. Det är bara snack. Ibland önskar jag att jag aldrig hade träffat den dumma jäveln för jag är utled på att ljuga för hans skull." Han ryckte på axlarna. "Men, vadå, vi är ju gamla kompisar."

Galbraiths pojkaktiga ansikte klövs av ett leende. Bridges uppriktighet var lika trovärdig som Ku Klux Klans försäkringar om att organisationen inte är rasistisk och han kom att tänka på uttrycket "med sådana vänner behöver man inga fiender". Han granskade förstrött rummet. Det var för mycket som inte stämde, tänkte han, speciellt när det gällde fingeravtrycken, och han kände att han mot sin vilja började ledas in på fel spår. Han undrade varför Bridges ville ha honom dit.

Var det för att han visste att Harding var skyldig? Eller för att han visste att han inte var det?

263

22

ETT SAMTAL FRÅN Dorsetshires polisstation till hotelldirektören på Hotell Angélique i Concarneau, en trevlig liten stad vid havet i södra Bretagne, avslöjade att Steven Harding hade ringt den 8 augusti och bokat ett dubbelrum åt sig själv och fru Harding för tre nätter från och med söndagen den 16 augusti. Han hade uppgivit sitt mobiltelefonnummer och sagt att han skulle segla utmed den franska kusten veckan mellan 11 och 17 augusti och inte kunde säga exakt vilken dag han skulle komma. Han lovade att bekräfta bokningen högst ett dygn innan. Eftersom man inte hade fått någon bekräftelse och det rådde stor efterfrågan på rum hade direktören lämnat ett meddelande på herr Hardings telefonsvarare och när denne inte hörde av sig avbokade han rummet. Han var inte bekant med herr Harding och kunde inte säga om herr och fru Harding hade bott på hotellet tidigare. Var exakt i Concarneau hotellet låg? Två gator upp från havet, men inom gångavstånd från alla affärer, havet och de underbara stränderna.

Och marinorna, naturligtvis.

Då polisen gick igenom numren som fanns lagrade i Hardings mobiltelefon – man hade inte hittat den då han greps eftersom den låg under en tidningshög hemma hos Bob Winterslow – dök det upp en rad namn som man redan kände till. Bara ett samtal förblev ett mysterium, antingen för att abonnenten hade beställt blockering av nummerpresentationen eller för att det hade kopplats via en – eventuellt utländsk – växel, vilket innebar att SIM-kortet inte kunde registrera det.

"Steve? Var är du? Jag är rädd. Snälla, ring mig. Jag har försökt tjugo gånger sedan i söndags."

Innan kriminalintendent Carpenter återvände till Winfrith satte han sig med Ingram för en kort genomgång. Den senaste timmen hade han pratat i telefon nästan oavbrutet medan polisassistenten och de båda kriminalassistenterna grävde vidare i skifferskredet och genomsökte stranden i en fruktlös jakt på fler bevis. Han hade tankfullt betraktat deras ansträngningar medan han klottrade ner upplysningarna han fick i telefon i sitt anteckningblock. Det förvånade honom inte att de inte hittade något mer. Att döma av sjöräddningens beskrivning av hur kroppar spårlöst försvann och aldrig dök upp igen var havet en mördares bästa vän.

"Harding blir utskriven från sjukhuset i Poole klockan fem", sade han till Ingram, "men jag måste förbereda mig innan jag pratar med honom. Jag ska ta en titt på fransmannens video och förhöra Tony Bridges först." Han klappade den långe mannen på axeln. "Du hade rätt angående lokalen, förresten. Han har ett garage i närheten av Lymingtons båtklubb. John Galbraith är på väg dit nu för att kika på det. Vad jag vill att du ska göra är att sätta dit vår vän Steve för misshandel av Maggie Jenner och hålla honom på sträckbänken till imorgon bitti. Krångla inte till det – se till att han tror att han bara har blivit gripen för misshandeln. Klarar du det?"

"Jag måste höra Maggie Jenner först."

Carpenter tittade på klockan. "Du har två och en halv timme på dig. Få henne att stå fast vid det hon har berättat. Jag vill inte att hon ska försöka slingra sig undan för att slippa bli inblandad."

"Jag kan inte tvinga henne."

"Det är det ingen som begär", sade Carpenter retligt.

"Och om hon inte är så medgörlig som du hoppas, då?"

"Då får du koppla på charmen", sade intendenten och blängde bistert på Ingram. "Det brukar göra underverk har jag märkt."

"Det är min farfars hus", sade Bridges. Han gick före Galbraith förbi båtklubben och in till höger på en gata som kantades av trivsamma villor bakom låga häckar. De befann sig i en välbärgad del av staden, inte långt från Sumners hus på Rope Walk, och Galbraith insåg att Kate måste ha gått förbi farfaderns hus varje gång hon gick ner till stan. Han insåg också att Tony måste komma från en "finare" familj och undrade hur de såg på sin rebelliska avkomma och om de någonsin besökte hans skräpiga hem. "Farfar bor ensam här", fortsatte Tony. "Han ser så dåligt att han inte klarar att köra bil längre så jag får låna garaget till båten." Han pekade på en infart hundra meter längre fram. "Här är det. Steve har sina prylar längst in." Han sneglade på kommissarien när de stannade på uppfarten. "Steve och jag är de enda som har nycklar hit."

"Har det någon betydelse?"

Bridges nickade. "Farfar har ingen aning om vad vi har här."

"Det är han inte hjälpt av om det rör sig om narkotika", sa Galbraith kyligt och öppnade sin dörr. "Ni åker dit så det visslar om det allihop, oavsett om ni är blinda, döva eller stumma."

"Ingen narkotika", sade Bridges bestämt. "Vi dealar aldrig."

Galbraith skakade på huvudet i bister misstro. "Du skulle inte ha råd att röka sådana mängder om du inte langade", sade han i en ton som inte tålde motsägelser. "Så är det bara. Du skulle aldrig ha råd med dina vanor på en lärarlön." Det var ett fristående garage som låg tjugo meter bakom huset. Galbraith stod och tittade en stund innan han kikade ut mot tvärgatan som ledde till Rope Walk. "Vem är här oftast?" frågade han till synes ointresserat. "Steve eller du?"

"Jag", svarade Bridges omedelbart. "Jag tar ut båten ett par tre gånger i veckan. Steve använder det bara som lager."

Galbraith pekade bort mot garaget. "Gå före du." Han lade märke till att en gardin på bottenvåningen rörde sig och undrade om farfar Bridges var fullt så ovetande om vad som pågick i hans garage som Tony hävdade. Gamla människor är bra mycket nyfiknare än unga, tänkte han. Han klev undan medan den andre låste upp dubbeldörrarna och slog upp dem. Hela främre delen av utrymmet upp-togs av en tre och en halv meter lång orange gummibåt på ett släp, men när Tony drog ut det uppenbarades en anslående samling importerade men uppenbart insmugglade varor längst in – prydligt staplade kartonger märkta med VIN DE TABLE, inplastade flak med Stella Artois-öl och hyllor där cigarettlimporna låg i travar. Ser man på, ser man på, tänkte Galbraith milt roat. Föreställde sig Tony verkligen att han skulle tro att gammal hederlig smuggling av "lagligt" gods var det grövsta brott han och hans vän någonsin hade varit inblandade i? Cementgolvet var intressantare. Där fanns fortfarande fuktfläckar kvar sedan någon spolat av det och han undrade vad det var som hade tvättats bort.

"Vad ska det här föreställa?" frågade han. "Försöker han lägga upp ett förråd till en hel spritbutik? Ska han övertyga tullverket om att det är för eget bruk får han nog ligga i en hel del."

"Så farligt är det inte", protesterade Bridges. "Hör på nu, de som kommer in med färjorna till Dover tar in mer än så här varenda dag. De drar in hur mycket stålar som helst. Det är en idiotisk lag. Jag menar, om regeringen inte kan ta sig samman och sänka skatten på sprit och cigaretter till samma nivå som övriga Europa, är det självklart att killar som Steve smugglar lite. Det säger ju sig självt. Alla gör det. Seglar man till Frankrike kan man helt enkelt inte låta bli."

"Och blir man fast hamnar man helt enkelt i fängelse", sade Galbraith spydigt. "Vem betalar honom? Du?"

Bridges skakade på huvudet. "Han har en kontakt i London som köper upp det mesta."

"Kör han det dit härifrån?"

"Han lånar en polares skåpbil och kör dit varannan månad ungefär."

Galbraith drog med fingret i dammet på locket till en öppnad kartong och vek sedan förstrött upp det. Alla de lådor som stod direkt på golvet hade fått en fuktrand. "Hur får han av grejerna från båten?" frågade han samtidigt som han tog upp en flaska rödvin och läste på etiketten. "Jag antar att han inte tar iland det med gummibåten, för då skulle väl någon ha sett det?"

"Så länge det inte ser ut som en vinlåda är det inga problem."

"Och vad ser det ut som då?"

Den unge mannen ryckte på axlarna. "Något alldagligt. Sopppåsar, smutstvätt, sovsäckar. Om han stoppar in ett dussin vinflaskor i strumpor så att de inte klirrar och packar ner dem i ryggsäcken är det ingen som reagerar. De är vana vid att han kör grejer fram och tillbaka till båten – han har hållit på och jobbat med den så länge. Eller så lägger han till vid någon brygga och använder en av marinans kärror. Folk använder dem till att köra all möjlig skit i slutet av helgen. Vem skulle märka om man proppar in några flak Stella Artois i en sovsäck? Eller rättare sagt, vem skulle bry sig? Alla handlar upp sig på någon stormarknad i Frankrike innan de åker hem."

Galbraith tittade på vinlådorna och gjorde ett grovt överslag. "Det finns drygt sexhundra flaskor här. Det skulle ta timmar om han körde ett dussin i taget, för att inte tala om ölen och cigaretterna. Menar du på allvar att ingen någonsin har undrat varför han kör fram och tillbaka med en ryggsäck i gummibåten?"

"Det mesta tar han in på annat sätt. Jag menar bara att det inte är så svårt att ta iland grejer från båtar som du verkar tro. Oftast tar han iland det på natten. Det finns hundratals platser längs kusten där man kan lasta av det bara det finns någon där och tar emot det."

"Du, till exempel?"

"Ibland", medgav Bridges.

Galbraith vände sig om och tittade på gummibåten på släpet. "Går du ut i gummibåten?"

"Det händer."

"Så han ringer från mobilen och säger att jag kommer dit och dit i natt klockan tolv. Ta med gummibåten och kompisens skåpbil och hjälp mig att lossa."

"Ungefär, fast han brukar komma senare, så där vid tretiden, och så är vi några stycken som står på olika platser. Det är lättare om han kan välja den som är närmast för honom."

"Som var då?" frågade Galbraith stramt. "Jag sväljer inte den där smörjan om att det finns hundratals ställen. Hela kusten är bebyggd."

Bridges flinade. "Du skulle veta hur många ställen det finns. Jag känner till minst tio privata bryggor vid floderna mellan Chichester och Christchurch där man kan vara säker på att ägarna är borta tjugosex veckor av femtiotvå, för att inte tala om alla slipar utmed Southampton Water. Steve är verkligen bra på att segla, han kan området utan och innan och förutsatt att han kommer in med tidvattnet så att han inte fastnar, kan han gå ganska nära stranden. Visst, man blir lite blöt när man vadar fram och tillbaka och det händer att det är en bit att gå till skåpbilen, men två starka killar kan oftast klara en last på en timme. Det är ingen match."

Galbraith skakade på huvudet och mindes hur genomblöt han blivit vid Isle of Purbeck och hur svårt det var att vinscha upp en båt på en slip. "Det låter som ett riktigt slitgöra, tycker jag. Vad tjänar han på en sådan last?"

"Någonstans mellan femhundra och tusen pund."

"Vad får du?"

"Jag tar betalt i varor. Cigg, öl, vad som helst."

"För en hämtning?"

Bridges nickade.

"Hyran för garaget då?"

"Jag får använda *Crazy Daze* när jag vill. Det är ett schyst byte."

Galbraith synade honom tankfullt. "Låter han dig segla henne eller är du bara där och ligger med dina flickvänner?"

Bridges log brett. "Han låter inte *någon* segla henne. Hon är hans stolthet. Han skulle strypa den som gjorde minsta rispa på henne."

"Mmm." Galbraith tog upp en flaska vitt vin ur en annan låda. "Så när använde du båten sist för ett ligg?"

"Det var några veckor sedan."

"Med vem?"

"Bibi."

"Bara Bibi? Eller ligger du med andra tjejer bakom hennes rygg?"

269

"Herregud, du ger dig visst aldrig? Bara Bibi och om du säger något annat till henne kommer jag att anmäla dig."

Leende stoppade Galbraith tillbaka flaskan i lådan och gick vidare till nästa. "Vad har ni för system? Ringer du till Steve i London och säger att du vill ha båten i helgen? Eller erbjuder han dig den när han inte själv vill ha den?"

"Jag får ha den i veckorna. Han har den under helgerna. Det är en bra uppgörelse, den passar alla."

"Så det är som med ditt hus? Vem som helst kan ramla in för ett snabbt ligg när andan faller på?" Han kastade en äcklad blick på den unge mannen. "Det låter ganska snuskigt måste jag säga. Använder ni samma lakan allihop?"

"Visst." Bridges flinade igen. "Nya tider, nya seder, vet du. Det handlar bara om att ha kul nu för tiden, inte om att följa några förlegade normer."

Galbraith föreföll plötsligt uttråkad av ämnet. "Hur ofta åker Steve till Frankrike?"

"I genomsnitt blir det väl en gång i månaden. Det är ingen stor grej, bara sprit och cigg. Om han tar in femtusen pund om året tycker han att det har gått bra. Men det är ju för fan bara småpotatis. Det var därför jag sa åt honom att erkänna. Det värsta som kan hända är att han får några månader. Det hade varit en annan sak om han höll på med droger men" – han skakade eftertryckligt på huvudet – "han skulle inte ta i det ens med tång."

"Vi hittade marijuana i en låda på båten."

"Äh, kom igen", sade Bridges med en suck. "Visst, han röker en och annan joint ibland, men det gör honom inte till någon colombiansk knarkkung. Om man ser det så skulle man misstänka alla som tar sig ett glas för att smuggla vagnslaster med sprit. Du får lov att tro mig när jag säger att han inte tar in något värre än rödvin."

Galbraith flyttade på några kartonger. "Hundar, då?" frågade han och höll upp en hundkorg som stått bakom dem så att Bridges såg den.

Bridges ryckte på axlarna. "Några enstaka gånger kanske. Det är väl inte så farligt. Han är noga med att det finns papper på att de är rabiesvaccinerade." Han såg hur rynkan i Galbraiths panna växte. "Det är en idiotisk lag", upprepade han som ett mantra. "Sex månadern karantän kostar agaren en förmogenhet, hundarna blir olyckliga, inte en enda en har fått diagnosen rabies under den tid vi har haft rabiesreglerna här i landet."

"Snacka inte smörja, Tony", sade kommissarien otåligt. "Personligen tycker jag att den lag som tillåter att en pundare som du kommer närmare lättpåverkade ungar än tio mil är vansinnig, men jag tänker inte bryta benen av dig för att hålla dig borta. Hur mycket tar han?"

"Femhundra, och jag är ingen jävla pundare", sade Bridges uppriktigt irriterad. "Det är bara idioter som pundar. Du borde ta reda på vad som är vad innan du snackar."

Galbraith låtsades inte höra honom. "Femhundra? Det är en nätt liten förtjänst. Vad tar han per person? Femtusen?"

Den andre tvekade märkbart. "Vad pratar du om?"

"Tjugofem olika uppsättningar fingeravtryck på *Crazy Daze*, utöver Steves och Kate och Hannah Sumners. Du har just redogjort för två – dina och Bibis – men det återstår i alla fall tjugotre. Det är en massa fingeravtryck det, Tony."

Bridges ryckte på axlarna. "Det var du som sa att han håller på med smutsiga affärer."

"Mmm", sade Galbraith, "jag sa det, va?" Hans blick riktades mot släpet igen. "Fin båt. Är den ny?"

Bridges följde hans blick. "Inte direkt, jag har haft den i nio månader."

Galbraith gick fram och tittade på de två Evinrudemotorerna i aktern. "Den ser ny ut", anmärkte han och drog ett finger över gummit. "I perfekt skick, faktiskt. När svabbade du av den senast?"

"I måndags."

"Och du spolade visst av garagegolvet också för säkerhets skull?"

"Det blev blött medan jag höll på med båten."

271

Galbraith slog med handen på gummibåtens välpumpade sida. "När tog du ut den senast?"

"Jag vet inte. För en vecka sedan, kanske."

"Varför behövde den då tvättas av i måndags?"

"Det gjorde den inte", sade Bridges och fick ett vaksamt uttryck i blicken igen. "Jag gillar helt enkelt att hålla den i trim."

"Då får vi hoppas att tullen inte sliter den i bitar, grabben", sade polismannen med illa spelad medkänsla, "för de kommer inte heller att gå på din historia om att rödvin är Steves tyngsta importvara." Han nickade inåt garaget. "Det där är bara en täckmantel som ni hade tänkt ta till om ni blev misstänkta för något värre. Som människosmuggling. De där kartongerna har stått här i mer än tre månader. Dammet ligger så tjockt att jag kan skriva mitt namn i det."

Ingram stannade till vid Broxton House på hemvägen för att se hur det var med Celia Jenner. Bertie som stod bunden vid dörren hälsade honom entusiastiskt under våldsamma svansviftningar. "Hur är det med din mor?" frågade han Maggie när han mötte henne i hallen.

"Mycket bättre. Konjaken och värktabletterna har gjort henne uppåt värre och hon pratar om att kliva upp." Hon gick mot köket. "Vi är utsvultna, så jag tänkte göra några smörgåsar. Vill du ha?"

Han följde efter med Bertie i hasorna och undrade hur han på ett artigt sätt skulle kunna säga att han föredrog att åka hem och göra sina egna smörgåsar, men han höll tand för tunga när han fick se köket. Det var väl inte precis sjukhusstandard men lukten av rengöringsmedel som steg från det nyskurade golvet, köksbänkarna, bordet och skåpen var ett enormt framsteg jämfört med den gamla, obeskrivliga lukten av smutsig hund och blöta hästtäcken som hade slagit emot honom tidigare. "Det säger jag inte nej till", sade han. "Jag har inte ätit sedan igår kväll."

"Vad tycks?" frågade hon medan hon tog fram bröd, ost och tomater.

Han försökte inte låtsas att han inte förstod vad hon menade.

"En klar förbättring. Jag gillar den här färgen på golvet bättre."
Han petade på en av golvplattorna med tån på sin stora sko. "Jag hade inte fattat att det var tegelrött eller att det inte var meningen att fötterna skulle fastna i underlaget."

Hon skrattade lågt. "Det var ett jäkla jobb. Jag tror inte att någon har varit i närheten av det med en skurborste på fyra år, inte sedan mamma sa åt fru Cottrill att hon inte hade råd med henne längre." Hon såg sig kritiskt om. "Men du har rätt. Lite färg skulle göra susen. Jag hade tänkt skaffa den i eftermiddag och slänga på den i helgen. Det är gjort på nolltid."

Han borde ha bjudit henne på konjak för länge sedan, tänkte han, förundrad över hennes optimism. Och han skulle ha gjort det om han hade vetat att hon och Celia hade varit torrlagda i fyra år. Sprit var väl inte alltid så nyttigt, men det var inte för inte man pratade om en styrketår. Han kastade en intresserad blick mot taket där spindelväven hängde i girlander. "Färgen kommer att släppa direkt om du inte tar bort det där också. Har du någon stege här?"

"Jag vet inte."

"Jag har en hemma", sade han. "Jag kan ta hit den ikväll. I gengäld kan du väl skjuta upp färghandelsbesöket en stund så att jag hinner höra dig angående Hardings överfall imorse? Jag ska prata med honom klockan fem och jag skulle vilja ha din version innan."

Hon tittade bekymrat bort mot Bertie som hade lagt sig bredvid spisen när Ingram knäppte med fingrarna. "Jag vet inte. Jag har tänkt på vad du sa och jag är rädd för att han ska skylla på att jag inte hade någon pli på Bertie och att det var han som gick till attack. I så fall blir jag åtalad för att jag har en folkilsken hund och Bertie blir avlivad. Är det inte bättre att låta det vara?"

Nick drog ut en stol och satte sig och tittade på henne. "Han kommer antagligen att anmäla dig i alla fall, Maggie. Det är det säkraste sättet för honom att försvara sig på." Han gjorde en paus. "Men om du låter honom komma först får han övertaget. Är det så du vill ha det?"

"Nej, det är klart jag inte vill, men det är sant att jag inte hade

273

någon pli på Bertie. Han högg den dumma idioten i armen och jag kunde inte få honom att släppa." Hon blängde på hunden och satte kniven i en tomat så att kärnorna skvätte över skärbrädan. "Till slut blev jag tvungen att ge honom en omgång för att han skulle släppa och jag kan inte förneka det om jag hamnar inför rätta."

"Vem angrep först, Bertie eller Steve?"

"Jag, tror jag. Jag skrek och skällde på Steve så att han klippte till mig, och sedan minns jag bara att Bertie hängde i hans arm som en stor hårig blodigel." Plötsligt skrattade hon till. "Så här efteråt är det faktiskt rätt komiskt. Jag trodde att de dansade tills jag såg att det rann röd saliv ur Berties mun. Jag tyckte att det var fullständigt obegripligt. Först dyker Harding bara upp ur tomma intet, sedan gör han ett utfall mot Stinger, klipper till mig och börjar dansa med min hund. Jag trodde att jag hade hamnat på ett dårhus."

"Varför klippte han till dig, tror du?"

Hon log besvärat. "Antagligen för att han blev arg. Jag kallade honom sjuk i huvudet."

"Det är ingen ursäkt för att klippa till någon. Att skälla ut någon är inget brott, Maggie."

"Det kanske det borde vara."

"Han slog till dig", påpekade Ingram i undrande ton. "Varför ursäktar du honom?"

"När jag tänker efter var jag otroligt grov. Jag kallade honom för ett äckel och en jävla idiot och sa att du skulle ha huggit honom i småbitar om du hade vetat att han var där. Det är faktiskt ditt fel. Jag skulle aldrig ha blivit så rädd om du inte hade varit här och frågat ut mig om honom igår. Du sådde tanken på att han var farlig."

"*Mea culpa*", sade han milt.

"Du vet vad jag menar."

Han nickade allvarligt. "Vad sa du mer?"

"Inget. Jag skrek och gapade på honom för att jag blev så överrumplad. Men han blev nog lika överrumplad så vi gav oss liksom på varandra utan att tänka efter ... han på sitt sätt ... och jag på mitt ..."

274

"Det finns ingen ursäkt för fysiskt våld."

"Gör det inte?" frågade hon torrt. "Du förlät ju mig förut."

"Det är sant", medgav han och kliade sig på hakan vid minnet. "Men om jag hade gett igen hade du fortfarande varit medvetslös, Maggie."

"Och vad menar du med det? Att män förväntas visa större ansvarskänsla än kvinnor?" Hon tittade på honom med en antydan till ett leende. "Jag vet inte om jag ska anklaga dig för översittarfasoner eller aningslöshet."

"Jag är aningslös", sade han. "Jag vet inget om kvinnor utom att det är väldigt få som skulle kunna slå ner mig." Hans ögon log. "Men jag vet förbannat väl att jag skulle kunna fälla varenda en. Vilket är anledningen till att jag – i motsats till Steven Harding – inte skulle drömma om att höja handen mot en kvinna."

"Nej, men du är så medelålders och förståndig, Nick", sade hon snävt, "och det är inte han. Hursomhelst minns jag inte ens hur det gick till. Det gick så fort. Jag antar att det låter ynkligt, men jag har förstått att jag inte är mycket att ha som vittne."

"Det innebär bara att du är normal", sade han. "Det är inte många som har ett perfekt bildminne."

"Ja, sanningen att säga tror jag att han hade tänkt fånga in hästen innan den skenade och klappade till mig bara för att jag kallade honom sjuk i huvudet." Hennes axlar sjönk missmodigt som om konjakskuraget plötsligt hade dunstat bort. "Jag är ledsen om jag gör dig besviken. Jag hade en mycket enklare syn på tillvaron förr, men det där med Martin gav mig en läxa, och nu kan jag aldrig bestämma mig. Imorse skulle jag ha krävt att han blev åtalad på fläcken, men nu inser jag att jag inte skulle stå ut om det hände Bertie något. Jag älskar det där dumma kräket till vanvett och jag skulle aldrig gå med på att offra honom för en princip. Jag är beredd att ta en smäll från ett äckel för hans skull. Han är så in i helvete *trogen*. Även om han sticker över till dig ibland kommer han alltid hem på kvällen och visar vem han älskar."

"Jaha."

Det blev tyst ett ögonblick.

"Är det allt du har att säga?"

"Ja."

Hon granskade honom misstroget. "Du är polis. Varför säger du inte emot?"

"Därför att du är skärpt nog att fatta dina egna beslut, och inget av det jag säger kommer att få dig att ändra dig."

"Just det." Hon bredde lite smör på en brödskiva och väntade på att han skulle säga något mer. När han inte gjorde det blev hon nervös. "Ska du förhöra Steve i alla fall?" undrade hon.

"Självklart. Det är mitt jobb. Det är inte billigt med helikopterutryckningar och någon måste förklara varför det var nödvändigt imorse. Harding togs in på sjukhuset med hundbett så det är mitt ansvar att reda ut om han blev utsatt för ett provocerat eller oprovocerat angrepp. Någon av er blev misshandlad imorse och jag måste försöka ta reda på vem. Om du har tur kommer han att känna sig lika skyldig som du och det hela rinner ut i sanden. Om du har otur kommer jag tillbaka ikväll därför att han hävdar att du inte kunde hålla pli på din hund och kräver att jag hör dig också."

"Det där är utpressning."

Han skakade på huvudet. "Vad mig anbelangar har du och Steven Harding samma lagliga rättigheter. Om han säger att Bertie angrep honom oprovocerat ska jag undersöka anklagelsen, och om jag tror att han har rätt kommer jag att lägga fram mina slutsatser för åklagaren och föreslå att de åtalar dig. Även om jag inte gillar honom kommer jag att ge honom mitt stöd, Maggie. Det är det samhället betalar mig för, oavsett mina personliga känslor och oavsett hur det kan drabba de inblandade."

Hon vände sig om så att hon stod med ryggen mot köksbänken. "Jag hade ingen aning om att du var en så beräknande typ."

Han vek sig inte. "Och jag hade ingen aning om att du trodde att du stod över någon annan. Du får inga favörer av mig, inte när lagen är inblandad."

"Får jag det om du får min version av händelserna?"

"Nej, jag kommer inte att göra någon skillnad mellan Harding och dig, men mitt råd är att du skaffar dig ett övertag genom att låta mig höra dig först."

Han slet uppr kniven från skärbrädan och viftade med den under hans näsa. "Då är det nog säkrast för dig att du har rätt", sade hon bistert, "annars skär jag – *personligen* – kuken av dig och det ska bli mig ett sant nöje. Jag älskar min hund."

"Det gör jag också", försäkrade Ingram, lade ett finger på kniv-skaftet och förde det försiktigt åt sidan. "Skillnaden är att jag inte uppmuntrar honom att dregla ner mig för att bevisa det."

"Jag har spärrat av garaget för ögonblicket", sade Galbraith till Carpenter i telefon, "men du måste prata med tullen om vem av oss som ska sköta det här. Vi måste få hit några kriminaltekniker på stubinen, men om du vill ha ett säkert sätt att hålla kvar Steven Harding kan tullen säkert fixa det åt dig. Jag skulle tro att han har skep-pat över högvis med illegala invandrare och släppt av dem på syd-kusten ... Ja, det skulle verkligen förklara fingeravtrycken i salong-en. Nej, inga spår av någon Fastrigger-motor ..." Han märkte att den unge mannen bredvid honom skruvade på sig och gav honom ett flyktigt leende. "Ja, jag tar med mig Tony Bridges nu. Han har gått med på att ändra sin tidigare redogörelse ... Ja, väldigt samar-betsvillig. William? ... Nej, det utesluter inte honom mer än Steve ... Mmm, tillbaka till ruta ett, tyvärr." Han stoppade ner telefonen i bröstfickan och undrade varför han aldrig hade tänkt på att själv bli skådespelare.

I andra änden av linjen såg kriminalintendent Carpenter förvå-nad på luren ett ögonblick innan han lade på. Han hade inte den blekaste aning om vad John Galbraith pratade om.

Även om Steven Harding inte var medveten om det hade han beva-kats av en polisassistent från den stund han skrevs in på sjukhuset. Hon satt utom synhåll på sjuksköterskeexpeditionen för att se till att han inte smet, men han tycktes inte ha särskilt bråttom att komma iväg. Han flirtade med alla sköterskorna och till polisassistentens stora irritation var de med på leken. Hon ägnade väntetiden åt att begrunda kvinnors naivitet och undrade hur många av de här sköterskorna som hetsigt skulle hävda att de inte hade uppmuntrat honom alls om och när han bestämde sig för att våldta dem. Vad innebar uppmuntran egentligen? Var det något en kvinna skulle beskriva som en oskyldig flirt? Eller något en man skulle kalla ett otvetydigt ja?

Det var med viss lättnad hon överlät ansvaret till Ingram i korridoren utanför. "Avdelningsföreståndaren skriver ut honom klockan fem, men som det ser ut nu är jag inte säker på att han överhuvudtaget kommer att gå härifrån", sade hon nedslaget. "Han har lindat varenda sköterska runt lillfingret och han ser ut som om han tänkte slå sig ner här för gott. Om de sparkar upp honom ur sängen skulle jag inte bli förvånad om han hamnar i någon annan varm och skön säng istället. Jag fattar inte tjusningen, fast jag har förstås aldrig varit särskilt förtjust i runkare."

Ingram skrattade dämpat. "Håll dig i närheten. Kolla hur det går. Om han inte knallar ut härifrån frivilligt på slaget fem sätter jag på honom handbojorna här inne."

"Kör för det", sa hon glatt. "Man vet aldrig om du behöver ett extra handtag."

Det var jobbigt att titta på videon, inte på grund av innehållet som var precis så diskret som inspektören i Dartmouth hade utlovat, utan därför att bilden guppade upp och ner i takt med fransmannens båt. Trots det hade dottern lyckats fånga Harding i närbild på åtskilliga filmmetrar. Carpenter satt vid sitt skrivbord och spelade först igenom videon en gång innan han spolade tillbaka den med hjälp av fjärrkontrollen till det ställe där Harding satte sig ner på ryggsäcken. Han frös bilden och vände sig till spaningsgruppen som fyllde upp hela hans kontor. "Vad tror ni att han gör där?"

"Låter det gå?" sa en av dem med ett flin.

"Signalerar till någon", sade en kvinna.

278

Carpenter körde tillbaka bandet lite och såg kamerans baklänges-panorering över den suddiga vita motorbåten och den diffusa biki-niklädda figuren som låg på mage i fören. "Jag håller med", sade han. "Frågan är bara till vem."

"Nick Ingram har gjort en lista över båtarna som var där den dagen", sade en annan man. "Det borde inte vara svårt att spåra dem."

"Det låg en Fairline Squadron där med två tonårsflickor om-bord", sade Carpenter medan han lät rapporten från Bournemouth om den övergivna gummibåten gå runt. "*Gregory's Girl* från Poole. Börja med den. Den ägs av en affärsman där som heter Gregory Freemantle."

Ingram som stått lutad mot väggen placerade sig mitt i korridoren när Steven Harding klockan kvart i fyra kom ut genom dörren till avdelningen med armen i band. "Goddag. Jag hoppas du känner dig bättre nu", sade han artigt.

"Vad har du med det att göra?"

Ingram log. "Jag är alltid intresserad av folk jag varit med och räddat."

"Ja, men jag tänker inte prata med dig. Det är ditt jävla fel att de har börjat kolla upp min båt."

Ingram visade honom sin legitimation. "Jag förhörde dig i sön-dags. Polisassistent Ingram, Dorsetshirepolisen."

Hardings ögon smalnade. "De sa att de har rätt att behålla *Crazy Daze* så länge de anser det nödvändigt men vägrar tala om vad som ger dem den rätten. Jag har inte gjort något, så de kan inte åtala mig, men de kan behålla min båt utan att uppge några skäl." Han gav Ingram en arg blick. "Vad fan betyder 'så länge vi anser det nöd-vändigt', förresten?"

"Det kan finnas många skäl till att det anses nödvändigt att be-hålla beslagtaget gods", förklarade polisassistenten förekommande, om än inte helt sanningsenligt. De lagrum som handlade om beslag var extremt luddiga och polismännen hyste inga större betänklig-

279

heter mot att begrava det så kallade bevismaterialet i berg av rapporter för att slippa återställa det. "Vad beträffar *Crazy Daze* innebär det förmodligen att de inte är färdiga med den tekniska undersökningen, men så fort den är klar bör du kunna återfå den."

"Vilket jävla skitsnack! De behåller den för att jag inte ska kunna sticka till Frankrike."

Ingram skakade på huvudet. "Du måste nog åka lite längre bort än så, Steve", mumlade han milt tillrättavisande. "De är väldigt samarbetsvilliga på kontinenten nu för tiden." Han klev åt sidan och gjorde en gest bortåt korridoren bakom sig. "Ska vi gå?"

Harding backade bort från honom. "Det kan du ju drömma om. Jag följer inte med dig någonstans."

"Tyvärr blir du nog tvungen till det", sade Ingram skenbart beklagande. "Maggie Jenner har anmält dig för misshandel, vilket innebär att jag måste kräva att du besvarar några frågor. Jag skulle helst se att du följer med frivilligt, men jag kan gripa dig om det blir nödvändigt." Han nickade mot korridoren bakom Harding. "Den leder ingen vart – jag har redan kollat upp det." Han pekade mot en dörr längst bort där en kvinna stod och läste på en anslagstavla. "Det där är enda utgången."

Harding började dra armen ur mitellan. Det var uppenbart att han tänkte chansa på att rusa förbi den enkla, hundra kilo tunga lantisen i uniform, men av någon anledning ändrade han sig. Kanske därför att Ingram var en decimeter längre än han. Kanske därför att det syntes lång väg att kvinnan borta vid dörren var polis. Kanske såg han något i Ingrams lättjefulla leende som övertygade honom om att det nog vore ett misstag ...

Han ryckte oberört på axlarna. "Äh, vad fan! Jag har inget annat för mig. Men det är den där Maggie som borde sättas dit. Hon har snott min telefon."

23

UNDER NÄSTAN HELA resan tillbaka till Swanage satt Harding tyst och kurade missmodigt i framsätet på Range Rovern där Ingram kunde hålla ett öga på honom. Ingram gjorde inga ansatser till att prata. Emellanåt möttes deras blickar när polisassistenten tittade åt vänster men han kände ingenting av den samhörighet Galbraith hade känt med Harding ombord på *Crazy Daze*. Den unge mannens ansikte avslöjade bara omogenhet och han fann honom motbjudande. Ingram blev påmind om alla ungdomsbrottslingar han hade anhållit under årens lopp. Inte en enda av dem hade varit erfaren eller klok nog att förstå att de inte kunde undvika konsekvenserna av sina handlingar. Ur deras synvinkel handlade straff och rättvisa bara om huruvida de skulle få sitta inne eller ej, aldrig om att deras liv långsamt bröts ner.

Inte förrän de åkte genom den lilla staden Corfe Castle, där ruinerna efter ett medeltida skyddsvärn utgjorde en öppning i Purbecks kritås bröt Harding tystnaden. "Om du inte hade dragit förhastade slutsatser i söndags så hade inget av det här hänt", sade han i saklig ton.

"Inget av vadå?"

"Alltihop. Att jag blev anhållen. Det här." Han rörde vid mitellan. "Jag borde inte vara här. Jag har fått en roll i London. Den kunde ha blivit mitt genombrott."

"Enda anledningen till att du sitter här är att du slog ner Maggie Jenner imorse", påpekade Ingram. "Det som hände i söndags har väl inget med det att göra?"

"Hon hade ingen aning om vem jag var innan Kate blev mördad."

"Nej, det förstås."

"Och du kommer inte att tro på att jag inte hade något med det att göra – inget av det – och det är inte rätt", klagade Harding och lät plötsligt bitter. "Det är en ren slump att jag stötte ihop med Maggie imorse. Tror du att jag skulle ha visat mig om jag hade vetat att hon var där?"

"Varför inte?" Ingram ökade farten när de kommit ut ur staden och hastighetsbegränsningen upphörde.

Harding stirrade dystert på Ingrams profil. "Har du någon aning om hur det är att vara övervakad av polisen? Ni har tagit min bil och min båt. Jag ska bo på en adress som ni har bestämt. Det är som att sitta i ett fängelse utan väggar. Jag blir behandlad som en brottsling fast jag inte har gjort något, men om jag brusar upp därför att någon dum brud behandlar mig som en seriemördare blir jag anklagad för misshandel."

Ingram höll ett öga på vägen. "Du slog till henne. Tycker du inte att hon hade rätt att uppfatta dig som farlig då?"

"Det var bara för att få tyst på henne." Han bet på naglarna. "Jag antar att du sa att jag är en våldtäktsman, och hon trodde så-klart på det. Det var det som retade upp mig. I söndags var allt frid och fröjd, men nu idag ..." Han tystnade.

"Visste du att hon kunde vara där?"

"Självklart inte. Hur skulle jag kunna veta det?"

"Hon rider längs den stigen nästan varje morgon. Det är ett av de få ställen där hon kan galoppera fritt. Alla som känner henne vet det. Det är dessutom ett av de få ställen där det är lätt att ta sig ner till stranden från kustleden."

"Det visste jag inte."

"Då är det väl inte så konstigt att hon blev rädd? Hon hade blivit rädd vem som än hade dykt upp ur intet på den där öde udden när hon inte väntade sig det."

"Hon skulle inte ha blivit rädd för dig."

"Jag är polis. Hon litar på mig."

"Hon litade på mig också", sade Harding, "tills du påstod att jag

282

var en våldtäktsman."

Det var precis vad Maggie hade påpekat och Ingram höll egentligen med – även om han bara erkände det för sig själv. Det var en grov orättvisa att förstöra en oskyldig persons rykte, men gjort var gjort och även om varken Galbraith eller han rent ut hade sagt att den unge mannen var en våldtäktsman var undermeningen uppenbar. De körde vidare under tystnad. Vägen till Swanage gick åt sydöst längs åsen på Isle of Purbeck. På avstånd skymtade havet då och då mellan inhägnade betesmarker. Solen värmde Ingrams arm och nacke men Harding, som satt i skuggan på vänster sida, kröp ihop ännu mer som om han frös och stirrade oseende ut genom fönstret. Han verkade försjunken i sina egna tankar och Ingram undrade om han fortfarande försökte koka ihop något slags försvar eller om händelserna på morgonen till slut hade krävt sin tribut.

"Den där hunden borde skjutas", sade Harding med ens.

Håller fortfarande på att lägga upp försvaret alltså, tänkte Ingram, medan han undrade varför det hade tagit så lång tid innan han nämnde det. "Maggie Jenner hävdar att den bara försökte skydda henne", sa han lugnt.

"Den bet mig ju, för fan."

"Du borde inte ha slagit till henne."

Harding suckade djupt. "Det var inte meningen", erkände han som om han insåg att det vore lönlöst att försöka förneka det. "Jag skulle aldrig ha gjort det om hon inte hade sagt att jag var sjuk i huvudet. Jag har fått höra det en gång förut. Det var min pappa som sa det och han fick en fet smäll."

"Varför sa han att du var sjuk i huvudet?"

"För att han inte har koll på någonting och jag berättade att jag hade ställt upp i några porrfilmer för att dra in stålar." Harding knöt nävarna. "Jag önskar att folk kunde sluta lägga näsan i blöt. jag blir vansinnig när de håller på och föreläser om hur jag borde leva."

Ingram skakade irriterat på huvudet. "Inget här i livet är gratis, Steve."

283

"Och vad skulle det betyda?"

"Lev nu, betala sedan. Som man sår får man skörda. Vem har påstått att livet skulle vara en dans på rosor?"

Harding, som uppenbarligen uppfattade Ingrams anmärkning som ett uttryck för en föraktfull polisinställning, vände bort huvudet och stirrade ut genom fönstret. "Jag fattar inte vad du snackar om."

Ingram log lite. "Jag vet det." Han kastade en blick åt sidan. "Vad gjorde du på Emmetts Hill imorse?"

"Promenerade."

Det blev tyst ett ögonblick innan Ingram skrattade till. "Kan du inte komma med något bättre?"

"Det är sant", sade Harding.

"I helvete heller. Du har haft hela dagen på dig att fundera ut något, men om det är det enda du har att komma med måste du verkligen ha låg uppfattning om polisen."

Den unge mannen vände sig mot honom med ett charmfullt leende. "Det har jag."

"Vi får väl se om vi kan få dig att ändra uppfattning." Ingrams leende var nästan lika charmfullt. "Eller vad säger du?"

Gregory Freemantle stod och slog upp en drink åt sig i vardagsrummet när hans flickvän visade in två poliser i hans lägenhet i Poole. Stämningen var så laddad att den närmast var explosiv och det var tydligt att de hade klivit rätt in i ett riktigt praktgräl. "Kriminalinspektör Campbell och kriminalassistent Langham", sade hon kort. "De vill prata med dig."

Freemantle var själva urbilden av en åldrande playboy med glesnande ljust hår. Det fanns en antydan till desperation i de djupa linjerna kring ögon och mun. "Åh, herregud", stönade han, "ni tar väl inte hennes prat om det där oljefatet på allvar? Hon vet inte ett smack om segling" – han hejdade sig för att tänka efter – "eller barn heller för den delen, men det hindrar henne inte från att glappa." Han gjorde en gest med tumme och fingrar för att åskådliggöra hennes pladdrighet.

284

Han var en man av den typ som andra män instinktivt tycker illa om, och inspektör Campbell kastade en medlidsam blick på hans flickvän. "Det var inget oljefat, det var en upp och nedvänd gummibåt. Och, jo, vi tog hennes upplysningar på största allvar."

Freemantle höjde whiskyglaset i riktning mot kvinnan. "Snyggt jobbat, Jenny." Ögonen avslöjade att han redan fått så det räckte, men han svalde ändå en rejäl klunk utan att blinka. "Vad vill ni?" frågade han Campbell. Han erbjöd dem inte att sätta sig utan vände sig bara om och hällde upp ännu en drink.

"Vi försöker stryka personer från listan över misstänkta på mordet av Kate Sumner", förklarade Campbell, "och vi är intresserade av alla som befann sig i Chapman's Pool i söndags. Vi har förstått att ni var där med en Fairline Squadron."

"Det vet ni redan. Det har ju hon sagt."

"Vilka var med er?"

"Jenny och mina två döttrar, Marie och Fliss. Och det var en jävla mardröm, ska ni veta. Här köper man en båt för att alla ska bli glada och det enda de gör är att hacka på varandra. Jag ska sälja den förbannade båten." Hans spritdränkta blick fylldes av självömkan. "Det är inget kul att ge sig ut ensam, men det är ännu värre att ha med sig ett gäng vildkattor."

"Hade någon av era döttrar bikini och låg på mage i fören mellan halv ett och ett i söndags?"

"Inte vet jag."

"Har någon av dem en pojkvän som heter Steven Harding?"

Han ryckte likgiltigt på axlarna.

"Jag skulle vara tacksam om ni ville besvara frågorna."

"Det vill jag inte för jag vet inte och jag bryr mig inte", sade han aggressivt. "Jag har fått nog av kvinnor för idag och för min del tycker jag att ju snabbare de blir genetiskt omstöpta så att de beter sig som fruarna i Stepford, desto bättre." Han höjde glaset igen. "Min fru meddelar att hon ska se till att mitt företag går i konkurs genom att ta tre fjärdedelar av vad jag äger och har. Min femtonåriga dotter säger att hon är på smällen och tänker rymma till Frankrike med en långhårig kille som tror att han är skådis, och min flick-vän" – han fäktade med glaset i riktning mot Jenny – "hon därborta – säger att det är mitt fel för att jag har försummat mina plikter som make och far. Så skål! För männen!"

Campbell vände sig till kvinnan. "Kan ni hjälpa oss?"

Hon gav Freemantle en frågande blick för att få hans stöd, men när han vägrade att titta upp ryckte hon lätt på axlarna. "Som du vill", sade hon, "jag hade ändå tänkt bryta det här förhållandet ikväll. Marie, som är femton, hade bikini på sig och låg i fören och solade före lunch", berättade hon för de båda polismännen. "Hon låg på mage för att hennes pappa inte skulle lägga märke till att hon är gravid och signalerade till sin pojkvän som satt på stranden och runkade medan han tittade på henne. Resten av tiden hade hon en sarong på sig för att dölja magen. Nu har hon berättat att pojkvän-nen heter Steven Harding och att han är skådespelare i London. Jag förstod att hon hade något på gång för hon var så fruktansvärt upp-varvad när vi åkte från Poole, och jag insåg att det måste ha något med killen på stranden att göra för hon blev fullkomligt gräslig när han hade gett sig av och hon har varit rena mardrömmen sedan dess." Hon suckade. "Det var det vårt gräl handlade om. När hon dök upp idag och fick ett av sina raseriutbrott sa jag till hennes far att han borde intressera sig för vad som är på gång, för jag har inte kunnat undgå att lägga märke till att hon inte bara är med barn utan dessutom använder droger. Nu är det öppet krig."

"Är Marie kvar här?"

Jenny nickade. "Hon är i gästrummet."

"Var brukar hon bo?"

"I Lymington hos sin mamma och sin syster."

"Visste ni vad hon och hennes pojkvän hade tänkt göra i sön-dags?"

Hon kastade en blick på Freemantle. "De hade tänkt rymma till Frankrike tillsammans, men när den där döda kvinnan hittades fick de lägga sina planer på is eftersom det var för mycket folk i närhe-ten. Steve har en båt som han tydligen hade lämnat kvar i Salterns marina, och meningen var att Marie skulle säga att hon tänkte ta en promenad från Chapman's Pool till Worth Matravers och sedan försvinna i det blå. Steve hade med sig herrkläder till henne och det var meningen att de skulle gå landvägen till färjan och hinna vara halvvägs till Frankrike på kvällen innan någon fick veta vart hon hade tagit vägen och med vem." Hon skakade på huvudet. "Nu hotar hon med att ta livet av sig om hennes pappa inte låter henne sluta skolan och flytta ihop med Steven i London."

Medan kriminalteknikerna systematiskt gick igenom garaget i Lymington på jakt efter bevis utsattes Tony Bridges för ett formellt förhör av intendent Carpenter och kommissarie Galbraith. Samtalet bandades. Han vägrade att upprepa något av det han sagt till Galbraith om sitt och Hardings smugglande, men eftersom just den frågan bollades över till tullen hetsade Carpenter inte upp sig så mycket över hans vägran som han annars skulle ha gjort. Istället valde han att försöka chocka Bridges genom att visa honom videon med den masturberande Harding och frågade honom sedan om hans vän brukade göra sig skyldig till sexuellt ofredande på offentlig plats.

Till sin förvåning lyckades de faktiskt chocka Bridges.

"Herrejävlar!" utbrast han och torkade sig i pannan med ärmen. "Hur skulle jag kunna veta det? Vi levde våra egna liv. Han har aldrig gjort något sånt när jag har varit med."

"Så farligt är det väl inte", mumlade Galbraith som satt bredvid Carpenter. "Bara ett diskret runk. Varför blir du så upprörd över det, Tony?"

Den unge mannen synade honom nervöst. "Jag får en känsla av att det är värre än så. Ni skulle inte visa det här annars."

"Du är inte dum, du", sade Carpenter och frös bilden där Harding torkade av sig. "Det där är en T-shirt. Om man tittar efter ser man att det står Derby FC på den. Den tillhör en tioårig grabb som heter Danny Spender. Han tror att Steve stal den från honom vid tolvtiden i söndags och vi kan se hur han får utlösning i den en halv-

287

timme senare. Du känner Harding bättre än någon annan. Tänder han på småpojkar?"

Bridges såg ännu mer förskräckt ut. "Nej", muttrade han.

"Vi har vittnen som säger att Steve inte kunde hålla fingrarna borta från pojkarna som hittade Kate Sumners kropp. En av dem beskriver hur han gnuggade sig med mobiltelefonen så att han fick stånd mitt framför ögonen på dem. Vi har en polis som säger att han fortfarande hade erektion när pojkarna stod precis bredvid."

"Åh, fan också!" Bridges slickade sig om sina torra läppar. "Hör ni, jag har alltid trott att han avskydde småungar. Han klarar inte av att jobba med barn och han står inte ut när jag pratar om skolan." Han tittade på den frysta bilden på teveskärmen. "Det måste vara fel. Visst, han är sexfixerad – snackar för mycket om det – gillar porrfilm – skryter om trekanter och sådana grejer – men det handlar alltid om kvinnor. Jag skulle sätta min sista penny på att han är straight."

Carpenter lutade sig fram och granskade Bridges innan han vände blicken mot teven. "Du tar verkligen illa vid dig, Tony. Varför det? Kände du igen någon annan i den här sekvensen?"

"Nej, jag tycker bara att det är osmakligt."

"Det kan inte vara värre än porren han är med i."

"Inte vet jag. Jag har inte sett bilderna."

"Du måste ha sett några av dem. Beskriv dem."

Bridges skakade på huvudet.

"Är det småungar med? Vi vet att han har gjort en del bögporr. Ställer han upp med ungar också?"

"Det vet jag ingenting om. Du får prata med hans agent."

Carpenter gjorde en anteckning. "Pedofilringar ger dubbelt betalt."

"Jag har inget med det där att göra."

"Du är lärare, Tony. Du har större ansvar för barn än de flesta andra. Håller han på med barnporr?"

Han skakade på huvudet. "För bandet", sade Carpenter i mikrofonen, "Anthony Bridges vägrar svara." Han tittade på papperet framför sig. "I tisdags sa du att Steven inte var den som snackade vitt och brett om sina kärlekshistorier och nu säger du att han skröt om trekanter. Vad är det som gäller?"

"Skrytandet", sade han i säkrare tonfall och kastade en blick på Galbraith. "Det är därför jag vet allt om Kate. Han berättade alltid vad de hade haft för sig."

Galbraith som blivit stel av allt bilkörande under dagen gned sig i nacken med en fräknig hand. "Fast det verkar mest vara tomma ord, Tony. Din vän sköter sin verksamhet solo. På stränder. I båten. I lägenheten. Har du aldrig misstänkt att han ljög om sina förhållanden?"

"Nej. Varför skulle jag ha gjort det? Han ser bra ut. Han går hem hos tjejerna."

"Om jag formulerar om frågan då: Hur många av de här kvinnorna har du verkligen träffat? Hur ofta tar han med dem hem till dig?"

"Det behöver han inte. Han tar ut dem till båten."

"Varför finns det i så fall inga tecken på det? Vi hittade några damplagg och ett par sandaler som tillhör Hannah ombord, men det fanns inget som pekade på att en kvinna någonsin varit i säng med honom."

"Det vet ni inget om."

"Äh, kom igen", sade Galbraith trött, "du är kemilärare. Det fanns spermafläckar överallt på lakanen men inget som på minsta sätt pekar på att det har varit någon annan ombord när han har fått utlösning."

Bridges gav intendenten en närmast förtvivlad blick. "Det enda jag kan säga är vad Steve sa. Det är knappast mitt fel om den dumma jäveln ljög."

"Nejvisst", instämde Carpenter, "men du kommer ständigt dragande med hans bravader." Han tog fram Bridges vittnesmål ur en mapp på bordet, lade papperet framför honom och placerade båda händerna på det. "Du verkar lite upphängd på att han ser bra ut. Så här sa du i början av veckan: *'Steven ser bra ut och han är på hugget'* ", läste han. '*"Han har alltid minst två tjejer på gång samtidigt...*'" Han höjde frågande ögonbrynen. "Har du något att tillägga?"

Det var tydligt att Tony inte hade en aning om vad de var ute efter och behövde betänketid. Ett faktum som intresserade de båda polismännen. Det var som om han försökte förutse dragen i ett schackparti och började gripas av panik eftersom han insåg att han inte kunde undvika att bli schack matt. Hans irrande blick drogs hela tiden mot teveskärmen och vandrade sedan raskt vidare som om bilden var mer än han stod ut med. "Jag vet inte vad det är ni vill höra."

"Enkelt uttryckt, Tony, försöker vi få ditt porträtt av Steven att stämma med den tekniska bevisningen. Du vill att vi ska tro att din vän hade en långvarig affär med en gift kvinna som var äldre än han, men vi har svårt att få bekräftelse på att förhållandet verkligen existerade. Du sa till exempel till min kollega att Steve tog med Kate hem till dig då och då, men trots att ditt hus uppenbarligen inte har blivit städat på månader kunde vi inte hitta ett enda fingeravtryck från Kate Sumner någonstans. Det finns heller inget som pekar på att Kate någonsin varit i Stevens bil, fast du hävdar att han körde henne till New Forest flera gånger och låg med henne i baksätet."

"Han sa att de måste leta upp ställen där ingen kunde se dem. De var rädda för att William skulle få reda på alltihop, för enligt Steve var han så svartsjuk att han skulle bli helt vansinnig om han blev bedragen." Han tappade modet inför Carpenters klentrogna min. "Jag kan inte hjälpa om han ljög", invände han.

"Han beskrev William som en medelålders strikt typ", sade Carpenter tankfullt. "Såvitt jag minns har han inte antytt att han skulle vara aggressiv."

"Det var vad han sa till mig."

Galbraith sträckte på sig. "Så allt du vet om Steves *påstådda*" – han betonade nogsamt ordet – "förhållande med Kate byggde på ett enda möte med henne på en pub och på vad Steve sa om henne?"

Bridges nickade men svarade inte.

"För handet: Anthony Bridges nickar jakande. Skämdes han över förhållandet, Tony? Är det därför du bara fick träffa henne en gång? Du sa själv att du inte förstod vad han såg hos henne."

"Hon var gift", sade Bridges. "Han kunde ju knappast skylta med en gift kvinna på stan."

"Har han någonsin skyltat med en kvinna på stan, Tony?"

Det blev tyst en lång stund. "De flesta av hans flickvänner är gifta", sade han sedan.

"Eller påhittade?" föreslog Carpenter. "Som när han påstod att Bibi var hans flickvän?"

Bridges såg förbryllad ut, som om han försökte hålla undan vagt formulerade sanningar som plötsligt trängde upp till ytan. Han svarade inte.

Carpenter pekade på teven. "Vi börjar misstänka att allt snacket var en dimridå för att dölja att det inte fanns något bakom. Han kanske låtsades gilla kvinnor för att han inte ville att någon skulle veta att han hade helt andra intressen. Den stackars saten kanske inte ville erkänna det ens för sig själv och lättade på trycket i hemlighet för att inte koka över." Han höjde anklagande ett finger mot Bridges. "Men om det är sant kan man undra vad du och Kate Sumner i så fall hade för förhållande?"

Den unge mannen skakade på huvudet. "Jag förstår inte."

Intendenten tog upp sitt anteckningsblock ur fickan och slog upp det. "Låt mig citera lite av vad du sa om henne: *Hon måste ha levt på såpoperor … Kate sa att ungen skulle börja gallskrika … Jag antar att hon hade lurat idioter som sin man så länge …'* Jag skulle kunna fortsätta. Du pratade om henne i en kvart utan uppehåll och utan att jag behövde ställa några frågor." Han lade ner anteckningsblocket på bordet. "Kan du tala om hur det kommer sig att du vet så mycket om en kvinna du bara har träffat en gång?"

"Allt jag vet om henne har jag hört från Steven."

Carpenter nickade mot bandspelaren. "Detta är ett formellt förhör som bandas, Tony. Låt mig formulera om frågan så att det inte uppstår några missförstånd. Om man betänker att Kate och Willi-

291

am Sumner var relativt nyinflyttade i Lymington, att både Steven Harding och William Sumner har förnekat att Steven och Kate Sumner hade ett förhållande och att du, Anthony Bridges, hävdar att du bara har träffat henne en gång, då kan man fråga sig hur du kan veta så mycket om henne."

Marie Freemantle var lång och smärt med ljust böljande midjelångt hår och enorma tårfyllda rådjursögon. Då polismännen försäkrat henne om att Steven levde och hade hälsan blev hon förhörd om vad han hade sysslat med vid Chapman's Pool i söndags. Hon torkade tårarna och förärade polismännen ett väl inövat filmstjärneleende. I ärlighetens namn måste de båda männen erkänna att de inte var opåverkade av hennes uppenbarelse, men känslan förklingade snabbt när de fick insyn i hennes självupptagna, gnälliga väsen. De insåg snart att hon inte var särskilt klyftig, för det framgick klart att hon inte kom på tanken att anledningen till förhöret var att Steve var misstänkt för mordet på Kate Sumner. Hon valde att prata med dem utom hörhåll för pappan och hans flickvän och hon spydde galla över dem båda, framförallt kvinnan som hon beskrev som en snokande satkärring. "Jag hatar henne", avslutade hon. "Allt var bra tills hon började lägga näsan i blöt."

"Du menar att du fick göra precis som du ville innan?" föreslog Campbell.

"Jag är ingen barnunge längre."

"Hur gammal var du första gången du låg med Steven Harding?"

"Femton." Hon sträckte självmedvetet på sig. "Men så är det nuförtiden. De flesta tjejer jag känner började när de var tretton."

"Hur länge har du känt honom?"

"Ett halvår."

"Hur ofta har du legat med honom?"

"Massor med gånger."

"Var då?"

"På hans båt för det mesta."

Campbell rynkade pannan. "I ruffen?"

292

"Sällan. Det luktar så äckligt där", sade hon. "Han tar med en filt upp på däck och så gör vi det i solen eller under stjärnorna. Det är jättefint."

"Ute vid bojen?" frågade Campbell med lätt chockerad min. Precis som Galbraith hade gjort tidigare undrade han över generationsklyftan som utan att han märkt det verkade ha vidgats. "Med full insyn från Isle of Wight-färjan?"

"Självklart inte", sade hon indignerat och sköt åter fram brösten. "Han plockar upp mig någonstans och så gör vi en segeltur."

"Var plockar han upp dig?"

"Olika ställen. Det är som han säger; han skulle få problem om någon visste att han var ihop med en femtonåring och om vi inte kommer for ofta till samma ställe är det ingen som lägger märke till oss." Hon ryckte på axlarna och insåg sedan att hon måste förklara sig lite bättre. "Vem kommer ihåg om man lägger till i en marina varannan vecka? Och så är det saltängarna. Jag går stigen från Yacht Haven och han kommer in med gummibåten och hämtar mig. Ibland tar jag tåget till Poole och möter honom där. Mamma tror att jag är hos pappa, pappa tror att jag är hos mamma. Det är enkelt. Jag ringer bara hans mobil och sedan säger han vart jag ska åka."

"Lämnade du ett meddelande på hans telefon imorse?"

Hon nickade. "Han kan inte ringa mig, för mamma kan bli misstänksam."

"Var träffades ni första gången?"

"På Lymingtons båtklubb. Det var dans där på Alla hjärtans dag och pappa hade biljetter dit för han är fortfarande medlem fast han bor i Poole nu. Mamma sa att Fliss och jag fick gå om pappa såg efter oss, men han blev aspackad som vanligt och stack bara. Det var när han polade med den där sekreterarkäringen. Henne *hatade* jag verkligen. Hon snackade alltid skit om mig."

Campbell höll nästan på att säga det inte borde ha varit särskilt svårt. "Presenterade din pappa dig för Steve? Är det en bekant till honom?"

"Nej. Det var en av mina lärare. Han och Steve har känt varandra jättelänge."

"Vilken lärare?"

"Tony Bridges." De fylliga läpparna förvreds i ett skadeglatt leende. "Han har varit tänd på mig i åratal och precis när han var som mest pinsam och försökte stöta på mig kom Steve och fick tyst på honom. Han blev verkligen totalknäckt. Han har hållit på hela terminen och försökt ta reda på om det är något mellan oss, men Steve sa åt mig att inte berätta något så att han inte ska försöka sätta dit oss för att jag är för ung. Han säger att så svartsjuk som Tony är skulle han ställa till ett helvete för oss om han kunde."

Campbell tänkte tillbaka på förhöret han hållit med Bridges i måndags. "Han kanske känner ansvar för dig."

"Det är inte därför", sade hon hånfullt. "Det är bara för att han är så misslyckad. Alla hans förhållanden har spruckit för han är påtänd nästan jämt och får inte upp den. Han har haft ihop det med den där frissan i ungefär fyra månader nu och Steve säger att han stoppar i henne en massa droger för att hon inte ska klaga. Om ni vill höra vad jag tror så är det något fel på honom – han har alltid försökt tafsa på tjejerna i klassen – men vår rektor är för pantad för att göra något."

Campbell utbytte en blick med sin kollega. "Hur vet Steve att han stoppar i henne droger?" frågade han.

"Han har sett det. Det är som en knockoutdrink. Man löser upp en tablett i öl och sedan blir tjejerna helt utslagna."

"Vet du vad han använder för något?"

Ännu en axelryckning. "Något slags sömnmedel."

"Jag säger inte ett ord till förrän jag får hit en advokat", sade Bridges bestämt. "Den kvinnan var helstörd. Tycker ni att ungen verkar knäpp? Jämfört med morsan är hon fullständigt normal."

Polisassistent Griffiths som stod ute i köket hörde ljudet av ett glas som gick i bitar och tittade oroad upp. Hon hade lämnat Hannah framför teven i vardagsrummet och såvitt hon visste satt William fortfarande i arbetsrummet på övervåningen dit han arg och kränkt hade dragit sig tillbaka efter samtalet med kommissarie Galbraith. Med en bekymrad rynka i pannan smög hon ut i hallen och puttade upp dörren till vardagsrummet. Sumner stod precis innanför. Han vände ett askgrått ansikte mot henne och pekade hjälplöst mot den lilla flickan som målmedvetet skred över golvet, tog fotografierna på sin mor och med gälla gutturala skrik kastade in dem i den otända eldstaden.

Ingram ställde en kopp te framför Steven Harding och satte sig ner på andra sidan bordet. Han var förbryllad över Hardings attityd. Han hade väntat sig att det skulle bli ett långdraget förhör avbrutet av förnekanden och motanklagelser. Istället hade Harding erkänt sig skyldig och instämt i allt Maggie sagt i sitt vittnesmål. Han skulle få stanna kvar till morgonen därpå och sedan väntade ett formellt åtal. Det enda han hade oroat sig för var mobiltelefonen. När Ingram räckte över den till arrestvakten och förde in den på listan över Hardings ägodelar såg han lättad ut. Men om det berodde på att den kommit tillrätta eller på att den var avstängd kunde Ingram inte avgöra.

"Vad sägs om ett privat snack?" föreslog han. "Bara för att tillfredsställa min personliga nyfikenhet. Ingen bandspelare. Inga vittnen. Bara du och jag."

Harding ryckte på axlarna. "Vad har vi att prata om?"

"Dig. Vad allt det här handlar om. Varför du var på kustleden i söndags. Vad som förde dig tillbaka till Chapman's Pool imorse."

"Det har jag redan berättat. Jag kände för en promenad" – han försökte åstadkomma ett stöddigt flin – "båda gångerna."

"Okej." Ingram lade handflatorna på bordet och gjorde sig beredd att resa sig. "Skyll dig själv. Kom inte och klaga sedan över att ingen har försökt hjälpa dig. Du har hela tiden varit huvudmisstänkt. Du kände offret, du äger en båt, du var på platsen, du ljög om vad du hade där att göra. Har du någon aning om hur allt det

295

här kommer att te sig i juryns ögon om åklagaren bestämmer sig för att åtala dig för våldtäkten och mordet på Kate Sumner?"

"Det kan de inte. De har inga bevis."

"Äh, lägg av nu och var inte så barnslig, Steve!" sade Ingram irriterat och sjönk ner på stolen igen. "Läser du aldrig tidningen? Det finns folk som har åkt i fängelse på flera år på mindre bevis än de har mot dig i Winfrith. Visserligen är det bara indicier, men jurymedlemmar gillar inte heller sammanträffanden, och uppriktigt sagt har dina krumsprång imorse knappast gjort saken bättre. Det visar bara att du blir så förbannad på kvinnor att du ger dig på dem." Han gjorde en paus i väntan på ett svar som inte kom. "Om du vill veta det nämnde jag i rapporten i måndags att både Maggie Jenner och jag tyckte att det såg ut som om du hade ett svårbemästrat stånd. Efteråt beskrev en av pojkarna Spender hur du använde telefonen att onanera med innan Maggie Jenner hade kommit." Han ryckte på axlarna. "Det kanske inte har något med Kate Sumner att göra, men det låter inte bra i rätten."

En mörk rodnad spred sig över Hardings hals och upp över ansiktet. "Det där var tarvligt!"

"Men det är sant."

"Jag önskar ta mig fan att jag aldrig hade hjälpt de där ungarna", utbrast han ilsket. "Det är deras fel att jag sitter i skiten. Jag skulle ha gått min väg och låtit dem klara sig själva." Han svepte undan håret från ansiktet och lutade huvudet i händerna. "Herregud! Varför skulle du skriva det där i rapporten?"

"Därför att det var så det var."

"Nej, det var det inte", sade han buttert. En förödmjukelsens rodnad färgade fortfarande hans ansikte.

"Hur var det då?" Ingram betraktade honom ett ögonblick. "De som leder utredningen tror att du kom tillbaka för att frossa i minnet av våldtäkten och att det var därför du fick stånd."

"Det där är skitsnack!" sade den unge mannen argt.

"Kan du ge en annan förklaring? Om det inte var tanken på Kate Sumners kropp som hetsade upp dig måste det ha varit Maggie

Jenner eller pojkarna."

Harding lyfte på huvudet och stirrade på polismannen med ögon som vidgades av chockerat avståndstagande. "Pojkarna?" upprepa de han.

Ingram fick en känsla av att ansiktsuttrycket var aningen för teatraliskt och i likhet med Galbraith påminde han sig själv om att han hade med en skådespelare att göra. Han undrade hur Harding skulle reagera när han fick höra talas om videobandet. "Du kunde inte hålla fingrarna i styr", påpekade han. "Enligt Maggie Jenner höll du Paul om axlarna när hon kom runt sjöbodarna."

"Det där är lögn", sade Harding utom sig. "Jag visade honom bara hur man använder kikaren."

"Bevisa det."

"Hur då?"

Ingram vägde på stolen, förde händerna bakom nacken och sträckte ut sina långa ben framför sig. "Jag ska berätta vad jag tror att du gjorde. Du gick dit för att träffa någon", sade han med låg röst. "Jag tror att det var en tjej och jag tror att hon var ombord på en av båtarna, men vad du än hade gjort upp med henne gick det i stöpet när det började krylla av poliser och åskådare på platsen." Han vände sig mot Harding igen. "Men varför detta hemlighetsmakeri, Steve? Vad i hela världen hade du tänkt göra med henne eftersom du hellre blir anhållen som misstänkt för mord än förklarar dig?"

Det tog två timmar innan den advokat Tonys farfar skaffat fram anlände. När polisen hade försäkrat att Tony hade alibi och därför inte var misstänkt för inblandning i mordet på Kate Sumner, rådde han Tony att besvara frågorna.

"Ja, jag lärde känna Kate rätt väl. Hon bor – bodde – ungefär tvåhundra meter från farfars garage. Hon brukade komma in och prata med mig när jag var där, för hon visste att jag var kompis med Steve. Hon var ett riktigt fnask, flirtade alltid, spärrade alltid upp sina babyblå ögon och drog historier om alla män som tände på

297

henne. Jag trodde att det var fritt fram, speciellt när hon sa att William hade svårt att få upp den. Hon sa att det gick åt litervis med barnolja för att den stackarn skulle komma någonvart och så skrek hon av skratt. Hennes beskrivningar var väldigt målande men hon verkade inte bry sig om att Hannah hörde på eller att jag kunde lära känna William." Han såg bekymrad ut som om minnet plågade honom. "Jag sa ju att hon var störd. Faktum är att jag tror att hon njöt av att vara taskig mot folk. Stackars människa, jag tror att hon gjorde livet till ett helvete för honom. Hon fick verkligen en kick av att stuka till mig när jag försökte kyssa henne. Hon spottade mig i ansiktet och sa att så desperat var hon inte." Han tystnade.

"När var det?"

"I slutet av februari."

"Vad hände sedan?"

"Ingenting. Jag bad henne dra åt helvete. Sedan började Steve antyda att han knullade henne. Jag tror att hon berättade för honom att jag hade försökt stöta på henne, så han skröt lite bara för att knäcka mig. Han sa att alla hade legat med henne utom jag."

Carpenter tog upp ett papper och tryckte fram stiftet i pennan. "Jag vill ha en lista", sade han. "Alla som du vet hade ihop det med henne."

"Steve Harding."

"Fortsätt."

"Jag vet inga fler."

Carpenter lade ner pennan på bordet igen och stirrade på den unge mannen. "Det duger inte, Tony. Du beskriver henne som ett fnask, och så kan du bara ge mig ett enda namn. Det gör det svårt att tro att jag kan lita på din bedömning av Kates karaktär. Om vi utgår från att du talar sanning känner vi bara till tre män som hade ett förhållande med henne – hennes man, Steven Harding och en man ur hennes förflutna." Han såg Bridges rakt i ögonen. "Hur man än ser på saken är det inte mycket att komma med för en trettioårig kvinna. Eller kallar du alla kvinnor som har legat med tre karlar för fnask? Din flickvän till exempel? Hur många har Bibi varit ihop med?"

"Dra inte in Bibi", sade Bridges argt. "Hon har inget med det här att göra."

Galbraith lutade sig framåt. "Hon gav dig alibi för i lördags", påminde han honom. "Det innebär att hon har en hel del med det här att göra." Han knäppte händerna, satte dem framför munnen och studerade Bridges ingående. "Visste hon att du var tänd på Kate Sumner?"

Advokaten lade en hand på den unge mannens arm. "Du behöver inte svara på det."

"Nähä, men det tänker jag göra i alla fall", sade han och skakade av sig handen. "Jag är utless på deras försök att dra in Bibi." Han vände sig till Galbraith. "Jag var inte ett jävla dugg tänd på Kate. Jag avskydde den där dumma kossan. Jag trodde bara att hon var ett lätt ligg, inget annat, så jag gjorde ett försök. Hon var en sån där typ som älskar att kåta upp snubbar. Det gav henne en kick."

"Det var inte det jag frågade, Tony. Jag frågade om Bibi visste att du var tänd på Kate."

"Nej", muttrade han.

Galbraith nickade. "Men hon visste om Steve och Kate?"

"Ja."

"Vem berättade det? Du eller Steve?"

Bridges sjönk ilsket ihop i stolen. "Steve mest. Hon blev verkligen förbannad när Kate började smeta ut Hannahs bajs på hans bil, så han berättade alltihop."

Galbraith lutade sig tillbaka och placerade händerna på bordsskivan. "Kvinnor bryr sig inte ett smack om bilar om de inte är intresserade av killen som äger den. Är du säker på att din flickvän inte är ute och roar sig på egen hand?"

Bridges for upp ur stolen. "Du gillar visst att trycka ner folk. Du tror att du vet allt, va? Hon blev vansinnig därför att det var skit på handtaget när hon skulle öppna dörren. Det var det som gjorde henne förbannad. Det var inte för att hon bryr sig om Steve eller bilen utan för att hon fick skit över hela handen. Är du så korkad så att du inte kan räkna ut det själv?"

299

"Det bevisar väl att det var just så det låg till?" sade Galbraith oberört. "Om hon kör Steves bil, så måste hon ha känt honom rätt väl."

"Det var jag som körde", sade Bridges. Han struntade i advokatens försök att hålla honom tillbaka, lutade sig fram över bordet och sade med ansiktet tätt intill kommissariens: "Jag kollade handtaget på förarsidan och det var rent, så jag låste upp. Vad som aldrig slog mig då var att den jävla subban hade bytt taktik. Den här gången var all skit på passagerarsidan. Hör på här nu, jävla pantskalle. Det var fortfarande mjukt när Bibi tog i det så Kate måste ha smetat dit det precis innan och det luktade för jävligt. Hajar du eller ska jag dra det en gång till?"

"Nej", sade Galbraith stillsamt. "Bandspelaren är ganska pålitlig. Jag tror att det är uppfattat." Han nickade mot stolen på andra sidan bordet. "Sätt dig ner, Tony." Han väntade medan Bridges satte sig igen. "Såg du Kate gå därifrån?"

"Nej."

"Det borde du ha gjort. Du sa att avföringen fortfarande var mjuk."

Tony drog båda händerna genom sitt färgade hår och lutade sig fram över brodet. "Det fanns en massa ställen där hon kunde gömma sig. Hon stod säkert och tittade på."

"Det föll dig aldrig in att det kanske var dig hon var ute efter egentligen och inte Steve? Du beskriver henne som störd och säger att hon spottade på dig."

"Nej."

"Hon måste ha vetat att du får låna Steves bil ibland."

"Inte särskilt ofta."

Galbraith bläddrade fram en annan sida i blocket. "Du sa i eftermiddags att du och Steve hade ett avtal om din farfars garage och *Crazy Daze*. Ett schyst byte, kallade du det."

"Ja."

"Du sa att du tog med Bibi till båten för två veckor sedan."

"Vad är det med det då?"

300

"Bibi hävdar något annat. Jag ringde hem till hennes föräldrar för två timmar sedan och hon säger att hon aldrig har varit på *Crazy Daze.*"

"Hon måste ha glömt det", sade han avfärdande. "Hon var aspackad den kvällen. Vad spelar det för roll förresten?"

"Man kan säga att vi är intresserade av allt som inte stämmer."

Den unge mannen ryckte på axlarna. "Jag kan inte se att det gör någon skillnad. Det har ingenting med det andra att göra."

"Vi gillar att vara exakta." Galbraith tittade ner på anteckningsblocket. "Enligt henne har hon aldrig varit på *Crazy Daze* eftersom Steve förbjöd dig att använda båten veckan innan hon blev ihop med dig. *'Tony svinade ner på båten när han var packad'*", läste han, "*'och Steve blev fly förbannad. Han sa att Tony kunde använda bilen men att* Crazy Daze *var förbjudet område'.*" Han tittade upp. "Varför ljög du och sa att Bibi hade varit ombord?"

"För att få bort det där dumma självbelåtna flinet ur ditt nylle, antar jag. Jag blir så jävla förbannad på ert beteende. Ni är ena jävla fascister." Han böjde sig fram med ögon som brann av raseri. "Jag har inte glömt att du tänkte släpa mig helnäck genom stan."

"Vad har det med Bibi att göra?"

"Du ville ha ett svar och nu fick du det."

"Vad sägs om det här svaret istället? Du visste att Bibi hade varit ombord med Steve, så du bestämde dig för att komma med en förklaring till varför hennes fingeravtryck fanns där. Du visste att vi skulle hitta dina avtryck eftersom du åkte ut till *Crazy Daze* i måndags och du trodde att du skulle gå säker om du låtsades att du och Bibi hade varit där tillsammans. Men det enda ställe i ruffen där vi hittade dina avtryck var på luckan i fören, Tony, Bibis däremot hittade vi över hela sänggaveln. Hon gillar att vara överst, förstår jag?"

Han tittade ner i bordet med slagen min. "Dra åt helvete!"

"Det måste vara knäckande för dig att Steven snor dina flickvänner hela tiden."

301

24

Maggie sänkte sina värkande armar och pekade på klockan när Nick kom in i grovköket bärande på en aluminiumstege i högsta hugg. Hon balanserade osäkert på en trädgårdsstol ovanpå köksbordet. Håret var fullt med spindelnät och de uppkavlade ärmarna var genomblöta. "Så det är dags att komma nu?" frågade hon. "Klockan är kvart i tio och jag måste upp fem i morgon bitti och ta hand om hästarna."

"Herre du min skapare!" tillkännagav han klagande. "En natt utan sömn dör du inte av. Vem vet, du kanske skulle må bra av att leva lite farligt."

"Jag trodde du skulle komma för flera timmar sedan."

"Så funkar det inte om man är gift med en polis", sade han och fällde upp stegen under den otvättade delen av taket.

"Det kanske vore något."

Han log upp mot henne. "Du menar att du skulle kunna tänka dig det?"

"Absolut inte", sade hon, som om han inte ens hade rätt att försöka flirta med henne. "Jag menade bara att ingen polis har frågat mig."

"Ingen skulle våga." Han öppnade skåpet under diskbänken och hukade sig ner för att inventera städredskapen. Hon befann sig ovanför honom – som vid de sällsynta tillfällen då hon satt på hästryggen när de möttes – och kände sig otäckt frestad att utnyttja övertaget genom att droppa vatten i nacken på honom. "Glöm det", sade han utan att titta upp, "för då får du göra alltihop själv."

Hon avstod för att inte tappa värdigheten. "Hur gick det?" fråga-

de hon när hon klev ner från stolen och sköljde av svampen i hinken
på bordet.

"Ganska bra."

"Jag trodde väl det. Du spinner som en katt." Hon klev upp på stolen igen. "Vad sa Steve?"

"Du menar frånsett att han instämde i allt du har sagt?"

"Ja."

"Han berättade vad han gjorde i Chapman's Pool i söndags." Han tittade upp på henne. "Jag tycker att han är en idiot, men jag tror inte att han är vare sig våldtäktsman eller mördare."

"Så du hade fel?"

"Antagligen."

"Bra. Det är inte nyttigt för karaktären att alltid ha rätt. Är han pedofil då, tror du?"

"Det beror på hur man definierar det." Han drog fram en stol, satte sig grensle på den med armbågarna mot stolsryggen och betraktade förnöjt hennes arbete. "Han är upp över öronen förälskad i en femtonåring som vantrivs så förfärligt hemma att hon hotar att ta livet av sig. Hon är rena bombnedslaget vad jag har förstått, bortåt en och åttio lång, ser ut som tjugofem, borde vara toppmodell och alla bara gapar när de får se henne. Hennes föräldrar är skilda och slåss som hund och katt – mamman är svartsjuk på henne – pappan kommer dragande med den ena bimbon efter den andra – hon är i fjärde månaden, barnet är Stevens – hon vägrar att göra abort – gråter vid hans manliga bröst varje gång de ses" – han höjde sardoniskt på ena ögonbrynet – "vilket antagligen är skälet till att han tycker att hon är så attraktiv – och vill så gärna ha barnet och längtar så förtvivlat efter kärlek att hon har försökt skära upp handlederna två gånger. Steves lösning på alltihop var att smita iväg med henne till Frankrike i Crazy Daze där de skulle leva ut" – han höjde åter på ögonbrynet – "den unga kärleksdrömmen utan att hennes föräldrar hade en aning om vart hon hade åkt eller med vem."

Maggie fnissade "Jag sa ju att han var den räddande ängeln."

"Riddar Blåskägg, snarare. Hon är femton."

303

"Och ser ut som tjugofem."

"Om man ska tro Steve, ja."

"Gör du inte det?"

"Låt oss uttrycka det så här", sa han sakligt, "jag skulle inte låta honom komma i närheten av min dotter. Han är totalt sexfixerad, otroligt egotrippad och saknar alla moralbegrepp."

"Med andra ord något i stil med den hala ålen jag gifte mig med?" frågade hon torrt.

"Det kan man lugnt säga." Han log upp mot henne. "Men jag har ju mina fördomar förstås."

Hon fick en road glimt i ögonen. "Men vad hände då? Paul och Danny dök upp och alltihop gick åt skogen?"

Han nickade. "När han blev tvungen att tala om vem han var insåg han att det var kört och signalerade till sin flickvän att de skulle avblåsa alltihop. Sedan dess har han haft ett tårdrypande samtal med henne i mobiltelefonen när han åkte tillbaka till Lymington i söndags kväll, men han har inte kunnat prata med henne efter det, eftersom han dels har suttit anhållen, dels inte har haft telefonen till hands. De har gjort upp om att han inte ska ringa henne och eftersom han inte har hört något från henne är han skraj att hon har tagit livet av sig."

"Har hon det?"

"Nej. Ett av meddelandena på mobilen var från henne."

"Men i alla fall ... stackars kille. Ni har tagit in honom igen, va? Han måste vara alldeles ifrån sig av oro. Kan ni inte låta honom prata med henne?"

Han förundrades över den mänskliga naturens nyckfullhet. Han hade kunnat slå vad om att det var flickan hon skulle tycka synd om. "Det är emot reglerna."

"Äh, lägg av", sade hon surt. "Det är ju ren elakhet."

"Nej. Sunt förnuft. Personligen skulle jag inte lita en sekund på honom. Glöm inte att han faktiskt har gjort sig skyldig till flera brott. Misshandel, sexuellt utnyttjande av underårig, förberedelse till bortförande för att inte tala om sexuellt ofredande ..."

"Åh, herregud! Ni har väl inte åtalat honom för att han hade stånd?"

"Inte ännu."

"Ni är verkligen elaka", sade hon med avsmak. "Det är ju helt klart att det var flickvännen han tittade på i kikaren. Om man utgår ifrån det hade du låtit gripa Martin varje gång han tog mig i häcken."

"Det gick inte", sade han allvarligt. "Du protesterade aldrig, så det var inget övergrepp."

Det gnistrade återigen till i hennes ögon. "Och sexuellt ofredandet då?"

"Jag kom aldrig på honom med byxorna nere", sade han beklagande. "Jag gjorde mitt bästa, men han var alltid för snabb i vändningarna."

"Försöker du reta mig?"

"Nej", sade han, "jag uppvaktar dig."

Med sömntunga ögon kikade Sandy Griffiths halvsovande på de självlysande visarna på klockan, såg att den var tre och försökte komma ihåg om William hade gått ut tidigare på kvällen. Än en gång hade hon väckts ur sin oroliga sömn. Hon tyckte att det lät som om ytterdörren stängdes, fast hon var inte helt säker på om det verkligen hade hänt eller om det hade varit en dröm. Hon lyssnade efter steg i trappan men eftersom allt var tyst snubblade hon upp ur sängen och drog på sig morgonrocken. Barn skulle hon nog klara av, men en man, ALDRIG I LIVET ...

Hon tände lampan i trappavsatsen och sköt upp dörren till Hannahs rum. En ljusstråle föll över barnsängen och hennes oro lade sig genast. Barnet satt med tummen i munnen i den koncentrerade orörlighet som var en del av hennes väsen. De vidöppna ögonen stirrade egendomligt intensivt på Griffiths. Hon visade inga tecken på att känna igen henne, utan tittade igenom henne som om det utspelades något bakom och bortom Griffiths. Polisassistenten insåg att Hannah sov djupt. Det förklarade barnsängen och alla lås. De

305

var till för att skydda sömngångaren förstod hon nu, inte för att beröva ett vaket barn spännande upplevelser.

Utifrån hördes det dämpade ljudet av en bil som startade. Någon lade i en växel och det knastrade om däcken. Vad i himmelens namn trodde den dåren att han höll på med? Inbillade han sig verkligen att han skulle bli berättigad till någon hjälp från det sociala om han lämnade sin dotter mitt i natten? *Eller var det just därför han gjorde det?* Tänkte han hoppa av från ansvaret en gång för alla?

Hon lutade sig utmattad mot dörrposten och granskade medkännande den blankögda, ljushåriga kopian av Kate medan hon tänkte på vad läkaren hade sagt när han såg de sönderslagna fotografierna i eldstaden. *"Hon är arg på sin mamma för att hon har blivit lämnad ... det är en fullkomligt normal sorgereaktion ... försök få hennes far att krama om henne ... det är bästa sättet att fylla tomrummet ..."*

När Griffiths tillkännagav att William Sumner försvunnit höjde somliga av de närvarande i spaningsrummet i Winfrith på ögonbrynen, men ingen visade något större intresse. Som så många gånger förr i sitt liv hade han blivit betydelselös. Uppmärksamheten riktades istället mot Beatrice "Bibi" Gould. När polisen ringde på hemma hos hennes föräldrar klockan sju på lördagsmorgonen och bad henne att komma med dem till Winfrith för vidare förhör brast hon i gråt, låste in sig i badrummet och vägrade att komma ut. Inte förrän polisen hotade med att omedelbart gripa henne om hon vägrade samarbeta och dessutom lovade att hennes föräldrar skulle få följa med öppnade hon till slut dörren. Rädslan verkade inte stå i proportion till polisens begäran och när hon ombads förklara sig sade hon: "Alla kommer att bli arga på mig."

Efter en kort inställelse inför rätten angående misshandelsåtalet kallades även Steven Harding till fortsatt förhör. Han kördes dit av en gäspande Nick Ingram som tog tillfället i akt att vidarebefordra lite av livets hårda fakta till den omogne unge mannen vid sin sida. "En sak ska du ha klart för dig, Steve, och det är att jag skulle vrida nacken av dig om det var min femtonåriga dotter du hade gjort på smällen. Faktum är att jag skulle vrida nacken av dig om du så mycket som petade på henne."

Harding var obotfärdig. "Det är annorlunda nuförtiden. Man kan inte tala om för tjejerna hur de ska bete sig. De bestämmer själva."

"Hör på här, Steve. Jag sa att det var dig jag skulle vrida nacken av, inte min dotter. Tro mig, den dag jag kommer på en man på tjugofyra med att tafsa på mitt fantastiska barn kommer den jäveln att önska att han aldrig hade dragit ner gylfen." Han iakttog Harding ur ögonvrån och såg hur läpparna började forma ord. "Och kom inte och säg att hon var lika tänd som du", morrade han, "för då får jag lust att vrida armarna ur led på dig också. Varenda jävel kan snacka omkull en sårbar tonåring genom att lova henne evig kärlek. Man det ska till en riktig man för att ge henne tid att ta reda på om löftet är något värt."

Bibi Gould ville inte ha sin pappa i förhörsrummet, men bad däremot att mamman skulle få sitta med och hålla handen. På andra sidan bordet gick kriminalintendent Carpenter och kriminalkommissarie Galbraith igenom hennes tidigare vittnesutsaga. Hon såg stukad ut inför Carpenters bistert rynkade panna och han behövde bara säga: "Vi tror att du har ljugit för oss, Bibi", för att dammluckorna skulle öppnas.

"Pappa gillar inte att jag bor hos Tony över helgerna ... Han tycker att jag skämmer ut mig ... Han hade fått spader om han hade vetat att jag var helt utslagen. Tony sa att det var alkoholförgiftning för jag spydde blod, men jag tror att det var den taskiga ecstasyn som han hade köpt av sin polare ... Jag spydde som en gris i flera timmar efter att jag hade vaknat ... Pappa skulle slå ihjäl mig om han fick veta ... Han avskyr Tony... Han tycker att han har dåligt inflytande." Hon lade huvudet mot sin mammas axel och snyftade högljutt.

"När var det?" frågade Carpenter.

"Förra helgen. Vi skulle åka på ett rejvparty i Southampton, så Tony fick lite ecstasy av en snubbe han känner ..." Hon började staka sig och tystnade.

"Fortsätt."

"Alla kommer att bli arga", jämrade hon sig. "Tony sa att det inte fanns någon anledning att sätta dit en kompis bara för att hans båt råkar ligga på fel plats."

Med synbar ansträngning lyckades Carpenter få sin bistra uppsyn att närma sig något som påminde om faderlig vänlighet. "Vi är inte ute efter Tonys vän, Bibi, vi vill bara få en klar bild av var alla befann sig förra helgen. Du har ju sagt att du tycker om Steven Harding", sade han inställsamt, "och det skulle hjälpa Steve avsevärt om vi kan klara ut några av motsägelserna i hans redogörelse. Du och Tony hävdade att ni inte träffade honom på lördagen eftersom ni åkte till Southampton och gick på rejvparty. Är det riktigt?"

"Det är sant att vi inte träffade honom." Hon snörvlade. "Åtminstone inte jag ... Fast det är klart att Tony kanske gjorde det ... men det där med rejvpartyt är inte sant. Det började inte förrän tio, så Tony sa att vi lika gärna kunde se till att komma i gasen tidigare. Grejen är att jag inte minns så mycket ... Vi hade druckit sen fem och sen tog jag lite ecstasy ..." Hon grät mot mammans axel igen.

"För att det inte ska uppstå några missförstånd här, Bibi: du säger att du tog en ecstasytablett som du fick av din pojkvän, Tony Bridges?"

Hans ton gjorde henne orolig. "Ja", viskade hon.

"Har du förlorat medvetandet förut när du har varit med Tony?"

"Det har hänt ... när jag har druckit för mycket."

Carpenter strök sig tankfullt över hakan. "Vet du hur dags du tog tabletten i lördags?"

"Sju, kanske. Jag minns inte riktigt." Hon snöt sig i en pappersnäsduk. "Tony sa att han inte hade fattat att jag hade druckit så mycket, för i så fall skulle han inte ha gett mig något. Det var hemskt ... Jag ska aldrig supa eller ta ecstacy mer ... Jag har mått dåligt hela veckan." Hon log blekt. "Allt de säger om ecstacy stämmer nog. Tony säger att det var tur att jag inte dog."

Galbraith var mindre hågad att spela faderlig. Hans privata åsikt om henne var att hon var en fladdrig typ med tonårshull och dålig självbeharskning. Han begrundade naturens och kemins mystiska påverkan och undrade hur det kom sig att en tidigare vettig person börjat bete sig som en dåre på grund av en flicka som hon. "När intendent Campbell kom hem till Tony i måndags kväll var du också full", påminde han henne.

Hon gav honom en beräknande blick underifrån som tog kål på all tillstymmelse till eventuell sympati. "Jag hade bara druckit två öl", sade hon. "Jag trodde att jag skulle må bättre då – men det gjorde jag inte."

Carpenter slog med pennan i bordet för att få hennes uppmärksamhet. "När vaknade du i söndags morse, Bibi?"

Hon ryckte självömkande på axlarna. "Jag vet inte. Tony sa att jag var dålig i ungefär tio timmar och det gick inte över förrän vid sju i söndags kväll. Det var därför jag kom hem för sent."

"Vid nio i söndags morse, alltså?"

Hon nickade. "Ungefär." Hon vände det tårdränkta ansiktet mot mamman. "Förlåt, mamma. Jag ska aldrig göra så igen."

Fru Gold kramade flickans axel och gav de båda poliserna en vädjande blick. "Innebär det att hon kommer att bli åtalad?"

"För vad?"

"För att hon har tagit ecstasy."

Intendenten skakade på huvudet. "Det skulle jag knappast tro. Som det ser ut nu finns det inga bevis för att hon har gjort det." *Rohypnol, kanske ...* "Men det var väldigt dumt gjort, Bibi, och jag hoppas att du inte kommer till polisen och gnäller nästa gång du har fått tabletter du inte vet något om av en man. Du har faktiskt ansvar för ditt eget liv och mitt råd är att du lyssnar på din pappa någon gång emellanåt."

Snyggt jobbat, tänkte Galbraith.

Carpenter lade handen på Bibis tidigare redogörelse. "Jag gillar inte folk som ljuger, min unga dam. Det gör ingen av oss. Jag tror att du serverade min kollega kommissarie Galbraith en lögn till igår kväll, eller vad säger du själv?"

Hennes ögon vidgades som i panik, men hon svarade inte.

"Du sa att du aldrig hade varit på *Crazy Daze*, men det tror vi att du har."

"Det har jag inte."

"Du lämnade dina fingeravtryck i början av veckan. De stämmer med flera avtryck vi har hittat i ruffen på Stevens båt. Kan du förklara hur det kommer sig med tanke på att du förnekar att du någonsin varit där?" Han blängde bistert på henne.

"Det är ... Tony vet liksom inget ... Åh, hjälp!" Hon blev darrig av nervositet. "Det var bara ... Steve och jag blev fulla en kväll när Tony var borta. Han skulle bli så himla sårad om han fick reda på det ... han är helt fixerad vid att Steve är så snygg och han skulle bara dö om han kom på att ... ja, alltså ..."

"Hade du samlag med Steven Harding på *Crazy Daze*?"

"Vi var packade. Jag minns knappt någonting. Det *betydde* ingenting", sade hon desperat, som om otrohet kunde ursäktas när hämningarna hade lösts upp i sprit. Men begreppet *in vino veritas* var kanske alltför svårbegripligt för en omogen nittonåring.

"Varför är du så rädd för att Tony ska få reda på det?" frågade Carpenter intresserat.

"Det är jag inte." Hennes ögon vidgades ännu mer och det var tydligt att hon ljög.

"Vad gör han med dig, Bibi?"

"Ingenting. Det är bara ... han blir så vansinnigt svartsjuk ibland."

"På Steve?"

Hon nickade.

"Hur märker du det?"

Hon slickade sig om läpparna. "Det har bara hänt en gång. Han klämde mina fingrar i bildörren när han hittade mig på puben med Steve. Han sa att det var en olyckshändelse, men ... ja ... jag tror inte det."

"Var det innan eller efter du hade legat med Steve?"

"Efter."

"Så han visste om det?"

Hon dolde ansiktet i händerna. "Jag förstår inte hur han skulle kunna göra det ... han var inte i stan på hela den veckan, men han har varit ... ja, *konstig* ... ända sen ..."

"När hände det här?"

"Förra mitterminslovet."

Carpenter tittade i sin almanacka. "Mellan den 24 och den 31 maj?"

"Det var måndagen på lovet, det vet jag."

"Bra." Han log uppmuntrande. "Bara ett par frågor till, Bibi, så är vi klara sedan. Minns du en gång när Tony skulle köra dig någonstans i Steves bil och Kate Sumner hade smetat ner handtaget på passagerarsidan med sin dotters avföring?"

Hon gjorde en äcklad grimas. "Det var vidrigt. Jag fick det över hela handen."

"Kommer du ihåg när det hände?"

Hon tänkte efter. "Jag tror att det var i början av juni. Tony sa att vi skulle åka till Southampton och gå på bio, men jag blev tvungen att tvätta mig så länge för att få bort skiten att vi aldrig kom iväg."

"Efter att du hade legat med Steve, alltså?"

"Ja."

"Tack. Sista frågan. Var bodde Tony när han var borta?"

"Jättelångt härifrån", sade hon med eftertryck. "Hans föräldrar har en husvagn vid Lulworth Cove och Tony åker alltid dit när han behöver ta igen sig. Jag brukar säga att han borde sluta undervisa för han avskyr verkligen ungar. Han säger att om han får ett nervöst sammanbrott så är det deras fel, fast alla andra skulle säga att det är för att han har rökt för mycket gräs."

Förhöret med Steven Harding gick inte lika smidigt. Han fick veta att Marie Freemantle hade berättat om sitt förhållande med honom och att han med tanke på hennes ålder mycket väl kunde bli åtalad.

Trots det ville han inte ha någon advokat eftersom han inte ansåg att han hade något att dölja. Han föreföll att utgå ifrån att det inofficiella samtalet med Nick Ingram kvällen innan var orsaken till att Marie blivit förhörd, och varken Carpenter eller Galbraith brydde sig om att ta honom ur villfarelsen.

"Har du ett förhållande med en femtonårig flicka som heter Marie Freemantle?" frågade Carpenter.

"Ja."

"Och du visste att hon var underårig när du hade samlag med henne första gången?"

"Ja."

"Var bor Marie?"

"I Lymington, på Dancer Road 55."

"Varför sa din agent att du har en flickvän som heter Marie och bor i London?"

"Därför att han tror att hon bor där. Han fixade lite jobb åt henne och eftersom hon inte ville att hennes föräldrar skulle få reda på det gav vi honom adressen till en affär i London dit vår post går."

"Vad för slags jobb?"

"Nakenjobb."

"Porr?"

Harding såg besvärad ut. "Bara mjukporr."

"Video eller foton?"

"Foton."

"Var du med på bilderna?"

"På några", medgav han.

"Var finns de bilderna nu?"

"Jag slängde dem överbord."

"Därför att de visar att du är ihop med någon som är underårig?"

"Hon ser inte underårig ut."

"Svara på frågan, Steve. Slängde du dem i vattnet för att de visar att du är ihop med någon som är underårig?"

Harding nickade.

"För bandet: Steven Harding nickar jakande. Visste Tony Bridges

312

att du låg med Marie Freemantle?"

"Vad har Tony med saken att göra?"

"Svara på frågan, Steve."

"Jag tror inte det. Jag berättade det aldrig för honom."

"Såg han bilderna på henne?"

"Ja. Han kom ut till båten i måndags och då låg de på bordet."

"Hade han sett dem innan dess?"

"Jag vet inte. Han svinade ner hela båten för fyra månader sedan." Harding slickade sig om de torra läpparna. "Han kanske hittade dem då."

Carpenter lutade sig tillbaka och lekte med pennan. "Vilket måste ha gjort honom arg", sade han mer som ett konstaterande än en fråga. "Hon är elev till honom och han var själv förtjust i henne, fast hans ställning som lärare gjorde henne till förbjudet område, vilket du kände till."

"Jag ... hm ... antar det."

"Vi har förstått att du träffade Marie Freemantle första gången den 14 februari. Hade du ett förhållande med Kate Sumner då?"

"Jag hade inget förhållande med Kate Sumner." Han blinkade nervöst när han, precis som Tony kvällen innan, försökte gissa sig till vad de var ute efter. "Jag gick hem till henne och hon liksom ... jaa ... lade upp sig för mig. Det var okej, men jag har egentligen aldrig tänt på kvinnor som är äldre än jag. Jag gjorde klart för henne att jag inte var intresserad av ett förhållande och jag trodde att hon hade fattat det. Det var bara en snabbis i hennes kök – inget att hetsa upp sig över."

"Så Tony ljuger när han säger att förhållandet pågick i tre, fyra månader?"

"Åh, herregud!" Hardings nervositet växte. "Hör på här, det är möjligt att han fått det intrycket, jag menar jag kände Kate ... ni vet, vi var bekanta en tid innan vi verkligen var ihop, och jag kanske ... ja, fick Tony att tro att det var lite mer än det egentligen var. Det var ett skämt, faktiskt. Han är rätt pryd av sig."

Carpenter gav honom en lång blick, innan han tittade ner på pap-

313

peret som låg framför honom på bordet. "Tre månader innan du träffade Marie, någon gång i veckan 24–31 maj, låg du med Bibi Gould, Tony Bridges flickvän. Stämmer det?"

Harding suckade. "Äh, kom igen nu, va! *Det* var verkligen ingenting. Vi blev fulla på puben och jag tog med henne till *Crazy Daze* för att hon skulle sova ruset av sig, för Tony var borta och huset låst. Hon stötte på mig och ... ja, ärligt talat kommer jag inte ihåg så mycket. Jag var aspackad och jag kan inte svära på att det hände något som är värt att minnas."

"Vet Tony om det?"

Han svarade inte med en gång. "Jag – varför håller ni på och frågar om honom hela tiden?"

"Var vänlig och svara på frågan. Vet Tony om att du har legat med hans flickvän?"

"Jag vet inte. Han har varit lite knepig på sistone, så jag har undrat om han såg när jag körde henne iland på morgonen." Med en nervös gest började han leka med en hårtest som hängde ner i pannan. "Han skulle stanna en vecka i sina föräldrars husvagn, men Bob Winterslow berättade att han hade sett honom dra ut gummibåten ur garaget hos sin farfar den dagen."

"Kommer du ihåg vilken dag det var?"

"Måndagen på lovet. Damfriseringen där Bibi jobbar hade stängt då, så det var därför hon kunde sova över på söndagen." Han tystnade i väntan på att Carpenter skulle säga något. När han inte gjorde det ryckte Harding lätt på axlarna. "Hör ni, det var ingen stor grej. Jag hade tänkt reda ut det med Tony om han tog upp det" – ytterligare en axelryckning – "men han sa aldrig något."

"Brukar han säga något när du ligger med hans flickvänner i normala fall?"

"Det är för helvete ingen vana. Problemet är ... alltså, Bibi var som Kate. Man försöker vara schyst mot en tjej va, och rätt som det är så börjar de klänga på en."

Carpenter såg bister ut. "Menar du att de tvingar dig till samlag?"

"Nej, men ... "

"Låt mig slippa ursäkterna i så fall." Han tittade ner i anteckningarna igen. "Varför fick din agent för sig att Bibi var din flickvän?"

Harding började leka med håret igen. Han hade faktiskt anständighet nog att se generad ut. "Därför att jag sa att hon var rätt het på gröten."

"Vilket innebär att hon skulle ställa upp på porrbilder?"

"Ja."

"Kan din agent ha nämnt det för Tony?"

Harding skakade på huvudet. "I så fall skulle Tony ha blivit vansinnig."

"Fast han blev inte vansinnig för det där med Kate Sumner?"

Den unge mannen blev uppenbart ställd av frågan. "Tony kände inte Kate."

"Hur väl kände du henne, Steve?"

"Det är det som är så sjukt", sade han. "Nästan inte alls ... visst låg vi med varandra en gång men ... alltså, det betyder ju inte att man lär känna varandra, va? Jag undvek henne efteråt för jag tyckte det var pinsamt. Sedan började hon bete sig som om jag hade varit taskig mot henne på något sätt."

Carpenter tog fram Hardings vittnesutsaga. "Du hävdade att hon var besatt av dig, Steve. 'Jag visste att hon var störtänd på mig ...'" läste han. "'Hon brukade hålla till på varvet och bara vänta på att jag skulle komma ... För det mesta stod hon bara och glodde, men ibland gick hon tätt inpå mig och strök brösten mot min arm ...' Är något av det där sant?"

"Jag kanske överdrev lite. Hon kom dit varje dag i ungefär en veckas tid innan hon fattade att jag inte var intresserad. Sedan så liksom ... ja, hon gav väl upp, antar jag. Jag såg henne inte mer förrän hon gjorde det där med blöjan."

Carpenter letade rätt på Tony Bridges vittnesutsaga i pappershögen. "Så här sa Tony: 'Han har sagt flera gånger att han hade problem med en kvinna som hängde efter honom och att hon hette

315

Kate Sumner ...' Bestämde du dig för att överdriva lite när du berättade det för Tony?"

"Ja."

"Kallade du Kate för 'fnask'?"

Han kurade ihop sig. "Det var bara snack."

"Sa du till Tony att det var lätt att få omkull Kate?"

"Hör på här nu, det var bara på skoj. Han hade det verkligen jobbigt med sex förr. Alla brukade reta honom, inte bara jag ... sen kom Bibi in i bilden och han.... blev mer avspänd."

Carpenter granskade honom ingående. "Så du låg med Bibi på skoj?"

Harding stirrade ner på sina händer. "Jag gjorde det inte av något speciellt skäl. Det bara blev så. Jag menar, hon var verkligen lätt att få omkull. Hon är bara ihop med Tony för att hon är tänd på mig. Alltså" – han kröp ihop ännu mer på stolen – "ni verkar vara inne på helt fel spår."

"Fel spår på vilket sätt då, Steve?"

"Jag vet inte, men det verkar som om ni hakat upp er på Tony."

"Och det finns det all anledning till", sade Carpenter och drog fram ett annat papper ur högen framför sig samtidigt som han dolde texten med handen. "Vi har fått höra att du såg när han gav Bibi en tablett som heter" – han sänkte blicken och tittade på papperet som om ordet stod där – "Rohypnol, för att hon inte skulle klaga på hans prestationer. Stämmer det?"

"Åh, fan också!" Harding stödde huvudet i händerna. "Jag antar att Marie har pladdrat?" Han masserade tinningarna i mjuka cirklande rörelser och Galbraith fängslades av hur eleganta hans gester var. Det var en ovanligt vacker ung man och det förvånade honom inte att Kate hade tyckt att han var mer tilldragande än William.

"Stämmer det, Steve?"

"På sätt och vis. Han berättade att han hade fått i henne en tablett en gång när hon hade hållit på och hackat på honom, men jag såg det inte, så det kanske bara var snack."

316

"Hur kände han till Rohypnol?"

"Det gör alla."

"Var det du som upplyste honom?"

Harding lyfte på huvudet för att titta på papperet framför intendenten. Det var tydligt att han undrade hur mycket upplysningar som stod att läsa där. "När Tonys farmor dog började hans farfar få svårt att sova, så distriktsläkaren skrev ut Rohypnol till honom. Tony berättade det för mig och då skrattade jag och sa att alla hans problem skulle vara lösta om han kunde komma över ett par. Det är inte mitt fel om den satans idioten använde dem."

"Har du själv använt dig av dem, Steve?"

"Äh, lägg av! Vad skulle jag ha för anledning till det?"

Ett svagt leende drog över Carpenters ansikte då han kom in på nästa ämne. "Hur snart efter händelsen med blöjan började Kate smeta in Hannahs avföring på din bil och sätta igång larmet?"

"Jag vet inte. Några dagar, kanske."

"Hur visste du att det var hon?"

"För att hon hade smetat ut skit på lakanen i min båt."

"Det hände visst någon gång i slutet av april?" Harding nickade. "Men hon började inte med den här" – Carpenter sökte efter ett lämpligt uttryck – "'smutskastningskampanjen' förrän hon insåg att du inte var intresserad av ett fortsatt förhållande?"

"Det var inte mitt fel", sade han uppgivet. Hon var ... *så* ... *förbannat* ... *tråkig.*"

"Frågan jag ställde, Steve", upprepade Carpenter tålmodigt, "var om hon inledde sin 'smutskastningskampanj' när hon insåg att du inte var intresserad?"

"Ja." Han tryckte handlovarna mot ögonlocken medan han försökte minnas detaljerna. "Hon ställde till med ett helvete för mig och till slut pallade jag inte mer. Det var då jag bestämde mig för att övertyga William om att jag var en rövpulare."

Kriminalintendenten lät fingret löpa utmed raderna i Hardings vittnesutsaga. "Var det i juni?"

"Ja."

317

"Kan du förklara varför du väntade en och en halv månad innan du satte stopp för det?"

"För att hon inte lade av, det blev bara värre", sade Harding i ett plötsligt anfall av ilska, som om minnet fortfarande plågade honom. "Jag trodde att hon skulle tappa gnistan om jag bara låg lågt, men när hon började skita ner gummibåten fick det vara nog. Jag var rädd att hon skulle börja ge sig på Crazy Daze också och det tänkte jag inte finna mig i."

Carpenter nickade som om han tyckte att det var en rimlig förklaring. Han tog fram Hardings redogörelse igen. "Så du sökte upp William och visade honom bilderna av dig själv i bögtidningen för att han skulle säga till sin fru att du var bög?"

"Ja."

"Mmm." Carpenter sträckte ut armen efter Tony Bridges vittnesutsaga. "Tony å sin sida har berättat att när du sa att du skulle polisanmäla Kate för att hon trakasserade dig rådde han dig att flytta på bilen istället. Enligt honom var det så du fick problemet ur världen. När vi berättade för honom igår kväll att du försökte slippa undan Kates trakasserier genom att visa William bilder på dig själv i bögtidningar lät han faktiskt ganska road. Han sa: "Steve har alltid varit dum som ett spån.""

Harding ryckte på axlarna. "Och? Det funkade. Det är väl det enda som räknas."

Carpenter buntade långsamt ihop papperen framför sig. "Hur kommer det sig, tror du?" frågade han. "Du kan väl inte på allvar tro att en kvinna som är så arg över att bli avspisad att hon är beredd att trakassera och terrorisera dig i veckor snällt lägger av när hon får reda på att du är bög? Eller gör du det? Jag är visserligen ingen expert på psykiska störningar men det logiska hade väl varit att terrorn hade trappats upp istället. Ingen gillar att framstå som en idiot, Steve."

Harding stirrade förbryllat på honom. "Men hon lade ju av."

Intendenten skakade på huvudet. "Det går inte att sluta med något man aldrig börjat. Visst fick hon ett utbrott och torkade av Hannahs blöjor på dina lakan, vilket förmodligen gav Tony uppslaget, men det var inte Kate som gav igen – det var din kompis. Och det var en synnerligen välvald hämnd. Du har slängt skit på honom i åratal. Han måste ha fått en kick av att få ge igen med samma mynt. Att han slutade berodde enbart på att du hotade med att gå till polisen."

Ett glåmigt leende spred sig långsamt över Hardings ansikte. Han såg ut att må illa, tänkte Carpenter förnöjt.

William Sumners mor hade för länge sedan gett upp försöken att få sonen att prata. Den första förvåningen över att han dök upp utan förvarning hade övergått i rädsla och nu betedde hon sig som om han tagit henne som gisslan, försökte blidka istället för att ta strid. Vad det än var som hade fört honom tillbaka till Chichester vägrade han att öppna sig för henne och tala om det. Han verkade pendla mellan vrede och ångest. Han vaggade fram och tillbaka i utbrott av våldsamt rörelsebehov och föll ihop i tårdränkt apati när de gick över. Hon kunde inte hjälpa honom. Han föreföll nästan vansinnig där han satt och vakade över telefonen, och hon valde att sitta tyst och titta på, dubbelt handikappad av sin nedsatta rörelseförmåga och av fruktan.

Hon hade helt tappat kontakten med honom under det senaste året och kände ett slags undertryckt motvilja som gjorde henne elak. Hon märkte att hon föraktade honom. Han hade alltid saknat ryggrad och det var därför Kate så lätt fått övertaget, tänkte hon. Hennes mun smalnade till ett streck och fylld av ringaktning lyssnade hon till de torra snyftningar som skakade hans tunna kropp. När han till slut började tala insåg hon att hon hela tiden vetat vad han skulle säga. "... Jag visste inte vad jag skulle ta mig till ..."

Hon antog att han hade dödat sin hustru. Nu fruktade hon att han dödat sitt barn också.

Tony Bridges reste sig när celldörren öppnades och betraktade Galbraith med ett osäkert leende på läpparna. Att sitta inspärrad hade fått honom att krympa ihop till en obetydlig liten man som hade upptäckt vad det innebar att inte längre ha kontroll över sitt liv. Gårdagens stöddighet var borta och hade ersatts av en skrämd insikt om att hans övertalningsförmåga inte förmådde spräcka polisens gedigna misstroende. "Hur länge tänker ni hålla mig kvar här?"

"Så länge det behövs, Tony."

"Jag fattar inte vad det är ni vill ha mig att berätta?"

"Sanningen."

"Det enda jag har gjort var att stjäla en båt."

Galbraith skakade på huvudet. Han tyckte att han såg en glimt av ånger i den skrämda blick som hastigt mötte hans innan han klev åt sidan och släppte förbi den unge mannen. Han antog att det var någon form av samvetskval.

"... Det var inte meningen. Jag gjorde det inte – inte egentligen. Kate skulle fortfarande ha varit i livet om hon inte hade försökt knuffa mig överbord. Hon hade sig själv att skylla. Allt var bra tills hon gav sig på mig, sedan låg hon helt plötsligt i vattnet. Det var inte mitt fel. Om jag hade tänkt döda Kate skulle jag väl ha dränkt Hannah också ...?"

25

BROXTON HOUSE SLUMRADE fridfullt i eftermiddagssolen när Nick Ingram körde fram till den pelarprydda ingången. Som vanligt hejdade han sig för att beundra de rena, räta linjerna och – som vanligt – beklagade han det långsamma förfallet. Han uppfattade kanske ännu mer än familjen Jenner huset som något värdefullt, en levande påminnelse om alltings inneboende skönhet, men så var han också trots sitt yrke och till skillnad från dem obotligt sentimental. Dubbeldörrarna stod på vid gavel som en inbjudan till förbipasserande tjuvar och han tog med sig Celias handväska från hallbordet när han gick förbi på väg till vardagsrummet. Tystnaden vilade över huset som ett dammtäcke och han blev plötsligt rädd att han var för sent ute. Till och med hans egna fotsteg på marmorgolvet dämpades till en viskning i ödsligheten runt omkring.

Han öppnade försiktigt dörren till vardagsrummet och steg in. Celia halvsatt i sängen med öppen mun och glasögonen på nästippen. Hon snarkade lågt. Bredvid henne låg Bertie med huvudet på kudden. Det såg ut som en scen ur *Gudfadern* och Nick kunde nästan inte låta bli att skratta högt. Den sentimentala personen i honom betraktade dem tillgivet. Maggie kanske hade rätt, tänkte han. Lycka kanske hade mer med kroppskontakt än med hygien att göra. Varför bry sig om tefläckar i kopparna när man hade en lurvig sängvärmare som visade sin kärlek när ingen annan gjorde det? Han knackade försiktigt på dörren och betraktade roat Bertie som försiktigt öppnade ena ögat och sedan slöt det igen i synbar lättnad över att Nick tydligen inte tänkte kräva några bevis på lojalitet.

"Jag sov inte", sade Celia och rättade till glasögonen. "Jag hörde när du kom."

"Stör jag?"

"Nej." Hon satte sig till rätta och drog ihop bäddkoftan över bröstet i ett senkommet försök att bevara värdigheten.

"Ni borde inte lämna kvar väskan ute i hallen", sade han, gick runt sängen och lade den bredvid henne. "Vem som helst kan stjäla den."

"Det får de så gärna göra. Där finns inget som är värt att ta." Hon granskade honom ingående. "Du ser bättre ut i uniform. När du är klädd så där liknar du en trädgårdsarbetare."

"Jag sa att jag skulle hjälpa Maggie att måla och jag kan inte måla i uniform." Han drog fram en stol. "Var är hon?"

"Där du sa åt henne att vara. I köket." Celia suckade. "Jag är orolig för henne, Nick. Hon är inte uppfostrad för kroppsarbete. Hon kommer att få händer som en grovarbetare."

"Det har hon redan. Man kan inte mocka stall och kånka hinkar dag ut och dag in utan att det syns på händerna. Det är en omöjlighet."

Hon klickade ogillande med tungan. "En gentleman lägger inte märke till sådant."

Han hade alltid tyckt om henne. Han visste inte varför, men hennes rättframma sätt tilltalade honom. Hon kanske påminde honom om hans egen mamma, en jordnära arbetarkvinna som hade varit död i tio år. Han tyckte definitivt att det var lättare att komma överens med folk som sade vad de tyckte än med personer som dolde sina känslor bakom hycklande leenden. "Det gör han nog, vet ni. Han låter bara bli att nämna det."

"Men det är just vad det handlar om, din tok", sade hon vresigt. "En gentleman känner man igen på hans sätt."

Han log brett. "Så ni föredrar lögnare framför någon som är rakt på sak? Så verkade det inte för fyra år sedan när Robert Healy tog till sjappen."

"Robert Healy var en brottsling."

322

"Men en tilldragande brottsling."

Hon rynkade pannan. "Har du kommit hit för att reta upp mig?"

"Nej, jag kom för att se hur det var med er."

Hon viftade avfärdande med handen. "Jaha, och det har du gjort. Gå och leta rätt på Maggie. Jag är säker på att hon blir glad över att se dig."

Han gjorde ingen ansats att gå därifrån. "Blev någon av er kallade som vittnen i rättegången mot Healy?" frågade han.

"Det vet du att vi inte blev. Han blev bara åtalad för sitt senaste bedrägeri. Alla vi andra fick hålla oss i bakgrunden för att inte röra till det hela och det var det som gjorde mig allra argast. Jag ville ställa mig upp i rättssalen och tala om för den där förfärliga karlen vad jag tyckte om honom. Mina pengar hade jag aldrig fått tillbaka, men jag kunde ha fått mitt skålpund kött." Hon lade skyddande armarna i kors över bröstet som ett värn. "Men det är inte en fråga jag vill ägna fler tankar åt. Det är inte bra för hälsan att gräva ner sig i det förgångna."

"Läste ni vad tidningarna skrev om rättegången?" fortsatte han utan att ta notis om henne.

"En del av det", sade hon kort, "sedan fick jag sluta för att jag blev så rasande."

"Varför blev ni rasande?"

Det började rycka lätt i hennes överläpp. "Hans offer beskrevs som ensamma kvinnor, som längtade desperat efter kärlek och uppmärksamhet. Jag har aldrig blivit så upprörd i hela mitt liv. Det fick oss att framstå som lättlurade dumskallar."

"Men ert fall togs ju aldrig upp", påpekade han. "Beskrivningen gällde hans två senaste offer – två äldre ogifta systrar som levde ensamma på en enslig gård i Cheshire. En perfekt måltavla för Healy med andra ord. Att han blev avslöjad berodde enbart på att han gick för fort fram och förfalskade deras namnteckningar på några checkar. Bankdirektören i de båda systrarnas bank blev misstänksam och vände sig till polisen."

Det ryckte fortfarande i läppen. "Fast jag tänker ibland att det

323

stämmer", sade hon med spänd röst. "Jag har aldrig uppfattat oss som ensamma och övergivna, men nog blommade vi upp när han kom in i våra liv och jag rodnar bara jag tänker på det."

Ingram stack ner handen i jeansfickan och drog upp ett tidningsurklipp. "Jag tog med en sak jag tänkte läsa upp för er. Det här är vad domaren sa till Healy innan han avkunnade domen." Han slätade ut papperet i knäet. "*'Ni är en intelligent man med hög utbildning och vinnande sätt'*", läste han, "*'och dessa egenskaper gör er synnerligen farlig. Ni är fullständigt hänsynslös och likgiltig för era offers känslor samtidigt som ni använder er stora charm och intelligens för att få dem att lita på er. Så många kvinnor har duperats att ingen kan tro att det är DERAS'*" – han betonade ordet – "*'lättrogenhet som är orsaken till att ni lyckats lura dem, och jag är övertygad om att ni utgör ett reellt hot mot samhället.'*" Ingram lade urklippet på sängen. "Domaren erkände att Healy faktiskt var charmerande och intelligent."

"Det var bara teater." Hon sträckte sig efter Bertie och ryckte honom nervöst i öronen. "Han var en riktig skådespelare."

Ingram tänkte på Steven Hardings mycket medelmåttiga skådespelartalang och skakade på huvudet. "Jag tror inte det", sade han vänligt. "Det går inte att upprätthålla skenet år ut och år in. Charmen var äkta och det var därför ni och Maggie föll för honom. Jag tror att problemet är att ingen av er kan godta det. Hans svek blir mycket värre om ni tyckte om honom."

"Nej." Hon tog fram en näsduk under kudden och snöt sig. "Det som gör mig mer upprörd är att jag trodde att han tyckte om oss. Vi är väl inte så omöjliga att tycka om?"

"Inte alls. Jag är säker på att han avgudade er båda två. Det gör alla andra."

"Prata inte strunt!" snäste Celia. "I så fall skulle han inte ha bedragit oss."

"Det är klart att han skulle." Ingram satte hakan i handen och stirrade på henne. "Problemet med er är att ni är konformist. Ni utgår ifrån att alla uppträder och bör uppträda på samma sätt. Men

324

Healy var proffs. Han hade ägnat sig åt bedrägerier på heltid i tio år, glöm inte det. Därmed inte sagt att han inte tyckte om er. Det är som att påstå att jag inte skulle tycka om er om jag blev tvungen att gripa er." Han log snett. "Vi gör det vi är bra på här i livet om vi inte vill svälta, och känns det motbjudande skriker vi och gapar lite innan vi går till banken och lyfter lönen."

"Det där är bara dumheter."

"Är det? Tror ni att jag tycker att det är roligt att gripa en tioåring för skadegörelse, när jag vet att han har det bedrövligt hemma, skolkar för att han inte kan läsa och antagligen kommer att få spö av sin fulla morsa eftersom hon är så korkad att hon inte kan komma på en bättre lösning? Jag ger pojken en varning för det är vad jag har betalt för, men jag har tusen gånger större medkänsla med honom än med hans morsa. Brottslingar är också människor och det är inte förbjudet att tycka om dem."

Hon plirade på honom över glasögonen. "Nej, men du tyckte inte om Martin, Nick, försök inte påstå något annat."

"Nej, det är sant", erkände han, "men det var rent personligt. Jag tyckte att han var en första klassens skitstövel. Fast om jag ska vara ärlig trodde jag inte ett ögonblick att gamla fru Fieldings anklagelser om att han hade försökt stjäla hennes antikviteter var riktiga. I mina ögon var han oskyldig som ett lamm ... helt perfekt, faktiskt ... rena drömprinsen." Leendet blev ännu snedare. "Jag utgick ifrån – och det gör jag fortfarande för det stämde inte in på Healys sätt att jobba – att det bara berodde på att Fielding var senil och enda anledningen till att jag kom till er var att jag inte kunde motstå tillfället att ge honom en näsknäpp." Han tittade upp och såg henne i ögonen. "Men det fick mig inte att inse vad han verkligen höll på med. Inte ens när Simon Farley berättade att han hade betalt med checkar som saknade täckning på puben och bad mig göra en diskret koll eftersom han inte ville ha något bråk föll det mig in att Martin var yrkesbedragare. Om jag hade anat det skulle jag ha betett mig annorlunda, och då kanske ni inte hade blivit av med era pengar och er man hade kanske fortfarande levt."

"Sluta nu, för Guds skull!" sade hon strävt och ryckte så hårt i Berties öra att den stackars hunden rynkade pannan av smärta. "Börja inte få skuldkänslor, du också."

"Varför inte? Om jag hade varit äldre och klokare hade jag kanske skött mitt jobb bättre."

Hon lade handen på hans axel i en osedvanlig ömhetsbetygelse. "Jag har fullt nog med mina egna skuldkänslor och jag vägrar att dra på mig dina och Maggies också. Maggie säger att hennes far föll ihop därför att hon skrek åt honom. Såvitt jag minns var han fullkomligt ifrån sig i två veckors tid och föll ihop i sitt arbetsrum efter en rejäl fylla. Ska man tro min son dog han av brustet hjärta därför att Maggie och jag behandlade honom som luft i hans eget hem." Hon suckade. "Sanningen är att Keith var alkoholist, hans hjärta hade krånglat tidigare och han kunde ha dött när som helst. Fast det är klart att Martins bedrägerier inte gjorde saken bättre. Men det var inte Keith som blev av med sina pengar. Det var jag. Min far testamenterade tiotusen pund till mig för tjugo år sedan och jag lyckades få den summan att växa till över hundratusen genom att satsa på aktier." Hon rynkade irriterat pannan vid minnet och snärtade sedan till Ingram på axeln. "Det här är ju löjligt. När allt kommer omkring är skulden enbart Robert Healys och jag vägrar låta någon annan ta på sig ansvaret."

"Inbegriper det er och Maggie också eller tänker ni fortsätta att gå i säck och aska för att alla andra ska känna sig medskyldiga?"

Hon betraktade honom tankfullt ett ögonblick. "Jag hade rätt om dig igår", sade hon. "Du är verkligen en fruktansvärt enerverande ung man." Hon viftade med handen ut mot hallen. "Gå och gör lite nytta nu. Hjälp min dotter."

"Hon klarar sig fint på egen hand. Jag får säkert bara stå och titta på."

"Jag pratade inte om att måla köket", svarade Celia.

"Inte jag heller, men svaret är ändå detsamma."

Hon tittade uttryckslöst på honom ett ögonblick och skrockade sedan lågt. "Enligt principen att det är klokt att bida sin tid?"

"Det har fungerat hittills", sade han och tog hennes hand i ett lätt grepp. "Ni är en modig kvinna, fru Jenner. Jag har alltid velat lära känna er bättre."

"Åh, för Guds skull, iväg med dig nu!" sade hon och föste bort honom. "Jag börjar tro att Robert Healy var rena novisen jämfört med dig." Hon pekade på honom. "Och kalla mig inte fru Jenner. Det är förskräckligt, det låter som om jag vore en städerska." Hon slöt ögonen, tog ett djupt andetag och sade i en ton som om hon stod beredd att skänka honom kronjuvelerna: "Du kan kalla mig Celia."

"... Jag kunde inte tänka klart, det var det som var problemet ... om hon bara hade lyssnat på mig istället för att skrika hela tiden ... Jag blev nog överraskad över hur stark hon var ... annars skulle jag inte ha brutit fingrarna på henne ... det var lätt ... de var väldigt små, tunna som kycklingben, men det hör inte till de grejer man har lust att göra direkt ... eller så här kan man väl säga: det är inget jag är stolt över ..."

Nick hittade Maggie vid köksfönstret där hon stod med armarna i kors och stirrade ut på hästarna i den uttorkade paddocken. Taket hade fått en strykning med blank vit färg men väggarna var orörda och rollern låg och torkade i tråget. "Titta på de stackars krakarna", sade hon. "Jag tror att jag ska ringa Djurskyddsföreningen och få dem att sätta åt deras hemska ägare."

Han kände henne utan och innan. "Vad är du irriterad över egentligen?"

Hon vände sig trotsigt om. "Jag hörde alltihop", sade hon. "Jag lyssnade vid dörren. Du tyckte väl att du var smart förstås?"

"Hur då?"

"Martin gick vägen över mamma innan han förförde mig", sade hon. "Jag blev imponerad av hans taktik. Efteråt har jag insett att det borde ha fått mig att fatta att han var en lögnare och bedragare."

"Han kanske tyckte att det var lättare att umgås med henne", föreslog Nick milt. "Din mamma är en bra människa. Och för att det inte ska uppstå några missförstånd kanske jag bör påpeka att jag inte har några planer på att förföra dig. Det skulle vara som att ta sig fram över ett fält fullt med taggtråd – smärtsamt, otacksamt och förbannat jobbigt."

Hon förärade honom ett skevt leende. "Jaha, vänta dig inte att jag ska förföra dig", sade hon i skarp ton, "för då får du vänta förgäves."

Han tog upp rollern ur tråget och sköljde av den under vattenkranen. "Tro mig. Inget vore mig mer främmande. Jag är livrädd för att få käken spräckt."

"Martin lät sig inte avskräckas så lätt."

"Nej", sade han torrt. "Men Martin skulle inte ha låtit sig avskräckas av Elefantmannen om det fanns pengar med i spelet. Har din mamma någon skurborste? Färgen har torkat in i tråget."

"Titta i grovköket." Hon stod tyst och betraktade honom ursinnigt medan han rotade runt bland fyra års samlade avlagringar i sin jakt på städredskap. "Du är verkligen genomfalsk", sade hon sedan. "Du har precis tillbringat en halv timme med att lyfta mammas självkänsla genom att tala om hur underbar hon är, men nu jämför du mig med Elefantmannen."

Han skrattade dämpat. "Martin låg inte med din mamma."

"Vad spelar det för roll?"

Han kom ut ur grovköket med en hink full med hopknölade trasor. "Jag har problem med det faktum att du går till sängs med en hund", sade han strängt. "Och jag kan ta mig fan inte blunda för en hal ål heller."

Det blev tyst ett ögonblick innan Maggie fnös till av skratt. "Bertie ligger i mammas säng för närvarande."

"Jag vet. Han är nog den sämsta vakthund jag någonsin träffat på." Ingram tog upp trasorna ur hinken och tittade närmare på dem. "Vad fan är det här?"

Mer skratt. "Det är pappas gamla kalsonger, din idiot. Mamma använder dem som trasor för att spara pengar."

"Jaha, ja." Han ställde hinken i diskhon och satte på vattnet. "Det verkar ju vettigt. Din farsa var en stor kille. Det finns nog med tyg här för att klä en hel soffgrupp." Han lyfte upp ett par randiga boxershorts. "Eller en vilstol", avslutade han tankfullt.

Hennes ögon smalnade misstänksamt. "Du skulle bara våga använda min pappas underkläder för att förföra mig, din jäkel, för då häller jag ut hela hinken över huvudet på dig."

Han log brett mot henne. "Det är inte fråga om förförelse, Maggie, det handlar om uppvaktning. Om jag tänkt förföra dig skulle jag ha tagit med några flaskor konjak." Han vred ur boxershortsen och höll upp dem för granskning. "Men ... det är klart, om du tror att det skulle fungera ..."

"... för det mesta är det bara jag, båten och havet ... jag trivs med det ... Jag vill ha fri rymd omkring mig ... folk kan gå en på nerverna efter ett tag ... de är alltid ute efter något ... kärlek för det mesta ... men det är rätt ytligt ... Marie? Hon är väl okej ... men det är ingenting fantastiskt ... klart jag känner ansvar för henne, men inte för evigt ... ingenting är för evigt ... utom havet ... och döden ..."

26

John galbraith stannade till vid William Sumners bil på Chichester Street och böjde sig ner och tittade in genom rutan. Vädret var fortfarande vackert och han kunde känna värmen från den upphettade bilplåten mot ansiktet. Han gick upp för gången och ringde på hos Angela Sumner. Han väntade på rasslet från säkerhetskedjan. "Godmiddag, fru Sumner", sade han när hennes klara ögon ängsligt plirade mot honom i dörröppningen. "Jag förstår att ni har William här." Han gjorde en gest mot den parkerade bilen. "Kan jag få prata med honom?"

Med en suck lyfte hon av kedjan och slog upp dörren. "Jag tänkte ringa er, men han drog ur jacket när jag föreslog det."

Galbraith nickade. "Vi har försökt ringa flera gånger men det var ingen som svarade. Om jacket var urdraget förklarar det saken. Jag tänkte att jag skulle titta förbi i alla fall."

Hon vände rullstolen och åkte före honom genom hallen. "Han säger att han inte visste vad han skulle ta sig till. Betyder det att han mördade henne?"

Galbraith lade en tröstande hand på hennes axel. "Nej", sade han. "Er son är ingen mördare, fru Sumner. Han älskade Kate. Jag tror att han skulle ha tagit ner himlen åt henne om han hade kunnat."

De stannade till vid dörren in till vardagsrummet. William satt hopsjunken i en fåtölj med armarna skyddande omkring sig och telefonen i knäet. Hans kinder var mörka av skäggstubb och ögonen rödkantade och svullna av gråt och sömnbrist. Galbraith tittade bekymrat på honom och måste erkänna för sig själv att han var med-skyldig till att Sumner höll på att klappa ihop. Han kunde ursäkta sig med att han snokat i Williams och Kates hemligheter i rättvisans namn, men det var bara kylig logik. Han kunde ha varit vänligare, tänkte han – man kunde alltid vara vänligare – men sorgligt nog fick man sällan fram sanningen med hjälp av vänlighet.

Han kramade Angela Sumners axel. "Ni kanske kan koka en kopp te åt oss", föreslog han och flyttade sig åt sidan så att hon skulle komma förbi med rullstolen. "Jag skulle vilja prata med William ensam en stund."

Hon nickade tacksamt. "Jag kommer inte förrän ni säger till."

Han stängde dörren efter henne och hörde det vinande ljudet från batteriet när hon försvann ut mot köket. "Vi har gripit Kates mördare, William", sade han och slog sig ner mittemot honom. "Steven Harding har åtalats för bortförande, våldtäkt och mord och kommer snart att häktas i väntan på rättegången. Jag måste understryka att Kate inte hade någon skuld i det som hände henne, utan tvärtom kämpade för att rädda Hannah och sig själv." Han gjorde en kort paus och tittade på William, men när denne inte reagerade fortsatte han: "Visserligen var hon ihop med Steven Harding en kort tid, det tänker jag inte sticka under stol med, men det tog slut för flera månader sedan och efter det har Harding försökt knäcka henne. Icke desto mindre – och det är det viktiga" – han gav avsiktligt en något förskönad bild för att inte kasta någon skugga över Kate – "är det tydligt att hon snabbt bestämde sig för att göra slut på förhållandet när hon insåg att hennes äktenskap var viktigare än en ytlig förälskelse i en yngre man. Det ödesdigra var att hon inte insåg att Steven Harding var självfixerad, omogen och farlig och att hon borde vara rädd för honom." Ännu en paus. "Hon kände sig ensam, William."

En kvävd snyftning hördes. "Jag har hatat henne så ... jag visste att han var mer än en flyktig bekantskap när hon sa att hon inte ville att han skulle komma hem till oss igen. Hon flirtade med honom i början, sedan blev hon elak och började säga tarvligheter om honom. Jag antog att han hade tröttnat på henne ..."

"Var det i samband med att han visade bilderna för dig?"

331

"Ja."

"Varför gjorde han det, William?"

"Han sa att han ville att jag skulle visa dem för Kate, men ..."
Han förde darrigt handen till munnen.

Galbraith kom att tänka på något Tony hade sagt kvällen innan.
"Enda anledningen till att Steven ställer upp på porrbilder är att han vet att det är störda typer som tittar på dem. Han har inga hämningar när det gäller sex, så han får en kick av att tänka på hur till sig de blir av att sitta och glo på honom ..."

"Men avsikten var egentligen att du skulle se dem?"

Sumner nickade. "Han ville bevisa att Kate skulle ligga med vem som helst – till och med män som föredrog andra män – hellre än med mig." Tårarna rann nerför kinderna. "Hon måste ha sagt till honom att jag inte var särskilt bra i sängen. Jag sa att jag inte ville se bilderna, så han lade tidningen på bordet framför mig och sa åt mig" – han kämpade med orden, blundade i smärta som för att utplåna minnet – "att suga på godbitarna."

"Sa han att han hade legat med Kate?"

"Det behövdes inte. Jag visste att det var något på gång när Hannah inte protesterade när han lyfte upp henne där på gatan ... hon låter aldrig mig göra det." Tårarna rann fortfarande ur hans trötta ögon.

"Vad sa han egentligen, William?"

Han tog sig åt munnen. "Att Kate ställde till ett helvete för honom genom att smeta ner alla hans grejer med Hannahs smutsiga blöjor, och att om jag inte såg till att hon slutade skulle han gå till polisen."

"Och du trodde honom?"

"Kate var ... sådan", sade han och rösten bröts. "Hon kunde vara fullkomligt avskyvärd om hon inte fick sin vilja igenom."

"Visade du henne tidningarna?"

"Nej."

"Vad gjorde du med dem?"

"Lade dem i bilen."

332

"Varför det?"

"För att titta på dem ... bli påmind ..." Han lutade huvudet mot stolsryggen och stirrade upp i taket. "För att ha ett hatobjekt, antar jag."

"Ställde du Kate mot väggen?"

"Det var ingen idé. Hon skulle bara ha ljugit."

"Vad gjorde du då?"

"Ingenting", sade han enkelt. "Fortsatte som om ingenting hade hänt. Jobbade över ... satt uppe på mitt rum ... undvek henne ... Jag kunde inte tänka, förstår du. Jag grubblade över om barnet hon väntade var mitt." Han vände sig mot Galbraith. "Vet du om det var det?"

Galbraith satte händerna mellan knäna och böjde sig framåt. "Enligt rättsläkaren var fostret fjorton veckor gammalt. Befruktningen måste ha ägt rum i början av maj, men Kates förhållande med Harding tog slut sent i mars. Jag kan be rättsläkaren att göra ett DNA-test om du vill veta säkert, men jag tror inte att det kan råda något tvivel om att barnet Kate bar på var ditt. Hon hoppade inte i säng till höger och vänster, William." Han gjorde en paus för att Sumner skulle ta till sig upplysningen. "Och det råder inget tvivel om att Steven Harding hade fel när han anklagade henne för att trakassera honom. Det är sant att hon gav sig på honom en gång, men det berodde antagligen på att hon var arg på sig själv för att hon hade gett efter. Egentligen var det en av Hardings vänner som Kate en gång hade avspisat som låg bakom alltsammans. Han använde henne som täckmantel när han ville åt Harding, men fattade inte vilken fara han utsatte henne för."

"Jag kunde aldrig föreställa mig att han skulle göra henne illa ... Herregud! Tror ni att jag ville ta livet av henne? Det var synd om henne ... hon var ensam ... tråkig ... Hade hon några bra sidor visade hon dem i alla fall inte ... Jag fattar att det här låter hemskt – jag kan inte påstå att det är något jag är stolt över – men jag tyckte det var kul att se Steves reaktion. Han var skitskraj för henne. Det där med att kika runt hörn, det var sant alltihop. Han trodde att

333

hon skulle hoppa på honom mitt på gatan när han var totalt oförbe-redd. Han höll på och snackade om Farligt begär, filmen alltså, och sa att det var en tabbe av Michael Douglas att inte låta Glenn Close dö när hon försökte ta livet av sig."

"Varför har du inte berättat det här tidigare?" hade Carpenter frågat.

"Därför att jag inte trodde att Steve var skyldig och inte hade någon lust att själv råka illa ut. Aldrig i livet att jag hade kunnat tro att Steve hade med det att göra. Våld är inte hans grej."

"Nej, men våldtäkt", hade Carpenter sagt. "Kan du på rak arm komma på något som din vän inte har våldfört sig på? Gästfrihet ... vänskap ... äktenskap ... kvinnor ... unga flickor ... varenda jävla uppförandenorm som finns här i världen ... Tänkte du aldrig tan-ken att en så fruktansvärt asocial typ som Steven Harding, en per-son som är så vårdslös med andra människors känslor, kan utgöra ett hot för en kvinna om han trodde att hon terroriserade honom?"

Sumner fortsatte att stirra i taket som om svaren stod att läsa där. "Hur fick han henne ombord på båten om hon inte var intresserad längre?" frågade han tonlöst. "Ni sa att ingen hade sett dem ihop efter samtalet utanför Tesco."

"Hon log mot mig som om ingenting hade hänt", hade Harding sagt, "frågade hur jag mådde och om jag fått några roller. Jag sa att hon var jävligt fräck som ens vågade prata med mig efter vad som hade hänt, och då skrattade hon bara och sa åt mig att inte vara barnslig. 'Du gjorde mig en tjänst', sa hon. 'Du lärde mig att upp-skatta William och om jag inte är arg behöver du väl inte vara det heller?' Jag sa att hon visste förbannat väl varför jag var arg, och då härsknade hon till. 'Jag gav bara igen', sa hon. 'Du betedde dig verk-ligen som en skit.' Sen vände hon och gick. Jag tror att det var det som gjorde mig förbannad — jag avskyr när folk bara går sin väg — men jag visste att kvinnan på Tesco tittade på så jag gick över High Street och in bakom marknadsstånden på andra sidan gatan för att kunna hålla koll på henne. Jag hade bara tänkt skälla ut henne, be-rätta att det var tur för henne att jag inte hade gått till polisen ..."

"På lördagarna är det marknad i Lymington", sade Galbraith, "så det var packat med folk, mest turister. Det är svårt att se vad som händer i en folksamling. Han följde henne på avstånd och väntade på att hon skulle gå hem."

"*Hon såg rätt arg ut så jag hade nog retat upp henne. Hon svängde in på Captain's Row, och då förstod jag att hon antagligen tänkte gå hem. Jag gav henne en chans, ska ni veta. Om hon tog övre vägen skulle jag lämna henne ifred, men om hon tog nedre vägen runt båtklubben och Tonys garage skulle hon få sig en läxa ...*"

"Han har tillgång till ett garage ungefär tvåhundra meter från ditt hus", fortsatte Galbraith. "Han hann ikapp henne när hon var precis utanför och övertalade henne och Hannah att följa med in. Hon hade varit där flera gånger tidigare med en van till Harding som heter Tony Bridges, så det föll henne uppenbarligen aldrig in att det kunde vara farligt."

"*Kvinnor är sådana dumma subbor. De går på vad som helst bara man låter ärlig. Jag behövde bara be om ursäkt och klämma fram ett par tårar – jag är skådespelare så det är jag bra på – och så var allt frid och fröjd igen och hon sa att nej, det var hon som skulle be om ursäkt, hon hade inte menat att vara taskig och kunde vi inte glömma vad som varit och bli vänner igen? Så jag sa att visst, och ville hon ha en flaska champagne jag hade liggande i Tonys garage som ett tecken på att allt var glömt och förlåtet? Du kan dricka den med William, sa jag, bara du inte säger att du har fått den från mig. Om någon varit ute på gatan eller om gubben Bridges stått bakom gardinen hade jag inte gjort det. Men det gick så jävla lätt. När jag hade stängt garagedörrarna visste jag att jag kunde göra precis vad jag ville ...*"

"Du måste hålla i minnet att hon knappt visste något om honom, William. Enligt Harding kände hon honom som mannen som hade snackat in sig hos henne och flirtat med henne i två månader för att få henne i säng. Sedan hade de ett kort förhållande som var otillfredsställande för båda två och som slutade med att han avspisade henne och att hon hämnades lite småaktigt genom att smeta ner

335

hans lakan. Efter det hade de undvikit varandra i fyra månader. För hennes del var det hela över för länge sedan. Hon kände varken till att hans bil hade blivit nersmetad med avföring eller att han hade sökt upp dig och sagt åt dig att få henne att lägga av, så när hon tackade ja till ett glas champagne i garaget trodde hon fullt och fast att det verkligen var en fredstrevare."

"Om hon inte hade berättat att William var borta över helgen skulle jag inte ha fullföljt det, men man får liksom en känsla av att det är meningen att vissa grejer ska hända. Hon bad faktiskt om det. Hon tjatade om att hon inte hade något att gå hem till, så jag bjöd henne på att glas. Uppriktigt sagt var det hennes eget fel. Det syntes att hon var överlycklig över att få vara ensam med mig. Hannah var inget problem. Hon har alltid gillat mig. Jag är nog den enda utom hennes mamma som kan lyfta upp henne utan att hon skriker ..."

"Han sövde ner henne, använde ett sömnmedel som heter Rohypnol som han löste upp i champagnen. Det har kallats för 'våldtäkts-medlet' eftersom det är så lätt att lura kvinnor att ta det utan att de märker något. Det är så starkt att de är utslagna i mellan sex och tio timmar, och i de fall som hittills har rapporterats hävdar kvinnorna att de har varit vid medvetande och klara över vad som händer dem i korta perioder men är oförmögna att göra något åt det. Det har visst börjat höjas röster för att klassa det som narkotiskt preparat, färga tabletterna blå och göra dem mer svårlösliga, men än så länge är det inga svårigheter att komma över det."

"Tony har sina grejer i garaget, eller rättare sagt hade innan ni grep mig, sedan tog han bort alltihop därifrån. Han tog Rohypnol-tabletterna från sin farfar när gubbstackarn började somna mitt på dagen. Han hittade honom i köket en gång med gasen påskruvad därför att han hade nickat till innan han hade hunnit tända lågan. Tony hade tänkt kasta tabletterna men jag sa till honom att han kunde ha nytta av dem med tanke på Bibi, så han gjorde inte det. Det fungerade jättebra på Kate. Hon slocknade direkt. Det enda problemet var att hon lät Hannah dricka lite champagne också och

när Hannah slocknade ramlade hon baklänges med vidöppna ögon. Jag trodde att hon var död ..."

"Han är väldigt vag angående vad han hade tänkt göra med Kate. Han pratar om att han skulle ge henne en läxa men kan, eller vill, inte säga om han hela tiden planerat att våldta och sedan döda henne."

"Jag hade inte tänkt göra Kate illa, bara ge henne en tankeställare. Hon hade terrat mig med den där skiten, det gjorde mig verkligen helstörd. Fast jag blev tvungen att ta mig en funderare när Hannah tuppade av. Det var ganska läskigt, faktiskt. Jag menar, även om det är ett olycksfall, så är det en tung pryl att döda en unge. Jag funderade på om jag skulle låta dem ligga kvar där och dra till Frankrike med Marie, men jag var rädd att Tony skulle hitta dem innan jag fått tag i henne, och jag hade redan sagt till honom att jag skulle till Poole över helgen. Det var nog för att Kate var så liten som jag fick idén att ta med mig dem ..."

"Han tog dem ombord mitt framför ögonen på alla människor", sade Galbraith. "Gick in för motor med *Crazy Daze* till besöksbryggan vid båtklubben och bar Kate i väskan som han brukar förvara gummibåten i. Det är en rätt rejäl grej som är gjord för att rymma en gummibåt på två och en halv meter plus däck och säten, och han säger att det inte var några problem att få ner Kate i den. Han bar Hannah i ryggsäcken och hade sulkyn under armen utan att egentligen dölja den."

"Folk funderar aldrig på sånt man går omkring med öppet. Det har nog något att göra med hurdana vi engelsmän är. Vi vill aldrig lägga oss i om det inte är absolut nödvändigt. Fast ibland skulle man vilja att folk gjorde det. Det är nästan som om man tvingas att göra saker man egentligen inte vill göra. Hela tiden sa jag till mig själv, fråga vad jag har i väskan, era jävlar, fråga vad jag har i väskan, era idioter. Men ingen frågade, såklart ..."

"Sedan åkte han till Poole", sade Galbraith. "Klockan närmade sig tolv vid det laget och han säger att han inte hade tänkt ut vad han skulle göra när han hade smugglat ombord Kate och Hannah.

337

Han säger att han blev stressad och inte kunde tänka klart" – han tittade upp mot Sumner – "ungefär som du beskrev att du kände dig förut, och det verkar som om han var inne på att inte göra något utan bara låta dem ligga kvar i väskorna, gömma huvudet i sanden och låtsas som om de inte fanns."

"Jag fattade nog hela tiden att jag måste slänga dem överbord men jag sköt upp det gång på gång. Jag hade gått ut på öppet vatten för att få lite fritt utrymme omkring mig, och klockan var runt sju när jag släpade upp dem på däck för att få det undanstökat. Fast jag klarade inte av att genomföra det. Jag hörde Hannah gny i ryggsäcken så jag visste att hon fortfarande levde. Det kändes bra. Jag ville inte döda någon av dem ..."

"Han hävdar att Kate började kvickna till vid halv åtta och att han släppte ut henne då och lät henne sitta bredvid sig. Han hävdar också att hon själv kom på idén att klä av sig. Men med tanke på att hennes vigselring också saknas tror vi att det snarare är så att han bestämde sig för att ta av henne allt som gjorde det möjligt att identifiera henne innan han slängde henne överbord."

"Jag vet att hon var rädd, och jag vet att hon antagligen gjorde det för att ställa sig in, men jag bad henne aldrig klä av sig och jag tvingade henne aldrig att ligga med mig. Jag hade redan bestämt mig för att skjutsa tillbaka dem. Annars hade jag aldrig lagt om kursen och då skulle hon inte ha hamnat i Egmont Bight. Jag gav henne lite käk eftersom hon sa att hon var hungrig. Det skulle jag väl inte ha gjort om jag tänkt ta livet av henne ...?"

"Jag förstår att det här måste vara smärtsamt för dig, William, men vi tror att han fantiserade i timmar om vad han skulle göra med henne innan han tog livet av henne, och när han hade fått av henne kläderna förverkligade han sina fantasier. Men vi vet inte om Kate var medveten om vad som pågick. En av svårigheterna är att vi inte kan hitta något som tyder på att Kate eller Hannah varit ombord på *Crazy Daze* nyligen. Vad vi tror hände är att han lät Kate sitta naken på däck hela kvällen, mellan halv åtta och halv ett ungefär, vilket förklarar varför hon var nedkyld och varför vi inte kan hitta några tecken på att hon varit under däck. Kriminalteknikerna går fortfarande över båten, men tyvärr hade han flera timmar på sig att skrubba däcket rent med hinkvis med saltvatten medan han var på väg tillbaka till Lymington på söndagen."

"Jag medger att jag nog betedde mig lite knäppt till att börja med. Jag tappade kontrollen där ett tag – alltså, jag fick panik när jag trodde Hannah var död – men när det hade mörknat visste jag hur jag skulle göra. Jag sa till Kate att om hon lovade att hålla käft så skulle jag ta henne med till Poole och släppa av henne och Hannah där. Annars skulle jag säga att hon hade kommit ombord frivilligt, och eftersom Tony Bridges visste att hon var tänd på mig skulle ingen, särskilt inte William, tro henne om ord stod mot ord..."

"Han säger att han lovade att ta med Kate till Poole och det är möjligt att hon trodde honom, men förmodligen hade han aldrig tänkt göra det. Trots att han är en skicklig seglare höll han en kurs som förde honom in mot land väster om St Alban's Head, när han borde ha gått mycket längre österut. Han hävdar att han kom ur kurs därför att Kate distraherade honom, men det är svårt att tänka sig att det var en slump att han slängde henne i vattnet just där, inte minst med tanke på att han hade planerat att gå ut och gå i de trakterna dagen därpå."

"Hon borde ha litat på mig. Jag sa till henne att jag inte skulle göra henne illa. Jag gjorde ju inte Hannah illa ..."

"Han säger att hon hoppade på honom och försökte knuffa honom i vattnet och råkade trilla i."

"Jag kunde höra henne skrika och plaska i vattnet, så jag vände och försökte leta efter henne. Men det var så mörkt att jag inte såg ett förbannat dugg. Jag ropade på henne men efter en kort stund blev det tyst och till slut fick jag ge upp. Hon kan inte ha varit något vidare på att simma ..."

"Han hävdar att han gjorde allt för att hitta henne, men han tror att hon måste ha drunknat efter några minuter. Han kallar det en fruktansvärd olyckshändelse."

"Det är klart att det var en slump att vi befann oss utanför Chap-

339

man's Pool. Det var för fan becksvart och det finns ingen fyr på St Alban's Head. Har ni någon aning om hur det är att segla på natten, när det inte finns någonting att gå efter? Jag hade inte hållit kollen ordentligt, inte räknat in tidvatten och vindförhållanden. Jag var rätt säker på att jag gick för långt västerut och därför lade jag om kursen i ostlig riktning, men det var inte förrän jag såg fyren vid Anvil Point som jag fattade att jag bara var ett stenkast från Poole. Om jag hade tänkt döda Kate skulle jag väl ha gjort mig av med Hannah också ...?"

När Galbraith tystnade tog Sumner slutligen blicken från taket. "Är det vad han kommer att säga inför rätten? Att hennes död var en olyckshändelse?"

"Antagligen."

"Kommer han att klara sig?"

"Inte om du tar henne i försvar."

"Han kanske har rätt", sade den andre apatiskt.

Galbraith log nästan omärkligt. Vänlighet var faktiskt ingen bra metod. "Säg aldrig mer så där så att jag hör det, William", sade han med sträv röst, "för då kommer jag, Gud hjälpe mig, att slå dig sönder och samman. Jag såg din fru, kom ihåg det. Jag grät över henne innan du ens visste att hon var död."

Sumner klippte ängsligt med ögonen.

Galbraith sträckte på sig. "Det kräket drogade ner henne och våldtog henne – flera gånger tror vi – han bröt fingrarna på henne när hon försökte befria Hannah ur ryggsäcken, och sedan satte han händerna kring halsen på henne och tog strypgrepp på henne. Men hon dog inte. Så han satte henne i en gummibåt där hälften av luften läckt ut, band fast henne vid en extra utombordsmotor som han fått av en kompis och lät henne driva vind för våg." Han slog knytnäven i handflatan. "Inte för att hon skulle få en chans att klara sig, William, utan för att vara säker på att hennes död blev utdragen och skräckfylld och för att hon skulle plågas av tanken på vad han tänkte göra med Hannah och ångra att hon någonsin vågat ta hämnd på honom."

"Ungen skrek inte en enda gång när jag hade tagit upp henne ur ryggsäcken. Hon var inte rädd för mig. Faktum är att jag tror att hon tyckte synd om mig för hon såg att jag var så knäckt. Jag svepte in henne i en filt och lade henne på golvet i ruffen och sedan somnade hon. Jag kanske hade gripits av panik om hon hade börjat skrika när vi var i marinan, men det gjorde hon inte. Det är en lustig unge. Jag menar, det märks att hon inte är så skärpt, men man får en känsla av att hon fattar en hel del i alla fall ..."

"Jag vet inte varför han lät Hannah leva, frånsett att han verkar vara rädd för henne. Han säger att det faktum att hon lever bevisar att han inte tänkt ta livet av Kate heller. Det är möjligt att han tyckte att han kunde kosta på sig att skona Hannah, eftersom hon inte utgjorde något hot. Han säger att han bytte på henne, gav henne något att äta och dricka från det Kate haft liggande i väskan på sulkyn och sedan bar iland henne i ryggsäcken. Hon sov när han lade henne på gräsmattan framför ett hyreshus utmed vägen mellan Bournemouth och Poole, två kilometer från Lilliput och han verkar lika chockad som alla andra över att hon gick hela vägen tillbaka till marinan utan att någon undrade över varför hon var ensam."

"Jag tror att Rohypnolen fortfarande verkade, för jag satt och tittade på henne i ruffen i timmar och hon vaknade bara till en gång. Det finns inte en chans att hon kan ha vetat var Salterns marina låg, så hur i helvete hittade hon tillbaka? Jag har ju sagt att det är något skumt med henne. Men ni trodde inte på mig ..."

"På vägen tillbaka till Lymington slängde han allt som kunde förknippa honom med Kate och Hannah överbord – väskan till gummibåten, Kates kläder, hennes ring, sulkyn, Hannahs blöja, filten han hade svept in henne i – men han glömde sandalerna som Kate hade lämnat kvar i april." Galbraith log lite. "Fast det underliga är att han säger att han inte alls glömde dem. Han tog ut dem ur skåpet när han hade lagt ner Hannah på golvet i ruffen och stoppade dem i väskan på sulkyn, och han säger att det måste vara Hannah som har gömt dem under klädhögen."

"Jag blev så orolig över det där med fingeravtrycken att jag inte

341

kunde tänka riktigt klart. Jag kunde inte komma fram till om jag skulle tvätta av Crazy Daze *invändigt eller inte. Jag visste att ni skulle hitta Kates och Hannahs fingeravtryck, eftersom de var där i april, och det bästa kanske hade varit att låtsas som om de aldrig varit ombord. Till slut bestämde jag mig för att strunta i alltsammans, eftersom jag inte ville att ni skulle föreställa er att det jag hade gjort var värre än det var. Och jag fick ju rätt. Ni skulle inte ha släppt mig i onsdags om ni hade hittat bevis på att jag hade planerat att göra det ni påstår att jag har gjort med Kate ...*"

Sumners ögon fylldes med tårar igen men han sade ingenting.

"Varför berättade du inte att Kate och Harding hade ett förhållande?" frågade Galbraith.

William svarade inte med detsamma. "Jag skämdes", sade han och lyfte bevekande handen likt en tiggare som ber om en allmosa.

"Över Kate?"

"Nej", viskade han, "över mig själv. Jag ville inte att någon skulle få veta det."

Veta vad? undrade Galbraith. Att han inte kunde hålla sin hustrus intresse vid liv? Att det varit ett misstag att gifta sig med henne? Han sträckte sig fram och tog telefonen ur Williams knä. "Jag vet inte om du bryr dig, men Sandra Griffiths säger att Hannah har gått omkring och letat efter dig hela dagen. Jag bad Sandy att säga till henne att du skulle komma hem och då klappade Hannah i händerna. Gör henne inte besviken nu."

Sumner skakade av sorg. "Jag trodde att hon hade det bättre utan mig."

"Aldrig." Galbraith hjälpte honom på fötter med en stödjande hand. "Du är hennes far. Hur skulle hon rimligtvis kunna ha det bättre utan dig?"

27

MAGGIE LÅG PÅ golvet och sträckte ut sin värkande rygg, medan Nick med pedantisk noggrannhet bättrade på målningen i alla de springor och vrår hon hade missat. "Tror du att Steven hade gått så långt om inte Tony Bridges hade gjort honom alldeles ifrån sig genom att smeta ner allting med skit?"

"Jag vet inte", sade Nick. "Intendent Carpenter är övertygad om att han är en tvättäkta psykopat. Han säger att det bara var en tids-fråga innan sexfixeringen skulle slå över i våldtäkt, så han kanske hade gjort det hur som helst, med eller utan Tony Bridges. Jag antar att det helt enkelt var så att Kate råkade befinna sig på fel plats vid fel tidpunkt." Han tystnade och tänkte tillbaka på den späda handen i vågskummet. "Stackars kvinna."

"Men ... slipper Tony undan ? Det är väl inte rätt? Han måste ju faktiskt ha vetat att Steve var skyldig."

Nick ryckte på axlarna. "Han påstår att han inte gjorde det, att han trodde att det var hennes man." Han slog försiktigt efter en spindel och såg hur den kilade iväg in i skuggorna. "Galbraith be-rättade att Carpenter och han manglade honom rejält igår kväll för att han hade knipit käft första gången de förhörde honom. Tony ursäktade sig med att Kate betett sig så tarvligt att han inte hade någon lust att hjälpa polisen att sätta dit hennes man. Han tyckte att Kate fick vad hon förtjänade, eftersom hon gick omkring och snackade om hur dålig William var i sängen. Han har tydligen själv problem på det området, så han höll på William."

"Och den mannen ska vara lärare?" sade hon med avsmak.

"Inte så länge till", försäkrade Ingram, "om inte hans blivande

343

medinterner hyser ett brinnande intresse för kemi. Carpenter har satt dit honom ordentligt – undanhållande av bevis, narkotikabrott, olaga frihetsberövande och våldtäkt av flickvännen då hon var påverkad av Rohypnol, medhjälp till mord ... till och med" – han skrockade – "åverkan på Hardings bil ... för att inte tala om vad tullmyndigheterna kan ha att komma med."

"Rätt åt honom", sade Maggie utan medkänsla.

"Mmm."

"Du låter inte övertygad."

"Det är bara för att jag inte tror att fängelse är bra för en kille som Tony. Han är inte ond, bara vilseledd. Ett halvårs samhällstjänst på ett hem för handikappade vore bättre." Han betraktade spindeln som sjunkit ner i en färgpöl. "Tillfällig impotens är inget att gnälla om jämfört med svåra fysiska och psykiska handikapp."

Maggie satte sig upp och lade armarna runt knäna. "Jag trodde poliser var riktiga hårdingar. Håller du på att tappa stinget, Ingram?"

Han tittade ner på henne med en road glimt i de mörka ögonen. "Det blir så när man uppvaktar någon. Hårdheten kommer och går vare sig man vill eller ej. Det är bara naturligt."

Hon sänkte huvudet mot knäna och vägrade att låta sig avledas. "Jag fattar inte varför Steve dränkte Kate utanför Chapman's Pool", sade hon sedan. "Han visste att han skulle dit nästa dag och han måste ha insett att det fanns en möjlighet att hon skulle spolas upp på stranden. Varför skulle han riskera att missa mötet med Marie?"

"Jag är inte säker på att det finns någon logik i beteendet hos personer som Harding", sade han. "Carpenter anser att det enda han hade i huvudet när han väl fått Kate ombord var att ta livet av henne just där. Han säger att det märks på fransmannens video hur tänd han blir av all spänningen." Han betraktade spindeln som lyfte benen ur den våta färgen och sedan viftade med dem i fåfäng protest. "Men jag för min del tror inte att Steve hade väntat sig att hennes kropp skulle ligga där. Han hade brutit fingrarna på henne och

344

bundit fast henne vid en utombordare, så han måste ha blivit rätt tagen över att hon hade lyckats komma loss. Förmodligen hade han tänkt frossa i anblicken av hennes grav innan han rymde med Marie. Carpenter tror att Harding har anlag att bli seriemördare, så enligt honom kan Marie skatta sig lycklig över att hon fortfarande är i livet."

"Håller du med honom?"

"Det vete katten." Han sörjde spindelns oundvikliga död när den utmattad sjönk ner till magen i färgen. "Steve säger att det var en fruktansvärd olyckshändelse, men jag har ingen aning om ifall han talar sanning. Carpenter tror honom inte och det gör inte Galbraith heller, men jag har väldigt svårt att acceptera att någon som är så ung kan vara så ond. Man skulle kunna uttrycka det så här: jag är glad att du hade Bertie med dig igår."

"Tror Carpenter att han tänkte ta livet av mig också?"

Nick skakade på huvudet. "Jag vet inte. Han frågade Steve varför ryggsäcken var så viktig att han tog risken att komma tillbaka, och vet du vad Steven svarade? 'Kikaren.' Så då frågade Carpenter varför han lämnat kvar den första gången i så fall och han sa: 'Därför att jag hade glömt att kikaren låg där.'"

"Vad innebär det?"

Nick skrattade till. "Att det inte låg något i ryggsäcken som han ville ha, så han bestämde sig för att lämna den helt enkelt. Han hade inte sovit, han var helt slut och Maries ökenkängor hade slagit mot ryggen på honom hela tiden och gett honom skavsår. Han ville bara bli av med den fortast möjligt."

"Varför är det så kul?"

"Det är raka motsatsen till vad jag trodde."

"Nej, det är det inte", protesterade hon. "Du sa till mig att den kunde sätta dit honom, eftersom han hade burit iland Hannah i den."

"Men det var inte Hannah han dödade, Maggie, det var Kate."

"Och?"

"Det enda jag åstadkom genom att hitta den var att ge honom

345

något att bygga sitt försvar på. Harding kommer att hävda att han aldrig hade för avsikt att döda någon."

Hon tyckte att han lät missmodig. "Men", sade hon uppmuntrande, "de kommer väl att erbjuda dig jobb i Winfrith. De måste vara vansinnigt imponerade av dig. Du siktade in dig på Harding från första stund."

"Och så fort han drog en trovärdig vals gick jag på den." Han skrattade till igen, den här gången självkritiskt. "Enda anledningen till att jag misstrodde honom var att jag retade mig på honom och det vet Carpenter. Jag tror att han tycker att jag är rena skämtet. Han kallade mig idémissbrukare." Han suckade. "Jag vet inte om jag passar på krim. Man kan inte komma med vilda gissningar och i efterhand hitta på argument som stämmer med ens teorier. Det är så justitiemord går till."

Hon gav honom en eftertänksam blick. "Sa Carpenter det också?"

"Mer eller mindre. Han sa att den tiden är förbi när poliser kunde gå på intuition. Nu handlar det om att knappa in fakta i datorn."

Hon blev arg å hans vägnar. "Då ska jag ringa till den där knölen och säga vad jag tycker", sade hon förtrytsamt. "Utan dig hade det tagit dem månader att se kopplingen mellan Kate och Harding – om de någonsin hade gjort det – och de skulle aldrig ha hittat gummibåten eller listat ut var den hade blivit stulen. Han borde lyckönska dig, inte leta efter misstag. Det var jag som fick allt om bakfoten. Jag måste ha någon defekt i generna som får mig att dras till skitstövlar. Till och med mamma tyckte att Harding var otäck. Hon sa: 'Tänk bara att ställa till ett sånt liv för ett hundbett. Jag har varit med om mycket värre saker och det enda jag har blivit erbjuden är en penicillinkur.'"

"Hon kommer att flå mig levande när hon får reda på att jag tvingade henne att förstöra höften för en mördares skull."

"Nej, det kommer hon inte. Hon säger att du påminner henne om James Stewart i *Ingen ängel*."

"Är det positivt menat?"

"Ja, verkligen", sade Maggie ironiskt. "Hon blir knäsvag när hon ser den. James Stewart spelar en fredsälskande sheriff som inför lag och ordning i en våldsam stad utan att någonsin höja rösten eller dra en pistol. Den är otroligt sötsliskig. Han blir kär i Marlene Dietrich som slänger sig framför ett gevär för att skydda honom."

"Mmm. Personligen har jag alltid sett mig som Bruce Willis i *Die Hard*. Den hjältemodige, blodfläckade snuten med sin pålitliga vapenarsenal som räddar världen och kvinnan han älskar genom att spränga Alan Rickman och hans psykopatgäng i luften."

Hon fnissade. "Försöker du förföra mig nu igen?"

"Nej, jag uppvaktar dig fortfarande."

"Jag var rädd för det." Hon skakade på huvudet. "Du är för snäll, det är hela problemet. Definitivt alldeles för snäll för att spränga någon i luften."

"Jag vet", sade han modfällt. "Jag pallar inte med sånt." Han gick nedför stegen, satte sig på huk på golvet framför henne och gnuggade sina trötta ögon med baksidan av handen. "Jag började gilla Harding. På något märkligt sätt gör jag det fortfarande. Jag tänker på hur onödigt allt det här är och hur annorlunda det kunde ha blivit om någon hade berättat för honom att allt har sitt pris." Han sträckte upp armen och lade penseln i tråget på bordet. "I rättvisans namn måste jag säga att Carpenter faktiskt gratulerade mig. Han sa till och med att han skulle backa upp mig om jag bestämde mig för att söka till krim. Enligt honom skulle jag passa där" – han härmade kriminalintendentens bistra tonfall – "och det borde han veta för det är inte för inte han har varit kriminalintendent i fem år." Han log sitt sneda leende. "Men jag är inte helt övertygad om att det är där min begåvning ligger."

"Åh, för Guds skull!" utbrast hon och avslöjade mer av sina gener än hon visste. "Du skulle bli en lysande kriminalare. Jag fattar inte vad du oroar dig för. Var inte så förbannat försiktig, Nick. Du borde ta chansen."

"Jag ska ... när det verkar vettigt."

"Och det gör det inte nu?"

Han log och reste sig upp, ställde tråget i diskhon och fyllde det med vatten. "Jag är inte säker på att jag vill flytta härifrån." Han kastade en blick omkring sig i det förvandlade rummet. "Jag gillar faktiskt att bo i en avkrok där knäppa idéer kan ha en viss betydelse."

Hon tittade ner. "Jaha, jag förstår."

Han tvättade ur penseln under tystnad och undrade om hon gjorde det, och om "jag förstår" skulle bli hennes enda svar. Han lade penseln på diskstället medan han övervägde om det inte vore vettigt att ta sig över taggtrådsfältet i alla fall. "Ska jag komma tillbaka imorgon? Det är söndag. Vi skulle kunna sätta igång med hallen."

"Jag är här", sade hon.

"Okej." Han gick mot dörren till grovköket.

"Nick?"

"Ja?" Han vände sig om.

"Hur lång tid brukar dina uppvaktningar ta?"

Det vänliga leendet fick skrattrynkorna att framträda runt ögonen. "Innan vad?"

"Innan ..." Hon såg plötsligt besvärad ut. "Glöm det. Det var en dum fråga. Vi ses imorgon."

"Jag ska försöka komma tidigt."

"Det spelar ingen roll", sade hon sammanbitet. "Du gör det här för att vara snäll, inte för att du måste. Jag har faktiskt inte bett dig måla hela huset."

"Det vet jag mycket väl", medgav han, "men det är det här med uppvaktningen. Jag trodde att jag hade klargjort det."

Hon kom på fötter med blixtrande ögon. "Stick", sade hon. knuffade ut honom genom dörren och låste den efter honom. "Och ta för Guds skull med lite konjak imorgon", skrek hon. "Åt helvete med uppvaktningen. Jag har kommit fram till att jag hellre vill bli förförd."

Teven var påslagen och Celia satt med fjärrkontrollen i handen och skrockade för sig själv när Maggie kom intassande på tå i vardagsrummet för att se hur hon mådde. Bertie hade övergivit den kvävande sängvärmen och låg utsträckt på rygg i soffan med spretande ben.

"Klockan är mycket, mamma. Du borde sova."

"Jag vet, gumman min, men det var så kul."

"Du sa att de skulle visa en riktig rysare."

"Det är det också. Det var därför jag skrattade."

Maggie stirrade häpet på sin mamma, tog fjärrkontrollen och stängde av teven. "Du har tjuvlyssnat", sade hon anklagande.

"Tja ..."

"Hur *kunde* du?"

"Jag var tvungen att gå upp och kissa", sade Celia urskuldande, "och ni viskade ju inte direkt."

"Doktorn sa ju att du inte fick gå omkring själv."

"Jag hade inget val. Jag ropade några gånger, men du hörde mig inte. Hur som helst" – hennes ögon var skrattlystna – "så kom ni så bra överens att jag inte tyckte jag ville störa." Hon granskade sin dotter utan att säga något och klappade sedan plötsligt på sängen. "Är du för gammal för att lyssna till ett gott råd?"

"Det beror på", sade Maggie och satte sig ner.

"En man som låter kvinnan bestämma farten är värd att ha."

"Gjorde pappa det?"

"Nej. Han tog mig med storm, förde mig i raketfart till altaret och sedan fick jag trettiofem år på mig att ångra mig i lugn och ro." Celia log beklagande. "Och det är därför det är ett gott råd. Jag föll för din fars uppblåsta syn på sig själv, tog envishet för styrka, alkoholism för slagfärdighet, lättja för karisma ..." Hon avbröt sig skamset när hon insåg att det var sin dotters far hon kritiserade. "Så illa var det inte", sade hon med fast stämma. "Alla var mer stoiska på den tiden – var uppfostrade att stå ut med sådant – och se vad jag fick: dig ... Matt ... huset ..."

Maggie böjde sig fram och kysste sin mor på kinden. "Ava ... Martin ... bedrägerier ... skulder ... sorg och bekymmer ... en risig höft ..."

"Liv", svarade Celia. "Ett inackorderingsstall som fortfarande går runt ... Bertie ... ett nytt kök ... en framtid ..."

"Nick Ingram?"

"Ja, varför inte?" sade Celia och skrockade på nytt. "Om jag var fyrtio år yngre och han visade mig det ringaste intresse skulle jag sannerligen inte behöva en flaska konjak för att komma igång."

*"This is one of those b[...]en
I was growing up. A[...]ic,
and the very real [...]
accept you[...]*
Jade Marie

*"Zahabi uses the magical game of Twine to challenge the
misogyny and homophobia prevalent in many sports, whilst
also presenting a sensitive coming-of-age narrative that will
be familiar to many gay people struggling with identity."*
Rachael, Scorpio Book Dreams

"Well thought out and intricate."
Lauren, Northern Plunder

*" Rebecca Zahabi has created a really unusual story,
blending futuristic fantasy with dystopian undertones
and contemporary YA. There are some hard hitting themes
running throughout, including explorations of internalised
homophobia, which make the story compelling and heart
breaking. The Twine magic system is fun and creative
but has a dark edge to it."*
J J Eden

*"Rebecca Zahabi is a master at twisting the reality
we know into something new and exciting.* Game Weavers
is easily one of my favourites from the year so far."
The Queen of Teen Fiction

*"*Game Weavers *conjures a world fall of love, friendship,
family and a character who finds how to truly love himself.
Captivating and raw, Zahabi takes us to a world that is
equal parts magical and heart wrenching, with characters
who fight for what they truly believe in."*
Amy Powis, powisamy

"A book for modern times - technology, family and finding who you are in the LGBT community."
Chloe Metzger

"Fascinating... Very intense."
The Moon Kestrel

"The Game Weavers by Rebecca Zahabi tangled its twine around me within the first couple chapters and didn't let me go."
Imogen's Typewriter

"Zahabi's immersive world building captures a dynamic game of strategy, not unlike Pokemon or World of Warcraft on the page."
Charlotte Molton at charlottebibliophile.com

"Game Weavers is a great story about a professional game player, but far more it's about family, loyalty, responsibility and finding your own place in this world. It's a good read for any young adult looking for the confidence to be who they are."
The Brick Castle

"A gripping novel of the future of games. The stakes are high; the characters involving; the storytelling direct and elegant."
Geoff Ryman

THE GAME
WEAVERS

Rebecca Zahabi

First published in the UK in 2020 by ZunTold
www.zuntold.com

Text copyright © Rebecca Zahabi 2020
Cover design by Isla Bousfield-Donohoe

The moral right of the author has been asserted.
All rights reserved.
Unauthorised duplication contravenes existing laws.

A catalogue record for this book is available
from the British Library

ISBN 978-1-9162042-2-5
1 2 3 4 5 6 7 8 9 10

Printed and bound in the UK by
Grosvenor Group Print Services Ltd
Sterling House
Langston Road
Loughton
Essex IG10 3TS

To Sui,
This book would not exist without you.

Minjun

Minjun is watching Seo play. His hands are spread above the ground, the skin glowing orange and pink. The light forms threads which go all the way from Seo's fingertips down to the field. Then the strings weave creatures, which detach from the fingers with a wet sound, like babies cutting their own umbilical cord. Today his pawns live mostly underground, in complex burrows which they've dug for themselves, in the soft, sandy ground Seo has made for them. None of them are more than four feet high. Most are under two.

Seo is weaving Twine. Twine is a game. Minjun is very involved in Twine tournaments because Seo is the World Youth Champion. That's a lot of people, and a lot of countries. Seo plays for the UK although he's Korean by birth. Minjun is his brother. They're both from South Korea, but their papers say they are British and their family name is Japanese.

Seo is twenty, so he plays Twine with adults now. The field is divided in two. Seo isn't allowed to see his opponent's side of the battleground unless one of his creatures goes there and sees it for him. Seo is standing up, both arms outstretched before him. There's sweat on his forehead, which he wipes off with his forearms. His hands are busy.

Minjun thinks Seo will win the match. It's going well. Minjun is in the manager's box, with Sir Neil and the coaches and the doctors. They're inside the arena, in a room underneath the audience's seats. In front of them is a board like the inside of a spaceship, but instead of controls and buttons and windows showing stars and planets, there are screens showing the game. They cover Seo's territory from every angle, but not his opponent's. As everyone in the manager's box is on Seo's side, they're not allowed to see what the other side is doing. That would be cheating.

Sir Neil has a microphone in front of him which he can activate by pressing a button. Sometimes he mutters instructions to Seo through it.

Along the border between both territories, Seo's opponent has placed pawns with big flat swords. They stab the blades through the earth, take them out, and then stab again. They're stopping Seo's pawns from crawling underground into his opponent's territory. It mostly works, but in Twine, mostly isn't enough.

Seo's pawns are worms, with round mouths which burst open like flowers, in layers. Seo told Minjun he used lamprey eels as inspiration. When they slip through the defences, they put their mouths above ground and pretend to be flowers, eating anything that stumbles into them. Instead of roots, they've got a thick, twisting body. If they're found out, they dig a tunnel to somewhere else, and pretend to be a flower there instead. They're good spies. They've caused the opponent to kill a lot of his plants, which means his pawns have less to feed on.

The worms dig through the field, only pawns don't really dig. Pawns don't interact with the real world – they brush through it like holograms. The ground they bore through is soil Seo has crafted, like them. The field is separated by a silver curtain, which the referees have woven and which hides the opponent's strategy. The pawns can move through the curtain; when they touch it, it shimmers.

In the same way, pawns can't eat real flowers, only flowers crafted by a weaver. But pawns do like to eat. They can be sustained by the weaver, but they don't grow; whereas if you craft food for them and they eat they're less effort to maintain, and they sometimes fatten and thicken, becoming more of a threat.

It's difficult to spy on Seo, because there's nothing to see above ground, only sand and dust and desert. And underground, you need smart, small creatures if you want them to escape the worms' notice. Seo has always had good Twine skills, but what he's best at is strategies. Underground games weren't a thing before he brought them into youth tournaments. Some adults still haven't realised this is something you need a counter for.

Seo has to play well, because he's a professional weaver and because Twine is important. It's the reason the Kuroaku brothers left South Korea.

Sir Neil presses the microphone. He is an old man with thinning hair and a growing belly and a lot of money.

"Now," he says.

"Getting there," says Seo. His voice comes out from a speaker in the middle of the control board. The microphone is curled around his ear and down his cheek, like a thin black snake coiled around his face.

Minjun comes to all the Twine tournaments, wherever they are. Most happen at the home ground, the Norwood Stadium, which is owned by Sir Neil. Minjun knows the arena off by heart now, and most of the journalists will recognise him. Sometimes he sits with the public, where you can see both of the players' grounds. It's more fun to know the whole strategy, but it means he can't talk with Seo at half-time. So most often Minjun stays in the managers' box, even if it isn't as interesting.

At half-time, Seo drinks too much coffee, and gives Minjun the free chocolates he gets during the interviews. Mostly he's given mint chocolate. Minjun found the taste strange at first, but now he loves cheap mint chocolate. They're brown and green, like things from outer space.

The audience gasps and closes in around the players. Minjun leans over the screens to see what's happening. It's now the last phase of the game; soon it'll be open grounds. The silver curtain will be unravelled. Everyone will see everyone's strategy. The final attack will be led, and whoever holds most of the ground at the end will win.

Minjun stares as Seo, sweat glistening across his brow, moves his worms out of the earth. They align there, on the dusty desert ground. They look like bloated sausages, a pale brown colour, puffy in the sizzling sun. They're the size of dogs.

Minjun knows what's coming next, but the public doesn't. He's seen Seo craft these. Slowly, the wet wings push out from underneath the cracked skin. People whisper in excitement, some start shouting. There's cheering and jeering, depending which side of the arena you're on. The sound would be deafening, were it not for the double glazing between players and audience. Plus, Seo has headphones on. Different weavers put different songs in their headphones – Seo puts white noise. Minjun borrowed the headphones once. Static is very boring. After long enough, it made his fingertips tingle. Maybe that's why Seo likes it.

"Larvae," said Seo, winking at Minjun, the first time

he showed him. "Let people call them worms, but they're larvae."

This time Seo used ants as inspiration, the way they live underground but fly at mating season. His larvae are waiting, crumpled damp wings emerging from their backs, unfolding with the rustling of crêpe paper. Once open boards is called, it doesn't matter if they're visible – the wings will be dry. It's difficult to build a good counter to underground games, and it's difficult to build a good counter to flying games. It's impossible to do both. His opponent has focused his strength underground – he won't be able to do anything about flying monsters. His fans know this, and they're howling and shaking their heads already, even though the final attack hasn't even started.

Sir Neil isn't smiling. He's crossed his hands and he's resting his chin on them. He watches the game.

There are a lot more Kuroaku fans, and they're drunk. A song starts. They're stamping their feet in unison, and in the manager's box you can hear it through the ceiling. The tiers are shaking.

Seo is camped with his feet wide apart, and he controls the pawns through the coloured threads emanating from his fingertips. He isn't one to flourish, but for the fans he moves his hand in a quick circle, sending ripples down the threads – like a whip cracking, only the crack is more like lightning than thunder. The fans answer with a Mexican wave, shaking their scarves, to copy the arc flowing from his fingers.

"Get on with it," says Sir Neil. Minjun glances at him, and he catches one of the coaches looking too. Sir Neil is usually alright about indulging the fans, especially if it's late-game and everything is under control. But today he doesn't seem pleased.

"On it," says Seo.

When open grounds is called, the referees lift their hands. They catch the silver threads holding the curtain together. It's like watching the water's surface break when you throw a stone: the curtain collapses, starting from the centre. The battleground becomes visible to both weavers. In the manager's box, four screens which were on standby suddenly light up.

Minjun leans over the screens. Seo's opponent has pawns like knights, with slits through their helmets for eyes. They've covered the floor in metal and stone, to prevent underground attacks. There are round balls with spike-like claws to help them roll across the floor; wolves with fur made out of copper, which forms frizzy brown armour around them. Nothing which can pose a threat to Seo.

Minjun feels a strange, floaty feeling, like he doesn't quite belong, like everything comes from far away. It's a happy feeling. It means everything is going to be alright. He turns away from the match; he doesn't need to watch anymore. No-one in the box asks him why he's leaving. He goes to the vending machine and buys a can of soda while Seo wins.

Then he waits in Seo's lounge, drinking his soda. Seo has to answer interviews straight after the game, without time for a break first. But it's only short interviews. Minjun is patient.

Fifteen minutes later, as Minjun is playing on his tablet computer, Seo comes in. Minjun turns on the coffee machine with one hand, keeping the other on his game. He can't stop now, or even avert his eyes from the screen. Seo comes and leans against the sofa's armrest, towering above Minjun. Minjun doesn't look up – he's at a tricky pass. Seo watches until Minjun clears the level.

"Nice one," he says. Then he goes and fetches his coffee. Minjun turns off the tablet.

"You too," says Minjun.

Seo smiles. His hands are still gleaming faintly. In an hour or so the halo will fade and disappear. Pawns have a relationship with their maker. When they're content, the weaver feels a warm cosy feeling, like when you come home after being outside in the cold. But when the spies crawl through enemy territory, part of the creature's stress seeps back to you, as if you were the one experiencing it. As long as the hands glow, the aftermath of emotion persists.

Seo downs his espresso and says, "Let's get dinner over with." Minjun pulls a face; they're eating with Sir Neil this evening. He was expecting it – match days are usually dinner days – but he doesn't like meals with Sir Neil. He always hopes they will go to the restaurant with Seo, just the two of them, and order what his brother calls 'stupid food'. Stupid food is food you can't be caught dead eating.

Weavers are supposed to keep fit and eat healthy, needs-tailored food. When Minjun and Seo go out they order pizzas with too much cheese, or burgers with bacon and egg inside, or sometimes they just eat brunch for dinner, with cereal and yoghurt and cake. People generally give Seo what he orders, whatever the time of day. There are advantages to being famous. But if Sir Neil is with them, he will order the food for both brothers, selecting ingredients which conform to their diet.

_gs a jumper above his twiner's kit, a black top
sponsors' logos. On the shirt there is a crest
_vil on blue background, and his name sewn
_le picks up his bag that he left lying on the
it over one shoulder.

"Let's go," says Seo.

Minjun throws his tablet inside his backpack, chucks the can of soda, and grabs his hoodie. Seo disapproves of the hoodie, but he can't say anything because Sir Neil bought it. Minjun likes it because it's a fandom hoodie, with Seo's key-creatures from his championship match. It's blue and black, like Seo's kit. Seo thinks it's silly; Minjun thinks that everyone who sees him will know he's on Seo's side.

He follows his brother outside the arena. It takes a few long, winding corridors to get outside, because they want to avoid the crowded concourse around the main stage, and the exits most people will be taking. If they used the public tunnels, they would never get out. They come out directly on the staff parking space. The sun is setting, but because it's very cloudy you can't see it – only the blue of the sky as it dims and becomes inkier.

The chauffeur tells them Sir Neil wants them to eat at his house. This is unexpected. Match days are an excuse to be seen. They often eat in a restaurant, and the fans know it and search for them in public places, trying to get autographs and photos.

In the mansion, the meal will be cooked by Sir Neil's staff, and there will be two sets of dishes on the table – the ones Seo can eat and the ones he can't. Technically Minjun is a junior weaver too, and in front of Sir Neil he always eats from the twiner dishes, all the while wondering why people put seeds in salads, or what quinoa would taste like if they roasted it in the oven, maybe with grated cheese on top. Minjun feels that with enough Cheddar, even quinoa could become interesting.

The chauffeur drives, and Seo and Minjun rest on the back seat. Seo extends his hand, still shining yellow Minjun. Minjun goes to high-five it but Seo ret hand at the last minute. He smiles, and extends it again. Minjun wins a few times – when he slaps his brother's hand, sparks fly around them, and some stick to his fingers for a few seconds before dying out.

They get out of the car in front of Sir Neil's mansion. The car brought them all the way up the drive, past the orchard, the walls of roses. Nothing is alive at the moment – it's late winter. The trees don't have leaves, the grass is dank. The roses are bushes of thorns; they make it look like brambles have invaded the grounds.

Sir Neil's dining room is long, with a high decorated ceiling. White napkins are set next to the plates with more forks and knives than Minjun thinks are useful. "Just use whichever one you feel like using," says Seo. "I don't know why we bother." But Seo always uses the right fork at the right time. At home, they eat with stainless steel chopsticks. They're easier to clean and Seo likes them better.

Today, Sir Neil's mood is awful. Despite the victory, he scowls at his food as they eat. There's faint, discreet music playing in the background, but he asks the manservant to change it three times, saying it's getting on his nerves. He's in a suit, as always, the dome of his skull gleaming under the candlelight.

After a while, probably bored by the silence, Seo recounts the game for Sir Neil. Sir Neil listens without humming or saying 'yes', without lifting his face from his roasted potatoes and his juicy meat. When Seo stops talking, Sir Neil finishes swallowing his mouthful and moves his chair backwards. He leans back, a few lonely grey hairs drooping above his ears and the nape of his neck.

"Nothing else you wanted to tell to me?" asks Sir Neil.

Seo shakes his head. He glances at Minjun, but Minjun

pulls his 'I don't know' face. Minjun really doesn't know what has put Sir Neil in such a foul state, why his lips are pulled tight, why he eats little but drinks and glares at Seo.

Minjun knows Sir Neil would rather he didn't come to professional dinners altogether, but Seo always brings him along. "You're my brother," Seo said once. He didn't say anything else because he didn't need to – Minjun knew that he meant the world had tried to mess with them and keep them apart and that the world had failed.

But today dinner is strained. Minjun can feel Seo is waiting; he wants Sir Neil to say what's wrong, and he doesn't want to have to ask. Sir Neil wants Seo to apologise, and he doesn't want to have to ask either. So the meal goes on, and food gets brought in and taken away, and glasses of wine are refilled and emptied, and no-one asks what they want to ask.

In the end it's Sir Neil who speaks first, in his quietest voice. He says, "You're a bright young man, Seo."

Seo looks up from his plate and says nothing. He doesn't like the word 'bright'. "What do they think I am, a monkey?" he sometimes grumbles when he hears someone say he's bright. "A pet? Kosmos *is* bright. A light-bulb is bright." Kosmos is the parrot. Kosmos is bright, he knows how to sing 'Who Let the Dogs Out', with the woofs and everything. Which is pretty decent for an animal who doesn't bark.

"I would never have guessed." Sir Neil's voice is low, nearly a whisper. He whispers when he doesn't want the servants to hear.

Sir Neil leans forwards over the table. Seo and he are staring at each other, and neither of them is blinking. Seo holds his fork but doesn't lift it to his mouth.

"One thing's sure," says Sir Neil, "I wouldn't have taken

you into my family if I'd known you were a homo."

"What?" Seo hisses but his eyes dart to Minjun, and Minjun shakes his head in fright because he knows what his brother is thinking: he's thinking someone must have given him away, and he's looking for a suspect and only Minjun knows about the men on his phone because he scrolled through them once.

"You do realise being outed on a dating site is in poor taste?" asks Sir Neil. "It's not even original anymore."

Seo turns back to Sir Neil and says, more loudly: "What on earth are you going on about?"

Minjun looks down at his plate. He feels a dull pain in his chest, just above the heart. Seo isn't as good as lying as he would like to be. Sir Neil must have thought something along the same lines because he says, "So you're a liar on top of everything else."

And Sir Neil goes back to eating as if nothing has happened. For a moment Seo is struggling for words, and Minjun doesn't dare look at him, because he can feel his shame, the shame of it, growing and growing like a pit around them and he can feel the lurch in his stomach as they fall. They're both falling together because Minjun always feels what Seo feels. And it's so embarrassing because Seo doesn't laugh, doesn't shake it off. The silence is like saying yes, and while Seo says nothing Sir Neil grows more tense. His knife slips and screeches against his plate – Minjun winces.

"You are being ridiculous," says Seo at last. It sounds forced.

"So you're not denying it," says Sir Neil.

"Of course I'm denying it!" snaps Seo. "I don't know where you heard…"

"Read."

"Pardon me?" Sometimes when Seo is thrown by

something he reverts back to his education with Sir Neil, where he wasn't allowed to say 'what' and always had to remember 'thank you'.

Sir Neil gestures to the butler, and the butler brings them a folded newspaper, some trashy bold-letter-title tabloid. "You even made it to the front page. Congratulations."

The butler puts the newspaper down next to Seo but Seo doesn't acknowledge him.

He's staring holes through Sir Neil's face. Minjun wishes he was boring actual holes, and Sir Neil was all mottled with black spots so he couldn't speak anymore nor say anything that would hurt Seo.

"Scandalous news, exclusive witness. Et cetera. I didn't get to the end. It was putting me off my supper."

Seo has gone from red to white.

"Before you ask, yes. You will have to make a public statement either confirming or denying it."

Minjun wants to speak up for his brother, defend him, but he knows that he will only make matters worse. Often, when he tries to say something, Seo just says "Shut up, Minjun." He doesn't mean it in a nasty way. He just means "You're too small to do this." And if Minjun speaks now, when Seo is red and white and breathing hard and not quite standing up but sitting so straight he seems taller than usual, then for sure Seo will tell him to shut up. Even Sir Neil might tell him to shut up.

"You have no idea the trouble you're in. Luckily I spotted it early. Not early enough to prevent this issue coming out, but none of the bigger newspapers will follow suit."

Sir Neil looks at Seo and nearly smiles, the smirk of someone who didn't particularly want to win but has won anyway. "That is, until you provide them with a statement."

That's when Sir Neil looks at Minjun for the first time. Minjun is so surprised by this that he looks back – he doesn't think of lowering his head to be polite or smiling or anything like it. And Sir Neil says, "Did you know about this?"

Minjun shakes his head.

Sir Neil nods towards Seo and insists, "Well, what do you think?"

Seo gets up suddenly; his chair flies backwards. The movement is awkward, brutal, in this vast room with jazz music and carpeted floor and cream wallpaper. Minjun feels the pain in his chest becoming worse, and he has to press a fist against it. The ache is sharp, as if a monster is pinching him between two claws.

"Don't drag Minjun into this," growls Seo.

"Why not? You have to realise what you do impacts more than just you. How are you going to explain what 'faggot' means when that's the abuse you'll get in the newspapers? Stop Minjun from reading newspapers? You'd better stop him from coming to the stadium while you're at it, because I can tell you right now that you'll hear it there."

At this Seo slams both his hands down in front of him, hard enough for knives to skitter to the floor, for wine glasses to tremble. Some of the servants jump, and the butler moves closer, as if to hold him back. He opens his mouth to say something, but Sir Neil is swifter, smoother. Better oiled.

"Aren't you a bit old for tantrums?" says Sir Neil, and smiles for good this time, showing the teeth and everything. Seo turns away from him and stalks out of the room. Not wanting to be left behind, Minjun pushes his plate and his chair back, and scampers after his brother. Seo is taller than him and his legs are longer; he strides down the room and then down the hall, and Minjun has to run to keep up.

They get to the front door and walk out into the cold night. It's been raining; the gravel shines where the light filtering through the door catches the wet pebbles.

They should ask the chauffeur to come and pick them up but Seo doesn't ask and doesn't stop at the front steps. He stamps down the avenue and Minjun dashes after him. When the house and its illuminations are behind them, Seo slows down. The scent of wet soil rises from the lawn. Wind rustling in the trees makes drops of water roll off the leaves and onto their heads.

Seo breathes in deeply. The pain in Minjun's chest has dulled. They don't speak for a while.

"Are you okay?"

"Shut up Minjun."

Minjun says nothing, and they walk together to the gates. They're automatic gates; when the brothers are close enough the exit creaks open, the metal scraping against the stones. Outside the mansion, it is a residential area where the houses are hidden by high walls and the street is bordered with trees to make shade for the cars.

"Call the driver, will you?" says Seo.

Minjun phones their driver and they wait underneath a tree. Seo folds one leg and rests it against the bark, leaning backwards, putting his weight in his foot. Kosmos sleeps in the same position on his perch, with one claw up, coiled underneath his feathers.

In the car, Minjun thinks of the men on the phone. He first noticed there was something wrong with Seo's phone when he tried to unlock it one evening. The phone wouldn't unlock. But Minjun knew Seo's password, so that meant it had been changed. There was no reason for Seo to change t if there was something secret on the phone.

 isn't good at passwords. It only took half an hour
...d the right one. Minjun waited for Seo to go to bed,
leaving his phone to charge on the counter, next to the
sleeping Kosmos. When he'd unlocked the phone, he
found a new app which Seo didn't have before. He clicked
on the bright logo, and it logged him in automatically.

Mostly it contained photos. Photographs of men,
portraits, sometimes without shirts on, but mostly with
their clothes There was one with a tattoo across his
knuckles and a leather jacket like someone from an action
movie. Minjun didn't know what the photos were, but he
thought maybe other weavers, or people Seo had to watch
out for. Maybe this was a list of supervillains. Kosmos,
unknowing and uncaring, was sleeping on his perch, his
head tucked under his wing.

Minjun put the phone back to charge and went to bed.
He felt it was a secret so he didn't ask.

The silence in the car is the wrong kind of silence.
Minjun isn't sure what the driver knows, but he must know
something went wrong. They left before dinner was over.

"We need a copy of that newspaper," Seo says, while
they're driving through the city centre traffic. Minjun
remembers he left Sir Neil's copy on the table.

"Maybe Sir Neil will send it to us," says Minjun,
because he sometimes does that when Seo or Minjun
forget something at the estate. But Seo says, "We'll buy
our own copy."

So they make the driver stop in front of a supermarket
and Minjun jumps out to buy the newspaper for Seo.
Minjun is glad it's a big supermarket. It means he'll have
more time, because big places are an excuse to get lost and
be late.

When Minjun finds the newspaper, before
through the automatic tills, he opens it. He reads st..
between the aisles, hidden from the front doors. He s..
through the article, conscious the car is waiting for him,
thinking he'll have to pretend there was a queue. The title
is simple enough:

The Queen of Twine

Underneath, it's written:

Sex Machine Seo - youth champion Kuroaku beds 200
men in 200 days

The article goes on, but Minjun stops reading.

He imagines his brother kissing another, undefined
man like you see actors on TV do with women, with the
tongue and everything. He feels the sickness again, the
hot suffocating feeling trickling down his heart as Sir Neil
said nothing and the silence was worse than bad words. He
buys the newspaper and brings it back to Seo – neither his
brother nor the driver mention anything about how much
time he took. Seo reads the tabloid with his head resting
against the side of the car. He only reads that article,
but he reads it several times because he doesn't close the
newspaper until the car stops.

When they step out, Seo throws the newspaper in a
public dustbin before climbing up the stairs to the flat. He
tells Minjun he can take the lift, but Minjun runs behind
him. Soon they're racing – Minjun is fitter than Seo but
Seo has longer legs, and they rush up five steps at a time,
shoving each other to go round the corners, holding on
to the bannister to help tug their weight upwards. When

there's only one storey left, Minjun pushes underneath Seo's arm, the one he's using for the handrail. Seo trips, and it slows him down enough for Minjun to leap over the last few steps in front of him.

They reach the seventh floor panting, their legs sore and their faces red. Seo shakes his head as he turns the key in the front door.

"I win," says Minjun.

Seojun

That night Seo can't sleep. He can't afford not to rest his body – his body is his working tool. But he doesn't want to use sleeping pills, in case they mess with the Twine. Some pills do. So he goes to bed, and he thinks, and he hopes pretending to dream is enough.

He hears Papa's voice. *You will have to make a public statement.* He imagines Papa reading the article, imagines Papa imagining Seo, as if Papa were sitting in front of a badly-filmed porn movie where his son is the main character. Seo feels nauseous. There is no point in going to the bathroom. He won't throw up, and he'll feel sick again the moment he lies back down.

He stays on his bed, trying not to focus on the fact that he's not sleeping. His mind is boiling over: he can feel it pouring down his skull. He's on his stomach, his pillow pushed under his chin. He idly crafts pawns with his right hand, not bothering to filter the energy through his left, as he should. He crafts easy creatures, with little worth – the Copycats, the Feeders, the Riders.

Sometimes, when Minjun asks him too many questions, Seo makes a pawn Copycat. It's a humanoid, like a stick character, without much detail except for two cat ears poking on either side of its head. It copies things. That's why they call it the Copycat. It copies Minjun asking the questions to show him Seo doesn't want to answer. Seo resorts to the Copycat when Minjun asks about their mum.

He doesn't give the Rider a mount, but Riders are programmed to try and find mounts, so it walks in circles around the bed, searching. It tries to ride the Copycat which then tries to ride it in return. It's silly, but distracting. They roll over each other, grumbling in their gibberish language.

Seo tried to teach Kosmos the pawns' language, but Kosmos somehow knows they aren't real. He pays them little attention, and never bothers to repeat what they say. Seo wonders how the words come to them. If you give them vocal cords, they talk. But you don't need to teach them language. He wonders what they're saying. Nothing very coherent, probably. They are only projections, in the end.

He bites his lower lip. Words never got him anywhere. Lots of words, black and white, in neat columns – and look at the damage. That night was the one time he talked openly to someone, and it's already backfired. He must have been drunk. He knows he wasn't. He wishes he had a better excuse.

He has a creature he never showed Minjun – just the one. It's a miniature Minjun, about two feet high. The pawn doesn't look like his brother; it's only a bland copy. It has his black hair, his gait at a stretch. It's like a soft toy. Seo made it when he thought he might never see Minjun again. It was a way to have a picture, to remember, maybe to show people so they pointed him in the right direction. It wouldn't have worked, Seo realises that now. This rough-hewn character would never have been enough – people would have directed him to the Chinese quarter at best.

The Feeder is burrowing in the sheets, passing through them, fuzzy at the edges where it rubs against the real world. It's a white fluffy blob which can jump up and down or nuzzle its way through tunnels. It's the essence of a rabbit, with all the rabbit-detail taken out: it's only fur and bounce, with nothing much else. In games, it's there to feed the enemy, to keep aggressive pawns busy while serious creatures do the hard work.

Seo places the not-Minjun next to him. The not-Minjun isn't supposed to do anything. It sits looking at things, sometimes commenting in pawn-language. It laughs at the Rider and the Copycat's argument, a shrill sound which Seo hasn't quite mastered, which sounds artificial.

Seo wipes his palm over the pawns, and they disappear. He leaves the not-Minjun for a while longer. It always feels like bad luck to unravel it. Twine is what saved Seo. It's what saved the Kuroaku brothers. He doesn't want his luck to run out – he doesn't know what he'll do once it does. Papa doesn't make failure an option.

He remembers the baby-box. For some reason it's what he recalls most clearly. It was at the side of the church. You put babies inside and slid down the panel, so the priest would find the child but you spared yourself the shame of handing over the baby. The box had green plastic down the sides, a red diode flashing on top, instructions written on the gleaming metal. It looked like a giant microwave. Someone had decorated it with painted animals: a smiling caterpillar, a butterfly, a bee. There was a drawing of a sleeping baby inside a baby box, underneath a starry sky with rainbows. Lots of hearts. One sentence in English: *Jesus loves you.* Seo asked their mum to read it for him.

Their mum was a bit late about her business – Minjun was too old to fit comfortably inside the box. She folded over his little arms and legs to stuff him inside. When it closed, it made a definite echoing noise, like dustbin containers slamming shut.

Seo can't remember if he was also abandoned, or forgotten, or whether he ran away so he could join his brother. He remembers the priest, a plump man with gentle smiles, and he remembers saying his brother was in the dustbin, could he please have him back now. He was old enough to walk and talk, but not old enough to understand.

That's the last thing he remembers: the warmth of the antechamber where they brought him, which might or might not have been part of the church itself. They gave him Minjun to calm him down. He sat there, his baby brother swathed in cloth resting on his lap. Minjun made bubbles through his mouth. He was too heavy for Seo's thin legs.

Seo unravels the not-Minjun. It's quick to dissipate – it's only a fragile pawn. He brushes the golden dust off the mattress. He lies down, and fails to sleep.

Minjun

For a few days nothing happens, and Minjun hopes the newspaper incident didn't matter that much. But he notices Seo doesn't call Sir Neil and Sir Neil doesn't call him. They normally talk once a day about Twine, the upcoming matches, the best strategies, where the game is happening and whether they need to book a hotel, a restaurant, a plane. Seo works on his own, weaving creatures and writing down how stable they are, how efficient. He scribbles unreadable notes by hand on loose pieces of paper, which he then loses and complains about having lost.

Seo doesn't spend more time than usual searching for news on the internet, but when Minjun tries to check out his history to find out what he's been doing on the computer, Seo has wiped it clean. And when Minjun unlocks his phone, the app has been uninstalled. Somehow Minjun is relieved.

It takes four days before anything happens. It's a Saturday morning and Seo is sitting on the sofa working on his computer, with Kosmos next to him. Kosmos keeps trying to eat the keyboard or to climb on it, and Seo keeps pushing him back, saying "I'm working, Kosmos." Kosmos has heard this so often he can say it, and he repeats: "Am woking, Kosmo" in his croaky voice.

Minjun is playing on the console. It's a quiet game, and he plays it with the sound low so it won't disturb his brother. Sometimes he plugs in earphones but it's nicer without them. It's a game about flying and collecting flowers on different floating islands. Minjun likes being able to fly.

The interphone rings. Minjun gets up to answer it. On the little screen, he sees curly, honey-coloured hair. His lips go dry. He picks up the phone but he knows who the man is already. He talked to him before.

On the evening Minjun had unlocked Seo's phone, he was scrolling through photographs when the chatbox opened. There was a loud beep. When he clicked on the conversation, the photograph showed someone with very curly hair, so thick it puffed around his face like an afro. It was amber-coloured. Minjun couldn't concentrate on anything else; the hair mesmerised him. The new text said *Still up for tomorrow?*

Minjun nearly retreated back into his room, like a tortoise into its shell. But he was curious, and he could delete the conversation afterwards. The man must know he was online, because the profile picture showed when people were on the app or not. If he didn't answer it would look suspicious. He scrolled up the conversation, and saw that it had consisted in organising a meeting for the next day. He didn't see why Seo would change his mind at the last minute, so he answered *Yes*

He didn't put a full stop because that wouldn't be friendly. But he didn't put a smiley because Seo usually didn't.

I can never tell with texts if people are being snarky or not
Neither could Minjun. Maybe he had sounded

unfriendly after all. He answered not to worry, that he wasn't being snarky. Curly answered he was bored. Minjun answered that he was too. They chatted online for a while, then Minjun realised that it would be a lot of texts to delete, and that Curly might say something to Seo which had been deleted and Seo wouldn't understand. He said he had to leave, because turning off the phone without saying goodbye isn't polite.

I've got to get up early tomorrow, he wrote. It seemed like a good excuse.

Why? What's the plan?

Minjun nearly wrote he had to go to school, but he caught himself in time.

I need to get to the training grounds

He thought it was a great answer, until Curly said *What are you training for?*

Minjun frowned.

Twine? he wrote.

He left the question mark on purpose. He found it difficult to believe anyone meeting up with Seo could somehow *not* know Seo did Twine. It must be some joke he'd missed from the conversation before.

Wait, you're a weaver?? As in, a professional weaver?

Maybe Seo hadn't told him on purpose. Minjun looked at Curly's photograph. He had a nice broad smile and frizzy golden hair with sunlight flowing through it. But sometimes bad guys have nice smiles. Minjun deleted the texts and turned off the phone. He backed away into his room and closed the door and stood there, his heart beating hard, his breath coming in gulps. What should he do? Should he warn Seo? But then his brother would be mad he'd told a secret. Also he would have to admit using his phone without his permission, which was alright, but also to hacking the password, which was not.

The next day, Seo didn't say much about his meeting, only that he would get home late. He left in the evening after dinner.

When he left, Minjun slept fitfully, waking up to imaginary sounds. On school days he normally got out of bed at about eight, but the next day, sick with worry at the idea that his brother might have been slain by a supervillain because of him, he got out of bed at six.

The house was eerie and quiet. He brushed his teeth in the echoing silence. As he was in the bathroom, he heard steps in the entrance and water running from the kitchen tap. Feeling brave, Minjun tiptoed up to the bathroom door. He glanced through the half-open crack. He couldn't see anything, so he pushed the door open a bit more. That was a mistake; Seo heard the creak.

"What are you doing up this early?" he asked.

Minjun shuffled into the kitchen. Seo was standing beside the sink, wearing jeans and a T-shirt Minjun had never seen before. A black flimsy jacket hung loosely across his shoulders. This wasn't the kind of clothing Seo would wear to train, or to go to an interview, or to see Sir Neil. The splash of running water had woken up Kosmos, who was stretching his grey wings.

"I needed the bathroom," lied Minjun.

He walked closer. When he went around the counter, he smelt the alcohol on Seo. He stopped in his tracks. There was an awkward gap, because they both knew this was weird, but Minjun wasn't sure how to ask and Seo didn't want to answer anyway.

"Did you use my phone recently?" asked Seo. He didn't ask it in the maybe-you-did-it-maybe-not voice. He asked it in the you-definitely-did voice.

Minjun nodded.

"You do realise that if I change the password that means I don't want you on my mobile, right?"

Minjun didn't say anything. There was nothing to say.

"And thanks for texting for what – an hour, more? – pretending to be me."

"Were you with him just now?" asked Minjun.

Seo glared. That was the wrong question, but it also was, Minjun confusedly felt, the right question. Because what Minjun had done wasn't okay, but he was sure what Seo was doing wasn't okay either, otherwise he wouldn't hide it. Kosmos jumped off his perch and scratched across the tiles of the counter, looking for crumbs.

Seo leaned backwards, arms crossed, the white of his wrists shining against the black of his jacket. He was wearing a bracelet. A knotted leather bracelet. Minjun stared. Seo noticed, and brushed the sleeve of his jacket over it. He sighed and said, "Whatever. We might as well make breakfast."

He turned on the coffee machine, putting little capsules in it to make an espresso. They didn't speak much, and they didn't eat much. Minjun had some cereal which he went and ate on the sofa with Kosmos. He picked cornflakes out of the bag to hand them over to the bird.

When he'd finished his coffee, Seo came to sit next to Minjun. He put out his hand so Kosmos could climb onto it. Kosmos immediately perched on him, and Seo lifted him up to his head. Kosmos clawed his way from the hand to the top of Seo's skull and stood there, ruffling his feathers. He started preening himself. Seo caught Minjun's glance and said, "Shut up Minjun."

"But I wasn't saying anything!" said Minjun.

"Shut up Minjun."

Seo was smiling. Kosmos didn't like Seo moving too fast, and he spread out his wings before folding them again. He opened his beak and said "Inju, Inju!" which was how he said Minjun.

"See, Kosmos agrees," said Seo.

"It's not funny!"

"Say shut up Minjun, Kosmos. Come on."

Kosmos went on saying "Inju, Inju!" and Minjun shoved his brother away. When Seo moved Kosmos hung on to his scalp with his claws, making him flinch.

"Okay, bad idea," Seo admitted, lifting his arm again for Kosmos to climb on to. But Kosmos didn't want to move, and then he started trying to groom Seo's hair, which he sometimes did but which really hurt because his beak tore out the hair instead of preening it. Cringing because of the pain, but not wanting to upset the bird, Seo managed to convince Kosmos to come off his head and onto his hand.

"Go on, go do that to Minjun instead."

He lifted the parrot towards Minjun's hair and Minjun jumped back, shrieking but laughing a bit too, and Kosmos grew tired of these two noisy humans so he climbed off Seo's hand and walked away across the carpet back to his cage. They watched him climb up the bars and onto his perch, where he started preening himself again.

After a silence, Minjun said, "I couldn't sleep."

Seo didn't answer, but he pulled Minjun into a hug. They didn't talk about it again, which was alright, because Minjun knew Seo wasn't angry with him and that he hadn't done anything wrong.

Now, standing before the interphone, Minjun wonders if he has done something wrong after all. If the man in the newspaper said bad things about Seo because Minjun mentioned Twine, that night. And if Curly is now back for more.

He glances at Seo, but Seo is on his computer, and because he doesn't know Curly is at the door, he's arguing with Kosmos in a low voice.

"Yes?" says Minjun.

Curly squints at the interphone and says, "Minjun, is that right? I'm at Kuroaku's house? Is your brother in?"

Minjun doesn't know if he should lie. "Yes," he says.

"Can you tell him Jack Hext is here?"

Minjun covers the phone with his hand, pressing down firmly, and turns towards his brother. Because of the big glass windows, he can see Seo's reflection. Instead of turning round to look at him, Seo looks back through the reflection in the glass. "Who is it?" he asks. Kosmos climbs on his keyboard and from there on the top of his laptop, where he spreads his wings and imitates the ring of the interphone.

"It's Jack Hext."

It's difficult to know if Seo is bothered through the reflection. Maybe he's turned pale and maybe he's frowning but all Minjun can make out clearly is his voice, which is calm and fake when he says, "Let him in."

So Minjun tells Curly he can come up and presses the interphone's button. Seo gets up and goes to stand in the corridor in front of the door. He's worried; if he wasn't, he wouldn't bother getting up from the sofa until the doorbell rang. Minjun stands next to him. He wants to help, but as they wait together Seo turns to him and says, "What are you doing? He hardly needs two of us to open the door."

So Minjun goes back to the console. He wants to hug his brother but there's a lump in his throat and his head feels heavy. What if Curly says something worse to Seo? What if Seo is even sadder afterwards?

Or what if – and somehow this feels worse, more wrong, more criminal – they're happy to see each other? For a moment, Minjun has an image of Curly coming up to Seo and touching his cheeks and kissing him. It's the impossibly long kiss of films, with hands and sunsets. Only with curly hair everywhere, sprouting all around Seo's face, hiding the view. Minjun tries to swallow, but the lump is stuck fast. His hands are moist when he picks up the joystick.

He hears Curly come in. There's an awkward hello from him and a cold good morning from Seo. Before Curly can add anything, Seo says, "My office is this way."

Minjun looks above his shoulder when Curly comes in, and Curly catches his eye and smiles sheepishly. Minjun turns away. He listens as they walk down the corridor.

Seo says, "You didn't spare me but you could at least spare my brother." Then their voices dull down as the office door closes.

Minjun counts to three before putting down the joystick and creeping down the corridor to Seo's office. He glides on the marble with a hand before his mouth to stop himself from breathing too hard. When he's close enough, he puts an ear on the door, ready to bolt away.

He hears Curly saying, "What?" and Seo answering, in an impatient voice, "Have you come to blackmail me or to gloat? If it's blackmail, give me a figure. If it's gloating, get it over with."

"I don't want to blackmail you!" Curly sounds shocked. They're speaking loudly enough that Minjun doesn't need his ear on the door. He backs away, and listens from a safer distance.

"Okay, gloating it is. You have one minute."

"I've come to say sorry, Seo. Didn't that even cross your mind?"

Seo answers something, but he's using Sir Neil's quiet nasty tone, and Minjun can't hear. He inches closer. Curly is speaking fast and Minjun can't understand all of the words. He strains to hear better. His hands are damp so he has to wipe them on his trousers.

"Look, I didn't think it would do any harm if I talked about it, it was just... I don't know, I was proud to have cracked your secret! I didn't tell the newspaper, I would never do that, I just told... well, people. I had no idea someone would publish an article about it – I didn't think it mattered."

"Very well."

Seo is so angry his voice is trembling. Minjun wonders if he should go back to the console – he doesn't want Seo to be mad at him. It's bad enough to have him mad at someone else.

"You've had your minute. Get out of my house."

"Look, I'm not asking you to forgive me..."

"Good. Because you are not. I'm flattered, really, to know that there was no big plan, no foresight. You weren't even thinking about it. Lovely. Yes, I feel miles better. Now get out."

Minjun gets up and runs across the corridor. He lands in front of the console and picks up the joystick again. He stays still as they come back towards the entrance. They're silent. Minjun can just about see Curly in the reflection of the windows. He seems lost, his mouth half-open like a fish's, and he keeps looking from Seo to Minjun and back to Seo again. He wants to speak, and Minjun can see him moving his mouth around words he might say, but nothing comes out. Seo looks as if he's been cut out of stone. Or maybe as if he's a low-quality character in a game, with not enough pixels to smile or move his facial muscles.

Seo opens the front door for Curly and closes it behind him. Then he goes back to his computer. He and Minjun don't mention the incident, but Seo is typing slowly, with long pauses which he spends staring out through the window. He kisses his teeth from time to time, and Kosmos imitates him, making the same sucking sounds. Minjun isn't really playing – his bird-character is flying in circles in the sky, watching the beautifully designed world underneath, going nowhere.

Minjun wonders when Seo met Curly. How it happened. Curly doesn't look like someone a weaver would stumble upon by mistake. He dresses in a colourful jacket, bright orange and yellow. Seo only wears black. They don't fit in the same kind of movie. Curly isn't from an action-movie – he's comedy. Only comic characters have curly hair.

His bird-character flies another circle, but Minjun thinks Seo might be watching and wondering why he isn't playing, so he makes it glide down towards an island. He starts collecting flowers he already has. Seo doesn't know the difference between rare and common game-flowers. As he lands on the mock grass to collect mock plants, Minjun remembers the night Seo went out to see Curly. It was an unusual evening – he should have known. He should have known from then that something wasn't right.

Seo is often away in the evenings. He calls Minjun at 10:30 and tells him to go to bed. Minjun always waits for his call although he could go to bed on his own. He likes hearing his brother's voice, even if it's grumpy and tired. Sometimes Seo sounds excited or happy, and those are good days, and Minjun imagines his brother is having fun somewhere and smiling at people and he doesn't mind being alone that much.

That evening Seo didn't call. It was 10:45 and he was

never any later than that. Minjun's friends were starting another game online, but one game lasted an hour. Minjun hesitated, then said yes. He could always interrupt the game, even if his friends would be mad because they would have to finish in a team of four, and it's difficult to win a five-v-five game in a team of four.

Tiffany laughed, and said, "Wow, Minjun's going against BB's orders! Hold on tight guys!" BB is the name she uses for Seo. It stands for Big Bad. When she doesn't call him Big Bad, she calls him Big Brother. Sometimes she turns to Minjun, extending her fingers in front of her like you do when you're pretending to be a ghost, and she howls, "Big Brother is watching you!" She says it's from a famous book. He doesn't believe she reads books; he bets she got it from a film.

They played. They lost, but it was a good fight. Minjun's friends were going to bed because there was school tomorrow – even Tiffany. It was 11:40 and Seo still hadn't called. Minjun said goodbye to his friends, and then he started a new game on his own. He was playing with strangers and, although they were winning, everyone was throwing insults at each other and trying to find who was playing less well. Minjun thought the call would never come, because of what he'd said to Curly. At 11:50, Seo rang.

Minjun counted to five under his breath and then picked up his mobile.

There was music in the background, but subdued. Minjun heard running water, maybe a toilet flushing. Seo must have been calling him from the toilets, standing in a cubicle, leaning against a thin plastic door. Maybe with one foot up, like Kosmos.

"Hi," said Minjun. He tried to make his sulk sound in

his voice. Seo didn't seem to notice – he grumbled:

"Still not in bed? Seriously, you should be able to get yourself to sleep without me singing you a lullaby."

"Did you forget me?"

Minjun couldn't put the game on pause because he was online. He disabled the chatbox and played holding the phone against his ear with his shoulder. If Seo wasn't going to say sorry, then he wasn't going to stop. He clicked furiously on the mouse.

"Yes," said Seo, "I managed to forget for about one hour. One hour of bliss not having to worry about you. Now I'm back."

Minjun harrumphed down the phone.

"Don't be mad," said Seo. "Sleep it off."

They stayed on the phone together, not saying anything. Minjun could hear laughter, and people slamming doors, and someone using the hand-dryer. He guessed Seo could hear the quietness of the flat, and the laptop as he tapped on the keyboard. And his breathing. He waited to see if Seo would say anything about using his phone without permission, but he didn't.

When Seo hung up, Minjun didn't finish his game, even if it meant he would be banned from playing next time he connected online. They'd make him wait as a punishment for having spoilt this game for the other players. But he still did it and, as advised, went to sleep it off.

But he knew what was so important that Seo could forget about him – even for one hour. And it was Curly.

Minjun feels the ache in his chest again. Seo is staring in the distance, not doing anything. Kosmos is perched on his laptop, cleaning his claws with his beak like humans clean gunk from under their nails. Minjun moves his character upwards, flying faster and faster. He doesn't know where he's going, but he's going there at full speed, exhausting his avatar, flying close to rocks and water, until he turns too suddenly and crashes into a cliff. The game displays a cinematic of him fluttering to the ground, shedding feathers, and asks him if he wishes to continue. Minjun hesitates, watching his character lying breathless on the floor, his wings spread around him like a shroud.

He waits for too long, and the game decides he must have quit. The character is left to die, and Minjun is brought back to the homepage.

Seojun

A few days after the scene at the estate, Papa sends Seo an email. There is a date and a time in red.

Papa drops by the flat on the scheduled day. He doesn't ring at the door, but calls on Seo's mobile and tells him he's downstairs. Seo tells Minjun he'll be away for the afternoon. He pulls on a coat and joins Papa in the car. The driver hasn't turned off the engine, and he leaves as soon as Seo has shut the door.

Papa and Seo sit together on the back seat. They don't say anything. They haven't talked since Seo stormed out of the mansion.

Papa bends over to rummage into his bag and slaps a file onto Seo's lap. Seo opens it gingerly. Something like ice and metal sinks into his stomach. There is a statement and a list of questions. The right answers are included.

"There's everything you need in there," says Papa. "The idea is to avoid the sordid dating site stuff. Say that the time is ripe and you want to reveal it to the world. That'll create enough buzz that everything else will be covered up."

Seo stares at the notes inside the file. The lines are smudged into one black stain. He rubs his eyes, but he can't bring the words into focus.

He wants to say *But I'm not ready*. It comes out as, "But I'm not gay."

Papa laughs, a brief, mirthless chuckle. For a while they drive in silence.

"Try telling that to your boyfriend." Papa's voice is dripping with contempt. "He's the one who leaked the story." He isn't looking at Seo. He's staring out of the window at the city flashing past – buildings, cars, pedestrians, red and green and yellow lights. Neon signs for restaurants. Inside, the car smells of leather. "You'll get the abuse whatever you do. At least this way you do it on your own terms."

Seo skims through the pages of notes. He stares at them but doesn't see them. He listens to the rustle of paper.

"When we've done this, we'll get a lot of attention from the press. Be ready to repeat it as often as necessary. But hopefully they'll mostly reuse the footage we film today."

"It's going to be filmed?" asks Seo.

Papa glares at him and snaps, "Of course it's filmed. Don't tell me you've got stage fright."

The ice inside Seo's stomach sets. He tries to swallow but his mouth is too dry. He licks his lips instead. He wants to ask why Papa didn't warn him, but of course he did, he mentioned a statement would be necessary. He wants to ask what Papa will say to the journalists, whether he'll be present too, or whether he'll let Seo do this alone. But he knows his manager. *You don't need me to babysit you.* He can hear the answers in his mind, and that stops him from asking the questions.

They use the press conference room at the Norwood grounds. Papa and Seo wait in an antechamber adjoining the room.

"We've still got about an hour while they get the cameras sorted," says Papa. "Read through the file."

Seo pretends to do so. He sits at the only desk in the room while Papa paces in front of him.

A press representative joins them. He'll be taking questions and putting them to Seo, to control where the interview is headed. He works for the Norwood grounds – Seo has seen him before. He has salt-and-pepper hair and the withered hands of a retired weaver. He winks at Seo and shakes Papa's hand. The two older men exchange a long stare. Seo can't read the expression on Papa's face.

Papa discusses the interview to come with the press representative. Half an hour before the interview, the press representative leaves them so they can kit up and get the make-up sorted. Seo has done this all before. He goes through the motions. If he doesn't think about it, it could just be another Twine pre-match interview.

Papa doesn't hand him his kit, but a plain shirt and black trousers. A blue tie. Before Seo can even ask, Papa says, "Not all the sponsors want to be involved."

The shirt is tight; the tie feels like a noose. Seo hasn't faced the press without his kit before – he might as well be in pyjamas.

"Come on, they'll be waiting," says Sir Neil.

When they walk in, a hush falls across the conference room. It can fit about sixty people. It's never been big, but today, crowded with faces, it's cramped. There is a long desk across one end; that's where Seo and Papa sit. They have microphones screwed into the desk in front of them and a background wall of sponsors behind. Not the same companies as the shirt sponsors, Seo presumes, or not the ones who refused to be involved.

Before him, an amphitheatre of black cushioned seats

with retractable tables to write on. Most of the journalists are already there, aligned in their black and white suits like seagulls on a cliff. When Seo comes in, their eyes swivel towards him. The sound of people writing on keyboards fills the room, a roll of clickety thunder.

Behind the flood of faces, there is a platform with four cameras. The cameramen are bent over their machines in the semi-darkness; flashes of light burn Seo's retina as they start taking photographs. One of them is kneeling in front of his camera, adjusting it to frame Seo's face. Between their feet, cables like dead eels cover the ground.

The last few whispers die down. Seo wonders what will happen if he throws up. They'll film it, give him a ten-minute break, and get back to the interview. It won't spare him from having to talk. He forces himself to swallow.

"If you are ready to present your statement..." says the press representative. It sounds like a question, but it isn't one Seo can say no to.

Seo looks at the file again. There must be a paragraph that he's supposed to read, but he can't find it. He shuffles through the sheets of paper, in the agonising silence of sixty people waiting for him, then gives up. He knows from previous interviews he can't stare at the desk, or at his feet. He focuses on the back of the room, where he can't catch anyone's eye.

"I have been asked questions about my relationships before," starts Seo, and he has no idea where the sentence is going to end. "I would like to clarify that I have been attracted to men and women."

He stops, not sure whether this is enough. Maybe he shouldn't have added 'women', but he couldn't bear to leave it at 'men'.

There is an awkward silence. The press representative

probably read the official statement, and doesn't know where this freeform answer is coming from. Papa glances at Seo, but his eyes betray nothing of what he is thinking.

One of the journalists asks, "So do you mean you're coming out? As bisexual?"

Seo tries to find the voice in the crowd. He spots someone youngish, maybe as young as him. And here he is, sitting behind the desk without even his kit, and the cameras are recording every gap, every moment he spends crossing and uncrossing his hands.

"Yes," he says. "Yes, I suppose I'm coming out."

Obviously, those were the right words, because there is a flutter from the cameras, and flashes of light. Some people are filming, others are taking pictures. Three or four questions are asked at the same time. The press representative turns to Seo.

"Why choose to come out now?"

Someone in the crowd speaks louder than the representative: "Aren't you afraid of the fans' reaction?" It's a woman's voice, sharp, clear.

"It seems as good a time as any," says Seo. He wonders if what the cameras are recording seems uncaring or distant. Maybe he should speak more each time he gives an answer. The truth is, he has no idea what they want to hear.

"Are you going out with a man at the moment?"

"What does your brother think about this?"

"Kuroaku, what does it feel like, being the first bisexual weaver to come out?" The press representative picks the nicest question amongst the mush of sounds pouring out of the journalists' mouths.

Seo struggles to find an answer. Surprisingly, Woolfe springs to mind. He's not sure whether to mention her. She's the first woman weaver to ever play at a competitive level, but comparing being a woman to coming out might not be right. He doesn't even know what he's admitted to yet. He isn't sure why he has to admit to anything, in front of witnesses, as if he were a criminal before his judges.

His pause must have been too long, because the press representative says, "It's a very brave thing to do."

"It's been hard for other weavers," says Seo.

"Which weavers? Do you mean there are other gay or bisexual weavers you are aware of?" asks a journalist. The press representative seems miffed. He touches his lips with his wrinkled fingers, then lets them drop to his side. There aren't any other questions to pick from. He can't refuse to put a question, so he asks, "Which other weavers are you referring to?"

"I mean, it was hard for Woolfe," splutters Seo. "Not that I know anything about her, hum, preferences."

"And it'll be hard for us," adds Papa. His intervention is a relief. "But we discussed this together, and felt we owed our fans, and ourselves, the truth. This won't change anything about Kuroaku's planned games, or his Twine."

Papa takes over the interview and answers most of the questions. Seo speaks when he's asked to, but he hears his own words as if spoken by someone else. He hardly knows what he's saying. He holds back the bile in his mouth, preventing himself from retching over the polished desk. He smiles. He waves.

When they leave the press conference room and are out of earshot from the journalists, Papa says:

"Well, we messed that one up alright."

On the way back from the interview, Papa asks the chauffeur to bring them past the cemetery. The clouds are thick above them, grey pillows stifling the sky. They leave the car together. The cold wind whips their faces. They walk amongst the graves, on the wet grass filled with worms and other creepy-crawlies eating through the dead.

Mother is buried with the rest of Papa's family. When he was younger Seo was impressed by the marble tombstone, high enough to bear the names of Papa's parents, and grandparents, and great-grandparents. He imagines them nestling together under the same slab of stone, hugging their bones for warmth.

Papa hasn't brought flowers. He rests one hand against her name and closes his eyes. He has to crouch to do so. Seo stands back. As they wait, it starts drizzling. The drops stay caught in Papa's spidery hair like dew in the high grass. It's cold. The church huddled between the graves is dwarfed by the yew tree growing above it. The tree has a proprietorial way of stretching its branches above the stones, casting even darker shadows in this dank place.

Papa opens his eyes. His knees crack as he pulls himself upright.

"She would be so disappointed," he whispers.

He looks at Seo. Seo can see him searching for words. He can also see something like disgust in his eyes, or distance. Or maybe it's the absence that he's noticing, the gap where there was affection.

"What was all that stuff about being bisexual?" asks Papa.

Seo turns his gaze towards his feet. He watches a snail climbing the bottom of the tombstone.

Papa sighs. "I don't understand why you would choose… this. Any of this."

The snail has got one of those striped shells, yellow and brown. It sticks to the corner of the gravestone, its long antennae stretched out in front of it, tasting the air.

"Are you trying to punish me or something?" asks Papa.

"No," says Seo.

"No?"

Papa pinches his nose between his fingers. He rubs his eyes. For a moment it seems like his composure might break, he might hug Seo, something within him might soften. But Papa's core is hard as flint, and in the end he shakes his head and stands his ground.

"Maybe there's a solution," he says.

They head back to the car.

Minjun

The second time Curly drops by, Seo isn't there. He left with Sir Neil without even telling Minjun when he'll come home.

Minjun isn't sure if he should let Curly upstairs but he says he has a present so Minjun, reluctantly, lets him in. When Curly gets to the flat Minjun feels it's impolite to keep him standing at the door. He lets him inside. Curly doesn't take his shoes off as he walks towards the counter, and Minjun wonders if he should tell him that's bad manners.

"You said you had a present," says Minjun. He crosses his arms in front of his chest like Seo does and hopes he looks intimidating. Curly nods.

"Yes. Yes, of course." He rummages inside his bag and takes out a few Tupperwares with squished cakes inside, brown and beige. "Muffins," says Curly. "I made them. Chocolate ones and apple ones."

Minjun doesn't answer. The silence drags on until Curly is forced to say, "Okay, I'll be leaving." He fumbles in his pocket and takes out a business card. "These are not really for business," he says, with an impish smile. "It was a sort of joke, although I suppose it's not very funny." He puts down the card next to the muffins. "Tell Seo he can call me if he wants. I'm not angry with him."

Why should you be angry with him? Minjun wants to shout. He's the one who's made Seo sad and thoughtful and sullen; why should Seo be the one to apologise? But he doesn't answer, because you can't yell at adults. He waits with his arms crossed in front of him, hugging himself tightly, so Curly knows that he's not amused.

Once Curly is outside again, Minjun opens the Tupperware with the chocolate muffins. He jiggles the muffins around so it's not possible to see one was taken out. The cake is squashed down and sticky. When he tastes it, it's very sweet. It's got something chewy in the centre, toffee maybe. Minjun eats the muffin, and takes a photograph of the business card with his phone, one photo of each side. Then he leaves everything as it is, and waits to see what Seo says.

When Seo gets home, he looks at the muffins and at the card. He rips the card into pieces above the counter, then cups his hand and brushes the pieces inside it. He throws them into the bin. Minjun thinks the muffins are going to have the same fate, but Seo opens the chocolate muffin box and offers it to him. Minjun takes out another squashed cake. He hopes this one also has toffee.

"No point in wasting them," says Seo.

They eat the muffins in front of the TV. Seo licks his fingers to get the crumbs off them.

"Was the afternoon okay?" asks Minjun.

Seo shrugs. "I guess if I'd really tried it could've been worse."

Jack

Jack crashes on the kitchen chair. It's been a tough day and a tough evening at work. It's three in the morning – he's finished his shift at the pub, and Laura has only just got home. She's living her student life to the full. Studying seems to enable her to drink more and sleep less. "My MA is doing wonders for my alcoholism," she jokes. She's covered in makeup, with a top showing her stomach and tightly-fitted jeans. She has a tribal tattoo of the sun around her belly-button which she likes to show off. Jack yawns and rests his forehead on the table.

Laura has energy for both of them. She puts the kettle on for a nighttime brew and gets Marmite out of the cupboard. She has a theory that Marmite prevents hangovers, because of the salt. She always eats some before going to sleep after a night out. As she's always in good shape the next day, Jack assumes it works, if only as a placebo.

"So, how did it go with your Chinese guy?" she asks.

"Korean." Jack is used to this now. "He's from South Korea." Before he wondered how Seo could bear it; now he knows it's all par for the course. You have to live with it. Everyone makes the mistake, friends and foes. "A lot of weavers are from South Korea."

"Really?" Laura goggles at him. "How do you know?" She sits down in front of him and opens the pot of Marmite. The smell makes Jack queasy. He lifts his head, moving his chair backwards, scrunching his nose at Laura.

"From him. Who else?" Jack still feels sore about this. They had such an earnest discussion, like he hadn't had in ages, like he might never have again. He remembers lying on the bed afterwards, feeling like a diva, thinking they were only lacking cigarettes and lingerie, smoke hanging in the air, maybe a pair of trousers flung across the sheets, to be characters from a sophisticated black-and-white film. He touched Seo's shoulder as they talked, moved his fingers along the shoulder blade, the sharp angled bone cutting the smooth lines of his back.

"I still can't believe Luke went and told the newspapers," says Jack. Laura grimaces in sympathy. "It was going so well!"

"I know, bless. I've never seen you so into someone since, well, since Luke," she says. It's Jack's turn to pull a face; he doesn't need a reminder about how Luke dumped him. "But of all people, why did you go tell him?" she asks.

It was stupid, Jack can see that now. Although he thought Luke and him were okay, water under the bridge, all that stuff, he supposes he couldn't resist bragging. Showing off Seo's name. Maybe he even wanted Luke to be jealous, who knows? He does a helpless shrug.

"Well, we can put him up on the dickboard," says Laura. The dickboard is the dartboard. People who piss off someone in the flatshare get their photograph, or if none is available their name, stuck up there. Laura swears it makes her aim better.

They own a blowpipe – it's a children's toy, nothing serious. But it's long, black, and looks vaguely threatening.

Laura likes lounging in the armchair holding it; she says she feels like a sniper, or someone from the mafia. One of her favourite jokes while reclining there, toy weapon in hand, is to say, "I still miss my ex, but my aim is improving." Replace ex with anyone getting on her nerves at the time; friend, boss, sister, father, etc.

Before Jack moved in with Laura, they'd had a serious row. When he joined the flatshare, she gave him his photograph, speckled with holes. She explained the dickboard concept, and pointed out she'd managed to get both his eyes. He still has that photo somewhere. He shows it to people when he wants to tease Laura about what a good friend she is.

As the dickboard has not pulled Jack out of his gloomy mood, Laura says, "Maybe he'll call you back." But he doubts it. He can picture Seo's face as he escorted Jack outside. Muffins will not be enough. When Minjun let him in Jack hoped, stupidly, that he would get to talk to Seo again. But the boy and the parrot are a better security system than ten guard dogs. How could anyone get past this miniature version of Seo looking upset with you? Minjun's puppy-eyes could break hearts – and will, Jack is sure, when he's old enough.

"You know, you're the only person I know who has time to bake muffins," says Laura. "Seriously, who does that? Make muffins for some jerk who's getting in a tizz about his sexuality?"

Jack shrugs. "It's not just him, though. It feels like the whole world has gone back to the dark ages."

"It's not quite that bad yet," says Laura.

Jack decides to change the subject. Muffins are a safer topic than politics. "Anyway, I thought bringing something would be nice."

"It's nice. It's too nice. Suspicious. I'd never give away muffins unless I'd poisoned them. What's so special about him anyway?"

Laura is laying Marmite thick on her toast, and eating it as she pours the steaming water from the kettle into the mugs. She hands Jack his cup with one hand, opening the fridge with her elbow to get the milk out. How she can manage complex coordinated movements when there's enough alcohol in her blood to kill a Chihuahua, Jack's not sure.

"Come on, tell me," she insists. "Didn't he start as a one-night-stand? Must have been one hell of a night, considering the upgrade."

Jack can't explain it. When he first saw Seo, he repeated the most common mistake, referring to a Chinese show in a way which was supposed to be funny, witty. Cultured. Not many people can quote a Chinese sitcom off-hand, can they?

"Except the one billion Chinese," said Seo.

Jack had wanted to show he wasn't one of *them*, the ones who got an Asian boyfriend like you go on holidays, not to stay, for the thrill of the exotic. Luke had told him Seo was Chinese. So much for Luke.

They chatted, and Jack got drunk, and took offense for Seo whenever China was mentioned. Seo was silent, thoughtful. All his answers hit their mark. He simply sat there, being sexy and smart.

"You know intelligent people are a turnoff, don't you?" Jack laughed.

"Don't worry, you're doing fine," said Seo.

And Jack was curious too, of course. Luke had been the one to spot it. Luke had met Seo online, except he didn't use his real name but something else, something ridiculous, like Edward or Eddy or Edmond. Luke had seen him in person, just for one night. But when Luke had met 'Edmond', he'd thought the photograph didn't quite match his face. Luke being Luke, he checked, and discovered the photo belonged to an Asian man living in the US. So here was this guy, with a posh accent, the wrong profile photograph, and a way of skirting around your questions as long as he could, giving nothing away. Luke wanted to find out the big secret; Jack wanted to help.

Seo called himself Michael for Jack's benefit. "Michael? Really?" asked Jack, trying to prise out the truth.

"What, are you expecting me to be called Ling?" Jack blushed, even though he knew he wasn't the one lying. Seo said in way of explanation, "I grew up here."

Jack wanted to know why he was putting so much effort into hiding his identity. It was the reason Jack started flirting with him in the first place. And Luke, Jack has to admit. Luke kept going on about 'Edmond', and how annoyed he was at not having wrenched his true name off him. "That's it, that was my chance," he kept complaining. "He doesn't want to see me again. One-night-only is the rule, apparently." Maybe part of Jack wanted to show off in front of Luke, prove how much better he was at – at what? Tricking people into telling you their secrets?

Of course, it wasn't Jack who'd found the truth. It was Minjun, Seo's brother, who'd given it away. Jack kept that revelation for as long as he could – then he asked Seo, casually, why he'd mentioned he was a professional weaver. They compared phones. The conversation had been deleted off Seo's mobile. Jack thanked God he didn't have a little brother like that. They'd laughed at the embarrassment caused, and Seo had admitted the whole story. At first, Jack had rubbed his hands and thought only of Luke's reaction.

But once alone together, Seo was so gauche, so young... It was difficult not to love this mix of power and uncertainty. Of control and weakness.

Out loud, Jack says to Laura, "Rich guy with a secret. Nothing special. I'm just a cliché." Laura laughs. She finishes her toast and takes big gulps of tea. Traces of her busy night have started appearing on her face. Shadows are growing underneath her makeup, which is smudged where she's rubbed her eyes. They drink in silence for a while. Jack's limbs are heavy. He can't bear the thought of dragging this deadweight body all the way to bed.

"Well you'll never guess where I'm going to be working," Laura says. "I'll be at the Norwood Stadium! It's your boy's home grounds." She explains she'll be doing guided tours of the arena. She doesn't know anything about Twine, and thinks this is hilariously funny. Jack's heart beats harder. Maybe she'll be able to see Seo – maybe she'll get a chance to talk to him. Bring him a message.

That is, if she isn't thrown out during her training, as Laura puts it herself: "Someone is going to cotton on that I haven't done Twine since kindergarten."

"It's a guy thing, isn't it?" says Jack. "The kind of stuff dads do with their sons."

"You say that, but the World Champion is a woman," answers Laura.

"No it isn't," says Jack. "It's that guy, what's his name, tall beefy guy with this black hipster beard..." He trails off. His memories of Twine are reduced to his dad cheering in front of a TV, and a few matches in his hometown, spent shivering in the cold, huddled underneath his father's trench coat. They did it in the playground too, with the other kids. Jack wasn't much good. His creatures tended to fall apart before they attacked anything.

In the end they get out their phones to check. They find that the World Champion *is* a woman – Olivia R. Woolfe. She is the first female champion of Twine ever. Before Twine matches were separated by genders, and only the male ones got much attention. Mixed games are a recent venture. But Woolfe's status as World Champion is put under doubt, as she didn't get to play the final match which would have won her the championship; her opponent was disqualified. Opponent who turns out to be Seojun Kuroaku.

"Shit," says Jack.

"He was only seventeen at the time," says Laura, quoting the article. "After lengthy debates, it was decided he shouldn't have been allowed to take part in the adult tournament, and he was disqualified before his final match against Woolfe. There's some stuff in there about the 'adult VS age eighteen' limit, but I'll spare us both that crap, I can't be bothered." She looks up at Jack, pushing loose strands of hair behind her ears. "Going for celebrities now, are you?" She's laughing. From her angle, this whole story must be a brilliant twist of fate.

"Shit," says Jack again.

"He's mega-super-duper important in Twine," says Laura. "Like, some people call him the World Champion because they assume he would've rolled over Woolfe."

The consequences unfold for Jack. Luke obviously knows his Twine – you don't even need to be much invested to follow the World Championships. This is high-profile business, not just a minor celebrity having their feathers ruffled, as Jack had more or less assumed it was. To his knowledge, no weaver has ever come out as gay.

He racks his brains for information on Twine. It's

macho, he's pretty sure of that. He associates it with groups of white middle-aged guys in a pub, shouting at the top of their voices as creatures fight on the tiny screen in the centre of the crowded room. Beer is spilled, people roar and smash their fists down on tables, sigh and shake their heads, stay silent with eyes riveted to the screen during the key-phases. They use words you don't understand unless you're already part of the gang: "They've breached borders now, he better get out the late-game pawns" or "Open grounds is in five, what does he think he's doing starting a heavy-craft now, the moron?!"

It's too late for this. Jack puts his forehead back on the table. He feels stupid – for Seo or for the muffins, or both. Laura is on fire now. She's passed the exhaustion phase and is living off adrenaline-fuelled excitement. She reads different articles out to Jack, who closes his eyes. He's still holding his mug; he can feel the heat of the tea seeping through the ceramic into his hand.

"*Twine's First Gay Weaver* question mark," reads out Laura. "U-uh, another article has already picked up Luke's story. Wait, wait… *This is as good a time as any to come out*, Seojun Kuroaku, I quote!" Laura snorts. "A good time to come out? An important time to come out, yes, but not a good time, I can tell you that."

Jack can't say he disagrees. A better time to come out – to be gay – was a couple of years back, before the conservative backlash.

Laura clicks on a video. Amongst the white noise and background coughs, Seo's voice can be heard. Jack opens one eye, and Laura angles her phone so he can see the video without lifting his head off the table. Seo is sitting at a desk, hands crossed, looking professional. He speaks in a quiet, controlled voice.

"He's told the press himself?" says Jack.

"Probably to pull the rug from under Luke's feet." Laura scrolls down the comment section. She reads a few out loud to Jack. "The usual stuff. Some 'I'm so proud of you Kuroaku' and some 'you twisted pervert.' No-one cares who you screw, except bigots on the internet. Let's find something more interesting." Jack closes his eye again. He hears Laura stomping across the kitchen, screwing the lid back on the Marmite, closing the cupboards. "According to... nanana... allegedly up to two hundred different partners a year. Bloody hell, that's a lot, I hope you used condoms."

"That's ridiculous," says Jack. He brings his mug close to his cheek and rests against it. Warmth. Beds. Not messing up again. Those are nice thoughts he'd like to stick to.

"Yeah, they're throwing in random numbers" agrees Laura. "Let's find the original article."

Jack wants to protest, but his muffled *Let's go to bed instead* is lost to Laura's enthusiasm. As she reads out the article to him, the lead inside him grows denser. He'll never be able to move again. He'll become a statue, melded into the chair and the table. They'll use him to pin notes up.

"A regular of gay and bicurious dating apps... Spotted using different names... Trying to hide his identity as a twiner... changing partner every evening... Do you think he scored every night? If he did, he's not only the god of Twine. I want tips from that guy. But I don't think he's fitted in two hundred dudes yet. One a day, that's still two thirds of the year. He's a professional player, right – he must be busy doing other stuff?"

Laura's words mingle and blur. Jack can feel himself slipping into sleep, like a child on a nearly-horizontal playground slide – it's happening, but too slowly for there to be a sense of urgency, for him to want to do anything about it. Soon everything Laura says is clouded. He can see arenas with twiners fighting in big groups, giant pawns growing out of nowhere, Seo lying in a bed with a pile of naked men around him, and Laura in front with her tattoo showing counting them, 134, 135... The rest is blackness and a deep, dreamless sleep.

Minjun

Minjun is at a party with Seo. It's a Twine party in Spain. Minjun has been to most European countries already, following Seo as he goes to games in different parts of the world. The World Championship involved a lot of travelling. As far as Minjun is concerned, the world consists of planes and airports, of hotels and meals which all taste the same, whichever country you happen to be in. He spent most of his time abroad sleeping in expensive cars as they drove across unknown cities.

This is a boring party. Seo and him are standing at the edge of it, by the buffet. If Sir Neil were there he would force Seo to socialise, but Sir Neil didn't travel with them. Normally, even when Seo doesn't try to speak to people, they come and chat with him. But today everyone is giving them a wide berth. It feels strange and lonely with only the two of them there. Neither speaks Spanish.

There were panel discussions and videos. Now there's music, but little dancing. Weavers don't dance. It's the afternoon, and the party is taking place in the garden outside the host's house. It's too hot for the twiners, and they're wearing their jumpers tied around their necks, looking disgruntled. Some of them have rolled up the bottom of their tracksuits. Seo is drinking sangria. He let Minjun taste it, but Minjun prefers the ice-creams he can take freely from the icebox at the foot of the terrace. There are lots of flavours he doesn't know. He wants to try them all.

Minjun doesn't like this party, despite the ice-creams. It's not only because it's dull, or because while they're away Kosmos has to be looked after by the help, when bird and woman hate each other's guts. It's because today is Tiffany's birthday. He wanted to go to that, rather than fly all the way to a country which doesn't realise we're supposed to be in winter, with trees already blossoming and green grass and a temperature which doesn't allow for cool sweaters.

At school, Minjun doesn't have many friends. The other children don't speak quite like him, for a start. They laugh at his accent. They don't want to play ball games because they're too tiring. There are only a handful of boys who aren't white, and none in his year. Seo says this is the best education money can buy. Minjun isn't sure it's worth buying.

Instead of playing with the others, Minjun sits in a corner of the playground. He does a bit of Twine, because his brother told him you should practise every day. Truth be told, Minjun doesn't enjoy Twine that much. It's difficult, and his brother is always better anyway. So he does about five minutes, because that's the minimum. Then he gets bored and looks around and puts his chin in his hand.

One day, as he was practising, a girl walked up to him. She looked at his pawns and said, "The best weaver in the world is a girl."

"The best weaver in the world is my brother," said Minjun. The girl shrugged.

"Whatever. I don't care about Twine. It's boring."

She sat down next to Minjun. He'd never heard anyone say Twine was boring – this was so exotic that he chatted with her for the rest of the break. That was how Tiffany and he became friends. Tiffany loves all the right things: stupid foods, video games, standing in the rain when there's a storm outside. They play online together, and Tiffany always has friends who want to team up with them, so they can play in groups of up to five at a time. They chat during breaks. Minjun would like to walk her home after school, because he knows it's only five minutes away, but the chauffeur always comes to pick him up. He can't ask the driver to wait for him while he walks Tiffany home. Or he would like to invite her, but he isn't sure she would get along with Seo. She's irreverent and funny where Seo is serious. Minjun is frightened she'll call him 'BB' to his face.

Seo sighs and sips more sangria. He's bored too. He nudges Minjun with his foot. Minjun nudges him back. They glance at each other, and Minjun sticks out his tongue, which is blue from too many bilberry sorbets. Seo rolls his eyes.

"Let's go for a walk in the garden. What do you think?" he offers.

They're about to leave the buffet for a stroll when Seo freezes, a fake smile spreading across his face. Minjun turns his head to see what his brother has spotted. It's Woolfe.

Woolfe is walking towards them in a straight line. Her blonde hair is cropped short, vaporous like baby-chicken fluff. The sun shines through it, making it sparkle like a crown of gold, or maybe an aureole. She doesn't look like an angel or a queen or a baby bird, though. There's a smile on her lips but it's tight, closed, not showing any teeth.

In a few strides she catches up with them and extends her hand. Seo shakes it, then Minjun. Her handshake is as firm as her smile. She's taller than both of them. She's wearing a tracksuit, no makeup nor jewellery. Like all the other weavers, she's holding her jumper under one arm. Unlike all the other weavers, she's a woman, and the sagging shirt doesn't suit her.

"Long time no see, Kuroaku," she says. Woolfe is American, she has a nasal accent; every word sounds slightly different from theirs. "I thought it wasn't possible to fuck up my reputation any more, but nice of you to try."

She spots Minjun staring at her but doesn't apologise for the swearword.

"Sorry, I, it wasn't what I meant, I tried…" Taken off-guard, Seo doesn't make sense. Minjun isn't sure what Woolfe is talking about. After too long a gap, she smiles again.

"Okay, I'll buy it. You didn't mean it. The press put the words into your mouth, all the usual lies." She cocks her head to one side and squints at Seo. "How's it been going?"

"Alright, thank you," answers Seo. "I'm preparing for the national tournament in the UK. I suppose you're doing the same back home?"

She nods. Seo and Woolfe haven't met in a long while, although they heard a lot about one another during the championships and did pre-match interviews together. But as their game never happened, they never actually played, or talked after that. The World Championships happen every five years, so Seo and Woolfe haven't twined against each other so far. American and British players sometimes mingle, but serious tournaments happen by region or by country.

"It's tough but fun. Isn't Twine always like that?" she

says. Seo agrees. They don't have much to add, but Woolfe seems to have something on her mind, because she doesn't take her leave. Minjun can feel Seo tense. Woolfe stands too close, and he needs to take half a step backwards, holding his sangria in front of him to prevent her from closing the gap. Minjun takes a protective step forwards, so he's standing between them, even if Woolfe is strong enough to pluck him out of the way if she wants to.

"Isn't it absurd to get weavers together and not even have a Twine game? These meetings would be a lot less boring if we had some friendly fights," she says.

"It's for the press, isn't it?" says Seo. "Buzz is good for business."

"Not all kinds of buzz," she says. Minjun feels the ache in his chest and for a brief, terrifying moment, he thinks she's going to mention the article. He notices how no-one is watching them, the two World Champion rivals, although such a conversation should interest everyone. He notices how Woolfe is the only person who has crossed the gap of emptiness around Seo.

She takes a step forward, gently pushing Minjun aside. Seo leans backwards as far as away as is polite. "Forget about it. That's not what I came to talk about. What about a match?" she offers. "I saw a Twine field at the back."

Seo pulls a face. He frowns, glances down at Minjun as if somehow this has anything to do with him, and then clears his throat. It's a good technique to gain time. He takes another half-step backwards and puts his glass down on the buffet table.

"No offense, but I'm not sure we are allowed a friendly game. Not that I would be unfriendly, of course, it's just that, considering how the Worlds ended..." he trails off.

"I know." Woolfe sips from her own drink, a tall rimmed

cocktail with a cherry inside it. "But aren't you curious? You might have the title of World Weaver if it wasn't for nit-picking regulators."

Seo doesn't answer. He picks up his sangria again but doesn't drink it. Minjun has finished his ice-cream, and he's now sucking on the piece of wood that's left. Woolfe is riveted on Seo, but he's averting his gaze. She moves forwards again, forcing him to lift his eyes.

"Here and now, without warning anyone, it seems rather rash..." he says. "It's a shame to squander such an opportunity in Sir Gutiérrez's back garden."

"Don't even mention Sir Gutiérrez!" says Woolfe, shaking her head. "He asked me why my manager hadn't come with me, and said he wasn't comfortable with a woman travelling on her own. I bet he isn't comfortable with a woman twining on her own, either."

Seo gives her a polite smile.

"Is that the issue with you, too? Uncomfortable fighting a woman, in case it gets dirty?" Woolfe is smiling as if she made a joke but her face hardens.

"Not at all," says Seo. "But I'm aware there are better ways of playing this match."

Woolfe stares at Seo, but he doesn't look away. She relents. "You're right, an official Woolfe-Kuroaku match can't hurt." There is a pause the length of a heartbeat, and she adds: "I heard about Hartell cancelling your game. They're idiots."

Hartell are a media company and one of Seo's sponsors. Minjun didn't know about anyone cancelling games, but before he can ask about it, Seo sidesteps away from Woolfe and places himself behind Minjun. He puts a hand on his brother's shoulder and says, "My little brother is a good junior weaver, and he could learn a lot from you. If you're interested in playing against him, I'd love to watch that match."

Minjun's heart becomes a hummingbird and starts flying on the spot, little wings pumping the air. Woolfe looks at him as if for the first time. Her stare is so intense he can feel heat coming off it; his cheeks are burning, and he has to do like his brother, and turn away. He takes the ice-cream stick out of his mouth, but doesn't know where to throw it, so he has to stay holding it in one hand.

"Throwing your brother to the wolf, are you?" she snickers.

Seo smiles back for the first time. "You mean I'm throwing you to Minjun. You shouldn't underestimate juniors. You were nearly beaten by one at the last World Championship."

Woolfe laughs raucously. She turns to Minjun. "If you're half as good as your brother was when he was a junior, Twine better quake in fear." Minjun isn't sure if that's a compliment or a challenge. Woolfe nods to herself, and decides: "I'm sick of trying to outstare this bunch. I'm sure a match against Minjun would be fun. Or should I call you Kuroaku Junior?"

Minjun shakes his head, although that's not much of an answer. He can't play against Woolfe! He knows he's not good enough. But Seo is standing confidently behind him, his palm resting on his shoulder, as if displaying a trophy. He can't say no.

As they walk towards the Twine ground, while no-one is looking, Minjun puts the back of his hand against his cheeks to cool them down. He throws away the ice-cream stick.

The Twine field is set underneath a grove of olive trees, which are casting both shade and a sweet scent. Some of the trees are gnarled, beaten by hot Southern winds. The grass here is thick and green, the air is cooler. Woolfe throws her coat over the back of a wrought-iron chair. All the furniture is painted the colour of rusted copper.

Woolfe leans over to unfasten her shoes. "I thought it'd be cold in Europe," she mutters as she struggles with the laces. She pushes off her shoes, then her socks, which she rolls into little balls and plops into the trainers. She spreads her toes out on the grass. Seo drags a wicker chair up and sits down next to Minjun.

"She'll expect you to play like me," he warns. Minjun nods. His mouth is sticky; he regrets his ice-cream binging.

Woolfe asks Seo to be the referee. He takes his watch off his wrist so he can keep a closer eye on it. He offers they play a 'shortie' rather than the proper, drawn-out game. Instead of thirty-minute phases, they only last ten minutes. So rather than an hour and a half, a game should last about half an hour. The three phases will be more intense, which can be an advantage for light-craft pawns – they're quick to build, but lose much of their value if the opponent has time to craft complex creatures. But if you have a late-game strategy, then it's not great. Minjun suspects Seo doesn't want the game to last too long, in case it draws too much attention.

Seo lifts his hand to craft the boundary – threads the colour of mercury appear at the tip of his fingers and spread between the olive trees, until Minjun is hidden from Woolfe and she is hidden from him.

"May the best weaver prevail," says Seo.

Minjun and Woolfe start crafting. Minjun stretches out his right hand, stabilising it by crossing his left hand underneath. He uses his left hand as his sub hand. The sub hand accumulates energy and allows him to filter his power through it. It glows a deep shade of orange, an earthy colour, nearly brown. Once it's stored enough Twine, he starts crafting with his right hand. Yellow and red threads slide out the tip of his fingers, falling down lightly, like cotton unravelling.

First Minjun crafts the ground. He doesn't do sand, like Seo. He crafts rocky difficult-to-plough-through land, which is a good counter in itself for underground attacks. But after a thick first layer of rock, he does easier materials, crunchy earth which will allow some underground game. He crafts a few long, blue worms. They're light-craft creatures which can't do much. He'll use them as a red herring, to make Woolfe think he's playing like Seo. He sends them digging downwards – it'll take them a long time to get through the first layer of stone.

All of this is very basic strategy. He's used it before. He can already feel sweat on his hands, interfering with his Twine. His hummingbird heart is racing. He draws the clouds next, a thick layer full of stormy rains. He wonders what Woolfe might be doing now. As the referee, Seo has to watch both sides of the boundary for cheating. Which means he can't talk to either of them. The garden is silent, and Minjun feels the trees are leaning over him, watching.

Then he does his Bulletbirds – it's the first phase of the game, so he needs light-crafts which are quick to make. They are small, curled-up birds, a bit like butterflies. Instead of a beak, they have feathery trunks. They're vivid colours, with bright blue cheeks which they can puff up like hamsters. Seo doesn't approve of colours if they're not useful, but Minjun likes painting his birds green, red, pink, purple. They have prehensile paws to hang on to things. The feathers are supposed to be waterproof, but Minjun finds waterproof difficult.

"Think of ducks," said Seo when Minjun was preparing his creatures. Most weavers craft their creatures at home, long before they book for a game, so they only have to remake them during the match, rather than invent them from scratch. "Do duck." He can hear his brother's voice in his head. "Maybe even do duck-shapes, if that helps." Minjun struggles; his birds don't grow as fast as he wishes them to. They wobble, rolling and unrolling their trunks, making whistling noises. They fly sideways, a bit unbalanced.

"Breachable borders," says Seo. It's been ten minutes. Minjun only has four birds. Woolfe is making a drum-like noise with her tongue, clicking it against the back of her throat as she twines.

Minjun lifts his head to look at Seo, and that's when he notices the other weavers. The game has attracted attention. People have drifted around them, groups of twos or threes which aren't standing too close, but eyeing the show from a distance. His hummingheart flies up into his throat and thrashes there.

Minjun turns back to the match. His threads of Twine are pulsing bright orange; some are twisting away from his fingertips, mingling with other threads. He tries to focus. His worms are in the wet earth underneath the stones – he sends them into Woolfe's field. Their shiny blue bodies slip underneath the border. He continues crafting Bulletbirds, because he needs more to defend his ground. He regrets only practising for five minutes at school.

That's when the first of Woolfe's creatures breaks through. Minjun half-expected her to use spies which would be difficult for him to detect. But these are slow heavy-crafts. There are only two of them. One is a rhinoceros with thick moss growing over its back, and three saplings on its head, pushing upwards like horns. It's the size of a Shetland pony. The other pawn is ape-like, with drooping cheeks as black as burnt earth. It's got long fingers which grow into vines, and flowers poking through its grass-fur. Maybe its shape is based on an orang-utan.

Minjun gapes. This wasn't what he was expecting. He'll need a heavy-craft to get rid of those. His birds fly high up, out of reach. But the rhino and the ape ignore them: they go to the centre of the board and try to take root. When they realise there's too much stone to do so, the Orang-utan starts lifting stones out of the way. Its vine-fingers grow around big blocks of rock which it then rips out of the ground and flings aside.

The bright Bulletbirds fly downwards, chattering angrily. Some of them hang on to the Orang-utan, and plant their trunks in its flowers, sucking the juice and life out of it. But it's big and they're small, skittish. If there were enough of them to waste, they could drink it to death – but Minjun is being too slow. He clenches his teeth, and struggles to produce more. He can feel the strain in his nails throbbing all the way up to his elbow. His whole arm is cramped. Woolfe is still making her ticking noise.

Outside the field, weavers move closer. Not in obvious ways, but in slow circles. This is the best distraction of the afternoon, so everyone is drifting towards the back garden, pretending to enjoy the shade of the olive trees. Even Seo leans forward, curious to see how the plant pawns are going to fare in Minjun's hostile land. There is a light breeze brushing gold dust from Minjun's hands.

One of his worms has encountered something. Minjun isn't sure if this is Woolfe's own worm or something else which happens to be worm-shaped. It doesn't have eyes or mouths but still pushes through the ground. When it perceives Minjun's pawn it moves swiftly, clutching the worm like a boa constrictor. Minjun feels the breath knocked out of his lungs. He tries to cut off the information coming from the dying pawn, but by mistake he cuts out input from all the worms. He curses himself, but recreating links is too arduous. He'll have to hope his worms manage without his help.

Minjun needs to start working harder on his ground. The clouds grumble in the pawns' sky, and then rip open, pouring out rain as thick as slime. It doesn't quite achieve Minjun's goal. He'd hoped Woolfe's monsters would struggle with the wet stone, slip and fall over. It does slow them down – but it also affects his own pawns. The Bulletbirds aren't waterproof enough. Beaten down by the heavy waters, they struggle to stay afloat. Some settle on Woolfe's creatures and get slapped down by the Orang-utan's lianas. It's a mess of bright twittering bodies, with the ape still digging through Minjun's land.

The Rhino lies down. Its mossy back spreads across the stones, clinging there like lichen. It nuzzles its face into the earth and sticks out a thick blue-black tongue. It takes root.

Now there are enough puddles on the ground for the Bulletbirds to start drinking. They fill their little cheeks and spit out water through their trunks, round balls of liquid hitting the beasts hard enough to chip bark off them. They break the tip off the Rhino's front horn, and the flower that was growing there falls to the ground.

"Open grounds in one minute," Seo says. Minjun isn't in control of the situation. He needs a powerful heavy-craft to cope with this invasion. His water birds are only scratching the surface of these monsters.

His left hand is hurting, as if he has dipped it in water

that's too hot and, despite the burn, stayed there. The pain is peculiar, warm, spreading steadily. He's not sure he can do it. He can't craft for much longer – but Seo's eyes are on his field. He bites his tongue so the sting there distracts him from the strain in his arms.

In his good days, Minjun can win one game out of ten against Seo. But that's when he's been doing the junior tournaments, when he's practised, when he hasn't been eating a silly amount of ice-cream.

He starts on his best creature. Seo named this pawn Homo Pisces, as a parody of Homo Sapiens. But to Minjun it sounded like Pixy. As it was meant to be one of Minjun's creatures, although Seo helped him design and stabilise it, Seo let him call it the Doom Pixy.

The Doom Pixy is a thick humanoid fish, about the size of Woolfe's Rhinoceros. It has the shape and legs of a lizard, but its webbed feet are more like a frog's. It's got a fish's crest along its back, and the flappy, wide tail of whale. It's more an amphibian than a fish – it can live on ground, and is happy to do so when it's dry, its skin going crackly like that of a reptile. But when it rains it becomes slippery, too fast to catch as it slides on the stones, able to swim if there's a sea or a river. It fights with shark-like teeth or its long tail, which it can use like a baseball bat, to fling enemies the other side of the board.

His rain-field isn't working as it should, but Minjun knows the Doom Pixy is his last chance. He strains his Twine to make it as fast as possible. Even so, it isn't finished when Seo says, "Open grounds." His brother unravels the curtain, allowing Minjun and Woolfe to see each other's board.

There isn't much to see on Minjun's side, as it's mostly clouded over – another advantage of stormy weather. But

Woolfe's field is bright, beautiful. It's overgrown with vegetation. Leaves and branches stretching out towards the sky, smaller plants growing in the nook of bigger plants, flowers in bloom. Carnivorous flowers opening petals like tongues, sloths climbing the trunks, faces of lions and humans growing out of the bark, horns and antlers growing outwards to become forests of their own right.

And, of course, roots.

It's too late to do anything about it. The roots are everywhere. Some of them must be venomous, or capable of movement – they've crushed the worms. The roots aren't only all over Woolfe's field. They're growing upwards, steadily, across Minjun's. The rocks have slowed them down, but not enough. The Orang-utan is clearing space for them to thrive in. The Rhinoceros is reaching down, finding ways through cracks in the floor. His thick tongue-root is splitting Minjun's ground. The first sprouts are poking between the rifts.

They still have ten dreary minutes of defeat to live through. Minjun finishes the Doom Pixy three minutes after open grounds. It puts up a good fight. It's a good pawn. But what can it do? The Orang-utan is defeated – it can't hold on to the Pixy, it slips and stumbles, it's too tall and its high legs are crushed by a flick of the Pixy's tail. But it's achieved its goal. Plants are growing everywhere.

Soon the lush vegetation has invaded. Seo calls the end of the match two minutes before the official time-up. The jungle has spread across the garden. It's beautiful, bright green, with dashes of red flowers and blue puddles catching the light, orange and green leaves dancing down from the trees and settling on the fertile earth. Slabs of stone jut out between the roots, a reminder of Minjun's civilisation.

His Bulletbirds haven't all been killed: some have become part of the jungle. There's an official term for it. It's absorbed. Absorbed pawns means you've lost.

Woolfe nods at Seo. Neither of them bothers to proclaim the winner. She extends her hand and brushes it above the field. The jungle dissipates. Minjun lets his arms drop. He's drained. He knew he'd lose, yet he feels like crying. Such a waste – and what she made was so stunning!

The weavers wander away. The wind sings through the olive trees. Minjun shivers as the breeze blows through his clothes and down his neck. Woolfe puts her socks back on.

"A powerful creature, that last one," she says. "Did you make it on your own?" The question is aimed at Minjun, but her eyes slide up to Seo. She doesn't seem tired. She's rolled up the sleeves of her blouse, and Minjun can see fine duvet on her upper arms, like the duvet of her hair, the same light fluffy blonde. Her socks have Twine dust sparkling where she touched them.

When Minjun doesn't answer, Seo says, "Minjun came up with the rain-strategy. It's like a sea-board, but more flexible, with more space to react." But he doesn't say, "Yes, Minjun made the Pixy," and what he means and what Woolfe understands is that Minjun isn't a good enough twiner to have such a well-crafted beast. Then Seo says, "Very good work with the roots there. An interesting choice for underground field control."

They start discussing the best way to control the ground, and which parts are often left aside – water, earth, the invisible. The two proper adult weavers talk, and they enjoy their discussion, and Seo sits down in the wicker chair and does some quick crafting, showing the textures of clay or lime or sand or grit. But they talk carefully, eluding their key-strategies, old enemies conscious they mustn't give away too much. Woolfe shakes her hands and rubs her wrists until the halo of light fades from them.

Minjun sits underneath a tree. His arms are aching. He rubs them with his palms to lessen the sore. He doesn't cry.

Afterwards, once the party has dispersed and Woolfe has left and Seo is with him in the car on their way back to the hotel, Minjun asks why Seo told Woolfe to fight him. Why he thought Minjun could win. Seo shrugs.

"I thought you could surprise her," he says. "I wasn't expecting you to win."

Jack

It's been a week, and Seo hasn't called. He probably never will. Jack is starting to accept this; Laura can't help being involved, and she calls Seo Kuroaku 'the husband'. Since she's started her work at the Twine Arena, she keeps coming up with fun facts about Kuroaku's life.

"Buy a ticket. Come do a guided tour. It'll keep me from dying of boredom," she told Jack.

So he has. He's fingering the ticket now, waiting for the tour to start. He had a stroll around the museum area, but he doesn't care which matches were won where by who. He has spent time on Kuroaku's photographs, the bad quality childhood portraits where it's impossible to distinguish him in the mass of other orphans. The photos are rather stiff, formal. In some of them the Kuroaku brothers are together. Minjun is cute in his school uniform; Seo has his weaver's outfit, the sporting kit out of place in the family pictures.

"Your tour is about to start, *sir*," says Laura. Jack looks up.

"Wow," he says.

"Iknowshutup," she whispers in one breath. She's wearing a suit, with a crisp white shirt and a blazer, ironed trousers, patent leather shoes. Jack is used to her wearing a military tracksuit with a boob tube or, if no boob tube is available, a T-shirt which she knots at the front, to show off her stomach.

"You look normal," he says. "What a surprise." With her hair brushed up into a ponytail, she looks like the shy smart redhead at the back of the class. Her freckles are hidden by makeup, which is another new feature – she usually doesn't bother.

She turns to the whole room, claps her hands to gets the public's attention, and calls forward everyone on the guided tour. People shuffle around her, parents with children, couples, lonely adults, mostly men, some bearing fan scarves and T-shirts. She gives them instructions on how to behave during the tour in her clear, snappy voice. Jack doubts anyone will dare go against Laura's instructions. Then she opens the doors, and they walk inside the arena. One of her colleague counts them as they walk through the door.

They start at the top of the stadium, which is divided in three tiers circling the main ground. The space where the weavers will stand looks tiny, two confined rooms at either end of the central field. Their boxes are isolated by double-glazing and elevated above the ground. Along the central line of the field there is a high railing. The curtain is drawn back for now, resting on the opposite side of the arena. In each corner of the highest tier there's a TV screen; although pawns are big enough to be seen from the tiers, it's sometimes preferable to have a close-up on-screen to enjoy the action to the fullest.

All the chairs are painted bright blue, like in a theatre or an opera house. The effect – size, colour, the sheer number of seats cascading all the way down – is stunning.

Jack has to admit it's impressive to look at.

He whistles through his teeth. He listens to Laura as she gives out numbers – seats inside the arena, number of victories played here, famous players, the exploits of the manager, Sir Neil. Apparently, although the ground is only beaten earth, it requires upkeep. It has to be flat, to be dry, to correspond to precise measurements. Once Laura has finished her speech, she starts moving them along the tier. Jack sidles up to her.

"Your husband isn't going to last long," she says.

"What do you mean?" Jack stays behind her, so as to not infringe on her status as guide. She brings them through the seats and down towards the ground. People stop to take photographs or comment on the last match they saw, where they were seated. Laura fiddles with the edge of her jacket, tweaking it so it falls without a crease.

"Intense Twine destroys your hands," she says matter-of-factly. "In a few years he won't be able to push himself without his fingers unravelling."

"Unravelling?"

"Bleeding. Skin peeling off." She stops to wait for the rest of the group. She shouts for them to gather forward. Some edge closer, but most ignore her and keep on at their selfies. "Idiots," she mutters. Out loud, to Jack, she says, "These guys, the weavers, they don't last long. At thirty their careers are finished. Earlier, for most."

A man from the crowd nods and says, "If they're good juvenile weavers, they often can't play past twenty-five."

Laura smiles and says, "By the time you graduate, Jack, Kuroaku's life will be over." The guy from the crowd nods. He's got a scarf around his neck with Kuroaku's colours – black and blue – and his name.

"Pushes himself too much, does that one. Brilliant,

brilliant weaver." He shakes his head. "He'll be glorious. He'll beat Woolfe, I don't doubt it. Don't doubt it one moment. But he won't last. Can't do. Big creatures like that? It's the kind of twining that destroys you. Some weavers can push it longer, but that's small-creature twiners, the ones who don't play big."

Jack nods to all this and says 'hum' at the right times, but he has no idea what the man is talking about. Obviously the guy thinks he's found another fan to chat with, but he's made a poor choice. Jack watches the rows of seats; the width of it, the impeccable brightness of clean plastic, is staggering. After a while, he excuses himself and catches up with Laura. She's talking about the number of cameras, the involvement of the press. Inevitably, this brings her to the question of the financial world behind Twine matches.

"It's insane," she tells Jack in a staccato voice. "The price for these seats. The money is mad. Players cost a fortune. You should try scraping some off hubby, if you can. It's not a degree in English Lit that'll feed you."

Jack rolls his eyes at her. "What, nick money off the guy whose life will be finished in a couple of years?"

Laura snorts and does a dismissive gesture with her hand. "Don't cry over him, he's making pots. They choose that life."

But do they? Jack wonders. He thinks of weavers being picked out of the slums, chosen by rich sponsors who can sniff out talent like bloodhounds. He thinks of Kuroaku standing in that prison-like box, with glass to shut him off. It looks like an art display. Or a cage in a zoo. Twiners are put away in containers, like things, not people.

Jack watches the fan with the scarf. He's come with his wife, who's bored, and his son, who's not. He talks about matches he saw, how long he's been following Sir Neil as a manager and trusting his judgement in every choice of player, match, strategy. Jack doesn't spot a racist or homophobic comment, although he's listening hard.

After a stroll along the field, Laura brings them up a corridor which links the inside of the arena to the grounds. This is where the twiners walk out from their lounge and into their boxes. The group follows Laura up the tunnel, decorated with adverts for various sponsors.

"We're now headed for the lounge, so we can live the full experience of a weaver coming to the Norwood grounds," Laura says, and Jack knows she finds her own words laughable. She's snickering inside. But Jack is getting involved with this tour, this place. He glances back at the tiers towering above the tunnel's entrance. He wonders what it feels like when they're full, resonating with shouting and singing, vibrating as people slam their feet on the floor to show their approbation.

There are two tunnels, one on either side of the field. The weavers come out at opposite ends; the fans are sitting on either side of the boundary according to who they support. The side they're visiting with Laura is the 'home lounge', which means the half Seo uses.

Once in the lounge, Jack imagines Seo there. Seo fiddling with the coffee machine, or lying down on the sofa. The room contains a table, two chairs, a couch, a sink, a fridge. It's a sparse kitchenette of sorts. He can picture Seo as he saw him that night, not in his weaver's clothes but with jeans and a drooping T-shirt, a discreet leather bracelet, something fresh and unvisited about him, untainted. His hair messed up on the side of his face where he rested his head in his hand. The way he pressed the rim of his pint against his lips when he was thinking.

Jack thinks about Luke too.

"Go on, I'm sure he's your type," Luke said, tapping his beermat against the table.

"I've never been on a dating site," said Jack. "What makes you think he'll want to chat with me?" But he was smiling, and he liked the attention Luke was giving him. Luke has such a handsome smile. And he hadn't invited Jack out for a drink in ages. It felt a bit like the good old days, both of them at the counter, sharing a secret. Luke had dyed his hair. It suited him.

"I'll help you create your account."

Creating the account was fun, answering the questions, choosing the pictures to put up. "You have to sell yourself like the arty, aloof type," said Luke. Jack only laughed. But they were together, their heads nearly touching as they leant over the phone. Jack loved sharing this intimacy with Luke.

"Seriously, he's cool," insisted Luke. "Lets you do anything."

"Sounds boring," said Jack. If anything, he'd rather have someone like Luke – who wouldn't let you do what you wanted, but had a clear idea of what they wanted from you.

"Come on!" said Luke, ruffling his own hair with his hands, a cute quirk he wasn't conscious of. "I'm dying to know more about this guy."

"Go ask him yourself," said Jack.

"I'm relying on your charm, gorgeous," said Luke. He flashed that wonderful smile again. Maybe Luke had felt there was money to be made, and he'd just wanted some extra, easy cash. But he couldn't get it himself. And Jack had yielded, in the end, for the sake of that smile, without even knowing what this was about, without even questioning Luke's motives.

It is hard to make all the pictures fit together – the posh

apartment, the lounge dedicated to Seo's comfort, and Seo himself, sitting in a corner of the pub, watching people with his large childish eyes. It's as if the rather shy guy of the bar was a different person from the furious weaver who threw Jack out of his flat.

"Thinking about hubby?" says Laura. "Imagine him inviting you after the match to his private lounge. Not very luxurious, is it? I'm sure you can get him to improve it."

"You do realise he hasn't called me back?" says Jack. Laura is getting on his nerves.

"He's busy, he's in Spain right now." She shrugs. "He'll be back." They've been talking in low voices, but now the group has caught up with them. Because she's looking for trouble, Laura says, "Kuroaku hasn't got a partner yet, but when he does they get seats for every match, and access to the lounges." Jack glowers at her, but Laura only turns her finger around her face, mimicking the action of mulling an idea. "Just something to think about."

"I couldn't believe it when I saw the interview," pipes up the man with the scarf. "That he can just invite any man he wants into this room…"

"I'm not buying it," says another guy, younger, with thick-rimmed glasses. "He said that to create some buzz, that's all. Bisexual is just for show, it makes the Norwood grounds look so edgy and shit, like, we're pro LGTB, here's the proof." Then, quite unexpectedly, he adds, "Kuroaku's a virgin, you can tell."

The man with the scarf sighs and shakes his head. "It's such a waste. I mean, he's young, he's rich… He could pick and choose from the prettiest girls." The man glances at his wife and says, "I'd do it." The wife doesn't comment.

"He won't only be picking pretty girls," says someone in the crowd.

"So what?" snaps another tourist, the tone of his voice indicating he's ready to fight over it.

"Do you have any insider information?" the man with the scarf asks Laura.

"I'm not at liberty to comment," she says with a cheeky smile. She winks at Jack. He's amazed at the attention the word 'Kuroaku' gets. "A whole new world," whispers Laura. It is.

But it doesn't really matter, Jack reminds himself as they resume the tour, *because he won't call me back.*

Minjun

Tiffany is sulking. Not sulking as in she won't speak to Minjun anymore, but sulking as in she keeps mentioning her birthday party. Most of her friends she met online, so they live abroad or far away and couldn't come. And, she likes to underline, the friends she has close to home didn't come either because they were too busy travelling to Spain. She seems upset, so Minjun decides to make up with a late birthday party. He'll invite her to the flat.

When Seo says Sir Neil has organised an informal match with Woolfe, Minjun sees his chance. He doesn't want to meet Woolfe again anyway – it reminds him of having lost a game under the cool gazes of a household of weavers. He has a memory of a Bulletbird drying its feathers under the leaves of Woolfe's trees, looking miles happier in her sunny jungle than it ever had in Minjun's barren, rain-streaked land.

"I'll stay at home," he says.

Seo is surprised, Minjun knows, because he narrows his eyes, and cocks his head to one side, and tries to think of something to say. But in the end he hasn't got a reason to ask Minjun to come, so he says, "If you want to."

"Yes," says Minjun.

Seo wonders out loud what it'll be like with Woolfe, what a dangerous opponent she is, being the World Champion, and how important this match is to his career. Minjun ignores him and plays on his console. In the end, Seo says, "You do realise that this match is a bit like finishing the World Championships?"

"Yes," says Minjun. "But it's only informal, right?"

"Right," says Seo. And the matter is settled.

On the day, the Kuroaku brothers share breakfast at the counter, with Kosmos scraping his claws on the tiles between them, eating crumbs even though it's bad for him. "Let him, he's not a weaver," says Seo. "What does he care if he gets fat?"

Minjun is getting ready for school. Seo looks at him as he throws his bag over one shoulder, tries to put on his sneakers without undoing the straps. "When you get back, I'll be with Sir Neil," he says. "If you change your mind, ask the chauffeur to bring you to the arena." Minjun nods. He knows he won't change his mind. He's told Tiffany she can sleep over tonight. He's excited; he can't wait to see her. He can't wait to show her the house. He wonders if she'll like the bay windows – some people don't, it gives them vertigo.

"See you, good luck!" Minjun shouts.

He runs down the stairs; he's never left for school in such high spirits. The match will be played during the evening, probably starting around nine. Seo will call at half-time like he always does, and tell Minjun to go to sleep – he might, or he might not, depending on how Tiffany feels. After the game there'll be interviews, and a late snack with Sir Neil, and by the time Seo is finished Minjun will be in bed, Tiffany hidden in his room. She'll sleep on the carpet. Or maybe he'll sleep on the carpet and give her the bed. They'll leave for school early the next morning, and Seo won't be up because he'll be recovering. He will never know. It's a smooth, well-designed plan. Minjun is proud of it.

The day at school is fun, because Tiffany is as eager to see his house as Minjun is to show it. She likes the fact Seo won't even know she was there. "BB will be all, fee fi fo fum, I sniff the blood of an English-wo-man... But where is she?" She lied to her mother – she said she was staying at Charlotte's. "I don't even like Charlotte," she giggles.

"But what about the chauffeur?" worries Tiffany.

"He'll be quiet," says Minjun. He supposes so, anyway It's one of the weaknesses of Minjun's plan, but he'll be damned before he admits it.

They learn the word 'elope' during their English lesson. Afterwards Tiffany keeps saying she's eloping with Minjun. They start putting the word 'elope' into sentences where it doesn't mean anything, just for the pleasure of saying it. "Let's go elope this food." "Do you want to elope my notes?" "Wow, the teacher today is eloping bad!"

The chauffeur doesn't ask questions when Minjun introduces Tiffany. He smiles politely, then drives them to the flat. It's awkward, because they don't dare look at each other or say anything in front of the adult, and he keeps glancing at them through the rear-view mirror.

Once at the flat, Minjun rushes to show Tiffany all the rooms – his bedroom, the common bathroom with the shower, the great open kitchen and living-room with the windows all around it, Seo's office, his room, the Twine room, the en suite bathroom with the square bath which does bubbles. "My tub is bigger," Tiffany says. Minjun explains how to feed Kosmos, picking sunflower seeds and handing them to the bird one by one.

They go into Minjun's bedroom and Tiffany rummages through his comics and mangas. He has the full collection of each series he likes. Seo buys them for him, or tells him to order the lot online, using his card. "It's books, it can't be bad," he says. Minjun likes mangas, especially because of the hair. Hair is the only feature used to distinguish characters, which means it's sometimes blue, sometimes spiky, sometimes coiled sideways like a waxed moustache. Minjun has a thing with hair; he likes it in real people and he likes it in imaginary people.

Tiffany only has FighterXSaver until episode n°7, so she opens n°8 and plops down on the floor to read it. Minjun picks up a manga and lies down on his bed to leaf through it. It's the Kuroaku Brothers. It was Seo's first present to Minjun when Minjun came to live with him. They'd had them at the orphanage; only episode 17 to 23, mind you. The cheap Japanese paperbacks were the orphans' most prized possessions.

When Seo first showed Minjun his room, it was empty except for the row of Kuroaku Brothers series. "I don't know if you remember," started Seo, but before he could finish Minjun lit up in recognition; in this new environment this was a reminder of the past.

"Bro fist!" he shouted, and they did a high five, and Seo laughed and said, "You remember."

How couldn't he remember? It was the only game Seo and he played at the orphanage. They played the Kuroaku Brothers, and ran around the courtyard shouting the names of their special attacks. The elder was a giant half-robot, the younger had a magical hand which could turn into a gun. Seo carried Minjun on his back while Minjun shot invisible enemies.

When Sir Neil adopted Seo, he said Seo needed a stage

name. You can't have your manager's name as a weaver; it isn't good branding. Seo said he would use Kuroaku. Sir Neil, who doesn't know the difference between Japanese and Korean, assumed it was his original name. But Minjun knows better – they are the Kuroaku brothers, that's why Seo chose it. To prove to the world that you could be heroes. Because they dreamt of being cyborgs and saving the world.

They read for about an hour before Tiffany gets bored. "Let's play something," she says. They go back to the living-room and plug in their laptops. Minjun lends her headphones. They log onto their favourite online game and play a few rounds. They talk through the microphones, eyes glued to the screen, but they nudge each other at key moments. It's fun to watch Tiffany slam her fist into the cushions, or clap when they do a good move.

A few of Tiffany's friends join them online. They decide to play as a team. Soon they realise they don't have a healer, and people start talking about who should take on that role.

"Tiffany can be healer," says one of the guys.

Everyone agrees – except Tiffany. She hates playing healer. Minjun stays out of the argument. Tiffany punches the sofa, and the game hasn't even started yet.

"No way," she says, shaking her head for emphasis, although they're not playing with webcam so the others can't see her.

"We need a healer, dude."

It's true, they do. The problem is that Tiffany can play aggressive attackers, but she doesn't practise other roles. She's used to heading into the fight early, killing things, and jumping out fast because she's squishy. Healers wait and only join the fray when damage has already been dealt.

Tiffany says no, and no again, and then she cuts off her microphone, scowling. Minjun cuts off his own microphone and asks if she's okay.

"They want me to do it because I'm a girl," she says.

It's true that most of the healer avatars are women, with bikini-armour and elven features. Minjun doesn't want to play healer either – it's a boring role. He hesitates, but Tiffany looks upset and it's her birthday party, after all.

"I'll play healer," he says. Minjun clicks on his microphone again to tell the other players.

They play the next round. They win although Minjun is a clumsy healer. The group changes as the evening draws on; people come and go.

When they get hungry, they decide to order food. Tiffany suggests they have pizza. Cheap, second-rate pizza is an exotic idea. When Seo orders, it's always from a posh catering company. They bring the meal on plates, wrapped up in film, steaming hot. You peel off a layer of film to find your dinner on a platter, looking as good as it would in a restaurant. If you order breakfast, as Seo sometimes does on weekends, you get French croissants with five kinds of jam, fresh orange juice, cake.

Tiffany shows Minjun her favourite pizza company. Using Seo's card, they order the meatiest pizza they can find with a bottle of soda. They plunge back into their game. Tiffany plays a princess warrior with green hair. Minjun is a muscly Viking who fights with a sword twice his size. They're wrecking their enemies when Tiffany pushes one headphone off her ear and prods Minjun.

"What?" he says, taking off an earplug.

"Wasn't that someone ringing at the door?" she asks.

The doorbell goes again. Minjun puts down his laptop

and jumps over the couch. "Protect me!" he says.

"Minjun is AFK, protect him!" shouts Tiffany down the microphone. AFK means Away From Keyboard. Tiffany is the only person he knows who uses gamer's slang out loud. But then maybe Minjun doesn't know enough players. Tiffany says people do it all the time.

Minjun runs to the interphone. A grouchy delivery man says he tried to ring on Minjun's phone. "I didn't hear," says Minjun. He lets the man in. The pizzas come in greasy cardboard boxes already stained at the bottom. He brings them back to Tiffany at a run and throws himself in front of his laptop, saving his character from death in the nick of time.

"What's happening IRL?" she asks.

"IRL, food is here," he says, enjoying the acronym.

They put the pizzas between them, eating while they play, smearing fat and cheese on their keyboards. They drink the soda from the bottle, sharing it, not caring about glasses. There's garlic bread which puts crumbs everywhere. The sky outside dims, going from blue to black.

Jack

Seo won't call him. Jack has accepted Seo will be like a teenage crush, a star you fall in love with knowing you'll never be with them, but that you keep wanting for the pleasure of wanting.

"Story of my life," says Laura.

At first he avoided the pub where he met Seo; now he sits there for ages, hoping to catch a glimpse of the familiar face. He juggles between university, volunteer work for the Arts and Performance Society, and pubs. But this evening Laura convinced him to stay at home.

"There's a Twine match on TV," she said. Neither of them has ever bothered watching a game.

"This is really growing on you," Jack teased.

"Like Kuroaku is on you," she answered, moving her hand upwards to show what kind of 'growing' she meant. "No but seriously, this is interesting. It's Woolfe the World Champion versus… you've guessed it… Kuroaku the golden boy."

"They're finishing the World Cup?"

Apparently it's an informal match, but 'as good as' the real thing, according to Laura. All her work colleagues have tried to get a place, but the tickets for the event were sold out quickly, as it's happening in a privately-rented arena, not the Norwood grounds. There are fewer spare seats.

So Jack and Laura open a packet of crisps and a few beers, and settle on the sofa. The adverts are still on. "Wow, the full experience," laughs Laura, as the can she opens fizzes and pours over her fingers. She sucks at the foam, licking it off her hands. Jack opens his bottle, and they clink glasses. "It might be boring as hell," warns Laura. "If it is, we'll watch a film instead."

"Give it a chance," says Jack, who must admit he likes how exotic this feels. It's a bit like gatecrashing a Tory meeting to see what they say there. Like the meeting, he might feel sick of it well before the end.

The match is slow to start; Laura is bored.

"Have you gone on his website?" she asks Jack.

"Yeah, I scrolled through it."

"Did you check out the biography? It's pretty cool."

She finds it for him. It comes as a shock. Seo's whole life story is there, freely told and retold to anyone caring to listen. Grew up in a poor orphanage in South Korea, abandoned there by his mum when his baby brother had just been born and he was only ten. "Old enough to remember the bitch," says Laura. Then the miracle happened: they were adopted by Sir Neil, who spotted Seo at a friendly Twine tournament.

Jack tries to imagine living for years on end in an orphanage, with a future of poverty and struggle ahead of you. "But now he's making so much money it's silly," says Laura, unsympathetic. "And as far as I can tell, he isn't giving it to poor orphanages in Korea."

When the match begins, Laura slams the laptop shut. They get close-up shots of Seo and Woolfe. Seo's thick dark hair, boyish looks, androgynous face are the polar opposite of Woolfe's blondness and square jaw. Everything in her is tamed, controlled. Hair slicked down, comfy tracksuit trousers, a shapeless T-shirt. Everything in him is off-hand, young. His kit is similar to hers, but there is something about the way he wears it, the slight slouch in his step. Or maybe it's his youth, how the clothes seem too big for him, as if he can't quite fill them.

Woolfe has a tree in autumn, its leaves bright orange, embroidered on her chest. "Her colours," Laura explains. Her supporters wear dark green scarves striped with orange. Black and blue are Seo's colours. The black uniform is decorated with blue lines sown along his pockets and the folds of his trousers.

"Kuroaku's nickname is the Black Devil," says Laura. "*Kuro akuma* means black devil in Japanese or something, so they matched his name to his logo."

"You know everything," Jack says admiringly.

"I don't know how to mix a cocktail," she says. "Each to their own."

They sit back to enjoy the match.

Seojun

Seo waits in the twiner's tunnel before the game. Woolfe enters first, and walks halfway up the field. Papa is already in the manager's box upstairs. The tunnel is wide and dark, with the glimmer of spotlights at the end of it. Tides of words and songs wash up from its mouth and travel up to Seo; when a commentator speaks, the voices recede.

Seo is alone in the tunnel. He's used to having Minjun next to him, and having to wait on his own feels strange. He closes his eyes and focuses on his breathing. This is his first game since the press conference. Woolfe is a strong opponent, and he needs to stay calm. He concentrates.

He conjures his Twine. His hands become warm; a golden glow covers his skin. He feels the energy in his body flowing towards his fingers. The world clicks into place.

When he hears his name called out, Seo heads down the tunnel. He has a special walk he uses for this. Not so fast that he seems anxious, not so slow that he seems reluctant. He strides in rhythm with his breathing. He steps out into the light. It's like wading into water – the sounds and colours of the crowd are an environment in their own right. He has barely reached the edge of the field when it happens.

Three or four fans who were closest to the barriers jump to their feet. The barriers are simple metal structures reaching up to chest height. They protect the field from the fans more than they protect the fans from the pawns.

Seo glances up and waves, noticing a few men holding mayonnaise tubes, the big distributors the snack bars use. He hasn't got time to wonder why they have these, as he's already turning towards Woolfe. That's when they squirt the mayonnaise in Seo's direction.

It hits his back first, then his head. The liquid is slimy. The thing slides down his hair and his shirt. Seo stops in shock. He wipes the sauce off, feeling it stick to him like egg white. He can hear people screaming and whistling, and he makes out insults amongst the jeering.

When he looks up, it is a shock. He has seen stadiums go wild before, when faced with their weaver's victory. Crowds have sung his name, and the sound was so tangible he could have stepped on it and climbed up to the sky. But today the fans are howling like wolves before a kill. The excitement which crackles across them is violent, begging for blood. At the front, he notices the four men laughing, slapping their thighs, and one of them is screaming, pointing his finger at Seo. Above them, more people, more voices, and then the cameras, black round eyes savouring the thrill of this moment.

"Kuroaku, kiss my ass too!"

Parts of the stadium start singing. Seo is shocked, as much by the words used as by the fact that it's coming from his half of the arena. It's his fans, not Woolfe's, who are chanting.

"Ku-ro-a-ku, kiss-my-ass-too!"

The man pointing his finger is yelling at the top of his voice, straining to be heard. He bends over, picks up his cup, and flings it at Seo. His friends follow suit. The first cup hits his arm; the second his chest. The light plastic bounces off. When one of the men lifts the empty tube and launches it, Seo jumps backwards to avoid it.

The crowd starts pelting him with beer cups and bottles of water, greasy paper bags of food, anything it seems as long as it passed security. A can smashes on the ground next to him, exploding into a puddle of soda and aluminium. Seo backs away inside the tunnel. It's not exactly safe, but at least it's far from the cameras. He walks up the tunnel, wringing his shirt.

He doesn't know what to do, so he goes back into the player's lounge. There he takes off his T-shirt. It's stained with something creamy and white, mayonnaise certainly, but mixed with another, runnier liquid. Maybe it's better not to know. He goes inside the shower, takes everything off, and presses the tap. There doesn't seem anything else to do.

He stands underneath the hot water, steam rising around him. He tries to ignore the fact his hands are shaking.

At least Minjun isn't there. He can hang on to that thought like a drowned man to a floating plank. Minjun didn't get to live this. He wonders whether his brother is following the match on TV and, if so, what he's thinking.

His left hand is trembling so badly he can't hold the shampoo bottle. He notices the pain for the first time. His Twine has been severed; his fingertips ache. His hands are like spiders convulsing from the spray of poison. Seo tucks them under his armpits and presses down. He waits for the shivering to stop. He coils into a ball and sits on the floor of the shower.

He hears the lounge door open, and footsteps inside

the room. The steps stop at the sound of running water. Seo fetches a towel and wraps himself in that. He wishes he had a dressing-gown.

He pokes his head around the corner separating the lounge from the showers. Papa is standing by the lounge's sofa. There are two coaches and one doctor with him.

"Finish cleaning up, we've got some fresh kit," says Papa. The words are like a punch.

"You want me to go back out there?"

Papa doesn't even nod. He just stares at Seo in a no-nonsense way. Seo tries to catch the coaches' and doctor's eyes, in vain. The men look away, although they have seen him in a towel often enough before.

One of the coaches hands over the clean kit. Seo takes it.

He dries himself and gets changed inside the showers. Normally the new T-shirt would be used at half-time, so Seo doesn't stink of sweat. He pulls the tracksuit and shirt on. It takes time; his hands aren't cooperating. He leaves the dirty kit crumpled at the bottom of the shower, half-rinsed, like a shameful withered creature.

Seo sits on the sofa. The doctor checks his fingers to see if the break in concentration has harmed them. When the doctor holds them, his hands lie limp. On his left hand, Seo feels pins of pain underneath his nails, but the doctor says he is fine.

Papa stands in front of Seo, resting against the table. Seo dries his toes, rubbing them with the towel.

"You'll have to put on the old socks, we haven't got spares," says Papa.

Seo glances at his socks spread on the radiator.

"Did you hear some of the stuff they're saying?" asks Seo.

"Yes," says Papa. "So what?"

Seo goes back to drying his toes. He rubs the skin raw. He feels their gazes upon him, the unspoken agreement in the room.

"I can't do it."

Seo holds the towel so tightly his knuckles blanch. Papa only shrugs.

"Tough luck. You're doing it."

"If you use the referees' entrance," says one of the coaches, "you'll be safe from projectiles."

If I use the referees' entrance, then I am hardly a weaver anymore. Half-time kit and someone else's tunnel. Hands which move of their own volition. And Papa with his arms crossed and a set, grim scowl across his face.

Seo touches his socks. They are damp, sticking to his skin like seaweed.

"This is life," says Papa. "Now go back out there and stop pissing around."

Papa gets up. He picks up Seo's shoes and drops them in front of the sofa.

"My son's not a coward."

Papa stalks out of the room. He doesn't even stay to argue.

Jack

The TV shows replays of Seo being chased off the field.

"The bastards," says Laura.

With his T-shirt clinging to his chest, Seo seems even leaner, his elbows sticking out like sticks, something fragile and breakable about him.

"Now this has become normal," rants Laura. "No-one is surprised. What are they going to do next? Let them get away with it? Give them ammo?"

"This is my fault," says Jack. Saying it out loud doesn't make him feel better.

He stares at Seo wiping his face, blinking. With his composure shattered, he looks like what he is: a frightened young man. The TV can't get enough of the scene. The people who have caused the trouble are identified and escorted out of the stadium. They shout at the cameras that he deserved it, and quite a few other things beside.

"It's not your fault. It's theirs," says Laura.

Jack is mesmerised by the looping video. Seo glances at the camera just before he runs back up the tunnel. It's as if he's gazing straight at Jack.

"I should never have told Luke."

"Can't say I disagree with that," nods Laura.

Woolfe frowns. She stands arms crossed at the centre of the field. She declines all offers to comment.

The commentators whisper amongst themselves, wondering if Seo will continue the match. Sir Neil, his manager, comes on the field to announce he will. And sure enough, once the most unruly fans have been escorted off the grounds, Seo does a second entrance, through the covered tunnel which serves to protect the referees. He doesn't walk with as smooth and sure a step as before. Woolfe waits for him at the centre of the fighting grounds.

The two weavers shake hands before standing at opposite ends of the field. The referees craft the boundary and allow the game to begin. The TV alternates between shots of Seo, his land, Woolfe, her land. Woolfe starts with trees; Seo starts with worms. Both players have a signature style – Woolfe's creatures are gaudy flowers, bushes with glossy fruit, blue grass which shines purple in the wind. Seo doesn't worry about embellishments. He crafts low-on-the-ground pawns which skitter on flexible legs. Most of his pawns have something of the insect about them. Some are nightmarish, with too many eyes or legs or mouths for Jack to be comfortable with them.

"What's the point in making them ugly?" asks Jack. Laura shrugs and downs her beer.

"What's the point in making them pretty?" she answers. "That's one thing a lot of fans don't like about Woolfe. They say she's too artistic. Not combative enough. It's not a fashion show."

Jack prefers Woolfe's Twine, although he must admit Seo's creatures are fascinating. Like machines, they can unclasp parts of themselves, unfold, and change purpose. Most of them have two or three functions they can swap between, according to what he needs. His worms can fly;

his beetles can model shapes out of the ground to create barricades. A grey ladybird which looked lost can now shoot stones out of its stomach – it's been gathering grit for that purpose.

When breachable borders is called, both weavers' lands are covered in resources for their pawns.

"Still liking it?" asks Laura. "This is when shit gets serious." They open a few extra beers in preparation.

Skirmishes happen at the border, but most of the struggle is underground. The audience can't watch the underground game, but the commentators explain what might be happening: insects with long iron-like mandibles cut through Woolfe's roots; long twisted lianas whip and crush worms to pieces. At least, that's what everyone supposes, from the way both weavers have played before.

The commentators are bored. One of them says that Twine is a reflection of the weaver, and that Kuroaku's Twine is telling. The other laughs. They start making jokes about worms and holes.

"That's tasteless," says Jack. Especially in the light of what has just happened.

"That's Twine for you," shrugs Laura.

On screen, Woolfe seems to be gaining ground – saplings start growing out of Seo's land.

"Go girl!" shouts Laura.

"Since when do you support her?" asks Jack, dipping his hand into a packet of crisps only to find it empty.

"Well you're supporting hubby, so I have to be on the other side," she says. "And anyway, you've got to be on Woolfe's side if you're a feminist."

Jack goes to fetch more snacks. They haven't got any crisps left, so he takes out the jars of olives and gherkins. They've been lingering in the fridge for eons; now's a good time to eat them. He pours them into a bowl while Laura rants on about how misogynistic Twine is, and how there are only fifty-year-old men at her workplace.

"Honestly," she says, "there's all these old dudes, plus a few female students who've recently come in. Ha, one look around the staff room and you know who's been doing the recruiting."

The TV zooms on Seo's land, and the commentators babble something excitedly.

"What's he on about?" says Jack.

"That's it, ignore me," grumbles Laura, taking an olive.

They listen to the commentators. Seo is crafting oil reserves into his land. A beetle with antennae is clicking its chitin limbs together. At the tip of the antennae is a shard of stone. Jack doesn't understand what's happening until the pawn succeeds in lighting a fire. The commentators are raving – they even get a shot of the fans, their faces shining, some of them with manic grins, others shaking their heads with incredulous expressions.

"Cocky move," says Laura. "Not a lot of weavers use fire. It's hard to craft, plus pawns have a tendency to burn your own board before they work out how to use it against the opponent."

But chitin doesn't burn as fast as wood, thinks Jack. And Seo's land is desert and stone, nothing which will allow a flame to spread. Jack feels vaguely proud, as if it were somehow thanks to him that Kuroaku is proving so resourceful. Maybe that's what it's like for fans – victory by proxy.

When half-time is called, Jack can't hide his surprise.

"It's already been forty-five minutes?"

"No, they're doing an early break just for your ugly mug," says Laura.

Jack looks at the TV. Seo's face gives nothing away as he steps off the field. It's difficult to know what he thinks of this crowd which is cheering him now, which was booing him before.

Seojun

Seo sits in his lounge. He can still feel the pawns, the waves of heat from the fire, the sweet-slick smell of oil. When he picks up his phone, he leaves gold dust across the touchpad. He hesitates before calling Minjun. His brother must be watching the game. Seo doesn't know whether he can explain what the fans did if Minjun asks.

His kit is drenched with sweat. His left hand is curled into a fist. It's trembling again, not much, not as much as before the game, but he can't control the muscles as they twitch.

He calls his brother. He can't help feeling a hole in his heart each time they're asked to stay apart. Even at the flat, he sometimes has the urge to check Minjun's room, make sure that he's there, that he's alright.

He remembers playing in the courtyard with Minjun, at the orphanage, when one of the teachers called him over. Seo and Minjun had been engrossed in their favourite game, the Kuroaku brothers. Seo would create giant insect monsters, and when Minjun made shooting sounds he unravelled them one by one, in an explosion of glittery Twine dust.

Seo reluctantly let his younger brother slide down

from his back and trotted over to the teacher. Mr Ryeo told him he had to listen and be mature and this would all be for the best. He explained that it would be easier if his brother was adopted without him. It would be in Minjun's best interest, and he would learn English, and have a good education. Seo's English and education, he assumed, were already ruined.

Seo glanced at Minjun. His little brother had his arms full of dead leaves. He was building them a fort, so they would have somewhere to hide when they needed to repair their imaginary weapons. Half of the previous fort was standing, but the wind had brushed it away. When he walked with his hands full, Minjun wobbled from side to side, threatening to topple over with each step. He had a frown across his forehead – he was focusing on his task. He clasped the leaves against his chest, but still lost a couple each time he tottered forward.

Seo swore he would never leave Minjun's side, that he would hang on to him with both hands, that he would tie himself to his brother, that he would howl and break tables and that they would never, ever succeed in separating them.

They believed him. Seo was so difficult no foster parent would keep him. He was so hard to control even the orphanage couldn't cope, and sometimes the helpers had to grab him and hold him until he exhausted himself. Seo has countless memories of adults holding him down as a child. They all blur into one fuzzy nightmare. Papa didn't mind the tantrums that much. He dealt with them.

Seo clenches his teeth, grinds the front ones together, listening to the faint noise coming through his closed lips.

They were never separated, but the shadow of that threat hung over them. And so every night from then on, if they weren't together, Seo called Minjun – just to check, just to be sure. Just to know his brother was alright before the start of the long, dark night.

Minjun doesn't answer his phone.

Seo calls again once; twice. The third time the voicemail activates, Seo puts the phone down on the bench beside him. His head is spinning. He's cold; he hasn't changed, and the sweat is now frozen to his back.

Papa pushes into the lounge, coaches and doctors trailing behind him. "You got a chance to call Minjun?" he asks, putting a bottle of water beside Seo.

"He didn't answer."

Papa shrugs and grabs the TV remote. He flicks it on, so they can watch replays of the first half of the match.

"He's probably already in bed," Papa says.

Seo knows that isn't true.

He picks up the bottle of water. He goes to unscrew it, before realising his left hand is shaking so hard he can't hold anything with it. He looks at it as if it doesn't belong to him, the fingers clenching and unclenching outside of his control, the glow of Twine flickering across his fingertips like a dying neon light.

The rush of blood in his ears sounds like the fans shouting abuse.

"Are you alright?" A doctor runs forward. Seo hears people fussing around him and voices shouting to each other across the room, but he isn't listening. Someone takes a towel to wrap his spasming hand inside it.

For the first time in his life, Seo wonders if Twine is worth it. He feels the rough towel again his skin, the sleek touch of the kit, the lines of mayonnaise across his hair as if he hadn't washed it out. He gets up – he can hardly stand.

"Calm down," says one of the doctors. "Most times, an

unravelling can be stemmed. It's the pressure."

"I am going home," says Seo.

Papa shakes his head. "You are not."

Seo pulls the towel off his hand and throws it on the floor. He sees pink stains on the white fabric.

"I'm bleeding," he says. He realises as he says it that it's true. His left hand is unravelling. There is blood pooling under his nails.

Papa glances at the wounds. "That's nothing. I've seen weavers play with worse."

"I'm bleeding," Seo repeats.

The doctor says something about quiet and deep breaths.

"Stay here and finish what you started," says Papa.

Seo feels the urge to wreck the lounge and, for a moment, he considers giving in. Throwing the table across the room, ripping the TV off the wall. Flinging the water bottle at Papa's face. He wants to say, my brother needs me. He wants to say, the fans hate me. He wants to say, can't you see my hand is bleeding, can't you see it hurts?

Instead he turns away and walks out of the lounge.

Jack

They get up and stretch, putting the sound on low for the adverts.

"What do you think?" Laura asks.

She's finished the olives. The gherkins, white as if for lack of sunlight, taste of vinegar. Jack rests his head backwards and props his feet up on the table.

"I think Kuroaku makes the match a lot more interesting," he says. "It's fun, but I wouldn't watch one every week."

"More, sometimes," says Laura, nodding along. "It's got its charm, but let's face it, Twine is more fun to do than to watch."

Jack extends his right hand and focuses. It glows – nothing like the shine around professional weavers' hands, but a slender halo nonetheless. He crafts a dog-like animal which is closer to a bad drawing of a dog than anything else, with irregular patched fur and a drooping jaw. He doesn't get to the end before he unravels it; he can't get the legs to be the same length, and the poor thing will only limp in circles if he finishes it. Laura laughs at his attempt.

"Yeah, you might need some practice before you seduce Kuroaku with your Twine skills," she teases.

"You do better," says Jack. She tries a horse, because hooves are less work than paws. But she crafts the neck too long, the skull too thick – the pawn has difficulties lifting its head off the ground.

"A weeping willow," says Jack.

"A weeping giraffe," says Laura. They call the pawn the Weeping Giraffe and craft a patch of land for it. It ambles up and down the stretch of earth, its heavy head brushing against the floor, its goat-like beard tangled and dusty.

"Still better than mine," Jack admits when Laura unravels it.

"Aren't they late?" Laura wonders, casting a glance at her watch. "Half-time is only supposed to be fifteen minutes."

The TV cuts back to the match, where nothing is happening. Woolfe is waiting, standing in her glass box. Kuroaku is nowhere to be seen. The commentator makes a joke about Kuroaku being slow to come out. Most jokes around Kuroaku are sexual and linked to his age. Most jokes around Woolfe are sexual and linked to her gender. Maybe it's just Twine humour. Or maybe the press can't resist the mismatched pair they make, the child and the woman, both so different from what you would expect.

Kuroaku is two minutes late when someone comes running across the field to announce Twine-induced bleeding. Apparently his fingers have unravelled while he was in his lounge. There's some faff, people wondering whether Kuroaku will continue the match – sometimes when the wound is minor, weavers stay on despite the unravelling.

After five minutes, Sir Neil walks onto the grounds. Thin-lipped, his white eyebrows pulled low over his eyes, he forfeits the match in Kuroaku's name. There's an uproar. No-one is pleased with this outcome. It's the second time the match is surrendered to Woolfe before Seo has a chance to finish his battle against her. Howls of "Cheating!" and "Show us Kuroaku!" start up, fuelled by his fans.

Woolfe says nothing. She stays in her box. The referees hover around her, not knowing whether they should leave the arena or not.

"I'm not buying it. The wound was made by his manager," Laura says. She sips her beer as if she hasn't dropped a bomb.

"Seriously?" says Jack.

"Yeah, of course." She doesn't look too fussed. She sits crossed-legged on the sofa, her army tracksuit soaking up the stray drops of alcohol. "It looks fishy. Must've been done by Kuroaku's doctor, during half-time. Look, they agree with me."

The crowd shouts abuse at Sir Neil; it seems they haven't run out of items to throw. He's escorted off the field, and the fans are evacuated. The commentators are having as much fun describing all of this as they had during the match; you can hear it in their voices. Woolfe's fans are less upset, but some of them want to fight Kuroaku's fans, to prove they haven't forced him to surrender. When the police intervene to make sure the two groups are kept apart, it becomes obvious how much tension is gathering.

"They should've brought Kuroaku out," says Laura. "Would've calmed them down."

Jack finds it difficult to believe Seo would agree to being wounded. He has an image of Seo, eyes averted, as they inject the anaesthetic. The veins jutting out between the ligaments of his hand, the needle bulging underneath the skin. Would they cut the fingertips with a blade?

"Or grate the skin off, so it looks more authentic," Laura says.

The arena is evacuated without trouble, despite the commentators' morbid hope there might be a scuffle. The TV cuts back to highlights from the first half of the game, to work out who would've won. Laura turns it off.

"What got into him, do you think?" she asks. "Did he go to the match knowing they'd cut off his fingertips?"

Or he couldn't stand the abuse, thinks Jack.

Laura stretches and yawns. "A black devil alright," she concludes.

Minjun

Minjun can't remember how many games he and Tiffany have played when he senses the change. He isn't able to say what it is, or how he's perceived it. He lifts his head, but there's no reflection in the window in front of him – only the expanse of the city at night, with the advertising boards and the cars and the traffic lights, like Twine dust sprinkled in the darkness. They haven't turned on the lights inside; there's no point when you're playing on a screen. He frowns at the view, then turns his head around.

Seo is standing behind the couch.

Minjun scrambles to his feet, hastily throwing off his earplugs. Tiffany glances at him, then looks up and spots Seo. She hesitates – leaving an online game mid-match isn't good for your team or your chances of victory. But Minjun gestures to her to leave her laptop, and so she does, sliding off the headphones and putting the computer next to her on the sofa. She gets up to greet Seo properly.

Standing in the glow of their computers, his brother looks scary. He's wearing the full weaver outfit: the black kit with blue lines at the wrists, the logo over his chest, the bright scarf with his initials sown on the end. He puts both his hands down on the sofa's headrest. He says nothing.

It's too early for him to be back from the match – Minjun's mind is racing, and suddenly he understands what's happened. His phone. He hasn't answered his phone. Seo must have tried to call. What time is it? Is it much past ten? He opens his mouth to say something, anything, to the scowling shape in front of them.

"Shut up Minjun."

Minjun tries again:

"We were just…."

But his brother speaks louder, harder.

"Shut up."

Minjun tries three, four times to start a sentence, but that's all Seo will say. He doesn't even tell them off, just stalls the conversation into this accusing silence and leaves it there. Tiffany starts fretting, rubbing the ground with her foot like a horse before a race. After Minjun's fifth attempt, she bursts out, "Don't talk to him like that!"

Seo narrows his eyes at her and takes a step forward. Seo is bigger than both of them, and despite the barrier of the sofa Tiffany takes a step backwards. Even Minjun, who knows Seo won't hurt them, can feel his heart pounding in his chest, all the way up to his throat. Seo is towering above them, his hands like claws gripping the couch, his scarf like the feathered collar of a bird of prey.

"Listen to me, because I will only say this once. If you raise your voice at me again, I'll throw you out of my house. I don't care how you'll get home. I don't care if you haven't got money for a taxi, if you have to take the underground on your own at midnight, if the last bus home is gone and you have to walk all the damn way. If you speak to me like that again, you're out. Understood?"

Seo sounds serious. Tiffany glances at Minjun, and

he sees fear in her eyes. Suddenly he's angry – angry that his brother has ruined his evening, angry that he's being impolite and weird and nasty, angry that he can meet men at night and do unsayable, tabloid-title things to them while Minjun can't even play videogames with Tiffany. So he holds his ground and shouts, "What's wrong with you? It's normal to invite friends!"

He steps before Tiffany, feeling strong and protective. Seo raises his voice.

"It's normal not to tell me you're inviting people here? Do you really think…"

But before his brother can finish Minjun is shrieking, "At least I'm not a faggot!"

He regrets the word as soon as it escapes his lips. Silence falls down on the conversation, like the curtain at the start of a Twine game. Minjun stands still. It seems unthinkable that he could speak the word without the world crashing to a halt, without his brother exploding into a supernova of rage. And yet here they all are, mute statues. Seo looks stunned. He takes a step back, as if he's been hit.

In the silence, there is a faint dripping noise. At first Minjun assumes the tap is leaking. But as his vision adjusts to the darkness of the room, he notices Seo's fingers. His left hand is bleeding. The drops fall on the marble floor with a soft, nearly musical sound. His brothers stands and bleeds and doesn't say a word.

"Okay." That's all Seo says at first. It's all he seems able to say. He nods to himself and repeats, "Okay." He switches on the lights. He breathes deeply, sighing through his nose, and Minjun wonders if he'll kick the table or smash glasses on the floor, as Sir Neil said he did when he was small, as Seo himself admits doing 'when he lost it'. When the light comes back on, Minjun sees a stain on the sofa where Seo gripped it. There is a brown smear on their furniture.

"Go to your room." When Minjun doesn't move Seo says, through gritted teeth, "Go to your room right now, Minjun Kuroaku, or I swear I will *make* you."

So Minjun backs into his room, casting glances at Tiffany, who looks forlorn in front of his brother. Kosmos stretches on his perch, yawning, probably wondering why the sun has risen so early. Seo slams the door shut.

"What are you doing?" Minjun shouts, but it's too late. Seo turns the key in the lock. Minjun kicks it and bashes his fist against the wood.

"Calm down!" Seo has to raise his voice, otherwise he can't be heard over the din Minjun is making.

"Let me out!" screeches Minjun. He kicks the door again. Suddenly the door shudders inwards – Seo must have punched it. Minjun is so shaken he stops screaming.

After a moment of shock, he goes down on his knees to squint through the keyhole. He puts his ear against it to hear better. His brother is speaking.

"You've got two choices. You can go home, or you can sleep here. Which do you want?"

"I can't go home on my own…"

"Then that's settled."

Minjun hears coming and going, the rustling of cloth and the sound of footsteps, but no-one speaks. The thin ray of light underneath his door disappears with a 'click' when Seo turns it off. He waits for a few seconds, then hears the patter of small feet. Tiffany crouches next to his bedroom door and asks, "Minjun? Are you alright?"

He opens his mouth but he can't breathe. He bites down on his hand and gulps in ragged sobs.

"Minjun?" Tiffany is frightened.

He wants to say sorry for ruining her birthday. He

wants to say sorry for how evil, how stupid, how *sick* his brother is.

He stammers, "I'm okay. Don't worry. I'm okay. And you?"

"It's fine," says Tiffany. "Minjun, don't cry, it's fine. I don't care about BB. You're cool. You're the coolest."

"I'm not crying," he says. He isn't. But his breath is messed up; his lungs and his throat hurt.

In the end they fall asleep, both curled in their duvet, pressed on either side of the bedroom door as if for warmth.

Minjun wakes up when he hears the key turn. He scrambles to his feet and opens the door – Tiffany isn't behind it anymore. Seo is putting capsules in the coffee machine, with his back towards him. He tiptoes up to the sofa, where Tiffany must have gone when the ground got too uncomfortable. She's sleeping, tucked underneath a sheet and the checkered guest cover.

Minjun watches his brother, who ignores him. The noise Seo makes around the kitchen wakes up Tiffany, who looks relieved to find Minjun next to her. They nestle together underneath the duvet, casting sidelong glances at Seo, chatting in low voices. It's about seven. Seo pours himself a coffee and leaves the room.

They spend the morning talking on the couch, with Minjun doing expeditions to the counter to get cereals and milk and fruit juice. They discuss the night's events, and Tiffany promises Minjun he can come and live with her if his brother threatens to lock him up again. Minjun thanks her, but doesn't take up the offer.

Kosmos is preening on his perch. From time to time he lifts his head and makes the sound of the microwave pinging. It's not his nicest call; Tiffany and Minjun wince each time. Minjun gets the parrot to repeat 'gibberish'. It's the word Seo uses when he can't understand Kosmos. He doesn't bother with a sentence, he repeats 'gibberish, gibberish' to the bird as a way to tease him. So of course Kosmos knows it now, although it sounds more like a soup of syllables in his beak than a well-formed word.

When it's time for school, Minjun walks Tiffany to their car but doesn't come with her. He'll pretend he was sick – he wants to talk to Seo, and he doesn't feel he can leave the house. Tiffany promises she'll tell the teachers how ill he is. They solemnly shake hands as if they're sealing some kind of deal. He waves as the driver whisks her away.

In the flat everything is quiet. Seo doesn't come out of his office. At noon, a delivery rings at the door. Minjun picks up the takeaway and brings it to the office. He nearly bumps into Seo striding down the corridor.

"Why aren't you at school?" says Seo. Minjun doesn't answer.

Seo brings the food into the kitchen. He ordered for one, so he divides each dish in two equal parts. He puts Minjun's portion on a plate.

"What if they ask you why you skipped class?" he asks.

"I can say I was locked in my room," says Minjun. He means it as a joke, to show he isn't angry anymore, but Seo doesn't smile. He goes back into his office. Minjun eats on his own in front of the TV.

Minjun tries to play, but nothing catches his interest. He looks up yesterday's match on the internet:

S. Kuroaku had to forfeit the match yesterday after allegedly Twine-induced bleeding. Even though such wounds usually occur on the dominant hand, S. Kuroaku's sub hand was the one to be corrupted. The unravelling occurred at half-time, with nothing on-field to forewarn it. Although such injuries are not unheard of, this is a surprisingly smooth, sudden corruption, which occurred just as the youth champion was experiencing difficulties against his opponent.

Minjun feels bad about this. He knows it's difficult to explain to other people, why he wants to know where Seo is and why Seo wants to know where he is. But you can't tell the newspapers that. They would think you're being silly, getting upset over one phone call. Minjun imagines Seo at the match, trying to join him, biting his lips as the phone rings. Wondering if he should leave or stay, with the gleaming cameras waiting for him, with the crowd and the money and the shame of defeat on one side, and not knowing if Minjun is safe on the other.

The match hit a difficult start for S. Kuroaku, as fans threw abuse – and more – at him as he left the tunnel. The Twine-induced bleeding came at a convenient time for Kuroaku to leave the game. He slunk away without answering questions about his coming-out as bisexual, and without having to deal with his fans' feedback.

Some articles are less nuanced:

Scared to Lose Face before a Girl?
Woolfe said she was 'shocked' by Kuroaku forfeiting the match. What's more shocking still is Kuroaku vanishing from the grounds without a word of explanation.

Some magazines have picked up the article Sir Neil

mentioned a few weeks ago. The authors like using dashes in their titles:

After the Yellow Peril – the Yellow Pooftah
Between the mayonnaise down his front shirt and running away from the game, Kuroaku proved to be a yellow-belly during his match with Woolfe yesterday.

The articles use words like cheating, disgrace, reputation, damaged. Minjun stops reading.

At one, Seo leaves his office for about two minutes. He goes to the toilet and then comes to fetch Kosmos. He extends his arm so Kosmos hops onto his wrist. He brings the parrot back inside his office.

At three Minjun can't bear it anymore. He gathers his courage, little bits of bravery strewn across the living-room. He knocks on the office door.

"Come in."

Minjun finds Seo sitting at his desk, which he keeps saying he doesn't like because it hurts his back to sit on a chair for too long. He gazes at his computer, Kosmos at his feet, perched on one of his socks. The bird is busy ripping his trousers with his beak, and as Kosmos has got a tough beak, he's done a big hole in the pants. He's frayed the bottom and torn off a piece about the size of Minjun's thumb. Seo doesn't seem to have noticed.

Everything Minjun planned to say melts away in his mouth. Instead he says, "Seo, your trousers…"

Seo looks down. He lifts his foot, and Kosmos jumps off. He ruffles his feathers and screeches "Inju! Inju!" to grumble at Minjun for having lost him his perch. Seo sees the damage, but he lets his foot fall back on the floor.

"It's ruined," he says gloomily. Kosmos climbs back

onto his sock, the claws scratching against the cotton. He starts eating the trousers again. Seo doesn't shoo him off. "Whatever. It's ruined," he repeats.

There is an uncomfortable silence. Seo doesn't shoo Minjun off any more than he has Kosmos; he ignores them both and watches his screen. He doesn't type anything though, and Minjun wonders if he's doing much work.

Minjun clears his throat, and swallows, and coughs, and in the end stutters, "About yesterday…"

Seo shrugs. Kosmos flaps his wings, trying to get a better grip on the foot.

"It's okay," says Seo. "Don't be afraid to call a spade a spade."

Seo stares at his laptop in the same way he stares at Sir Neil, as if his eyes could burn holes into things, and then he would be alright, everything would burn away under his glare and his problems would turn to ash.

Minjun wants to explain that it wasn't right using names, that he didn't mean it. But now the word has been said it's difficult to unsay. He's afraid that if he insists Seo will treat him like Curly, he will say 'you have a minute' and then when the minute is over he'll close the door forever.

"Sorry about the phone. I didn't hear it ring," says Minjun. Seo shrugs again.

"Of course you were fine. The last thing you need at your age is someone calling you every day."

Minjun wants to say that he wants Seo to ring, that he'll be attentive next time. Instead he nods and closes the door.

At five, Seo comes out of his seclusion and says, "We've been summoned by Sir Neil."

Minjun doesn't like the word 'summoned'. Most of the time they're invited. Sometimes Seo says: "We're going to see Sir Neil" and it isn't clear whether they're welcome or not. But 'summon' doesn't sound like good news. Minjun knows Seo left the match yesterday without asking for permission, and that means trouble, and trouble means Sir Neil will be in an evil mood.

Minjun's stomach feels funny as they drive to the manor, like his belly is full of soup churning in a mixer. When they don't walk up the imperial staircase, but instead take an unknown corridor on the ground floor, the soup fills his throat. He wonders where the closest toilets are. He doesn't know this part of the house.

Seo's left hand has plasters stuck on each fingernail. He keeps it in his pocket most of the time, using his right hand to do everything.

They walk into a room painted beige and cream. It could be a parlour only it's less dainty, there are no decorations, no windows, no carpets. A few chairs are aligned against the walls, with a table at the centre. It's sparse, clinical. Sir Neil is already there. He says "Hello Minjun" but he doesn't say anything to Seo. He motions for his player to sit at the table. Minjun slinks into a chair in the corner, hoping to go unnoticed. The mixer blades are moving inside him, mincing his guts.

They wait. They wait for a long time, with Seo and Sir Neil sulking at each other. Minjun wonders if they could sulk at a distance, houses apart – it would be more comfortable, he thinks.

After a while a man comes in, with plastic gloves and a green box with a cross on it. It's a first aid kit. He says hello, he's the doctor, sorry he's late. He smiles at Minjun. His hair is greasy, flattened backwards, with his forehead jutting out. Seo spreads out his left hand on the table. The doctor examines it, takes off the plasters, looks underneath the nails, mutters under his breath. Seo winces when the doctor prises his skin and his nails apart to check the inside of the wounds.

Then the doctor wets cotton with a red-coloured, strong-scented liquid. He puts the cotton underneath Seo's nails and plasters it on. Seo now has the tips of his fingers white, as if he dipped them in paint.

"What do you think?" asks Sir Neil. The doctor sighs, and flattens his already-flat hair with his palms. That must be how it gets so greasy.

The doctor says, "Well. Well. There isn't any corrupted skin, but depending on how deep the wound is…"

"How deep is it?" interrupts Sir Neil. "Seo, tell us how deep it feels to you."

Although it's impossible for Seo to know how deep a cut underneath his nails is, he says, "About two millimetres." The doctor pulls a face. Sir Neil says nothing; his eyes narrow into tiny arrowslits. Minjun tastes acid in his mouth.

The doctor says Seo can't play for three weeks and must change the plasters every day. He smiles at Minjun again when he leaves.

When the doctor is gone, Sir Neil comes to stand in front of Seo. He hasn't sat down since the Kuroaku brothers walked in. He says, "Young man, if you can give us a moment?"

Minjun doesn't realise Sir Neil is talking to him until Seo says, "Stay Minjun."

Sir Neil is so furious his whisper is nearly impossible to make out. "Suit yourself."

Sir Neil takes off one glove, then the other. His

movements are fake; he's an actor playing a part. The character isn't nice. Sir Neil drops the gloves on the table, where they fall with a velvety sound. Then, without forewarning, although maybe there was a warning because Seo seems to have been expecting it, Sir Neil hits Seo.

He slaps him across the face, hard. Minjun knows it's hard because he hears the ring and sees the red lines of the fingers printed across the cheek. Seo says nothing. Sir Neil says nothing. Minjun is afraid to breathe, the silence is so thick it clots his lungs, white fluffy stuffing of silence. Minjun knows it's not alright to hit a child, even your own child, and it's not alright to hit an adult, even an adult who was your child.

Sir Neil puts his gloves back on.

"In two weeks we're playing for the Nationals. If you don't win at least two games, you won't qualify."

"In two weeks it will have healed," says Seo.

Sir Neil shows them the door.

Seo hasn't told Sir Neil why he forfeited the game. Minjun thought he was going to turn around, like a magician at a show, lift the curtain and go "Tadaa! It's his fault." But he didn't. He hasn't told anyone. Now Sir Neil and the newspapers are all assuming the worst, and his hand is hurt. They say the first wound is what kills the weaver; it's always after that first blood that his downfall becomes certain.

In the car driving back this truth crushes Minjun. He mumbles: "I'm sorry" but it doesn't come out right, it comes full of snot and tears, because all the soup he was holding back is now water pouring out of his eyes.

Seo moves his good arm, the one without the plasters. He hugs Minjun. "Don't cry," he says. Minjun coils up against his brother like a baby, like the baby he isn't anymore, and cries.

After a while, Seo says, "Do you want an ice-cream?"

"It's too cold for ice-creams."

It's raining outside, and Minjun hopes it rusts Sir Neil so he doesn't move ever again. He doesn't want to look at Seo's face because it's still red, fading into a light bruise. Seo asks the driver to put the heating on, and they eat the ice-creams in the car. It's stupid and funny; it's too hot in the car, so the ice-cream melts and some falls on the leather seats. They wipe it off, laughing. Minjun tastes Seo's ice-cream but Seo doesn't taste his. Minjun gets mint and chocolate but Seo only likes vanilla. Minjun thinks maybe they will be okay.

But when they get home, the place where they shouted and something was broken, it all becomes strained again. Seo goes into his office to work, leaving Minjun alone. Minjun plays on the console.

Seojun

Seo takes the plasters off one by one, then dips his nails into lemon juice. Lemon juice strengthens the nails and helps them resist the strain of Twine. He does it until the lemon leaks through the cotton. The pain starts, mild at first, then the sting is bad enough to force him to stop. After that, he takes off the cotton and does a new bandage. It would be stupid to stop using lemon while the cuts heal, he thinks. If he only does it on his right hand, not on his left, there will be an imbalance.

He deserves for it to hurt.

He avoids the living-room. He hates working in his office, where nothing is the right size – the desk is too high, the chair too straight, the cushions have odd shapes. But he can't stay in the same room as his brother. He's been too clingy. He needs to give Minjun space.

Now there's this silence between him and Minjun, this gap which he can't find words for. He likes Kosmos for that. Kosmos always knows what to say, even if it's only blabbering nonsense. At least he's making sounds, and the sounds mean he loves you, he wants to connect. You know where you're standing with Kosmos.

When Seo is next to Minjun he feels a longing, an

ache. He wants to hug him, but he doesn't dare touch him. He doesn't know if he should. Maybe Minjun will feel his touch isn't innocent, isn't a brotherly touch but something more – evil, incestuous. Seo doesn't want this awkwardness. He doesn't want it but it lives inside him.

Seo wonders if he disgusts Minjun. Sometimes he disgusts himself.

Papa has booked appointments with a doctor, a psychiatrist and a priest. "The body, the mind, the soul," he says. "Wherever it is, we'll uproot it." He never says what 'it' is.

Maybe Seo was always broken. He remembers mum – their real mum, not Lady Gwendolyn. She once broke one of their chairs by sitting on it. Because she was pregnant with Minjun she was heavier, less agile. She didn't move fast enough when she heard the crack. The chair had been repaired multiple times and was on the verge of snapping anyway, but she sat down in front of it and cried. "Everything's broken," she said. "How can I keep all these things if they're broken?" Even at the time, Seo was conscious she wasn't only talking about the chair. Now he assumes she was talking about him – the broken baby. She didn't keep him, in the end.

Seo has forgotten how to speak Korean. He has memories where he remembers what people were saying, but his memory has translated everything into English, even for people who didn't speak the language. He can't say one word in Korean. Nothing. He didn't know you could forget a native language – no-one told him. No-one told him to practise. No-one said this might be something precious he wouldn't want to lose. He can't even speak Korean with Minjun, which would've been fun. They could've had a secret language to trash people with behind their backs.

Seo stares at his left hand. He has no idea how to keep himself busy while it heals. He can't practise Twine, and he's worthless at everything else.

The match he played before meeting Papa was tough. In some ways, it was tougher than the matches he played in England. The rules are different here. Breachable borders, open grounds happen in phases. Even bad players can survive the first few minutes, because their opponent isn't allowed to invade yet. But they twined with more flexible rules then, what people over here call Wild. Weavers tried to rush you by flocking in with cheap pawns. By the time you had one creature, they had ten. It didn't matter if yours was better, or crafted for late game. If you couldn't destroy the first wave, you would be flooded.

That's why Seo started setting up bases underground – to buy time. And it worked. The element of surprise was strong in those days, and if his opponents were slow to understand what he was doing then he crushed them. His sandworms couldn't fly back then. That would come later. But they ate tunnels and traps into the sand so pawns would rush into them and die like lemmings, losing all the advantage of numbers to some strategically placed pits.

There was a regional match one of the teachers at the orphanage convinced him to attend. He even covered for Seo, signed the proper papers. Mr Ryeo. Seo never saw him after leaving his home country, but he sent him some money – to pay back for the favour, and more. He wonders if Mr Ryeo follows him on TV. If he's a fan. Maybe he doesn't care, maybe he isn't much invested in Twine. Some people aren't.

After winning the regionals, Seo was brought before Papa for the first time. They stared at each other. They would do a lot of staring in the years to come, as neither of them enjoyed talking. The man was tall, old, rich. He smelt of power and expensive perfume. He still does – same scent, less hair. Seo was small and stubborn. He held the man's gaze without flinching. Papa asked, "Are your parents here to cheer you on? They must be very proud of you."

Seo spoke little English at the time; he learnt it in class, but he never paid much attention to anything that wasn't Twine. Mr Ryeo, smiling with all his yellowed teeth, did the translation. He sometimes answered Papa's questions before Seo had a chance to think about them.

Seo already knew a child is nothing – only the parents matter. He said, "I'm with the orphanage."

Papa frowned. There was some talk between Mr Ryeo and Papa before they included Seo in the conversation again.

"You are incredibly talented. I wish I had a son like you," Papa said. Seo's heart beat harder. He didn't want to show how desperate he was, how much he needed this. What Papa didn't know, but Seo did, was that the orphanage couldn't wait to throw him out. They'd welcome Papa's offer, whatever it was, with degrading relief.

It wasn't the first time Papa plucked players out of poverty and made them into champions. It was the first time he adopted one. Seo wonders if it was because of practical considerations; as an orphan, it might have been difficult to get him working in the UK. Adoption might have been the easiest option available. Or maybe they wanted a son. That's what Mother said.

"Two," said Seo, pointing to Minjun. Minjun was further in the crowd, and Papa probably couldn't see him. But Seo pointed and held up two fingers. "Two," he said. He remembered that much English, at least. "Me and my brother," he added in Korean. Mr Ryeo laughed. He explained what was happening to Papa.

"I'd be honoured," said Papa, "to meet your brother." Seo's mouth was dry. He offered his hand and, chuckling, Papa shook it. It was an odd and formal way to decide to adopt someone. But then, their relationship was always an odd and formal one.

Seo doesn't know who to turn to, so he turns to Penelope. She agrees to meet up with him for coffee.

Seo is late for their meeting. Despite not being able to train, he was kept behind by Papa to work on written interviews, answer questions from fans by email and deny accusations of voluntary bleeding. Relations with Papa are strained. Relations with the fans are worse.

The mall where Penelope asked to see him is a maze of transparent bridges, open spaces and glass structures. In front of the coffee shop, plastic plants hide the customers from view. Seo recognises her voice before he spots her, sitting at a little round table. When Seo joins her, Penelope is talking to a friend, both of them chirruping in their birdlike voices.

"Sorry I'm late," he says.

"I'm her date now," says the friend, a woman with fake eyelashes and pink eyeshadow. "You missed your chance."

Penelope giggles. When she turns towards Seo, he has a shock. He remembers her as a gangly teenager who liked to run away with him during family dinners, so they could explore the gardens around the estate. Like him, she would rather do anything than sit and eat.

She's tall, blonde, thin. With impeccable blow-dried hair and manufactured beauty. A creature you see in women's magazines and on television, not in real life. She doesn't look like a teenager, she looks like a woman.

"He's not any old date," says Penelope. "He's my childhood sweetheart."

"Who has a childhood sweetheart nowadays?" snorts the friend.

Seo isn't sure what to say. He explains he was held up by Sir Neil.

"Heard it all before," says the friend, dismissing him with a wave of her painted fingers.

"Take a seat. And you, stop teasing him," says Penelope. She clicks her high heels on the floor. There is makeup in a mess on the table, still in its packaging. "I had to keep busy," she explains.

The friend chats with them for a bit longer until Penelope, gracefully, says it might be good for her to talk to Seo alone. They stamp loud kisses on each other's cheeks, and the friend shoves her makeup inside its canvas bag before leaving. The waiter comes to ask what coffee they'd like.

"A latte," says Penelope. She turns to Seo. "Do you know that latte just means 'milk' in Italian? If you order a latte in Italy, they'll just think 'What's this girl's problem?' and give you a glass of warm milk."

Seo orders an espresso.

They wait for their orders. Penelope chats about studying, friends, parties, Twine. She doesn't mind leading the conversation. The waiter brings them their coffees, and she teases Seo about ordering an espresso. She thinks it isn't a good drink to share with friends, because it's too quick to finish. "It's like going to a pub, and everyone orders beer, and you go for a shot of Jäger," she says.

She sips her latte. Suddenly, she says, "I saw the last game." She curls her hands around her cup of 'warm milk'. "How's the hand?"

Seo shows her the bandages. There isn't much to see. "It's healing," he says.

Penelope nods. "I'm glad you wanted to see me." She has a soft smile, despite the bright makeup. She looks younger with milk on the edge of her lips, smudging the lipstick away. "You were really brave to go back out there."

"I didn't choose to be brave," he says.

Penelope squeezes his forearm from across the table. He jumps at her touch, but doesn't pull away. He wasn't expecting this.

"You're such a sweetie. It broke my heart to see you like that. As if it matters that you're bi!" She lowers her voice. "Look, things are a bit shitty right now, but they'll get better. Bi is the best of both worlds. They're jealous that you've got more choice, that's all."

Maybe he should tell her. But instead he lets her stroke his skin with her decorated nails. He isn't sure what to do. He thought he might be able to tell Penelope. But now it seems unthinkable to say the truth.

"Shall we go to the cinema upstairs, see if there's anything interesting?"

It feels lazy watching a film mid-afternoon. Before Seo can answer, Penelope stretches over the table to touch his cheek. Seo recoils.

"What happened? It looks red."

"The stuff they threw at me. Some hit."

"Oh my God, that's horrible!"

Maybe there is a solution. Seo thinks of Papa, and watches Penelope's large blue eyes. "Let's go to the cinema," he says.

They spend the afternoon together. As they head upstairs for the cinema inside the mall, Penelope gets distracted by different shops. Seo doesn't know if he is a good shopping partner, but he follows Penelope and gives her bad advice and nods at each new dress. By the time they reach the cinema, she has three new canvas bags under her arms. "Think of you in a Twine Stadium," she says. "It's the same. I can't help myself."

"It's fine," he says. He doesn't mind. If anything, worrying about matching lipstick to dresses is a welcome change.

After the film, they sit in the dark, watching the credits.

"You know, you don't have to do this alone." Before Seo can answer Penelope leans over and gives him an awkward, perfume-filled hug. "I'm there for you."

Seo's heart sinks. He doesn't know what he's hoping to achieve. He thinks of Minjun in a dark room, with his girlfriend next to him, his face lit up by the blue ethereal glow of his computer.

"You're so cute," she sighs. "We should go out together. I can help."

Seo breathes in. He sees his brother's face screaming. He feels the shock of it again, much colder, much more brutal than the insults of a crowd.

"Yes," he says.

Minjun

The situation doesn't get better. Seo sulks in his office during the day and sleeps in his bedroom during the night. He goes to work on his own and doesn't sit in the car with Minjun when the chauffeur brings him to school. He doesn't call in the evenings. He doesn't stay out late. They don't go to a restaurant the next weekend, but order food again. Seo doesn't eat much, and he leaves a mess. Minjun knows because the help told him. He remembers blushing – it feels weird getting told off for an adult's behaviour.

After a week, Minjun thinks his ears are going to bleed from all this silence. They're going to bleed and bleed and bleed until all he ever hears from now on is this deadening hush, and sometimes muffled noises, too low to be made out. Even Kosmos knows something is wrong, and he's taken to plucking out his own feathers.

So in the end Minjun finds the right photograph on his phone and dials Curly's number. It answers after seven rings, when Minjun is about to hang up.

"Hi?" says Curly's voice. Minjun doesn't give him a chance to speak – if he speaks, he might say no. He blurts out the whole story without pausing for breath.

"Woah, woah, calm down!" Curly interrupts. "Is this

Minjun?" Curly sounds sleepy. Minjun imagines him with his hair puffed out at odd angles.

"Yes," he says.

"You said Seo was angry with you?"

"He stopped speaking to me," repeats Minjun.

"Minjun, Seo is angry with *me*. He stopped speaking to me ages ago. What makes you think I can help?"

"He ate your muffins." It's all Minjun can think of. He's not sure Curly will be able to help – he just has a feeling he might. Because Seo would have thrown the cakes away if he hated Curly, but as he ate them then that means he doesn't hate him. Or not too much. And the chocolate ones had toffee inside, after all.

"Oh," says Curly. "Were they any good?"

Hoping to get into Curly's good graces, Minjun praises the muffins. Truth is, the apple ones were too peculiar for him – they had blue cheese inside. But Seo ate them, so Minjun feels confident in saying they were tasty.

"Very well," says Curly with a sigh, as if he's yielding to a hard bargain. "I'll come round."

Minjun has a plan – a better plan than the Tiffany-sleepover plan. He asks Curly to come on Friday evening, because he will have finished school and Seo will be there for sure. He asks him to be at the flat for dinner, around seven. Curly agrees and hangs up. Minjun is left fingering his phone, wondering if Curly will come, and if it will be enough.

He spends the rest of the week being impatient, moody. Relations with Tiffany are tense at the moment, because even if it wasn't her fault he didn't hear Seo's call still somehow it is, and because she told her family that Seo was creepy. Minjun knows – she let it slip. She meant it as an exciting story, but his brother isn't a story. Journalists and Tiffanys and everyone should stop acting like he is.

So Minjun goes back to being alone in the playground, and Tiffany goes back to playing on her phone with the earplugs on.

On Friday, Minjun puts the music loud on the TV. He doesn't want Seo to hear Curly's arrival. Also he can't bear the silence any more than Kosmos can. Kosmos squawks at him to complain. Minjun strokes his feathers with one finger, delicately, as Seo showed him. But he isn't Kosmos's master and the parrot screeches louder. It isn't words – only high-pitched shrieks. In the end his cries are so heartbreaking Minjun carries him to Seo's office.

If Seo was in a good mood he would say something like, "Hello, trouser-killer." Or he would use some nickname to address Kosmos. But there he says 'thank you' to Minjun and 'come on in you' to Kosmos. Minjun feels the bird's claws on his arm through the fabric of his T-shirt. The parrot climbs onto Seo's wrist, the good wrist, of the right hand. Seo doesn't use the left anymore. When the bird starts screaming again, Seo sighs and mutters, "Bad boy. Bad. No shouting." He closes the office door.

Minjun texts Curly to see if he's on his way. He says he is. Minjun waits.

When the doorbell rings Minjun sprints to the interphone, slipping on the carpet and nearly breaking his nose as he crashes forward. It's the takeaway. He brings in the food, puts it in the oven to preserve the heat, and waits. If Curly takes much longer the meal will be cold.

When the interphone rings again, Minjun saunters up to it more carefully. He sees Curly's face, deformed by the camera.

"Yes, hi, we're on the seventh floor," says Minjun, pressing the button to unlock the door.

Curly is wearing a jumper with a front pocket like Minjun's sweater. It's turquoise with complicated motifs in black. He looks alien – Minjun isn't used to people who wear colour. The top falls down to his thighs and has wide arms like a poncho. His hair is in a mess, ruffled by the wind outside, frizzing because of the damp. He doesn't take off his shoes in the vestibule.

"You can come in," says Minjun. Curly nods and follows him to the counter. He's got a rucksack on his back, which he takes off. He unbuckles it and lifts out a dish wrapped in a tea towel.

"I brought a savoury cake," he says. "We can have it as starters or mains, whichever is easiest."

Minjun stares. He didn't expect Curly to bring food. He edges forward to examine the pastry. It's yellowish. "There's olives and dried tomatoes inside," Curly says. Minjun doesn't approve of cakes which don't contain chocolate, but he doesn't say anything. If Curly thinks you can put cheese in muffins, obviously he won't know you can't put olives in cakes.

Curly glances around the room as if he expects something to jump out at him. He keeps rubbing at the beard along his chin.

"Does Seo know I'm here?" he says. He licks his lips. Maybe his lips are dry when he's nervous. He makes a wet sound with them – something Kosmos could copy, a sort of beat-box noise.

"I'll go fetch him," says Minjun.

He leaves Curly standing next to the counter, out of place in the chrome-plated kitchen. This is the tricky part of the plan – he hopes it goes well. Heart beating hard, he knocks on Seo's door. He hears a mumble, so he opens it and pokes his head through.

"The food is here," says Minjun.

Seo is on his office chair. He gets up, and seems surprised Minjun doesn't have the delivery bag. Kosmos runs on the ground alongside Seo, repeating "Gibberish, gibberish!"

"Come eat in the kitchen," says Minjun, in what he wishes is a firm voice. His brother gives him the blank look he's had for days, the same eyes with which he greets humans and computers. Then he bends down with his hand flat for Kosmos, and once Kosmos has climbed on it he follows Minjun down the corridor.

Curly is waiting where Minjun left him. He's toying with his hair, tousling it, his hand hidden under the curls. He's still wearing his jumper even though it's warm inside. When Seo sees him he stops dead in his tracks. Kosmos fluffs out his feathers and whistles like the doorbell ringing.

Seo doesn't look at Minjun, only at Curly. "What more do you want?" he asks.

"I don't want anything. Minjun asked me to come," says Curly. Seo shakes his head. His eyes go from Curly to Minjun then back to Curly. At least they aren't as empty as before; a spark of curiosity, or maybe just of shock, is glinting there like gold at the bottom of a stream.

"He did?" says Seo. Then, to Minjun, "But why?"

"You've got to play a game of Twine," says Minjun. Curly and Seo both stare at him in disbelief – he hasn't told Curly about this part of the plan. He goes on: "If Cu… if Jack wins, then you have to eat with us. And if you win, you can go eat in your office."

Seo would cross his arms in front of him if he could, but he's got Kosmos in one hand. So instead he half-crosses them. The big grey parrot preens himself without a care in the world, even when his wrist-perch moves.

"What makes you think I can win?" asks Curly. He doesn't know Seo can't resist a challenge, and the best – and maybe the only – way to keep his attention is to play Twine.

"I'll help," says Minjun.

"I'm not allowed to play," says Seo. Minjun has prepared for this objection.

"You can't use your left hand, but that's the sub anyway. Do all the crafting through the right. It won't be too bad, because we'll play Wild."

"What's Wild?" asks Curly.

"You don't stand a chance," says Seo. Kosmos glowers at them as if he agrees. But Minjun knows that his brother's taken the bait. He hasn't played for a week – he must be desperate for a game, a practice session, anything. But Sir Neil won't let him, and who would play with the youth champion without his manager's permission?

"That means you're not frightened of us then, doesn't it?" says Minjun.

Seo puts Kosmos down on the counter, and the parrot waddles up to his perch, where he continues grooming himself.

Inside the Twine room, there isn't much. It's a blank, windowless room, without any carpeting. Down the middle of it there's a railing for a curtain which can be drawn to become the boundary, when there are no referees to weave it. There are five plastic chairs piled in a corner.

Curly takes off his jumper and rolls up his sleeves. He says, "I'm no good, you need to know that."

"Neither am I," says Minjun, "but we're two-v-one, so we might win." Seo snorts.

Minjun explains the rules of Wild to Curly. Wild means they start with open boards, breachable borders, everything. The game lasts as long as it takes one opponent to eradicate the other. They craft the land together beforehand, then fight.

Minjun and Seo craft the land while Curly mutters about not being good at Twine and does a few rocks. Seo sits on one of the chairs. He puts his left hand in his lap and lifts his right elbow to chest height.

"When you're ready," says Seo.

Curly shines a much lighter Twine than either of them – he glows pale yellow where Minjun and Seo are orange verging on red. Woolfe has the darkest Twine Minjun has ever seen, blood-red.

They play. Curly crafts a pawn which can't stand up straight and doesn't make sense game-wise. He takes four full minutes to finish it, and when it's complete it falls on its side and moans pitifully. Minjun is appalled. He's never seen anyone so bad at Twine. He interlaces his own threads of gold around Curly's creature to help it stand up, but he can't see the point of it – a sort of horse with a grotesquely long neck. What is it supposed to do? Even the pawn doesn't seem to know, and it starts grazing the low bushes of the land. Seo has about five pawns milling around already. They're taking down the few protectors Minjun spun before he turned to help Curly.

Minjun leaves Curly to fend for himself and sends out Bulletbirds to deal with Seo. He also rains down on both lands so the underground tunnels become mush which the worms will find difficult to plough through. Curly's creature gets enmeshed in the mud and stays stuck there, uncomplaining, stretching its long neck to try and reach out.

In about ten minutes, Seo has won. Minjun suspects he could have managed in five, but made the game last longer to see what they would do.

"At an official tournament, you only win with a best of three," says Seo.

Minjun is relieved he doesn't have to think of a follow-up plan. Because the food is getting cold, they bring it inside the Twine room and nibble it as they start on the second game. This time Seo goes easy on them so they have time to build a strategy. As he waits for them, he feeds Kosmos crumbs of Curly's cake. He wins in thirty-seven minutes, when Curly launches a great attack which shatters before Seo's defences.

Seo has won but he's eaten with them after all. As the game dwindles, Curly says, "I'd win if we were playing Challengers." Challengers is a series of Twine-themed videogames where you play weavers in tournaments. "I'm pretty decent at that."

Minjun says he's got it on his console, if Curly wants to try.

"Yeah, I spotted it as I came in," says Curly. "Shall we give it a go?"

So Curly and Minjun go to the living-room and turn on the TV. Seo says he's going back to his office, but Minjun insists he has to watch their duel.

"Why?" asks Seo.

"Because I watched your match," says Minjun.

"You weren't exactly cheering me on, were you?"

Despite his grumblings, Seo stays. At the beginning he stands behind the sofa, his forearms leaning on the headrest, as if about to leave. But as the game drags on and Curly can't get the better of Minjun, he becomes more invested and sits next to them. Then he asks Curly to give him the joystick so he can try. First he plays without using his left hand much, but soon he forgets to nurture it. Both adults are way too slow – Minjun smashes them. It's rather satisfying to beat Seo at Twine, even if it's only videogame Twine.

"Maybe try fighting each other," Minjun offers.

Curly is better than Seo, who lacks practice and speed. Once Seo has started he doesn't want to stop; he's a poor loser. He insists they keep at it, raging at every move, repeating how stupid and unlike Twine the game is. But as soon as Curly puts down the joystick and says they can do something else, he shakes his head, grits his teeth, and tells Curly to 'pick up that thing and play already'. They battle for nearly an hour and a half before Seo – more through luck than skill – wins a match. He sighs deeply, as if in relief, and throws down the joystick.

"That's me done for today."

"One match doesn't prove anything," says Curly.

"No, but it was my goal for the evening," answers Seo.

Playing together and watching Seo go mad on the joystick was fun, and they laughed and shared a nice moment – nearly a family moment. But now the game is finished the conversation stalls, and Seo and Curly can't look each other in the eye. Curly says goodbye, Seo hardly acknowledges him, and suddenly the house is silent again. Seo sits on the sofa, gazing outside. The neighbouring flats are like candles in the night, going out one by one as people go to bed.

Minjun plops down next to his brother. For a while they watch the sky and the lampposts and the cars flashing down the road. Then Minjun nestles against Seo to hug him. He feels like crying. He did this for Seo to feel better, and Seo still looks empty and sad. His brother tenses when Minjun lies down against him, but after a few seconds he relaxes into the cuddle. He passes his arm around Minjun and holds him.

Seo turns on the TV, with the volume on low. Minjun closes his eyes, listening to his brother's heartbeat and the drone of the night programme. Neither of them move, Seo distractedly watching the television, Minjun lying against him. They drift to sleep together.

Dawn finds them in the same position, Seo with his mouth half-open, Minjun with one hand drooping out of the sofa and onto the carpet.

Jack

Jack expects the call to be from Minjun and so it comes as a shock when he hears Seo's voice down the line.

"Hi."

"Hi." That's all Jack thinks to say.

There is an uneasy pause before Seo says, "You forgot your dish at our place."

The baking pan. It's a blue ceramic dish which belongs to the flatshare; Laura doesn't believe in silicone rubber. How someone who cares about so little can care about silicone is beyond Jack.

"I can pick it up at some point," he says.

"Come this evening," says Seo. "If you want."

"Okay."

"Okay."

Jack puts down his mobile, feeling light-headed, as if the air has been knocked out of his lungs. Invited to Seo's place twice in a row after being ignored for several weeks? He should have forgotten the muffin's baking tray.

He's at the breakfast table, in lounge pants, with a gown thrown over his shoulders to fend off the cold. Laura struts in, yawning, traces of Friday night on her face – she didn't take her makeup off before crashing in bed, and now she's got a panda's black-rimmed eyes and cute grumpy expression.

"How's husband?" she asks, putting the kettle on. "I heard you were up, and I was too curious for a lie-in. Tell me everything!"

"Wounded on the left hand," says Jack, sniffing his coffee without drinking it. The smell of caffeine is enough to wake him up.

"Tell me something I don't know," complains Laura. She's in the T-shirt and knickers she wears to sleep, and walks around the kitchen half-naked. Anyone watching them from the outside would mistake them for a couple. Jack rests his forehead against his cup; thinking of couples isn't good for him.

"Minjun's plan," he says. "He organised the whole thing. A little mastermind, I tell you. It went well, in the end. I played Twine."

Laura laughs. She pushes herself up on the washing-machine, next to the sink, swinging her legs back and forth. She's unshaven, and there's a ginger duvet all the way down to her ankles.

"I'm going back this evening," adds Jack.

Laura makes a knowing sound. "Have fun," she says. "Get his heartbreaker tips off him while you're at it."

But when the evening comes Jack isn't confident. What if Seo hands him the dish at the door and then closes it in his face? He can't rely on Minjun to solve all his problems for him. It's already ironic that a kid has helped a guy twice his age get back on track with his crush. He can't expect anything more. He has to manage the follow-up with tact if he doesn't want to be relegated again.

When he rings at the interphone, he's more stressed than he'd like to admit. His hands are moist; he keeps wiping them on the back of his trousers. Seo opens the door for him.

Seo is wearing a sweater and a black tracksuit which falls down to his ankles. Naked feet with round, baby-like toes. Jack would only wear that kind of clothing at the gym – not that he goes to the gym. His old jeans, Nepalese poncho and woolly hat stand out in sharp contrast. He takes off the hat when he comes in.

"It's just there," Seo says. He walks Jack to the counter. Minjun is on one of his videogames, sitting on the floor with his back resting against the sofa. He throws his head backwards, as children sometimes do, to look at Jack without needing to turn round. Jack nods at him, and Minjun nods back, even though it's an upside-down nod from where Jack is standing. Jack feels like Minjun is his accomplice – it reassures him to know he has an ally.

The dish is on the counter, clean, with the tablecloth folded inside it. Jack picks it up. He lingers next to Seo, not knowing what to say. Should he apologise again? Pretend nothing happened and start anew? Ask to stay? Invite Seo to his place?

"Do you want a rematch?" asks Minjun. He says it casually, without ungluing his eyes from the TV screen.

Damn you, thinks Jack. *If you didn't exist we'd have to invent you.* Out loud he says, "Yes, with pleasure." He puts the dish back down on the counter, intent on forgetting it as many times as necessary. He heads for the couch, wondering if Seo will join them or ignore them.

Seo stays. He sits on the sofa next to Jack, his computer on his lap. He spends more time watching their game than the files on his desktop. Minjun invites Jack to play a car racing game. Jack hasn't played one of those in ages – it takes time getting used to the controls again. Minjun is the devil to play with: he knows all the tricks, all the loopholes, and he plays with no pity for his opponent. He doesn't even brag when he's won, only gives you a small smile and asks if you'd like to be defeated again.

After a few games, with Jack's eyes watering from the strain of focusing on the screen, Seo closes his laptop.

"Could I watch the evening news, please Sir Kuroaku?" he asks his brother.

Minjun shrugs and says, "If we get to eat pizza."

Seo smiles. "You can order pizza. I can't eat any, but I'll have the low-fat ones we've got in the freezer." Then he turns to Jack. "What kind of pizza do you like?" Jack is officially there for the whole evening then; he breathes out in relief. Minjun switches from the game to the news channel, and drags Seo's computer towards him, so they can order food through it. Jack wonders if the brothers ever cook for themselves.

There is nothing unusual on the evening news. Presidents quarrelling, refugees dying in camps, tsunamis in faraway countries, ice melting on the poles. The mayor of Istanbul was quoted as saying, "Democracy is like a tram. You ride it until you arrive at your destination, then you step off." More and more countries have decided to step off. Jack isn't sure he likes the destination they've reached. If he was watching these with Laura, Jack would be engaged in a hearty debate about what needs to be done with the world, and whether it can be saved before humanity sinks in its own mess. But the Kuroaku brothers are silent.

Minjun pulls out his tablet and starts a game on that. After a few minutes, Seo lifts his right hand. It shines bright orange as threads fly from the tip of his fingers up to the screen. He crafts a patch of land and places a pawn on it. It's a humanoid covered in fur, with cat ears and whiskers. It's got a pink mouth with pointed fangs, large pupils, paws, a tail. It stands on its back legs and is about the height of a child. The fur is black and white, shaped like a suit – with white along the stomach and the neck, black everywhere else, except for the little cuffs of white at the wrists.

The cat watches the TV presenter, then starts copying them. It repeats the key gestures; it blabbers away in pawn language using the same intonations as the journalist. Minjun looks up from his game. "It's a Copycat," he tells Jack. The pawn turns its face towards him, its bushy ears quivering. Then the prime minister comes on screen, and the ridiculousness of the speeches, of the gestures, of the whole masquerade of power, is made even more obvious by the Copycat. It stands straight, bashes its paw on an invisible lectern, sometimes pulls an invisible microphone closer. Minjun giggles.

"It makes as much sense as the PM, to be honest," laughs Jack.

Now Seo has his audience's attention, he crafts two other Copycats, a tabby one and a grey one. All three debate together, taking on serious expressions, interrupting each other, waving their paws in the air. These pawns make for wonderful caricatures – Laura would love them. In the heat of the argument, one even leaves its invisible pulpit to go and shove the other Copycat to the ground.

"Wow, they're getting excited," says Seo. He unravels them. "Before they get into a fight," he explains.

Minjun searches the channels for a film while Seo brews a pot of tea. They watch a movie, Minjun sometimes commenting on the actions of a character, most often because he's spotted an inconsistency.

When the end credits roll, Seo tells Minjun to go to bed. Minjun gets up and goes to the bathroom. He doesn't rebel much for a preteen; Seo doesn't realise how lucky he is. For the first time since Jack walked in, he's alone with Seo. Jack can hear running water, the sound of someone brushing their teeth. The silence, which was comfortable so far, becomes tense. Seo doesn't look at him. Jack examines his profile, the almond-shaped eyes, the beardless chin. The lines of Seo's face are slim, like those of a model.

Jack needs to make a move. If he does nothing, not only will he not forgive himself, but he will be the butt of Laura's jokes for the rest of the week. He rests his hand on Seo's thigh.

Seo wasn't expecting it – he jumps as if he's been slapped. Jack promptly takes back his hand, flustered. They both speak at the same time.

"Sorry," splutters Jack, "I didn't realise you…"

"No, no, don't worry, I mean, I didn't think…"

They both stop. Seo's eyes are jet-black, deep like wells. Jack hears Minjun spitting in the bathroom sink. Seo is lit by the TV screen and the dim light they've left on in the living-room. He opens his mouth to speak, taking a short decisive breath, the sort of breath people take before saying this was a nice evening but it's getting late and goodbye. Without thinking, Jack moves forward and kisses him.

Seo doesn't shy away. The kiss lasts longer and longer. Jack cups his hands around Seo's cheeks. They stay in that position until Seo pushes him back, breaking off from Jack, his lips damp from their embrace.

"We should go to my room," he says.

So they do.

Seojun

When Seo opens the door to the bedroom, he realises this won't go smoothly. He hoped it was going to be easy – it was easy last time. But last time he was drunk, and Jack didn't know who he was, and Papa hadn't read an article describing Seo's sex-life. He feels cold but his eyelids are hot, as though he's running a fever.

Jack closes the door to Seo's room with his foot, one hand lingering on Seo's shoulder. He moves closer to Seo, who feels his breath against his neck. Jack's hand dances down from Seo's shoulder to his hips, sliding between the fabric and the skin. His fingers are cold. Seo can smell his aftershave – spices and smoke. He disengages from Jack's embrace, walks around the kingsize bed and sits down on the opposite side.

The bed is large. There are sheets and the duvet between Jack and Seo. Jack climbs up on his side of the bed and sits there, legs crossed. Seo looks at him, the curve of his limbs, the shape of him in the darkness. Jack is like a ghost; a silhouette with indistinct features. He crawls on all fours across the bed towards Seo and rests his forehead against Seo's chest, under the collarbone. Seo lets him do it. Tentatively, Jack brings his hands towards

Seo's stomach. He slips one finger underneath the T-shirt. He hugs Seo closer.

Seo senses the shiver starting inside him. He tries to fight it but he can't help it; he's trembling now, clenching his teeth to stop them from chattering. Jack asks, "You okay?"

Seo nods, but doesn't answer. Jack pulls the cover around both of them, tucking it around Seo's chin. He tries to pull Seo backwards, to softly lie him down against him. Seo won't – can't.

"I…" Seo says. He doesn't go further.

"If it's Minjun worrying you, we can be quiet," whispers Jack. He strokes Seo's sides, like he would a cat, with repetitive slow movements.

"No, it's not that." Seo shakes his head. He sighs, and Jack's hands follow the movement of his flanks. "I've never slept with someone who knows my name." Saying it out loud makes it sound even worse than it is, and Seo is glad he can't see Jack's face underneath his curls.

"I knew your name last time," Jack says.

Minjun gave it away, Seo thinks.

"Yes, but I didn't know that." Seo scrambles out of Jack's hug, pulling the duvet with him. He rests against the wall, a cushion behind his back, the covers drawn around him like a cape. His jaw is quivering despite his efforts. He puts one hand against his mouth to hold it still. He wishes Jack would just give up on him, leave the room and slam the door. No-one wants to be with the weirdo. Even he, Seo, doesn't want to be with himself.

From where Jack is, he can't touch Seo's back anymore, but he has access to his feet. He rubs Seo's toes. Seo doesn't know what to do. He wants this contact; he's longing for it. But ice is clenching at his lungs, growing inside him, spreading.

"Have you ever been with a guy without being drunk?" Jack asks.

Seo doesn't answer. He knows he isn't making it simple for Jack. He wishes he could. He wills himself to move forward and hug him. But the gleam of wide open eyes, with only the whites showing up in the dark, stops him. He can't see Jack's face. It could be anyone. It's ridiculous, but he imagines the features are different, the mouth isn't quite the same, the forehead is lower. The hair isn't hair – it's a hoodie, it's a thick, round face. It's something alien.

Seo wonders if he should tell Jack about Papa.

"Have you heard about Socrates' three sieves?" asks Seo.

"No."

Seo explains the idea. The three sieves are three questions to ask yourself before you tell anyone anything. Firstly, is it true? Secondly, is it useful? Thirdly, is it kind? Something has to score two out of three points to be worth being said. If it's useful and kind, say it. White lies about how good your friend looks get away with the sieves test. But something which is true, but neither kind nor of any use to anyone, should stay locked in silence.

"I don't know about that," says Jack. "Truth is important."

This is true. As for useful, Seo needs to think for whom it could be useful – not for Jack, it would only upset him. And Seo isn't sure it would be much use for him, as Jack can't do anything about it. Of course it isn't kind.

It's about the conversion therapist.

Papa drove Seo there himself. They sat together in front of the plastic, functional-looking desk. The doctor explained it in great detail. Electric shocks. Pornography. Negative feedback loop. He mentioned how sometimes, if the subject wasn't used to the therapy, it might be necessary to tie them down. Papa asked questions about techniques and prices. Seo listened.

In the car driving back, Papa said, "So?"

I have to say something, thought Seo. His mouth felt dry. His lungs felt dry, as if he was withering from the inside out.

"I don't doubt this doctor is a specialist in his... domain," said Seo. "But I'm not sure how much he knows about Twine. His therapy sounds trying. I'm not sure it's sustainable during match season." He could hear the hesitation in his voice; he hoped Papa didn't interpret it as fear.

Papa stayed silent. After a pause he said, "It's mostly self-discipline."

Seo nodded.

"You have to want to be cured."

"Yes," said Seo. And then, "I'm sorry."

At that moment, it was true. He regretted the pubs, the garish decorations, the mush of forgettable faces. Their taste, their touch.

Jack shifts his hand from Seo's foot to his ankle. He moves closer, rests his own legs on either side of Seo. Seo places one hand on Jack's knee but doesn't move further. He looks away, not crossing Jack's gaze. He knows Papa is able to picture this scene, this one or another one like it, when he stares at Seo. He sees himself from the outside, through Papa's eyes. Shame clots his mouth.

He wakes up as if from sleep when Jack kisses his lips. Jack's hands are closer now, moving down Seo's thighs.

There is the article, and Papa believes they have an understanding. He will find out about this. He always finds out. There will be consequences.

"Is there something you want to tell me?" asks Jack.

"Have you heard about conversion therapists?"

"They're full of crap." Jack shrugs. "Anyway, I'm pretty sure they're illegal." He kisses Seo, and Seo is too surprised to pull back.

Jack's lips are wet and warm. Seo closes his eyes. He forgets.

Afterwards they nestle against each other, Jack being the big spoon as he's taller. Seo can feel the warmth of his stomach across his back. They fit comfortably. Seo clutches Jack's hand – the one above his heart. They stay embraced in that position as they fall asleep.

Jack

The next morning, when Jack wakes up, it's to find the sheets deserted. Seo is gone. Jack stretches, enjoying the space, how far out he can push his limbs before reaching the end of the bed. It's ridiculous. Why would you even need a kingsize bed for one? It's the kind of furniture that begs for company.

Jack gets up and ambles into the living-room. Seo is sitting by the counter, yawning at the sunrise. The coffee machine is rumbling as it pours a ray of black liquid into an espresso cup. Seo is leafing through sheets of paper, trying to focus on whatever is scribbled on them.

"Not bringing me breakfast in bed?" teases Jack. Seo looks up from his reading. He pushes the documents away and says Jack can have a coffee, if he wants. He starts taking crackers, bread, cereals out of the cupboards. The morning newspaper is on the table – Jack wonders if Seo has someone deliver it to him. The house is only missing its cast of butler, maid and cook.

Seo serves Jack a coffee and pulls the newspaper towards him. Jack takes a seat at the counter. The parrot on its perch watches Jack with its head cocked to one side, its crest of feathers moving up and down.

"Don't feel you have to stay," says Seo, which is such a rude comment Jack can't help but laugh.

"You're a morning hedgehog, aren't you?" Seo does look like a hedgehog, with his hair sprouting up in spikes. "Basically, a bit of a prick." It's Laura's joke, but she won't begrudge Jack for stealing it.

Seo doesn't glance up from the newspaper. He dips his toast in his coffee with one hand, and gives Jack the finger with the other.

"Rather proves my point, you know," says Jack.

He kisses the extended finger; Seo jumps back as if stung. Jack only laughs at the embarrassment he's caused.

"The only thing Seojun Kuroaku is afraid of, isn't it?" he smiles. He moves to kiss Seo, but as he comes closer, Seo tenses. He clutches his toast too hard, and coffee drips onto the counter. Jack realises he might be right.

Jack stops a step away from Seo. He extends his hand, like he would for a cat to sniff. He touches Seo's forearm. Seo is rigid. Jack strokes his arm, holding it tenderly. It's a wonder he didn't notice it before. He realised Seo wasn't a cuddly person, of course, and that he didn't enjoy unexpected contact. But he wasn't aware how much discomfort it was – how uneasy Seo became, as if a hand on your arm were as intrusive as a hand on your groin.

He pulls Seo towards him, drawing him into a hug. It's like holding a plank of wood. Jack stands breathing in the scent of his shampoo. It takes time, but he feels muscles relax, like an icy cliff thawing, starting at the edges.

Jack wonders if he should kiss his neck, but he doesn't want Seo to tense up again. He nuzzles his face next to Seo's.

"Minjun might see us."

"Minjun already knows we slept in the same room," says Jack.

The bathroom door clicks as Minjun unlocks it. Despite what Jack said, Seo breaks out of his embrace and moves away, abandoning his toast and coffee. He strides towards the window as if to admire the view and stays there, staring through the glass. Minjun comes out of the bathroom, his hair still wet around his face, yawning off the last relics of sleep.

He comes to sit next to Jack, watching Seo, obviously wondering what on earth his brother is looking at. But instead of asking that, Minjun says, "You're not finishing your toast?"

"Yeah, yeah," mumbles Seo, turning away from the landscape spread at his feet. He walks back to his breakfast, giving Jack a large berth. He leans against the counter but doesn't sit down; he eats but seems ready to run if Jack so much as flinches in his direction.

Minjun helps himself to a bowl of cereal. As soon as he picks up the box, the parrot lifts its head in interest and scrambles along the counter up to him. Minjun gives the bird a cornflake. He has a towel across his shoulders which his hair is dripping onto.

To keep his hands busy, Jack plays with the documents strewn before him. There isn't much he can understand. These contain match analyses, or meticulously written instructions for Seo's creatures, which moves he can do in which order, depending on the energy spent and the length of time needed to weave them. Sometimes there's the odd receipt for food, and Jack's eyes goggle at the price, especially considering neither of the brothers are big eaters. Jack also finds a printed document containing a list of drugs. The medicine has long eight-letter names.

"Do you also swallow raw eggs?" Jack says. Seo frowns at him, to indicate he hasn't understood. Jack waves the paper. "Are these proteins and stuff to improve your Twine?"

Seo looks down. "No," he says. Jack feels tension rise in the air like mist. One glance at Minjun tells him something is amiss – the boy is consciously averting his eyes. Minjun is a barometer for Seo-pressure.

"What is this?" Jack asks. He reads through it more attentively, but he doesn't recognise any names. Maybe they're antidepressants. He can't work it out. "Is it a big deal?"

"No, no," says Seo. He hovers next to Jack, the toast still in his hand. He lifts it to his mouth, doesn't bite it, moves it away again. "Pa... Sir Neil gave it to me."

He puts down his toast, wipes his fingers on his trousers, and picks the document out of Jack's hand. Jack lets him do it. He watches as Seo puts the sheet back with the other bits of stray paper, tidying them into a pile.

"Does it help for Twine?" Jack insists.

"No."

Minjun looks thoughtful. He crunches through a spoonful of cereal, milk caught on his lower lip. He glances at his elder brother, as if asking for permission about something. All this caginess is getting on Jack's nerves. "Spit it out. What's it about?"

Seo averts his eyes. "Sir Neil gave me this for... for guidance. We are searching for non-intrusive solutions." He picks up his toast again. Jack has a bad feeling about this, and about what might require a 'non-intrusive solution'.

"I didn't realise you were ill," Jack says. He's trying to control it, but there's venom in his words. Of fucking course. That's why Seo mentioned the conversion therapy yesterday. Seo eats slowly, looking at nothing. Minjun, on the contrary, is as alert as a dog. He's staring at Jack, and then from Jack to his brother, with the intensity of an animal sensing a storm. The real animal, the parrot, doesn't seem to care. If anything, it's eyeing the toast.

Jack grows bored of waiting, so he drops the bomb for them. "So tell me. Does this work for dykes, or is it a guy-only thing?" Jack is too far gone to stop now. "Do they do couples' therapy? We could make a date out of it."

Minjun mumbles some excuse about having to get ready, picks up his bowl and leaves the room, heading for his bedroom as if on cue. But Jack notes he leaves the door ajar, so he'll be able to hear the argument. The parrot puffs out its feathers.

"You do realise it's not a condition, right?" Jack says. It's better to open fire before Seo does. It will make things easier for both of them – they'll be able to get straight into shouting, without having to do the passive-aggressive circling-leopards stuff. He doesn't like Seo's way of arguing. It takes ages.

"Can you check your language in front of my brother?" says Seo. His uneaten toast, nearly finished, is set back on the table. His voice sounds even posher when he's upset.

"Is this anti-gay medicine?" says Jack. Seo nods. Sir Neil loses about a bazillion respect points in Jack's chart. "That's ridiculous."

"Can you please not speak like that in front of Minjun?" Seo tries again, apparently worried about the only aspect of this conversation which isn't actually a problem.

"Did I swear? What was it that was so offensive?" Jack makes a conscious effort to lower his voice – Minjun is too smart a devil not to listen to this. "Oh wait, let me guess. Dykes. Gays. Queers. People with a condition." The parrot makes a low hissing sound and spreads out its wings.

Seo looks at Jack helplessly. There is something so

young about him then, so fragile, that Jack holds back his next sentence. Seo behaves like an adult, and his mask is good enough for you to forget. But right now, searching for words he can't find, torn between an upbringing teaching him he's sick and a gut feeling telling him he's being himself, the veil falls. Jack can't be angry with a face like that. He can't be angry with someone so... He searches for the word before he can pinpoint the emotion. So afraid.

"I've got a girlfriend," says Seo. This is such unexpected news that it's Jack's turn to be at loss for an answer.

"What for?" he stutters.

Seo shrugs. As they've calmed down, the parrot decides his master doesn't need help anymore, and its grey feathers settle. It eats the discarded toast, smearing butter over its beak.

"Do you want to see a photo?" asks Seo.

Jacks nods. Might as well look at her.

She's blonde. Jack knows it's unfair to judge her on that, as he's blonde too, technically. She looks like a woman out of Huxley's dystopia – she's pneumatic alright. It's difficult to know what Seo thinks, if he finds her sexy or plain, if he decided on this or if Sir Neil forced it upon him.

Jack wonders what Laura will have to say about this. Maybe she can help him understand how they got here. The last macho outposts were dying, relegated to the deserts of the USA, in those states with guns and cowboys. He thought it was only a matter of time before Disney produced its first gay-hero movie. And then something happened. Like curdled milk, the world turned sour. Jack still doesn't know what went wrong.

"Old ideas die hard," Laura would say. "Even the bad ones."

He doesn't know how to react. Why didn't Seo throw

out the list? Burn it? Do anything with it but keep it on the counter, as a reminder?

"She's good-looking," says Jack.

Afterwards, when Laura asks him how it went, Jack isn't sure what to say. *So we slept together but now he's got a girlfriend.* He truthfully answers, "I don't know."

Seojun

Papa and Seo are preparing for the Nationals at the training grounds. Because Seo's injury prevented them from training, there is a lot of catching up to do. They're outdoors with two other weavers. Papa is standing on the side of the arena, hands sunk deep in his pockets. Each pawn Seo has prepared shows what it can do best. If it's unsatisfying, then Papa writes it off the list of game-pawns. On quiet days, Seo lets the pawns run in circles around Papa, or jump the barriers surrounding the field. This isn't a quiet day. The creatures walk in straight lines.

They follow each other: dragonflies with tails which can serve as drills if help is needed on the groundwork; grasshoppers which set themselves on fire before jumping into enemy territory; creatures with round glassy eyes, blue and red stripes shimmering along their chitin bodies. Seo improved on the Mounts. Before they were shaped like horses with four grasshopper legs. The spikes along their backs made them easy to hang on to. He's kept the basic design but added two skin saddlebags, which can be filled with burning oil.

The Mounts work with the Riders. Separately they cost less than crafting one big, multi-task pawn.

"Those Riders need to work harder," says Papa. He doesn't comment on the Mounts' new features. Seo doesn't ask. If he says nothing, they're good to go.

When Seo was a child he would search for his manager's validation. "You're good," Papa would say. "What more do you want?"

Once, what feels like a lifetime ago, Mother teased Papa at the dinner table. "You know what Papa said to me today?" she asked. "Go on, say it." Then she turned to Seo, pointing her fork at him, glowing with pride. "He said you were perfect. Perfect. He never said that to me, you can be sure." She laughed, and Papa rolled his eyes. "You'll spoil him," he grumbled. But he smiled.

Mother made their lives easier, but she couldn't make them easy.

"Snap out of it," says Papa. "What are you thinking?"

"The Riders are good light-pawns," says Seo.

Papa acknowledges the point with a brief nod. "But without a Mount, they're nothing. The Mounts can either fight with a Rider, or serve as live explosives. What happens to a Rider on its own?"

They discuss it for a while. *Good is one thing, but you want to get better,* is Papa's motto. When he was young, Seo found it frustrating. It meant he was never good enough.

"I don't know what he wants." Seo remembers his whinging voice. "I never get it right."

"He wants what we all want," Mother said. "To be loved more than we deserve." At this stage of her illness, her voice was a whisper, and if you pushed her hand it fell limply and didn't move. There was no more hair on her head. She wore a wig outside. At home, her wrinkled skull was like a shrunken apple.

At the funeral, Papa's speech ended with, "She was

the better part of me." On his bad days, Seo thinks Papa's better part died with her.

"What about a Rider who can ride any pawn?" says Papa. "It could improve both your own heavy-crafts…"

"Or steal heavy-crafts off the opponent," completes Seo. It's a good idea, but such a pawn would need a controlling device. They try out several models: creatures with claws along their bellies to hook themselves onto bigger pawns; spiders with rope-like limbs to harness the enemy.

Seo is crafting with two other helpers today – whoever finds the best model shares it with the others. They spread out on the field, each of them several feet away from the others, so to have the space to experiment. Papa walks between them, watching their Twine, his hands clasped behind his back, the collar of his coat pulled up over his cheeks. Of course Seo will be the one to use the pawns, so he has to master whatever the other weavers submit. But that's not a problem, as his two helpers are slower than him. One is an ex-player, the other is a Twine teacher. Papa likes to swap helpers around and vary their backgrounds, to get Seo used to different styles of Twine.

In the end, they settle for a humanoid with one hypertrophied limb. This chitin arm, chiselled like a saw, has several notches down it to adapt to the size of the pawn it's controlling. The Riders put it in another pawn's mouth and use it like an organic bit.

"Hijackers," says Seo. Sometimes a pawn's name is obvious. Papa nods again. Although Seo will have to work on the Hijacker in detail, to stabilise it before the upcoming matches, it's a good new weapon to surprise people with.

At eleven, Seo is already sweating. The lack of practice means his right hand feels numb; the fingers are slow to fold, as if bruised. He tries not to put strain on his left hand, for fear it will start bleeding again. The doctor said three weeks, and it's been a fortnight. "Don't be a sissy," says Papa.

At midday they stop for a snack. After lunch, Papa will prepare exercises for Seo. The two helpers will play against Seo simultaneously. The weavers will craft a fake situation – for example, what do you do if your underground defences have been countered and you only have three pawns above ground? How do you react to flooding? Seo will play with those limitations, starting the game late, or restricting himself to certain pawns.

They eat in a private booth not far from the field. They can see the expanse of the training grounds through the dust-rimmed window. Seo and Papa sit on either side of a plastic table; the helpers don't join them. It's the first time since Seo arrived that he's alone with Papa.

Papa hands him the box of pills. Seo fingers the packet but doesn't open it. It rattles. He puts it down on the table.

Papa doesn't look up from his sandwich – he's busy going over his notes. "Take one," he says.

"I'm not sure about these," says Seo. Papa puts down his notes. He gets up. Seo steels himself for what comes next.

Papa snatches the box out of Seo's hands and opens it. He takes a pill out, placing it on the table.

"Look, I'm going out with Penelope," says Seo.

Papa moves towards him, like a snake, eyes unmoving while the body slithers behind the glare. "I've been too indulgent with you. Do you know what that last match with Woolfe made us look like?" Papa is dipping towards Seo, his face close enough for the weaver to smell his breath, a smell of toothpaste and artificial mints. He places his gloved hands on the table. "Do you know? Like blundering fools, and liars, and cheaters. She's deeply offended. We're very lucky she didn't press charges."

Seo knows from articles on the internet that Papa took the blow for that match. His reputation is the one that was damaged; his name the one they slandered. They threw insults and garbage at his face when he left the arena.

Seo opens his mouth to answer, but Papa isn't in an answering-back mood. He raises his voice. "I don't know what you're playing at. First you date men. Then you say you're bisexual. Then you run away from a game. What's the problem with you?"

"I'll talk to Woolfe," says Seo. He speaks without thinking at first, but Papa's calculating gaze is now upon him. "I'll invite her to a game at the Norwood grounds. An official-ish tournament, three rounds for a win. Maybe some prize money for the winner. We can cover her travel expenses, to show we're willing."

Papa straightens up. He's too close for comfort, and Seo finds himself staring at his belly, the stomach of a well-fed ageing man, pushing against the buttons of his shirt. There is a stain on his tie, pickle from his sandwich.

"If you can convince her to come over, then we'll organise it," says Papa. He strolls back to his seat and picks up his lunch again.

Seo puts the pill back inside its box. Papa doesn't budge.

This is peace, but a temporary, fragile peace. It will hold, if Seo can convince Woolfe to play against him. He will have the home advantage, but except for that, it's an honest invitation. The match is bound to attract public interest, which means sponsors will want to be present, which means there will be money, which means managers and weavers will come flocking. It's a good idea, the first decent one Seo has had in months. If they gather enough sponsors, then the prize money can reach an interesting sum. Prize money isn't shared with the manager – it's a weaver-only privilege. It's something to look forward to.

The downside is that Seo will have to talk to Woolfe. He isn't at ease with her, although she is a brilliant weaver by all accounts. She vibrates with the energy of a hyperactive child; he finds her difficult to follow.

That evening after training, Papa mentions Woolfe again. So when Seo gets home he says hello to Minjun, pours himself a coffee, and goes into his office. He clicks the video call button before he wonders what time it is in America, and whether Woolfe might be asleep or in training.

She answers. The video activates and Seo can see her from a strange angle, as she's holding her phone in her hand – he can see the underside of her chin, her neck, her ears. Light is flooding through the windows. Seo can see the ceiling, creamy white, and the steam of cooking in the background.

"Hey Kuroaku!" she says. "I wasn't expecting you to call."

"If this is a bad time…"

"No, no, it's fine. Just came as a surprise, that's all."

It turns out that it's late morning for her, and she's cooking pancakes.

"Pancakes?" Seo can't conceal the surprise in his voice.

"I've qualified for the US Nationals, so this is my special treat. You can be sure I don't usually get pancakes. No manager is *that* nice."

She strolls outside – the phone shows the length of her arm, her distorted upside-down body, the ceiling, then the sky. Soon she's standing on a terrace. Seo catches glimpses of flowerpots along the floor, artwork along the walls. Old furniture, maybe pieces bought from an antiques shop.

The house feels feminine, which is a contrast to Woolfe's grey T-shirt, her plain face with unwashed hair, the sporty look she has about her.

Woolfe settles against a pink roughcast render and lifts the phone to eye height. "So tell me. I'm guessing this isn't a social call."

"Let's settle who's the World Champion," says Seo, "for good. Sir Neil has agreed to organise a tournament at the Norwood stadium. A best of three." As an afterthought, he apologises about how the match ended last time.

"How's the hand healing?" she asks.

"It's better," says Seo. He hopes so.

"What happened back there?"

She has a no-nonsense voice. Seo doubts repeating the official report will satisfy her. He hesitates, which he senses is a mistake. Then he says, "I got a call from Minjun at half-time. He had pain down his side, and I told him to call the doctor. I thought it might be appendicitis. The bleeding started after that. I think it was stress."

She says nothing for a while. She knows it's a lie – he knows it's a lie, and a clunky one at that. But maybe she'll understand something of the subtext. He wants her to know it has nothing to do with her or the gender war. It's about Minjun and the other war, the family one.

"Come over." Seo isn't sure he's heard properly until she repeats, "Come and visit. San Diego is a decent city. You'll like it."

"Pardon me?" It isn't much of an answer, but it's the only one he can think of.

"I need to see you in person." She squints at him through the phone. She's holding it too close, which elongates her nose, twists her face into an animal muzzle. "I want to check you're not messing with me and you're not going to

~ 162 ~

bail out. To do that, you need to come here. Don't bring Minjun, I don't want you to be babysitting." Seo can feel his mouth hanging half-open, as he tries to find an excuse not to go. Woolfe adds, "If he's so much stress, turn off your phone while you're over. It'll do you good."

After that there isn't much to say. If Seo wants to convince Woolfe to play against him, he has to go to her. All things considered, he hasn't got much choice.

"I'll discuss it with my manager," he says.

"You do that," she answers. She goes back to her pancakes. He hangs up.

He stretches – his office chair creaks as he pushes himself backwards, the wheels squeaking as it slides. He sighs and crosses his hands behind his neck, weighing his options. Night blackens the office window. In the living-room, Minjun is probably waiting for the delivery or, if it's already come, he's waiting for Seo so they can eat together.

I don't want you to be babysitting. Minjun can't stay alone for a long period of time. Seo will need to find someone to stay with him, or maybe he can go to his friend's, that girl, whoever she is.

He envies his brother. He envies Minjun's girlfriend, that smiling girl with a gap between her front teeth. He envies him his normality.

Although Seo can't speak Korean, he checked the terms which could be used to say 'gay'. Koreans use 'ibanin' which means 'different kind of person' – in opposition to 'normal person', the heterosexual. Seo said the word out loud, but it didn't carry much power. He never heard it at the orphanage; at least he doesn't think so. He's certain his mum never used it.

The normal son and the broken son. But she left them both behind, in the end.

Minjun

Minjun is part of his school's choir. He has to sing at concerts and events. He doesn't enjoy it much – although everyone says he's got a charming voice, he doesn't like having to wear a tie, or having to stand for hours. The teachers put him in the front row, because he's small and because they like showing off their Korean kid.

Tiffany laughs at the photos he sends her of his uniform. She says he looks like a waiter in a posh restaurant. She keeps writing stupid comments like "There's a fly in my soup!" or "I ordered food yonks ago!" Only some pupils get selected to sing in the choir, and Tiffany didn't pass. She said she failed the audition on purpose; maybe Minjun should have tried that too. It's a relief that she, at least, isn't taken up in this. Seo is – he said he was coming to the concert. Minjun is afraid he'll bring his girlfriend.

Minjun doesn't know anything about her, except that she's Sir Neil's distant cousin or niece or something. On her photograph, she was yellow and happy, like the sunshine - Sunny. He isn't sure he'll like her. He's pretty certain Kosmos will hate her; Kosmos hates people he doesn't know. The parrot only really loves Seo. Minjun is okay with that. He only really loves Seo too.

They wait in the back room while members of the audience come in and choose their seats. Then the teacher calls them forward and asks them to get ready. Other pupils are complaining of stage fright or trembling with anticipation. Minjun doesn't find this very exciting. There's nothing to lose. They should come to a Twine match, where you can be defeated in front of a whole arena. That's stressful.

Minjun walks out from behind the curtain onto the bright stage, the spotlights burning his eyes. He has to squint to see the shapes seated before him. He tries to spot his brother. When he gets to the end of the row he stops, and straightens, and puts his hands behind his back. The shirt's collar is chafing against his neck. He doesn't like the shoes either; they squeak. To entertain himself while he waits for the other children to take their places, he plays at making his shoes cry out. One of the teachers glares at him. He stops. He's bored.

He finds his brother at last – he's sitting three rows back from the front. When he crosses his gaze, Seo lifts one hand off his leg. It's not a wave but it's what comes before a wave; it's the sketch of a wave. Next to him is Curly.

Minjun stares in shock, then forces himself to look away. But now he's worried, his heart is beating harder. What if Sir Neil finds out about Curly coming here? What if Sunny does? Minjun knows both would be upset.

He glances at his brother again. Seo and Curly are sitting side-by-side, but they're not touching or holding hands. Minjun is so engrossed with watching them he misses the signal for the first piece, and everyone is singing before he thinks of opening his mouth and joining in. He doesn't want any more glares from the teachers, so he turns his thoughts away from Curly.

He listens to the person behind him and tunes himself on to them. It's the way he sings; he finds someone to follow, and focuses on copying that one person who knows what they're doing. He has his favourites, the ones who sing in the same keys as him, and he tries to stand next to them when possible. There are also the pupils he avoids, because they're too loud and drown out those who can actually do it right. He gets away with it because the teachers find him cute. They keep saying it, to his face, as if he wasn't there. "What a darling!" Some even go as far as to pinch his cheeks or pat his head. Minjun doesn't approve, but he bears it like Kosmos does, when people don't know how to stroke a parrot but insist on trying.

"You're like their doll," says Tiffany. "Want me to plait your hair?" Minjun's hair is too short to plait, and anyway it's too thick. Tiffany tried once, as a joke. Minjun would rather not be anyone's doll – Tiffany's or the teachers'.

Seo used to say Lady Gwendolyn treated Minjun like a doll, too. It wasn't fair, Minjun thought, because if anyone belonged to anyone, then it was Seo who belonged to Sir Neil.

Sir Neil and Seo would leave to train at weekends. Sir Neil would pick up Seo from school so they could practise after lessons. They would be together all the time, and Seo would be exhausted when he got home, and he wouldn't want to play with Minjun. Lady Gwendolyn had to stay at home because she was ill, and Minjun had to stay at home because he wasn't the youth champion. They got to know each other.

Minjun remembers telling Lady Gwendolyn about it. Mother, as he sometimes called her. He never called Sir Neil 'Papa'.

"He's stealing my brother," he complained. Or

something of that ilk, said sulkily as he lounged on his bed, head in his hands. He remembers her answer better than he does his grumbling.

"I know you don't want to be ours, love, you want to be yours and you want to be your brother's." Mother had lovely eyes, transparent blue like ghosts. "But you have to be patient. Papa and Seo have a lot of work to do together."

She kissed his brow. She smelt of violets and stale cologne, of old person's perfume.

Later, or maybe it was the same day, she said, "If Papa is stealing Seo, shall I steal you? Which bit should I keep, what do you think? A toe? A finger? An ear?" She played at using her fingers like scissors, and snipping pieces off Minjun, catching a strand of hair, a fold of skin, between her fingers and pretending to cut it off. It tickled him. He giggled and tried to push her off the bed; but not too hard, because she was fragile, even then.

Lady Gwendolyn is long dead.

At the end of the performance the children have to stand and bow. The adults clap like parents do – forever, even if it wasn't that great. Seo claps by tapping one hand against his thigh. He doesn't bother lifting both hands. Curly claps like a fanboy father even if he hasn't got a child in the chorus. Minjun can play with his shoes, because no-one hears them above the din.

At last they're allowed off stage. Minjun undoes the first buttons of his shirt and scampers off to join the audience. He searches for his brother in the main room, but because all the adults are standing up it's difficult to spot him. Minjun heads for the cold snacks table. At a party, Seo will wash up close to the buffet, like driftwood washes up on the shore.

Minjun picks up the mini sausage rolls and eats them

as fast as he can without attracting attention. He's halfway through the plate when someone touches his shoulder. It's the singing teacher who leads the choir, smiling. Like him, she's undone the first button of her shirt. She pinches Minjun as if she has any right to, and says, "You cheeky monkey, you didn't tell me about the singing lessons!"

Minjun has no idea what she's talking about. He pushes her hand away; not hard, because that gets you in trouble, but so she knows she shouldn't do it.

"Don't give me that frown! The game is up."

Minjun nods, because he knows that even when adults are wrong it's better to agree with what they say.

"I did think your voice had improved – it has more strength now, more depth. Is that what you've been working on?" Minjun nods again. She nods back, a savvy smile on her lips, as if everything makes sense now. "So when did your brother decide to get you extra lessons?" she asks.

Minjun is stuck. His technique doesn't deal with questions. To his surprise, Curly saves him. He stalks out of the crowd up to the teacher. "Good evening," he says. The teacher laughs.

"Talking of the devil," she says. "I was just asking Minjun about you."

They shake hands. Jack starts chatting with the teacher. Because they're talking about him, Minjun can't wander off. He has to stay and listen while Curly discusses his singing lessons with his teacher. Apparently Curly is his singing teacher now. He doesn't know when that was decided; he doesn't even know if Curly can hold a tune.

Curly isn't wearing a rainbow-jacket today. He's smart casual, with his untamed blob of hair tied backwards into a manbun. Minjun tries to find his brother, but Seo is nowhere to be seen.

"I've been coming to Minjun's house about once a week," says Curly. That's the truth, but he hasn't been giving Minjun singing lessons. Minjun realises this must be a lie Seo and Curly agreed upon without telling him.

"You're quite the gentleman," laughs the teacher.

"I try, I try," says Curly.

She's standing close to him, not close enough for it to be weird but closer than she normally does. When Curly does a joke she laughs, even when it isn't very funny. She gets them both a glass of wine.

"I probably should..." starts Curly, but before he can say what he should do, she shakes her head.

"No, no, you need this." She hands him a glass and raises her own. "To Minjun!"

"To Minjun," says Curly. They clink glasses and drink. It isn't lost on Minjun that they're toasting him but he wasn't offered a drink. He eats another sausage roll.

"Sorry, I didn't catch your name," she says.

"Jack. Jack Hext."

"Lovely!" She extends her hand. Curly has no choice but to shake it. The handshake lasts a bit too long, Minjun thinks. But then he hasn't got much practice in handshakes. Maybe it depends. Maybe musicians do it differently. The teacher is behaving with Curly like she does with him. He's sure she would pinch his cheeks if she could get away with it.

Minjun's teacher is playful, excited. She's happy that the concert went well. When a group of her friends walk past she tries to introduce them to Curly, but he backs away and says they need to join Seo. Minjun follows, relieved they're going to see his brother at last. When they push through the crowd, he turns to check whether the teacher is watching them leave.

"Don't worry, I'm not into girls," says Curly. Minjun looks away. "Seo's outside, he needed some fresh air. Although by now he might be a bit too fresh – it's frisky out there. Have you got a coat?"

"I'm not cold," says Minjun.

In the lobby, people are putting on their coats, some of them taking out their cigarettes. It smells of tobacco. There isn't much light outside, so people huddle around the entrance, where one lamp casts a square of warmth and civilisation.

Seo is waiting for them, leaning against the wall, one foot up like birds. He smiles when he sees them.

He doesn't say congratulations like everyone else did, but whistles a tune, one of the pieces the choir did. He isn't great at whistling, but Minjun recognises it. It's ironic, the way he copies it – it's a parody, he isn't trying to get it right. When Kosmos bothers to do a melody, which isn't often, it sounds a bit like that. He gets stuck on certain notes and stays there instead of keeping on with the song.

"I sing better than Kosmos," says Minjun.

"You do," Seo admits.

They stand there waiting for the chauffeur to bring the car from where it's parked. Curly and Minjun stand on either side of Seo. Seo is gazing down the road, towards the lampposts stooping like lonely men. He seems happy.

Minjun wonders what kind of film they're in. In a movie, the music teacher and Curly would meet again under stupid circumstances, maybe as she dropped her shopping on his foot or something. Then there would be walking in parks, a secret, some crying and waiting by the phone. And in the end, a wedding. Minjun wonders how Seo and Curly would decide who has to drop the shopping.

But he already knows there won't be a wedding.

Seojun

They get back from Minjun's concert, and Seo and Jack end up in Seo's bedroom. Seo lets himself drop on the kingsize duvet, sighing. He unbuttons his coat but doesn't lift himself out of the bed to take it off.

"Sir Neil didn't come to Minjun's concert," notices Jack. He's standing by the door, his coat still on.

"No," says Seo.

"How come?"

There is a silence. Seo wonders if he should try to explain; and if so, where to start.

"You're thinking about the three sieves," says Jack. Seo nods.

"Tell me," says Jack. He sits down on the bed next to Seo. "Go on." He places his hand on Seo's forehead and combs his hair with his fingers.

Seo hesitates. "I wish I had more happy memories to share."

Good memories bubble up on their own, like fizz when you open a soda can, and you remember them and laugh at them together and no sieves are needed to filter out the trash.

"That's okay. I don't mind if it isn't a happy memory," says Jack.

"It's difficult to explain."

He would get into such rages. No-one can quite imagine the extent of them. Seo can't, and it was him. He would pull the tablecloth off the tables, push vases off their stands. He remembers taking out every single drawer of the dining room, ripping them out of their slots and throwing the silverware across the room. There was no stopping him; Seo couldn't stop himself. The only way was to pin him down until he was too drained to fight back. Which was fine by Papa, as long as he didn't have to do the manhandling.

It was lunchtime. Papa wanted them to eat outside. In hindsight, Seo feels he should've known. Papa hates eating outside. He should've guessed. It was an important day, because Seo had qualified for a junior weaver scholarship. He was officially a 'young professional'. To honour this, he was wearing his kit at the table – the blue and white kit, before Papa brought in the black devil. Papa gave it to him in person, with a solemn smile. The staff had laden the table with sandwiches and fruits. There weren't any guests. There rarely were. Mother was in hospital.

Seo and Minjun had a weekend trip planned. Nothing much, a school holiday together. He hadn't spent a weekend with his brother in what felt like months – matches tended to be on weekends. But Papa said he couldn't go, not this time, not until his Twine performances were better. Seo shouldn't have let himself be provoked.

He lost it. Now he wonders how frightening it could have been for the adults. He wasn't that tall. He wasn't that old. For him it was terrifying, this outburst of emotion he couldn't stamp down on, rising inside him. But surely for them it couldn't have been more than a preteen in a sweatshirt, screeching.

Papa let Seo do it. Normally he didn't. Seo lost steam after a while; he tired of being furious nearly as quickly as the rage overcame him. He looked at the shattered ceramic, the ruined sandwiches, the overturned chairs. The white linen had soaked up the orange juice.

Afterwards, in his office, Papa said he never wanted Seo to lose control again. He was seated behind the varnished wood of his desk, his bare hands steepled in front of his lips. The gloves were lying on the tea tray. Seo said he would call the social services, the police, the firemen, whatever, he knew how to use a phone and he would run away with Minjun and Papa wouldn't stop him.

So Papa showed him the footage. It was so obvious when you thought of it. Because of burglars, you had CCTV on the outside of the house, filming the gardens. Seo stared. From the outside, on screen, it was even scarier. He remembers thinking: could this possibly be me?

"Look at yourself," said Papa. Seo looked. "I think we have an understanding."

Seo never lost control again.

He remembers Papa congratulating himself for it, "Did you see all I did for you then? You could barely function. You couldn't talk to people without going berserk. And look at you now. It's not a miracle; it's education. I helped you achieve this." He hugged Seo against him, squeezed his shoulders, to show he was proud.

It was a long time ago and nothing about Papa matters much anymore. "But truth is important," Jack said.

Seo tells him.

"So what?" says Jack. He takes on a gruff voice, the kind adults use to dismiss a child's nightmare. "He filmed a kid having a tantrum, big days. He wasn't going to send you to jail."

Seo keeps his eyes locked on the ceiling.

"No," he says.

"You were a kid," says Jack.

"A kid with obvious issues," says Seo. His voice is neutral; his words come out like bricks, packed together. "Could say anything. Could do anything. Definitely couldn't go on a weekend out with his brother." He sighs. "Training was – is – more important than family. Or is family, maybe. I don't know. Somehow spending time with Minjun doesn't come into the equation."

Jack touches Seo's forehead with his index. He strokes the frown there until he's smoothed it out. "So he didn't come to the concert," he says.

"It was easier not to invite him," concludes Seo.

Jack

Jack sits next to Seo and strokes his face. Seo lets him do it. They have never been so close, so comfortable together. It's the first time Seo has talked openly – since that first night, when Jack broke their unspoken secret. This time Jack will make better use of Seo's trust.

He thinks of Sir Neil, preventing his adopted son from seeing his brother. Dragging him to a conversion therapist. It's legal in the UK; Jack checked. This world is messed up.

The evening feels too short. They can't end on this; it's like letting the world win. And the celebratory wine has whetted Jack's appetite. They haven't been out together, except for the evening they met. Jack has been seen in public with Seo today, but only under the condition of having an alibi, as if they were criminals.

"I'm not tired," says Jack. "Are you?"

Seo shrugs. He rests his hands behind his neck. "Not really," he says.

"Shall we go out?"

Seo shakes his head. Without moving his arms, he starts taking off his socks, using his toes to push them off his ankles. One stays stuck on his heel, and he rubs his foot on the floor to scrape it off.

"Why not?" Jack insists. He jumps to his feet, heads for the door. He wants to whisk Seo off his feet.

"I'm trying to stop," says Seo.

"You can get a non-alcoholic, if you're that fussed."

Seo snorts a laugh. He doesn't answer. He succeeds in pushing his sock off his left foot, but not his right. In the end he relents and uses his hands. Jack stares at him, waiting.

"I can't," says Seo. "I've promised I would try, if nothing else."

"Try what?"

"Try not to..." Seo waves his hand. Jack crosses his arms in front of him and leans against the doorframe. Alright, two can play this game. Seo doesn't want to say it? Well Jack doesn't want to get it.

"Try not to what?"

Seo grimaces, struggling for words. "Sir Neil doesn't want me to go cruising," he says at last. He's never been so explicit about it.

"But you're not cruising. You're with me. I wasn't saying 'let's go get laid', I was saying 'let's grab a drink'." Jack's voice sounds harsher than he meant it. He's upset, but he doesn't want it to show.

Seo pulls a face. He doesn't lift himself off the bed. Jack kneels before Seo, takes his head in his hands and kisses him. He's angry at first, maybe he even wants to be brutal, holding Seo by the nape of the neck to pull him closer. Seo kisses him back. His lips are warm, tender. Jack softens. He breaks off first.

"Trying to stop this?" he whispers, out of breath.

"Yes."

It comes as a blow. Jack wasn't expecting Seo to be so straightforward about it. If anything, he was hoping for a romantic answer, the "I could never stop being with you," or "Who would ever want to stop?" or something, anything, rather than this sad gaze and this lonely word. Yes. Seo looks away, a drawn expression on his face, as if already weary of an argument that hasn't even started. Jack struggles for something to say.

If being gay is an addiction, what am I? The nicotine patch? Planning on giving me up as soon as you feel strong enough?

"You do realise it's not wrong, don't you?" Jack asks. "You realise there's nothing wrong with you, or me, or any of it? Look, we're not living in great times, but times have been worse. Gay rights are an uphill battle, and we don't win every skirmish. But we'll win the war."

It's infuriating how silent Seo can be. He's listening, that's certain; but it's impossible to get a word out of him. He's seated there, with his baggy trousers and naked feet, his half-open coat, and he's sexy and relaxed and perfect, yet he's stubbornly silent about something which matters, which he should be able to find words for. Jack can't stand it.

"Are you just going to stare? Say something!"

"What is there to say?" says Seo.

"Well you could answer me, for starters." Jack tries to restrain himself, but there's something about Seo's simplicity which is close to arrogance. The nonchalant way he holds himself, the quiet of his voice – all of it is maddening. It's like a smooth rock with no hold to climb up: no verbal feedback, no body-language, no asperity of emotion on which to hang.

"We can go for a walk, if you like," says Seo.

It's a peace-offering, but Jack doesn't know if he should take it. This is an important argument to have.

The conversion therapist was bad enough – but this is something else, it isn't Sir Neil ordering Seo about. Or maybe it is. Can a manager forbid their weaver from going out? And if so, what would happen if the weaver went against their orders?

"Okay, let's do that," he says. Maybe once they're out he can convince Seo that being seen in a bar with another man isn't the end of his small world.

Seo throws off his coat and picks the brown, puffy jacket Jack first saw him in, lined with cotton. It must be his underground clothing. When he puts it on it's too big, squaring his shoulders, thickening his slim sides.

"You know you still look the same, right?" says Jack.

"You'd be surprised."

Seo checks Minjun is in bed before they leave the flat. He locks the front door and tries the handle, lingering at the door, reluctant to move down the flight of steps into the night.

Outside it's cold, the spring wind carrying some of the sharpness of winter. Jack has a keffiyeh which he knots around his neck. Seo hasn't got a scarf, so he zips his jacket up to his chin and buries his face inside. They walk alongside each other, Seo never close enough for them to touch. Jack takes the lead, past the high residential flats at the centre of town, towards the canals of the gay quarter.

Around them, the buildings are relics from the industrial revolution; the stonework is brown striped with black, or pale pink, or sometimes smoke-stained beige. The windows are decorated with arches and vine leaves. The names of the storehouses are displayed on brass plaques above their front doors.

Jack guides them towards narrower roads, where traffic is less dense. Canals start sprouting between the streets, with concrete bridges stepping over them. The parks are filled with junk and garlands, the trees have knitted stockings along their branches. The dustbins are overflowing; there is smashed glass on the floor, and a notice saying that drinking outside is illegal and offenders will be prosecuted.

Seo stops when they arrive at the edge of what is officially the gay quarter. The pedestrian area is blocked off on either side by big concrete blocks; there are a few policemen milling around. Rainbow flags are hung up above the night clubs. People are clustered beneath lampposts, the smoke from their cigarettes rising above their heads, shining grey and gold in the artificial light. There's the smell of stale water, of tarmac breathing out rain.

No-one is Asian. No-one is dressed in a brown informal parka which states 'I want to go unnoticed'.

"Come on," says Jack. He passes his arm around Seo's, tries to pull him forward. Seo slides out of his hold.

"You can go, if you want," says Seo. In the poor light and his deformed jacket, he could be someone else.

He turns round to head back home. Jack can hear laughter and out-of-tune singing. He follows Seo back to his flat.

A few days later, Laura drags Jack to a game. "It's super-cheap because it's a Foundation game," she argues.

She explains the Norwood Foundation is a charity, owned by Sir Neil, which organises Twine events for people from disadvantaged backgrounds. The match is an informal one with a group of children. Laura has to be the steward, but she doesn't want to go on her own. "It'll be quiet, I'm bored already. Plus, you'll get to see hubby close up."

So Jack finds himself seated in a small private stadium.

There is an arena with sand-coloured gravel across it, and six Twine grounds, three on either side. Six children from different age groups wait, each at their end of the ground, for Seo to come and weave against them. There are lines of green cord to divide the grounds.

Jack fidgets, fraying his ticket between his fingers. Laura is standing a few steps away, pristine in her uniform. She winks at him. She has her hands crossed behind her back, which she arches to make herself taller. There is a motley crowd of people who could spare a Tuesday morning for Twine. Put together, they wouldn't fill one stand. Opposite Jack, there are the special guests' seats. He spots a flash of blonde hair. He can't be sure, but it might be Penelope.

Above Jack, a screen displays the fans' live commentary. When the match is about to start, it shows shots of Seo at different tournaments. There are events where he's wearing the striped black-and-blue scarf, some where his shirt has the famous devil on blue background. There is even a shot where, briefly, Minjun can be glimpsed alongside Seo as he's heading for the podium to fetch one of his prizes. The clip ends on the Norwood Foundation logo.

Seo walks out from a tunnel in the corner of the arena and onto the grounds. He shakes hands with each child.

Laura edges closer to Jack. Relaxed, she takes a seat at the end of the row to chat.

"See that woman over there?" asks Jack.

"Yeah."

"She's his girlfriend. I think."

Laura leans over, suddenly showing interest. But from where they are seated, it's difficult to make out anything. Penelope is dressed in blue – that's all they can tell from this distance. Maybe the colour echoes Seo's kit to show her support.

Below Penelope, there is a group holding up a banner. It's covered in cartoon drawings of pawns. They don't cheer when Seo walks onto the field.

"Who are those guys?" asks Jack, partly to distract himself from Penelope.

"Oh, the Pawn Empathy guys," says Laura. "They sometimes crop up. They believe in pawn consciousness. They want people to call pawns 'incarnates', 'cause they think the word pawn is diminishing." Their theory is that pawns suffer, Laura explains. Their adverts show dog- or cockerel-fighting, with the slogan *This is illegal. What about Twine?* They sometimes present themselves to games, partly to create buzz, partly to create trouble. They are one of the reasons Laura is needed as extra staff despite the small scale of the game.

When the referees announce the start of the match, the children start crafting furiously. The oldest child is the first Seo plays against before he moves down, which means the youngest has twenty-five minutes to prepare before Seo reaches him. It also means that when Seo faces the first child the second time, breachable borders will be called. One player against six seems uneven to Jack, especially as Seo needs to maintain his Twine against every opponent, even the ones he isn't currently weaving against.

For his first round, Seo repeats the same technique six times – he crafts ants. They are translucent creatures with tiny hearts beating inside them, and an outer layer of skin like rubber. They react like water balloons to attacks, sometimes yielding and deforming, sometimes popping and splashing liquid jelly everywhere.

When they do pop, they reform, often as two or more smaller pawns. They also explode, spontaneously, if they're overfed. Seo doesn't craft desert for them, but hills covered in long grass. The grass is high enough to hide the ants, nourishing enough to help them spread. His thin insect-like hands glow bright orange as threads are woven from each of his fingers.

Laura shivers in her light blazer. She rubs her hands up and down her arms, creasing her shirt. "Self-reproducing pawns," she says. "Apparently, that's a bugger to get right." She nestles against the plastic seat to protect herself from the wind. "It's a flooding strategy. Lots of cheap expendable pawns. But what's weird is that Seo is known for *not* crafting floods, if he can avoid them."

Someone sends a picture on the live TV commentary. The screen above them displays a cartoon of Seo in a traditional kimono – "It's called a hanbok in Korea, Jack. Kimono is the Japanese version. Hubby wouldn't approve if he heard you!" teases Laura – and Woolfe, pictured as a big grey wolf. Seo has a curved sword planted through his left hand, dripping blood. He's drawn with a manic smile, while the wolf is lifting an eyebrow. "I fell down the stairs," says the bubble above Seo's head. This is a reference to his last match against Woolfe.

"Wow, people don't believe that bleeding was natural, do they?" says Jack.

"Did you find out what happened, in the end?" asks Laura.

Jack shakes his head. He isn't sure he can wrench the truth out of Seo, even if he tried. So much of Seo is secret, concealed.

"What's the point in being an insider? Really, I ask you!" huffs Laura.

While they are busy talking, Seo crafts a few Cuties, which Jack has seen before – they're a cross between a rabbit and a basketball. "Official name is the Feeders," says Laura.

The children look focused. Sometimes they jump backwards with a shriek, or shake their heads, their eyes glazing over with concentration. Their hands are shining like rows of fire.

"They don't seem to be having fun," says Jack, after gazing at a boy who seems on the verge of crying.

"I know," says Laura. "The running gag is that people love Twine but look like hell when they're doing it. There's memes about it."

After the first thirty minutes, Seo reaches the first player once more – a teenager with braces across his teeth and long mismatched limbs. Jack hasn't bothered keeping a close eye on this ground; he's been following Seo across the field.

So it comes as a shock to him, probably as much as to Seo, when the first pawn crosses the border. It's a creature with a disproportionate penis. It attacks by using its member as a rocket and shooting missiles with it. When Jack glances across the teenager's board, he sees other sexualised pawns.

On the TV screen above him, people react immediately:
hahahahaha lol cocks for the cocksucker
what about PENElope?
Obvs she's a Fake so we don't think K's gay & he is
Because he's been seen in Pubs with all those guys &
they said so & K's gay but that's between Him & God
& P can't change him & bless her immortal Soul
what about you
gg kid smbdy has to show K
Kuroaku isn't gay
yes where is K he has 6 boyfriends and 3 adopted kids
He is bi
fuck u he is a real man not homoanimal

you aren't also a real man, you are a heteroanimal
is it possible to talk here like humans ?
gj like a boss love the rockets! XD
I LIKE THE GUY FROM KOREA ,HE CUTE <3

There is also the odd comment stating that when Kuroaku came out, the writer burnt their fanboy scarf. "A waste, when you see how much the damn things cost," says Laura.

Seo doesn't recoil. He doesn't show any sign of surprise as the teenager's pawns start shooting across his field. He crafts oil reserves and his beetles with flint antennae. He doesn't frown, he doesn't smile. When his five minutes are up, he moves on.

Seo adapts his game to his opponents' grounds. For some he crafts big, trampling creatures which are difficult to take down. For the teenager he sets all the Cuties on fire, and the little balls of flame bounce everywhere, ruining his grass and trapping the enemy pawns in a wall of fire. The ants scuttle out of the fray. Some melt but are reborn when the ashes set.

On the live commentary, someone writes, *Burn them with gasoline!* It isn't clear if he means the pawns or the weavers. The Pawn Empathy community must be fuming.

Although he has six opponents to deal with, Seo clears most of their fields before open grounds. By the time the match reaches the last twenty minutes of play, there are only two children still weaving.

"Kuroaku's a beast once he gets going," whistles Laura.

"I know," says Jack. He feels proud of Seo, of the easy grace with which he impresses people.

"The way the guys react, you'd think it was a religion, not a game."

Jack remembers Seo telling him, "Animals can't weave,

but humans can. So Twine is the only thing that proves we've got a soul."

Laura is right, Twine is more than a game. Computers can project holograms now, although for the moment machines can't weave. Real pawns – insofar as a pawn is real – can't interact with holograms. They don't see them; they don't understand them. They don't instinctively identify them as enemies. But the day a computer can twine, what will that mean for humanity?

Seo wins all six games. There is a spattered, unimpressed applause. The children come forward to chat with their champion and ask him for tips. This time Seo starts with the youngest child. He congratulates him, shakes his hand. The boy is smiling ear to ear.

"What's the point in humiliating kids?" asks Jack.

Laura undoes her ponytail and redoes it tighter, speaking as she pulls her hair backwards, the elastic band in her mouth. "At least it makes them happy." Jack takes the band out of her mouth and holds it for her. "Thanks. They won the right to be there, you know. The best from their schools, all of them." She finishes arranging her hair and gets up.

Now that that the match is over, Laura stands closer to the crowd. She tugs at her blazer to unruffle it and does a show of being an attentive steward. Penelope tiptoes down from her seat, on high heels which seem more appropriate for a ballroom than a Twine game. She joins Seo as he is chatting to the third child, commenting on his choice of pawns, detailing why he lost and how he could win next time.

When Seo reaches the teenager, the boy refuses to shake his hand. There is an awkward moment; Seo waits with his hand outstretched, while the young man keeps his arms crossed.

Seo takes back his hand. The live comments are going wild. Penelope steps forward, flashing a charming smile. She touches the teenager's shoulder, and hormones must kick in, because he stares up at her in awe. Even from this distance, Jack can tell she's stunning.

She says something, but the cameras are slow to pick it up. By the time they focus on her conventionally beautiful face, the teenager has extended a hand to shake hers. With her free hand she catches Seo's fingers. She hugs both the teenager's and Seo's hands together, and they do a bizarre three-people handshake.

"Can you take a photo for me?" she asks the boy.

The teenager nods, mesmerised. She hands him her phone. Unexpectedly – or it was unexpected for Jack, anyway – she kisses Seo. The cameras soak up every detail; her bright red lips, her eyelashes stroking his cheek. The way Seo closes his eyes.

Jack watches. Laura glances at him, but he refuses to acknowledge her. He grits his teeth.

Penelope's phone flashes. She thanks the teenager.

Jealousy coils around Jack's throat. He is furious with her, when he knows he should be furious with *him*.

On the live TV, the photograph of Penelope and Seo kissing appears.

Seeing is believing <3

The writer is Penelope. Her comment stalls the fans into stunned silence.

~ 186 ~

Seojun

"Come on! Are we here to have fun, or what?" Penelope tugs at Seo's hand.

He recoils, mumbling that he doesn't like dancing. She's wearing a tight red dress with a plunging neckline, high heels, matching nail varnish.

"You can't spend the whole party by the buffet!" she says.

Seo doesn't see why not. That's how he usually survives social gatherings.

Since the evening began he's had one glass. Penelope has had about five. She's enjoying America. With the lights turned down and the beat of music, Woolfe's living-room is nothing like the brief screenshot Seo saw of it on his phone. It could be a nightclub: a rich, trendy, selective kind of club. It has the disco ball, the silver decorations, the DJ. Woolfe can dance salsa, doing the man's moves. She's done it once so far, swinging a tiny girl with a polka-dot dress around the room. The songs are varied – either Woolfe likes a wide range of music, or she has no idea what to listen to and plays everything that comes to mind.

Penelope asked to visit Las Vegas while they're over here. San Diego doesn't have the same shine to it, although she enjoyed the beach, its cliff of striped rock tumbling towards the shore. But she wants to see the City of Sin. "We could even get married there," she laughs, "if we got drunk enough."

Seo suspects she might get drunk enough, which is why he is set against going. He keeps calling this a professional trip, but Woolfe is going out of her way to make the event casual, friendly – anything but professional.

"Come *on*!" insists Penelope. Seo follows her. He could fight back, but it would look ridiculous, the two of them wrestling next to the food, threatening to topple the bottles of wine over. Plus, she doesn't look stable on those heels. The last thing he wants is for her to fall over.

Penelope drags him to the centre of the dance floor. The guests are Woolfe's friends, people Seo doesn't know. Penelope says they're adorable. Seo doubts it. But to be fair, he hasn't said much more than 'hello' to any of them. One man talked to him for about twenty minutes, but Seo couldn't understand his accent. He nodded and grinned until the man went away.

The other dancers start cheering him on and clapping. Seo feels like burying himself into the ground. He has no idea how you're supposed to do this. He moves his arms and legs in a desynchronised manner, hoping this gawky, gauche dance will satisfy Penelope and she will leave him be. "That's it love, you're getting there!" she cheers. Penelope never calls him Seo in public. She sticks to nicknames: love, hon, precious, *chéri* when she wants to tease him.

But she buys him peace. It means he can invite Jack to the flat and no-one cares, because no-one is watching. There is only Minjun. Sometimes Seo wonders what Minjun thinks about all this.

"That's not a dance, Kuroaku!"

He snaps out of his reverie as Woolfe charges up to him, pushing past the crowd, her cheeks shining. She's wearing an informal suit, the shirt loosely tied, the blazer decorated with red and black diamonds. There is even a checkered tie. She passes her fingers through her cropped hair, sticky with sweat, and catches his arm. Seo glances around for a way out, but Woolfe holds him tight.

"I'll show you how it's done," she says. "Jimmie, get us something good up there!"

Penelope laughs and backs away, bringing her hands together to the beat of the song. She's no help. Seo mutters some excuse about not being any good and wrenches himself free. Woolfe laughs off his comment.

"You don't need to know how to dance. I'll be doing all the work."

There is a sudden silence, which catches everyone by surprise – loose ends of the ongoing conversations can be heard. Then the music is back, with no transition, playing salsa. Woolfe starts moving and humming, smiling at Seo. Most of her friends are clicking their fingers. He wants to back away, but the crowd is all around him. He has the choice between facing Woolfe or her friends; there is no escaping their attention now. He wonders if it's possible to pretend he can't dance with anyone but Penelope, that he's old-fashioned; but Penelope has disappeared. He catches a glimpse of red fabric heading towards the bar. She's left him at the mercy of Woolfe so she can grab another drink.

"Come on, be a sport," says Woolfe.

At least there aren't any other weavers to witness this. Seo gives his arm to Woolfe. She holds him too hard, pulls him too close. He cringes backwards. Where she touches him his skin feels irritated, hot, as if she was scratching him raw.

She starts dancing, pushing him away, tugging him back. There isn't much he can do – if he tries to resist the movement he twists his wrists, trips over his own feet. He's acutely uncomfortable. She knows it, but she's smiling. Rather late, Seo realises what this is about. He recognises it. It's about control – like Twine. This must be why Woolfe likes it. As the lead dancer she decides on the strategy, and he has to be the pawn and follow her moves.

There is something glinting in her eyes. This is her land, her board, and he's an intruder she can treat whichever way she wants. Her fingers are like shackles. A twiner would recognise this for what it is: a competition in which Seo is losing. He's ridiculous, she's graceful. She wanted this, he didn't. She gets what she asked for, and she gets to look good, and at the same time she gets to make fun of him. From her point of view, this must be great.

Seo is too hot. Sweat is sticking his shirt to his back. The lights flashing in front of his eyes are giving him a headache – and anyway his temples are pulsing already, in rhythm with the music. His skin is chafing against his clothes and against her; he would like to be able to rip it off and discard it. But she holds him like you would an animal on a leash. When the song ends and she lets go of him, he stumbles a few feet aside. The clapping is drowning out the other sounds. Woolfe is clapping too. She says something, but in the din Seo can't hear a word. He only recognises his name as she mouths Kuroaku.

He nods, forces a smile onto his lips, and limps off the dance floor. He heads for the terrace. He hopes it will be cooler, but the air outside is warm. There are a few steps leading down to a swimming pool. He ambles down them, tugging at his shirt with his fingers to unglue it from his chest. His skin is too tight; he wishes he could step out of it like a snake. He rubs his wrists where she touched him until they turn red.

There is no-one near the swimming-pool. Seo sags down on the tiles. He splashes some chlorine-scented water on his face. His head is spinning. He sits down, fighting his nausea. If he throws up in the flowerbed after one glass, they won't only laugh at his dancing.

"You weren't that bad, don't worry."

Woolfe. She's had his humiliation, what more does she want?

She sits down next to him, placing her glass of green-coloured alcohol on the ground with a clink. Light is cast from the floor of the pool, glimmering through the water. Woolfe takes off her shoes, then her socks, and rolls up her trousers. She dips her feet into the water, plunging her legs up to her knees. They glow, the puffy skin like dough.

Seo crosses his legs and rests back on his hands, watching the sky. He isn't used to seeing the stars, shining milky-way white. Around them, the garden is desert-ground. Woolfe has left it in its wild state, with low red and green shrubs, layers of different-coloured sands. At one end, she grows witch finger grapes, long blue things like chilli peppers which she swears taste as sweet as regular grapes. Further downhill, there is a leafless tree, its trunk smooth as if moulded in clay.

"I'm hammered," Woolfe says, matter-of-factly. "Sorry if you didn't like that. I thought it'd be fun."

She doesn't sound drunk to him, but he nods. He hasn't flown across the ocean to have a row with her.

"Do you want to play a Twine game against me?" he asks. It's what he came for, after all.

"It's easier for you. I mean, they give you hell, but it's

easier." She sighs. "They say I'm too girly, as if being a girl is an insult. They know nothing about flowers and think flowers are nice. And that I'm too cute, too emotional. Emotional?" she spits. She splashes in the water, creating silver-light waves. "Think I'd have won the Worlds if I was emotional?" She shakes her head.

Seo isn't sure what has prompted this outburst. Woolfe isn't one for showing weakness. Either she really is drunk, or she's trying to get information out of him; she's smart enough to try something of that kind. Maybe she hopes he'll share some of his own secrets. She could use his more than he could use hers.

She drinks her cocktail and hands it to Seo. He sips it – it's minty, you can hardly taste the alcohol. Minjun would like it.

"Our match," Woolfe says. "Everyone thinks you would've won." Seo doesn't answer. She stares at him; her face is blue because of the swimming pool lights, the lines of the water ripples floating across her cheeks. "But you know, right? You're too good a weaver not to know." She throws her head backwards, brushes short strands of hair out of her eyes. Droplets are caught on her cheeks.

"I'd have kicked your ass. There was no way I wasn't winning that one." She lets herself fall backwards on the pool's wet sideboard, lying with her legs still in the water, arms spread out on either side in the shape of a cross. "Weavers know that kind of stuff."

Seo is silent. He puts an arm into the water; it's cold, the hairs on the back of his hand stand on end. His fingers are pale like something drowned. He takes out his hand and shakes it dry.

"It's not easy to get you without your girlfriend," says Woolfe, changing subject.

"Penelope," says Seo.

"I know. Quite clingy, right?"

Woolfe lifts herself up on one elbow. She studies Seo thoughtfully, as if she expects him to solve some sort of mystery for her. She turns onto her side, and her feet splash water on the tiles around her, wetting the bottom of her trousers.

"Where did you find her?" asks Woolfe. She doesn't ask: where did you meet?

Seo shrugs. "Where does anyone find anyone? She's a childhood friend."

Woolfe nods. They're both silent for a while. Woolfe is tracing shapes on the tiles with her wet finger. She's drawing a smiling face with round eyes. Seo adds a pair of ears; Woolfe laughs.

"I hope that's not supposed to be me! Wait, give her more hair." She draws long wavy hair down the face, then shoulders, then a curved dress. Seo doesn't like the way this game is going; it looks like a caricature of Penelope. Woolfe does two crude semicircles for the breasts.

When Woolfe speaks again she does so casually, although there is something in her voice which isn't innocent – it's calculating, inquisitive. She doesn't look at Seo. "You know that in some states you can marry, right?"

"I know," he says. "And drive. Being twenty has some perks."

Woolfe chuckles and shakes her head. "Okay, okay, I get it. I won't push." She's pushed enough already. Seo closes his eyes and focuses on the warmth beneath his palms. He can feel the heat of the past day rising around him, breathed out of the earth. His shirt is still sticky, despite the refreshing water. Maybe he should copy Woolfe and dip his feet into the pool.

"There you are!"

Seo opens his eyes. It's Penelope. She strides down the stairs at an alarming pace, wavering on her high heels. As soon as she spots her, Woolfe takes some water in her hands and pours it over their drawing. She looks like a child playing at cooling the tiles.

Penelope drops down next to Seo, eyeing him and Woolfe. Her dress makes it awkward for her to sit on the floor.

"Heya," says Woolfe.

"Nice dance," says Penelope.

"As long as Kuroaku enjoyed it."

"I'm sure he did."

Silence. Woolfe picks up her cocktail and drinks it. She moves it towards Seo in a vague salute. "I keep forgetting you're under the legal age to drink here. Can you imagine? Old enough to play Twine tournaments, but not to grab a beer. It's insane."

"It's legal back home," says Penelope.

"I know," says Woolfe.

More silence. Penelope leans against Seo and passes her arm around his, pressing her body against his side. He has to readjust his position so he doesn't fall over. Penelope is nimble, her face smooth with makeup. Woolfe is heavier, denser somehow, with patterned wrinkles lining her lips. She's not old, but Seo can make out the face she will have when she becomes old.

Woolfe gets up, stamps on the spot to get the water off her legs.

"I'll give you some space," she says. Her mouth is smiling but her eyes aren't. She picks up her cocktail and her shoes before heading back to the house. On the first step she turns around and calls back, "Hey, Kuroaku! The answer's yes."

Then she turns away and jumps up the stairs, dust

sticking to her naked feet. Penelope's face whips round like a weather vane, fixing itself on Seo.

"Yes what?" she asks.

"Yes she'll come for a tournament in England," he says.

Dark lines of mascara underline Penelope's glare. She clutches his arm, her long nails sinking into his biceps.

"I've seen how she danced with you."

Seo is about to grumble that there is nothing to be upset about, that he dances with Woolfe like he dances with everyone; against his will, at her request. But when he opens his mouth she puts a finger across his lips.

"You know nothing about girls, *honey*," she says. The emphasis on the 'honey' sounds ironic. She stares at him, her hand still across his mouth. "You're not even into girls, are you?"

Seo takes her hand in his. "I am," he mumbles. It doesn't sound right. He knows he's lying to her, and hiding Jack, and that Penelope is being kind and that this is wrong. But he thinks of Papa and pills and fans singing, and wishes, maybe he if wills it hard enough, maybe it *is* only self-discipline, maybe it's possible to love her.

"Why are you messing around with me?" she asks. "I've never done anything to you."

He's about to deny it when he realises Penelope is crying.

He looks at her, stunned, and has no idea what to do. Fat tears are rolling down her cheeks, and she sniffs back snot. She tries to speak, but her words come out incoherent, broken up by sobs. She nestles against his chest and cries, her thin shoulders bobbing up and down with each intake of breath. Seo holds her like you would someone else's child. He can feel a damp patch forming against his shirt. He pats her back.

Penelope wipes her eyes, smudging makeup on her wrists. Seo makes out some of her words through the sobs. "You wouldn't do that to me, would you? I know you wouldn't do that. I don't know, I'm stupid, ignore me. It's just, watching you dance… I don't know…"

"Maybe we should go to bed," he says.

He lifts her up. She trips on her heels. He helps her take them off and holds the shoes in one hand, by their leather strap. They smell of sweat. Penelope leans into him; they walk in small, tottering steps. In the en suite room Woolfe set up for them, Seo rests Penelope against the bed. She lies down and hides her face in the pillows, staining the white linen with powder and lipstick. She's stopped crying. Seo sits next to her, uncertain whether he should say something or not. His shirt is wet where her tears and mucus touched it. He takes it off.

Suddenly Penelope moans and rolls over. She throws up over the side of the bed. The stench of bile hits him. He holds her hair, wipes her mouth with some tissues. He brings water for her to drink, towels to soak up the vomit. He puts the stained towels in the bathtub – he'll have to ask Woolfe to wash them tomorrow. He pulls the bathroom rug over the floor so they won't walk into anything dubious tomorrow morning.

Then he sits down, half-naked, on his side of the bed. He texts Minjun: "Woolfe said she'll come." It will be midday in the UK – early afternoon, perhaps. Minjun must be at school.

He waits. His phone beeps. It isn't a sentence, but an emoji showing a thumbs up.

Seo puts his phone away and goes to bed.

Jack

"So, how was America?" asks Jack.

Seo shrugs. He's feeding Kosmos, waiting for Jack to get ready. He gives the parrot sunflower seeds, one by one. Kosmos picks them up in his claws and breaks them open with his beak. He discards the husk, eats the inside, then waits for Seo to hand him the next one. Animal and human have an uncomplicated relationship. Seo feeds Kosmos at a regular rhythm, sometimes stopping to stroke his head with his finger. When he's impatient, the parrot nibbles at the tip of Seo's fingers; his beak makes a scratching noise against the nails.

"We're late," says Seo.

"We wouldn't be if you didn't make me take off my shoes," grumbles Jack. He sits on the sofa to lace them, his coat flung over the armrest. They're going to another of Minjun's concerts. Jack wonders how many the boy has, considering he looks bored out of his wits each time.

Jack can't help being curious about Seo's trip to San Diego. As members of the public, Laura and he saw the official photographs – smiling couples in suits and dresses, Woolfe dashing in her house-of-cards costume. Woolfe and Seo shaking hands to symbolise their agreement.

Woolfe is coming to play at the Norwood Stadium, for an official tournament to settle the rivalry between both weavers.

Of course, Seo went with Penelope. There are pictures of her – lots of them, enough to put your doubts to rest if you were a fan writing scathing comments.

Seo gives Kosmos his last seed and walks up to Jack. He holds Jack's coat for him and wraps it around his shoulders.

"Shall we get going?" he asks.

Jack kisses him; it's a brief touching of lips, broken off by Seo heading for the door. It's the last moment of tenderness of the evening. In public, Seo will be guarded and keep his distances. Jack sighs and follows suit.

The escalator doors open with a muffled sound, as if they were cushioned. Seo and Jack cross the hall towards the entrance. Seo strides past without so much as nodding to the guardian. Jack turns to smile at him, but the man keeps his eyes averted. Jack feels a throb of annoyance, suddenly, at all these people living a lie. The guardian is happy enough to say hello to him when Seo isn't there; sometimes they even chat for a minute or so.

So as they move towards the grand apartment doors, Jack catches Seo's hand. He only holds it for an instant – Seo pulls his fingers away and crosses his arms before his chest. But he knows the guardian will have noticed this, and will have another story to tell his friends. He feels ashamed and angry at Seo for not keeping his hand, for not allowing him that, at least. It's not as if they need to keep the secret; the guardian sees Jack often enough.

They wait for the chauffeur in silence. When they enter the car, Seo asks the driver to turn on the music. When the sound is blaring loudly, he closes the little opening between the passengers' and the driver's compartment.

It's a glass door which slides sideways; he fastens it in the shut position.

Seo sits back into the leather seats. "Don't do that," he says.

Jack knows what he's talking about, but he puts on his most candid face and says, "What do you mean?"

Seo's brow knits into a frown. "This isn't funny," he grumbles.

"Really? I thought it was hilarious."

It's all very well for Seo to be the sensitive one, the one who must be spared – but Jack has emotions too. And he doesn't get holidays in San Diego. He doesn't play for a living; he studies for a useless degree, which will earn him a badly-paid job. Seo doesn't even have to work anymore. He could survive on what he's made so far, if he didn't burn his cash with his stupid lifestyle.

"Do you know who the guardian thinks you are?" says Seo.

A prostitute. But Jack says, "Enlighten me."

"Minjun's best friend, of course," sneers Seo, baring his teeth.

This is it; if Seo wanted a war, he's found it. Jack isn't a machine. And he certainly won't be a prostitute. He raises his voice.

"So what?" he asks. "We can fuck but we can't hold hands?"

Seo winces, as if hearing the words causes him physical pain. "Please don't speak so loudly."

That's all he thinks about. Will the chauffeur hear. Will the newspapers hear. Will the neighbours hear. As if it were the neighbours' or the chauffeur's or even the world's business. As if it were a crime.

"So we're not a couple," says Jack. "What does that

make us? Sex friends? Do you think that's better? Do you think taking all emotion out of being gay makes you less gay? Didn't cross your mind it just makes you more of a dick?"

Seo doesn't even look at him. He leans his neck backwards against the headrest.

"I've made a mistake," he says.

Then he leans forwards and knocks against the partition between them and the driver. He opens it, and the driver watches him through the rear-view mirror.

"We'll stop at 3, Chrisholm Avenue, please," says Seo. The driver nods. Seo closes the glass pane again.

Jack stares at Seo. Chrisholm Avenue is his address. What is Seo doing? Dropping him off before Minjun's show?

"I'm sorry if I've led you to believe we ever were, or would be, a normal couple," Seo says. He's not looking at Jack, and he's quiet. Monotonous, even. Computer-like. Seo's a drone, that's what he is, manipulated at a distance by someone who has no understanding of how humans are supposed to work. He sighs, but even that is mechanical, a robot letting out steam. No wonder his pawns are insects and machines. "We should stop before there's more damage done."

"Wait a minute, are you trying to break off with me?" Jack asks. He's angrier than he's hurt, but the hurt is there too, and it feeds his fury like fuel. "So we're not a couple but you're dumping me? Is that even allowed?"

Seo turns towards him, at last, but he doesn't register shock or sadness. If anything he seems tired, and a bit frightened.

"You're making this difficult," he whispers. As if by lowering his voice he could convince Jack to lower his too.

"You think you're having a hard time? I play by all your rules! I come where you tell me to, *when* you tell me to! I have to pretend to be Minjun's bloody teacher!"

Seo cringes as Jack becomes louder. He's squashed against the rear door of the car, pushing backwards, as if trying to merge with the vehicle to escape.

Jack puts a hand on Seo's thigh. Seo makes a strangled sound, high-pitched, like a mewl. His body goes stiff. He says something Jack can't make out, as he's too busy shouting, "Say it! Say: Jack I am your lover and I am dumping you. Have the guts to say it!"

There is a silence. Seo has gone white. His voice is strained. "Please don't touch me."

He cringes against the car's wall, trying to squeeze as far away as possible. Jack unclips his seatbelt and shuffles to the central part of the seat. It's like pulling on either sides of a string, waiting for it to snap.

"Please don't." That's all Seo says, like a child who is used to being hit. His eyes are dilated and fixed on Jack's face.

Part of Jack wonders what would tip Seo over the edge, and what would happen then. Why is he pretending he's the victim, with his money, his car, his chauffeurs, his temper? He could push Jack away. And why is he behaving as if Jack ever gave him a reason to fear him? If anything, Jack spent ages getting him used to his body, to his touch. *That's all down the drain now.* Back to step one. Brush against his arm without warning and he'll jump out of the window.

That's when Jack notices Seo's teeth are chattering. He can't do it. He wants to, he wants to slap the idiot for the pain he feels in his chest, for his prattiness and his haughtiness and his moralizing. But his teeth are chattering! Jack is not a bully.

He lets go of Seo. He goes back to his own place and clicks his seatbelt on. Seo puts a hand over his eyes and stays in that position, breathing in short gasps. They are silent for the rest of the trip. Seo rests his face in his palms. When they get to Chrisholm Avenue Jack jumps out of the car without saying goodbye. He slams the door shut, thanks the driver, and storms up to his front door.

He struggles with his keys. They've always been dodgy, but today they won't even fit in the lock. He punches them, hurts his hand, pulls them out again. He rests against the wall of his house, keys in hand, staring up at the sky.

Stuffing his hands down his pockets for warmth, he feels paper. He's got the ticket which confirms he's Minjun's guest. He takes it out to study it. Okay. Maybe it's not always up for Seo to decide.

Jack checks out the bus route on his phone.

Minjun

Minjun walks on stage. He finds his brother in the crowd; to his right, Sunny. Automatically Minjun searches for Jack. He wonders if he misunderstood; he thought Jack would be here this evening. He can't find him in the room. This time he starts singing at the signal. This is a more formal venue than the first concert. There are people from the College of Music. His teacher wants him to do a solo.

Minjun knows his solo won't be good. He isn't bothered. They did the Grasshopper and the Ant at school today. The grasshopper doesn't get anywhere by singing and, as far as he could tell, that was the moral of the fable. If people have agreed singing doesn't have a point, he doesn't see why he should be worried.

He's envious of Tiffany: she's at a game this evening with two teams of friends. Everyone will be online at the same time – even Tiffany's friends who are in other countries. Normally they don't have the numbers to do big group games, and he isn't part of it the one time they do. Instead he's stuck here. For once he understands Kosmos when Seo pressures him into talking. At least Kosmos gets treats when he does well.

He doesn't realise the time for his solo has come, so

there's a glitch in the smooth proceedings before he walks to the front of the stage. When he steps in front of the chorus, he catches a glimpse of a familiar face. He starts singing, but his attention is focused on the silhouette at the back. The lights are blinding him, so he isn't sure, but he thinks it might be Jack.

His voice threatens to trail off as he ponders this mystery. He catches the panicked movement of his teacher from the corner of his eye and, for her sake, forces himself to sing loudly. When he goes up in volume, his precision goes down. He hears his own false notes. He doesn't mind them, but he minds the fixed smiles of the adults on the front row. A look at his teacher shows her with the same forced expression. Minjun averts his eyes from all of them and stares at the back of the room instead. He gets the pitch wrong on the last line on purpose.

Then he goes back to his place and they conclude the concert.

As soon as the teacher has finished her 'you all did well' speech, Minjun rushes to throw off his blazer and pull a sweater over his shirt. He pushes through the crowd to find Seo, using Sunny's laughter to guide him. He finds his brother standing next to Sunny, talking to a group of people. Well, Sunny talks. Seo spots Minjun and acknowledges him.

As he nears the couple, Minjun slows down. No sign of Jack. Sunny has passed her arm underneath Seo's, so wherever she goes he follows. Seo raises his eyebrows at Minjun and rolls his eyes towards the buffet, where stupid foods are waiting to be eaten. Minjun nods. When he comes closer, Sunny sees him. She doesn't let go of Seo but turns towards him; Seo swivels around her like a planet in orbit.

"The man of the day!" she laughs. "Congratulations! You were great, a real treat. Wasn't he?" She doesn't give time for Seo to answer, but introduces Minjun to the other adults. Minjun shakes hands and takes a step back. He wonders when they'll leave. The concert is over; they have no reason to linger. If he gets home early enough Seo might let him take his computer to his room, and he'll catch Tiffany and the others for the final games.

But Sunny doesn't want to leave, she wants to chat. Each time people wander away, she finds another group to be part of. Minjun takes out his phone. There are a few games on it, but it's not like playing on the computer. These are too easy.

He longs to text Tiffany and ask her how the game is going, but if she's playing she won't answer, and somehow not receiving an answer is worse than not writing at all.

Minjun stays close to his brother. When Seo tries to untangle himself from Sunny, she crushes him against her. To prevent his shoulder from touching hers, he has to bend sideways. He does it slightly, so no-one notices, not even Sunny. As he has to keep the pose for ages, his spine twisted in an unnatural position, he must have a backache by now.

"How's Candy Crush?" whispers Seo. Sunny can't hear him, she's laughing at someone's joke.

"It's not Candy Crush," answers Minjun, offended. He's playing a zombie survival game, which is a lot more fun than candy.

"At least you get away with it," says Seo. Sunny asks him what he thinks of something, and rearranges her arm around his. She uses her free hand to stroke Seo's forearm, playing with the limit between jumper and wrist. He's ticklish at the wrists; he squirms and tries to get her back into her former position. Minjun goes back to his game, but a few seconds afterwards Seo taps his foot against Minjun's shoe. Minjun looks up.

"Nice solo," says Seo.

"Shut up Seo," says Minjun, using the voice Seo uses when he says 'Shut up Minjun'.

Seo smiles, and he's about to add something, but his eyes catch a face in the crowd. His lips freeze. Minjun puts his game away. They've both spotted him – it's Jack.

Jack walks up to them, extends his hand to Sunny. "Hi," he says. "Jack Hext." She's confused, until he adds, "Minjun's singing teacher."

"Oh, Seo!" she says. "You should've told me. I feel so silly now. Hello Mr Hext, lovely to meet you." She shakes Jack's hand. Seo shakes it too. When the two men touch, Minjun feels static electricity around them. He wonders if their fingers hurt, like when you touch something and it gives you a shock.

"Please, call me Jack."

"Penelope."

Jack knows Sunny's name already, but he nods and says, "Like Ulysses's wife. A great name."

Minjun studied Penelope's story at school. In the story she does a lot of waiting, and she never laughs.

"It's terrible to say," answers Sunny. "But I never liked Penelope. I can't help feeling she could've done something with her life, rather than just sit around for twenty years." She shakes her head. "What did you think of our young star's performance?"

"Not bad at all," says Jack. "But we might have to work on a few things."

"There's always room for improvement," agrees Sunny. "Except in your case, hon, of course." She kisses Seo's cheek. Because he isn't very tall and she has high heels, she needs to bend down. Jack is tall too. Minjun supposes he would need to lean over.

Jack and Sunny talk together; Minjun and Seo listen. Jack is good at getting along with girls. Soon Sunny is laughing, but she doesn't touch his arm like the music teacher did.

"Sorry to ask, but I can't help being curious," says Jack. "You make such a lovely couple – can I ask you how it happened? If it isn't indiscreet? I'd pester Minjun, but he's good at keeping secrets."

Sunny laughs. "There's no secret, is there, baby?" Minjun wonders how his brother feels about the word 'baby'. If he told Tiffany about it, she would howl with laughter. BB would become BBB, for Big Bad Baby.

"We're childhood friends," Sunny squeezes Seo's arm. "Sort of sweethearts. At the family dinners everyone talked about when we would be adults and get married."

"Really?" Jack is smiling, but not the way he usually smiles. Seo isn't moving much. He keeps his feet close together and tries to look at no-one.

"So we're giving it a go. Who knows, maybe they were right from the start, and the next family dinner will be our wedding." Jack and Sunny both laugh, a shrill sound like scared birds.

"Why don't you come with us?" she adds. "We're going to the restaurant, to celebrate our star's success." She beams at Minjun. Now playing with Tiffany is out of the question – if they're eating in a restaurant, then by the time they get home it will be too late to join the game. Minjun supposes it's impolite to take out his phone again.

"I guess it depends how you feel about it, Seo," says Jack. "I wouldn't want to impose."

"Oh, but you're welcome," chirps Sunny.

"It's your choice," says Seo. He doesn't say it very loudly.

"Oh well, if it's *my choice*," says Jack. He's smiling, but it isn't a nice smile, more of a smirk. He turns to Sunny, thanks her for the invitation. "And if you're sure it won't be any trouble..."

"No, no, not at all!"

"It could be fun, couldn't it, Minjun?" says Jack. He winks, but Minjun isn't sure if it's addressed to him or to his brother standing behind him. "I'll come."

Seojun

Seo feels nauseous. At least he doesn't have to eat anything; he can pretend his weaver diet is stricter than it is. He wishes he could do like Minjun, and play on his phone rather than engage with the conversation.

He doesn't know what to do with his face, his hands, his gaze. There is no good solution. Either he looks at Jack, and his eyes are glowing like embers; or he looks at Penelope, and she is oblivious, and he feels the burn of Jack's glare on the nape of his neck. He stares at the table, but the conversation turns around him and includes him. Despite his best efforts, he's always pulled back in.

"So you enjoyed San Diego?" says Jack. "What was the accommodation like?"

"Great, we had a room in Woolfe's house. She was really friendly. Wasn't she, love?"

Seo confirms. His participation is limited to nods and hums.

"We had a great time." Penelope taps Seo's arm, and he has to refrain from jumping. "I even got you to dance, didn't I!" she laughs. He nods.

"I didn't know Seo danced for anyone," says Jack. "You must tell me your secret." His voice is dripping with irony, but it's the kind of venom which only Seo – and maybe Minjun – can hear.

He's never felt so ashamed. It's bad enough to lose a Twine match which you should've won, through a mistake or inattention. But even the crowds staring down at your defeat aren't as bad as this quiet, comfy restaurant. He can't decide what's worse: Penelope's clear smile or Jack's scowl.

I get it, I get it. He wishes he could say it out loud. Jack has made his point. *This is not alright. I'm sorry. I get it.* But the meal drags on. Seo can't think of an excuse to cut it short. And Penelope takes her time to enjoy her dinner. Because she chats, she's slow to eat. She sips her white wine. The lamps are refracted in the clear liquid; light dapples her wrist.

"Next time you have to bring her along, so we can have a double date!" says Penelope. Seo snaps out of his daydream.

"Oh, I don't know about that." Jack gives Seo a wry smile. "My partner's not one for socialising. I think I embarrass him."

Minjun stops playing and looks up. Seo wonders if this can get any worse. Penelope's skin turns red under the makeup, from her cheeks to her chest.

"Sorry, I just assumed," she says.

"It's fine," says Jack. He waves her discomfort away with one hand. He doesn't look at Seo. While Penelope thinks of something to say, he focuses on his food, picking fish bones out of his plate and putting them to one side. Penelope isn't rattled for long – soon she's chirruping again:

"But I don't see why your partner says that. You're such good company! Isn't he, honey?"

Everyone looks at him. Seo's mouth is dry. He nods.

"I'm glad you think so," says Jack. If words were acid, his lips would have melted away by now.

"Oh yes, you're wonderful," confirms Penelope. "Maybe he's just shy."

"Maybe that's it," says Jack. When he wants to, he can pretend Seo has nothing to do with this conversation. His talk matches Penelope's – he answers when she needs an answer, he questions when there is a lull in her monologues. They could talk the whole night together without a pause. "Although he seems to manage fine when I'm not around."

The wine has made Penelope friendly, intimate. She stretches her arm across the table to pat Jack.

"Well, he doesn't deserve you," she says.

"I don't know..." Jack lets his words trail off before turning to Seo. Seo knows what's coming next; he wishes he could disappear. He sits on his hands. Although that doesn't help him vanish, at least it stops them from shaking. "What do you think?" asks Jack.

"Well..." he mutters, hoping Penelope will save him from this one. She doesn't. She gazes at him with an inquisitive expression on her face. Minjun is staring. "N-no, I guess it's not alright for your... partner..." The words are difficult to say, but he ploughs through. "To be, hum, to not recognise you, I mean, yes, they don't value you like you deserve to be," he finishes lamely.

"You think he doesn't value me?" says Jack, arching his eyebrows.

"I mean they should be more appreciative and show you their love more," says Seo. He gives Jack a weary look. *There. I've said it.* He isn't expecting the next sentence. Jack says it loftily enough, but it hits him like a slap.

Jack says, "Oh, I'm not sure he loves me."

Penelope makes an 'aww' noise, a that's-so-sad noise.

Seo can't blurt out: *What's that supposed to mean?* He feels himself blushing, and tries to fight it, and stutters, "That, no, I'm sure that's an exaggeration. What makes you think that?"

Penelope touches his wrist. He bites down on his cheeks. In front of Jack, it's even more difficult to manage her. His body is confused – her hands are softer, smaller than Jack's. The touch feels alien; his heart leaps for the wrong reasons. He wants to pull his arm away, but he smiles at her instead. Minjun is eating, watching the adults as he brings the fork to his mouth.

"You're such a sweetie," Penelope says. "But you know, there are people out there who just want to use you."

"What's worse than pretending you love someone and then using them for your own personal ends?" says Jack. Seo closes his eyes. He can't keep them closed, but he wishes he could. His face is burning.

"It's awful," agrees Penelope. She strokes Seo's wrist and the back of his hand. If only she wasn't nice to him, it would make things easier.

You're the piece of trash here, he reminds himself. No-one else at this table has done anything wrong. He crosses Minjun's gaze and for a moment he can think of nothing. His brother's eyes are mirrors; in them, Seo can see his reflection, a withered, upside-down version of himself, sitting at the end of a concave table. A goblin, a monstrous pawn, which you would use to feed worthier heavy-crafts with.

Papa was right. He doesn't deserve Minjun.

"I think he loves you," says Seo. His nausea is worse now. He can't swallow.

"Well he certainly doesn't show it." Jack answers swiftly, as if talking were fencing.

Penelope, never one for staying silent, joins in: "It's no good saying you love someone and then being ashamed of them, is it? Who'd want that kind of love anyway?"

Jack and her agree with energy. They nod to each other across the table, they chuckle. They behave like old friends already.

Seo excuses himself to go to the bathroom. When he gets up, they both follow him with their blue eyes. He wishes he could tell Jack "I surrender". He wishes he could pick up his white napkin and request a ceasefire. His head feels heavy; when he moves it his vision lags behind.

He stumbles into the male toilets and shuts himself inside a cubicle. For a while he thinks he might throw up. He waits, and the sickness recedes. He sits on the loo's lid and closes his eyes. If only he could fall asleep here, and wake up and it would be the beginning of today again, and he could go through the whole day but do everything right rather than everything wrong.

He stares at the ceiling until he decides he can't stay inside any longer. Then he joins the others for dessert.

Minjun

After the restaurant they head back home; Sunny is staying at their flat tonight. As they walk in, Kosmos starts screaming. He's been woken up by their return and them turning on the lights. Minjun tries to stroke the bird to calm him down, but Kosmos is having none of it. He waddles from his perch up to where Sunny is unlacing her shoes.

"Bad boy!" shrieks Kosmos. "Bad boy!"

"Is it talking to me?" she asks, as she struggles with the tight straps around her ankles. Kosmos fluffs out his grey feathers.

"He doesn't get genders," says Seo.

"Uh?" Sunny makes an 'I don't understand' sound. Minjun slides off his shoes and heads for the bathroom. He picks up his toothbrush, but he can still hear their conversation.

"I say 'bad boy' to him when he doesn't behave," explains Seo, "so when he's upset he screams 'bad boy' at you. He does it to Minjun too." Or Jack, thinks Minjun, although Seo doesn't say that. "He doesn't get that there are two kinds of humans. For him it's all just humans."

"What have I done?" Sunny asks. She sings to Kosmos,

"I wanna bad boy tonight, to-night…"

"He's a parrot," says Seo. Which means he's upset at parrot things, and maybe that's what Sunny understands. But Minjun knows parrots are jealous. Seo explained it to him. Parrots love their master most, and anyone who gets too close they want to push out, because they believe humans can only love one person at a time, and if their master loves anyone else they won't love them anymore. Seo said this when Minjun moved in. He didn't want Minjun to be surprised if Kosmos behaved weirdly with him. "He'll get round to you," he said, "once he knows you're not a threat." It was true. After a first difficult month, Kosmos decided Minjun was alright. Despite the parrot eating through the cover of his favourite manga, Minjun also decided Kosmos was alright.

But Kosmos doesn't like Sunny; when he sees her he pushes out the feathers around his neck and spreads out his red tail, which means he wants to fight her. Luckily Sunny doesn't get all of this.

Minjun brushes his teeth. When he's finished, he goes back to the living-room to say goodnight.

Sunny coos, "Ooh, bad girl, bad girl has pissed off the parrot, pretty parrot, yes you're a pretty parrot." She's considering Kosmos with an amused expression. If she had feathers, she would have them fluffed up around her neck by now. Minjun imagines her long wavy hair rising up around her face.

"I wouldn't worry too much about what he thinks," says Seo.

"Pretty pissed off parrot," she chuckles. Kosmos doesn't look pleased. She turns to Seo and says, "A lesson for life. Don't worry about what people think."

"Goodnight," says Minjun.

Sunny says goodnight. She hugs him too tight and places a kiss above his forehead – she does the smacking sound with her lips but she doesn't touch him.

"In the story," says Minjun, "Penelope spins a tapestry during the day and then she undoes it at night. Again and again." He's not sure Sunny knows.

"Yes, love," she says. "It's stupid of her. You do one thing by day and another by night, and you never go forward. She should've got her act together, picked the cutest boy of the lot, and left the tapestry to the mites."

Seo doesn't say anything. His gaze is turned inwards and he hasn't heard Minjun. Minjun goes into his room. As he closes the door, Kosmos disappears first, then Sunny. When there is only a crack left open, all he can see is his brother, leaning one elbow against the counter, thoughtful, frowning, thinking about something which only he can see playing before his eyes. If Minjun keeps the door like that he can imagine Seo is alone – a little island in the sea of marble floor.

Jack

The day following the concert, Jack rings at the flat early afternoon. He half expects Minjun not to open when he answers the interphone; but Minjun unlocks the door, and Jack walks in as if nothing has happened. Seo is on the sofa studying a notebook. There is a scribbled square which represents a Twine field, with arrows and symbols, corrections and crossed-out lines.

He cranes his neck to see Jack without having to turn around, the way Minjun sometimes does. "Hi," he says.

"Hi," says Jack, as he sits on the armrest.

Seo doesn't move closer nor edge away. Jack wonders how he should interpret this. He feels guilty about how he handled Seo in the car; he knows Seo won't cuddle closer like he normally does, nor rest his head against his lap. Maybe he should be relieved Seo hasn't moved away.

A laptop is open on the coffee table in front of them. The software is showing a video of one of Woolfe's matches leading up to the World Championships. The video is paused on a screenshot covering the whole field after open grounds was called. It doesn't make sense for Jack, aside from the obvious – the overgrowing plants, the roots poking through the opponent's ground. The opponent has pawns which resemble lions, hyenas and dogs, aggressive mammals with the claws of birds, the tusks of elephants.

"We're working on Woolfe's strategies with Sir Neil," says Seo. "I'm trying to work out how she comes to the board."

Jack isn't in the mood to discuss Twine. He'd rather they talked about yesterday. He hasn't forgiven Seo. Watching him with Penelope was a torture. They make a lovely couple – her luminous expressions, the way she snuggled up to him, how he held her, with tenderness and restraint. On photographs she is a cliché, but in flesh her beauty is more striking. It's an in-your-face beauty, of pulpy lips and makeup, of youth, of thick hair dyed whitewash blonde. Penelope has the kind of beauty Laura hates, because you don't strive for it, you don't deserve it. You buy it.

And she's only a teenager. She's never worked for a living. She's never lived on her own. When she speaks, she gives the impression she wants to find the right answer but isn't sure what the question is. She reminds Jack of girls tottering in their high heels in the rain, shivering in their miniskirts and hugging their arms, as they search for a party they can't find. Penelope is primed for the party called Life – but she can't find the front door.

"Did you like the restaurant?" asks Minjun. He's playing on his computer, but he's taken out one earplug.

Jack was expecting them to have this conversation, although he wasn't expecting Minjun to start it. He turns to Seo and asks, "Did I like the restaurant, I wonder?"

Seo doesn't answer.

"Are we going to pretend nothing happened?" asks Jack. He can feel yesterday's annoyance leaking back into him. Seo still doesn't answer. He glares at nothing. A cat through and through. If he wasn't a human, Seo would be licking his paw and stroking it over his ears, pretending he hadn't heard. If Jack was a dog he'd chase him up a tree, see how he liked it. He smiles at the idea, imagining Seo with his hair on end, hissing as he hangs onto a branch.

"You met Seo's girlfriend," Minjun says, pretending to go back to his game, lowering his face to hide it behind his screen.

So sharp you'll cut yourself. Any more touchy subjects you want to bring up?

"What do you think of her?" asks Jack. It's addressed to Minjun, but he's waiting for Seo to say something.

Minjun shrugs. "She's okay." After a pause, he adds, "Kosmos doesn't like her."

To be fair, Kosmos doesn't like me. The first time Seo introduced them, and Jack showed Kosmos his fingers, the parrot tried to bite them off. The bird has a tendency to attack Jack's shoes if he leaves them lying at the entrance. Once, he pulled his bag halfway across the living-room – quite a feat for such a small creature – and started tearing its strap to pieces.

As Seo isn't saying anything, Minjun pipes up again.

"Are you always going to eat with us now?"

"No." *Damn you Seo, if you're not going to say it I will.* "I don't think your brother wanted me to come. Didn't even want me at the concert." He could stop at that, but Jack can't help himself from layering it on thick. "Turns out I'm not suitable after all."

"It's not that." That's the extent of Seo's justification.

Although he's fighting it, anger rises like the tide, in waves. Jack says, "Oh really? And what is it, then? Let's see if I got this right: pretending you love this poor girl is okay, but holding hands with your boyfriend means you burn in hell."

Seo averts his face. Minjun jumps to his feet, nearly knocking over his computer. He stabilises his precious laptop before he turns to Jack.

"It's not that! You know that if Sir Neil knows about you Seo will be in trouble!"

"So what? Sir Neil isn't God, is he?" And if God doesn't approve, fuck him, thinks Jack.

Minjun moves in front of Seo, a miniature bodyguard. He can hardly speak he's so flustered, struggling to put his emotion into sentences.

"Don't say that!"

"Well, he isn't, is he?" says Jack, trying to keep his tone under control – this isn't Seo he's talking to, but a child. He wishes Seo would say *something* to his brother, intervene, at least confirm the non-godliness of Sir Neil.

"He can't hurt me," says Seo. "Don't worry."

"But last time…" Minjun trails off; both brothers glance up at Jack.

"What happened last time?" asks Jack.

They don't answer. Minjun is so upset there are tears caught in his eyelashes. Seo touches his brother's shoulder, pulls him towards him. Minjun nestles against his chest. "I'm not crying," he sniffs.

"You're not," agrees Seo.

Jack is stunned. He's missing some context here.

"But if Sir Neil is angry…" Minjun rubs his eyes and disentangles himself from Seo's hug, obviously conscious of Jack watching them.

"If he's angry, I'll deal with it," says Seo. He sounds tired. He always sounds tired before an argument.

"Sir Neil is a human being," says Jack. "He can't do anything, angry or not angry."

"But…" starts Minjun.

"Look." It's frustrating to debate with one brother when you're trying to reach the other. "You have to decide what you want. If you can't be gay..."

"Can you please..."

But Jack raises his voice over Seo's and finds himself shouting.

"If you can't be gay, use the word gay, admit it, then you need to bloody tell me and I'll get out of here. You go live with Penelope and you won't hear from me ever again. But you can't keep me hanging. Must be nice, to have the girl and the guy, the Twine and the lover in the closet. Well I'm not staying in the closet, okay? It's too damn narrow."

He breathes out. He has to control himself. Minjun and Seo are both staring at him, shocked. If he wasn't fuming he'd be amused by the similarities of their expressions, the mirrored frown, the mouth agape.

"I need to think about it," mumbles Seo.

Something inside Jack breaks into tiny sticky pieces. "Well think," he snaps. "Have fun."

He storms out of the flat.

The following days, Seo doesn't call. Jack doesn't go to the flat. They don't text each other. When Laura realises how upset Jack is, she decides Seo deserves the dickboard. She prints out a portrait off the internet and places it close to the centre of the target. "It'll help you think," she says, offering Jack the blowpipe. Jack doubts blowing holes through Seo's photograph will be much comfort.

To kill time, Jack researches Twine. He looks up 'twine soul' to see what the computer crops up. He finds the obvious stuff: that Jesus didn't Twine, for example. It is an important feature of him as a prophet. Most pagan societies had weaver shamans and relied heavily on Twine as part of their rituals. Christianity brought in the idea that Twine is a feature, like intelligence or strength or richness, that doesn't have anything to do with moral worth. Nothing Jack doesn't already know.

He also finds information on Woolfe. As the first female weaver to win a mainstream tournament, she has attracted a lot of media coverage, not all of it positive.

In an interview, she comments, "They're okay with girls playing between themselves, as long as we don't come into the guys' tournaments and kick ass. They're going to have to get used to it. I'm the first, but I won't be the last."

"Twine will change – it's changing right now," she says. "New fans are appearing, who love Twine for what it is. They don't care about your gender, they care about whether you're good." On feminist websites, she's asked about the difficulties of being a woman in Twine – she answers with a shrug and a smile. "Well, I was asked to play without a bra, so the male fans wouldn't get bored. I told my manager, if they're bored watching Twine, they aren't watching. My bra doesn't come into it."

Jack delves deeper into the internet, finding conspiracy theories in which pawns are secretly manipulating the weavers who cast them, or they were the ones to build the pyramids, or they are an alien life-form that will one day leave Earth in their spaceships. And the weeping giraffe is actually controlling Laura from the dark side of the moon. Of course. He yawns.

As Jack is sorting the spam out of his emails, there is a knock on the door. When Jack answers it, the last person he expects to see is Seo. For one thing, he never rings at doors, as far as Jack is aware – he lets other people do that for him. He looks forlorn on the doorstep. He's wearing his brown parka and holding a box under one arm.

"What are you doing here?" asks Jack, before realising that might be taken the wrong way. "Come in, come in."

Seo appears as uneasy as Jack. Instead of taking off his anorak he stands in the hallway, squinting across the living-room. Jack is about to invite him to make himself at home when Seo hands over the box. Chocolates. They look expensive.

Jack thanks Seo, wondering what on earth this is about. "Are you trying to dump me again?" he asks. "It's getting old, you know." Jack is only half-joking.

Seo glances around the living-room again and Jack realises how untidy it is. Compared to Seo's house, it's a pigsty. He hasn't vacuumed in ages, and there's hair and crumbs and dust all over the floor. Books are haphazardly piled on the sofa, dirty socks live in colonies around the shoes at the entrance. He hasn't done the washing-up. The room smells of food and unwashed clothes.

"Do you want to go for a walk?" asks Seo.

Jack is confused. "What are you up to?"

"Nothing. I mean, we could stay here, if you'd rather."

Seo takes a tentative step forward. The kitchen door is ajar, and through it he peers at the mess beyond. There are cheap posters of Salvador Dali stuck on the doors: caravans of animals with impossibly long legs striding across deserts with patches of dark, glowing water.

"Let's go for a walk," Jack decides.

It's once they're outside, shoes slipping on the wet pavement, Seo's hood up to protect his ears from the wind, that Jack understands. He told Seo he was fed up with playing by his rules, going to his house, not being allowed in public together. This is what this walk is about. It's making up for that.

It's clear Seo doesn't know the city; he's lost without a

chauffeur to guide him. Jack takes the lead, and he guides Seo over bridges and canals, through pedestrian areas, to places he thinks will be nice to discover on foot. They enter a rain-sodden park. The grass is lush and squelches underfoot. They meet dog-walkers and joggers going about their routine with sullen faces. Underneath the trees, drizzle drips from the branches. Daffodils have been planted in circles around the trunks; the patches of yellow flowers brighten up the ground.

In the centre of the park, where people picnic in summer, a pawn the size of a large dog shrieks above their heads and plunges downwards, wings stretched out. It's a cross between a koala and an owl – it's got the beady eyes of both animals, grey feathers, a rounded body with two arms, two legs, two wings, and the long black claws koalas use to hang on to trees. It attacks another pawn, which hisses in response. Seo watches.

The pawns struggle on the ground for a moment before taking flight. They scream as the wind carries them upwards. The koala is fighting a swan with snake-heads. The heads whip back and forth, some attacking and some defending at all times. Both pawns are heavy for birds, and after a brief tussle, they break apart and glide back to the ground.

The two weavers are teenagers, two boys. There are others further across the field, braving the weather in T-shirts and open jackets. A few are wearing knitted caps or scarves with famous twiners' colours. Red lights like fireworks spring from their fingers and cut arcs through the air.

The swan's heads are covered in feathers but have a serpent's fangs and square face. A diamond pattern runs down its necks. It reminds Jack of a viper. The two pawns throw themselves against each other in a din of spitting and screeching. The swan heads bite into the koala, leaving seeping wounds with white smoke rising from the matted fur. The koala nose crooks forward like a beak; it catches one of its enemy's necks inside its jaws and crushes it. It hits the swan's body with its claws, tearing out feathers like a man punching a pillowcase.

The swan disengages. It runs, beating its heavy wings, until it has enough momentum to lift itself into the sky. The wounded neck trails behind, the head bouncing off the stones. The koala tries to follow suit, but its wounds are smouldering like acid burns, and one of its wings has a gaping hole. The swan circles it from above, like vultures before a carcass, until the koala dies. The pawn becomes a golden powder brushed away by the wind. The kid who crafted it curses and slaps his thighs.

Jack and Seo are about to move on when someone shouts, "Kuroaku!" They both turn towards the voice, which belongs to a young boy – ten at the most – running across the park towards them. Seo waits for him to catch up. Behind, the father follows at a leisurely pace, his face glowing with as much excitement as his child.

"Brace yourself," whispers Seo.

Then he greets the boy and his father. A few people have heard the name called out, and they're heading towards Seo too, if only to get a better view. The boy asks Seo about his last match, and says he's seen all of them with his dad. When the father joins them, he does that thing parents do of telling the kid what to say: "Ask him about the match with Woolfe. Ask him about his hand."

"It's much better, thanks," says Seo. He lifts his left hand to prove it. Although he hasn't twined today, not as far as Jack knows, a faint glow emanates from his skin.

Showing his hand attracts a lot of attention. Soon there is a group of ten or so people crowding around Seo, asking questions about his wound, how it healed, how it happened. Seo repeats the same story each time a new person asks. Even those who are silent hover around him, keeping their eyes on his hands. Each time he moves them to illustrate what he's saying, they follow his fingers like dogs do a ball.

"Care to give the little 'un advice?" asks the father.

"Yeah, give us a tip!"

"Tell us what the last game was like," says one of the teenagers – Jack thinks it's the one with the swan. He snickers. "Kiss my ass too," he half-sings, half speaks. It's unclear whether he means it as an insult or a neutral comment.

"Don't be stupid," says the father. "All that matters is that you play, and that you play well."

Seo offers to give them a demonstration. He asks them to take a step backwards. They obey him like children do a charismatic teacher. There are now about fifteen people close up, and at least another ten who are watching from afar. Jack spots three people on bicycles who have stopped, one foot still on the pedals, the other on the ground to stabilise themselves.

Seo lifts both arms. He stretches out his fingers. His skin's halo becomes denser, brighter. The light shifts to red; soon the fingers look as if a lightbulb has been switched on inside them. Threads appear underneath his fingernails and spiral to the ground in controlled circles.

The threads are woven as if by invisible pixies. They knot themselves together, changing colour as they thicken and form a fabric. Seo starts with the bottom of the creature, the chitin legs, the spikes across the thighs, the carapace along the flanks. Then he crafts the elongated face, the glassy eyes. Soon he has a fully-formed Mount. The two front claws are shining like polished metal, with the irregular edges of a handsaw. It's the size of a pony.

People gasp in excitement. They pass their hands through the pawn, blurring its edges, which reform as soon as they take a step backwards. Without warning, the creature jumps into the air, with the lurch of grasshoppers. It settles further in the field before bouncing back towards them. Before it hits the ground, Seo unravels it, and the pawn explodes in glittering confetti.

He gets a round of applause. "A teaser before the next match," he says. This starts up a conversation around the next game against Woolfe. People ask him what he'll do, whether he can tell them about his strategy. "My lips are sealed," says Seo.

A teenager with his face covered in acne turns to Jack and asks if they were going somewhere together. Jack is about to explain he's Minjun's singing teacher when Seo says, "He's a friend. Jack Hext. We were just enjoying the park."

"Such a sunny day," the father jokes. Everyone laughs politely.

As they wander away, Jack hears the teenagers singing. It's loud enough to be heard, not loud enough to be a chant. "Kuroaku, kiss my ass too." They sing it lightly, with mismatched voices, like you would another, more innocent song. Seo ignores them.

Jack never had to worry much about what other people thought of his sexuality. His parents didn't mind. Bad friends minded and he got rid of them – good friends replaced them. No-one was that bothered. But here the faces are inquisitive. Young, lean boys strain their neck upwards to catch Seo's eye. They flutter around him like butterflies or moths, drawn to the light, maybe jealous enough to want to quench it.

Jack notices Seo has moved away. They're walking together, but Seo is far enough to be out of reach. He doesn't want Jack to touch his hand – not now, not in front of fans, not where it might be seen. Maybe he feels this all the time, even when there isn't a group of people behind him, pretending not to stare. Perhaps when Jack touched his hand in the hall, in front of one person, Seo could sense the crowd.

Jack feels sorry for Seo. He looks so small today, huddled underneath his parka, hunched forward to shrug off the cold. And so young, too, with that untarnished face, the boyishness of his expressions, his worried frown. Like his pawns, there is something unreal about him, as if you could push your fingers through him and he would dissolve.

Jack leans closer. "Don't worry," he says. "I won't try anything." He's trying to turn it into a joke, but Seo's smile is strained.

The wind carries the teenagers' song up to them until they leave the park.

Minjun

There are three surprises awaiting Minjun when he comes out of school. One: the chauffeur hasn't come to fetch him. Two: Seo has. Three: he's with Jack.

Tiffany is with Minjun, and she points and asks, "Who's that with BB?" Minjun mumbles something about not recognising him. He doesn't know what to say. Tiffany thinks Seo has a girlfriend, like everyone, because of Sunny. But no-one has a girlfriend *and* a boyfriend. How can he explain it when she asks why Seo has both?

He says goodbye to her and heads straight for his brother. He walks past him, past his 'hi' and down the street. Seo and Jack trail behind him. It's only when they've followed him away from the school and up to a zebra crossing at the end of the road that Jack says, "Hey, slow down! We're going that way." He points left. Minjun glowers at him; he doesn't even look at Seo.

Jack instructs them on the way to take. It's not roads Minjun recognises, and when he's calmed down he starts wondering where they're going. After half an hour of walking, they stop in front of a brick house with dirty windows. There are blue and brown dustbins in front of the entrance. Jack unlocks the door with keys he fishes out of his pocket. As they climb up the manky steps, holding on to a handrail with chipped paint, Minjun realises they're at Jack's house.

Jack leads them into a cramped living-room. There are armchairs, a beanbag chair, a sofa. They're crowded in a semicircle around a TV with a bookcase on either side of it. Seo sits down in one of the armchairs. He motions for Minjun to do the same, but Minjun stays standing. He wants to know what this is before he agrees to it.

A woman strides in from the kitchen. She has the most incredible attire Minjun has ever seen. She's a gunwoman straight out of a manga. She's got the tattoo, the long red hair. She even flicks her head so the hair tumbles sideways. Minjun can't get over her army boots and trousers, nor the fact that she's wearing them with a T-shirt that shows her stomach, all the way up to the line of her bra. Her arms are naked, freckled. She's alive, vivid, red – like fire.

"Hey!" she says. Then she spots Seo, who's getting up to greet her, and she adds, "Wow."

Fire says she needs a beer to get over the shock of meeting a celebrity. But she says it like someone who couldn't care less that Seo is famous – there's mockery in her voice, like the way anti-royalists talk about the Queen.

"Want one too?" she asks Seo.

"Yes please."

"And me," says Jack.

"What do you want?" She turns to Minjun. Minjun is flattered she asked. Fire says she doesn't have coke, but she can get him tea or milk or fruit juice. She could offer him vinegar at this point, Minjun wouldn't mind. When light shines through her hair it changes colour, going from red to gold. It looks like Twine threads.

"Whatever," he says. That makes her laugh. She

disappears into the kitchen to get drinks for everyone. Jack helps her, and soon the adults are sitting around the TV, which is turned off. On the table between them there are crisps, and olives, and cheese cubes which Sir Neil wouldn't approve of. She's given Minjun litchi juice.

Minjun doesn't want to sit down and chat. He lets the adults do that – he explores. He's nearly forgiven Seo for bringing Jack to school. This is worth it. They don't normally visit anyone who isn't Sir Neil. There is a chimney but it's been bricked up, and the TV set is where the fire would be. There are miscellaneous items piled on the mantelpiece. Minjun finds a dartboard with photographs pinned to it.

"Why've you got Seo's picture up there?" he asks.

Jack and Fire redden, and Jack coughs, and Fire strolls up to the dartboard and picks up the portrait. She turns it between her fingers as if she's seeing it for the first time. The ink around the edges is smudged. Seo's smile is pixelated. The real Seo watches without a word.

"That's where we put people we like," she says. "Like, they're your target. So they're on the target board. If you hit them with the blowpipe, then you're hitting on them. That make sense?"

She shows Minjun the blowpipe lying underneath the sofa. He likes the shine of it. It's plastic, but when he puts it against his mouth, the gun-sights and the weight of it on his lips feel real.

"Who else is on the dartboard?" asks Minjun.

Fire waves her hand. "People."

Minjun doesn't think that's a satisfying answer. He points to a specific photograph, a real photograph this time, not something printed off the internet. It shows a man on the beach, with sunglasses and a glittering sea behind. It's only half a photograph – the other half has been cut off.

"Who's that?" he asks.

"Luke, Jack's ex," she says.

Minjun looks at Jack. His cheeks are red, and he gives Seo a shrug, as if that was an explanation.

"Can I see?" says Seo. When Fire brings him the portrait, Minjun leans over his shoulder to study it too. Luke isn't like Seo at all – he's got a square European face, the tanned skin of a sportsman. The shades hide his eyes. His shoulders are broad, muscly.

"He's good-looking," says Seo, handing back the photograph.

"Yeah, but he was a dick," Fire answers.

"I haven't seen him in ages," adds Jack. Fire pins the ex's picture back on the board, but Minjun notices she leaves Seo's on the mantelpiece.

"But you've kept him on your board of people you'd like to hit on," says Seo. Fire claps her hands together and asks if anyone wants more crisps, then fetches some in the cupboard before the boys have a chance to answer. Not that Minjun is complaining; he would like more crisps.

When she brings the food, he asks if he can use the blowgun. She says yes, so Minjun spends the next few minutes shooting arrows at the board. They're more like pins than arrows, slim lines of metal with a coloured blob of plastic at the end so you don't swallow them when you blow down the pipe. His aim isn't very good, and at first he doesn't blow hard enough for the pins to fly straight. Fire shows him how to do it – she gets one in the middle straightaway. She says it's a matter of practice.

Fire sits down on the armrest behind Minjun. Seo watches them, and smiles when Minjun gets it right.

When Seo goes to the toilet, Minjun asks Fire, "Can I touch your hair?" He knows his brother wouldn't approve.

But while Seo isn't there, he can ask. She says yes. He takes a strand and holds it up to the light. It shines different shades of ginger depending on the angle. It isn't soft though; it's bristly. It's long – Minjun has never seen hair this long.

He wonders if he should mention Fire and her hair to Tiffany, but Tiffany might feel jealous because her hair isn't interesting. He decides not to tell her. Maybe Fire and Curly are friends because they both have weird hair, and that was as good a reason as any to decide to live together.

"Minjun, don't be weird," says Seo as he strolls back into the living-room. To Fire: "Is he bothering you?"

"It's fine," she says.

Minjun blushes. He wants to snap that he isn't being weird, that Seo is the one who's weird, with a boyfriend and a girlfriend and coming to fetch him at school on foot and lying about singing lessons which means Minjun has to do a solo at concerts even if he's bad. But he says nothing. He places the strand of hair back on Fire's shoulder. He says thank you.

"Found the toilet alright?" Fire asks. There is laughter in her words, even when she isn't laughing.

"It wasn't very far," says Seo.

"I guess you're used to more space," she says.

Seo snorts. "We lived in a flat the size of your bathroom." There is a warning in his tone.

"Yeah, yeah," Fire says, dismissing Seo with a wave. "But now you're rolling in it, right?" Seo doesn't answer. He lets the conversation sink into silence on purpose. Minjun swings his legs, watching his feet.

"Ah, come on, don't deny it," she says.

"I'm not denying it," says Seo.

"But there's a lot of work involved," Jack says, kicking Fire from underneath the table. She frowns at him.

"There's a price," says Seo. And the price, Minjun feels in a confused way, has something to do with empty rooms and the rustle of gloves falling, of silence at the dinner table.

"I practise Twine at school," prompts Minjun. He likes Fire. He wants to explain to her that he paid a price too, because of Sir Neil and Twine and tournaments. He thinks of the hush of the house at weekends, the faint hiss of Lady Gwendolyn's breathing, her cold body when he took her hand to wake her up and realised she wouldn't wake up again. Sir Neil and Seo were away for a match. Minjun called them first, but they didn't answer. So he called the doctor. The house staff took him out of the room and said he shouldn't sit beside her while they waited. Minjun was worried she would feel lonely.

At the funeral she looked nicer. Cleaner. She was prepared to meet the mourners. There was something sunken when she was alone in bed, with no-one but Minjun to see.

"You don't have it quite as bad," says Seo. "You're not a weaver."

It's not true that Minjun isn't a weaver, only that he isn't as great a weaver as Seo. Minjun frowns and shuts his mouth, sucking in his lips until there is just a slim line left.

"I saw you brought chocolates," says Fire. "Shall we open them?"

She doesn't give anyone time to answer, but jumps to her feet.

"You can open those later," says Seo. "No need to share with us." But Fire is already back with the box, and she puts it down on the table in front of Jack.

Jack opens the chocolates. Seo has bought him a ticket for his next home game, the one against Woolfe. He slid it between the chocolates and the top of the box. It's lying on the golden foil wrapped around the treats. Jack didn't expect this – Minjun certainly didn't expect this. They both stare at the ticket, then at Seo.

"I... I don't know what to say. I'm not a big Twine person, but, er, thanks..." mumbles Jack.

"If you don't want it, sell it," Fire says, snatching the ticket and turning it between her fingers. "You'll get up to a hundred bucks. They sold out really quickly."

"You don't want it?" says Seo.

Before Jack can answer, Fire exclaims, "This is VIP seating. Nice one." She hands the ticket back to Jack, raising her eyebrows at Minjun, doing a 'this-is-impressive' pout. Minjun nods back. She's right. This is impressive.

"Will Jack be next to Penelope?" asks Minjun. He asks because he is upset and he knows it will upset Seo too. Fire bursts out laughing. It is worth Seo's evil eye, for the joy on her face, the way her belly and tattoo shake when she giggles.

"I'd be happy to come," says Jack. "Of course."

He looks more embarrassed than happy. Fire watches over the scene with a smirk.

"You don't need to decide now," says Seo. Then, in a lower voice, "I thought you'd open the box after I was gone."

Minjun pretends not to listen. He takes the blowpipe again and aims for the centre of the target. If he wanted to, he could put up Seo's photograph and aim for that. He thinks about it, but he doesn't do it.

"It's fine," says Jack. "Actually, while we're on the subject..." He takes a deep breath. Fire ostensibly picks up the empty bowls to bring them into the kitchen. She rolls her eyes at Minjun as she does so. He's happy that she's with him, that they're in the same team.

"I've got you a ticket too," says Jack. "Well, I say ticket, it's more your name on a guest list, but whatever."

Seo nods.

"Not asking me what it's for?"

"I thought you'd tell me anyway."

Jack puts his hands between his thighs and rests his weight on them. He sighs.

"Well, you've invited me to come and see your work – 'cause let's face it, Twine's work, right? And I thought I'd invite you to my job too. I'm doing a gig. Actually I'm not doing the gig, I'm a volunteer for this event. It's part of the School of Arts at Uni."

Fire strolls back inside the living-room. She sits on the armrest behind Minjun. "Hit me with your best shot," she says. Minjun brings the blowgun to his mouth, but he listens to what Jack is saying.

"It isn't a big deal," says Jack. "We'll be a bunch of guys with a slackline, some juggling stuff and a few artists. We'll be in this park with a marquee and a few stands."

Minjun wonders if he is coming too. He'd like to see juggling and people walking on a tightrope. It would be fun, especially if Fire is also there. He pictures her with a gun, showing people how to shoot clay targets whilst doing cool moves.

He blows into the gun. Because he isn't focusing, he doesn't shoot straight. He hits the wall next to the target, and the pin sinks into the plaster. He says sorry, but Fire laughs, and says that's what walls are for, so you don't hit the neighbours.

"Yes," says Seo. "I'll come."

But he doesn't ask whether Minjun is invited, and Jack doesn't say so.

Seojun

This morning, Seo has to film a promotional video with Woolfe. She has flown in late the previous day – that's all Seo knows when he reaches the film set.

It's in a disused factory building, with concrete corridors and a flat roof which serves as a terrace. There are metal railings and barbed wire everywhere, as well as cameramen, vans of filming equipment, and the director, looking stressed. Papa isn't there, but Woolfe's manager is, rubbing his dark-rimmed eyes and yawning. Seo is sent to his trailer, a white caravan hooked behind a van, with the words 'Movie Weaver' painted across it.

Seo pulls open the back door of his trailer. Woolfe is there, shrugging on her T-shirt. He steps inside, unsure why she hasn't got space of her own to change in. Her short blonde hair is sticking upwards because of the static electricity from the kit. She glances at him over her shoulder.

"I know, right. You got disqualified at the Worlds and you've got your own trailer, I'm the World Champion and I haven't got anywhere to change. Should have tried getting myself disqualified."

Seo says he can come back when she's finished. Woolfe

shakes her head. He hasn't seen her since San Diego. She's leaner; her cheeks are sallow. The skin is taut on her angular face.

"I'm done," she says. "Done here, I mean. Not done complaining. These idiots should show some respect."

With those words, she pushes past him and jumps out of the trailer, presumably to find someone to complain to.

The back of the trailer is spacious, with a kitchen area down one side, comfy seats down the other. There are various drinks in the fridge and Seo's kit neatly folded in the wardrobe against the back wall. Woolfe has dumped her clothes in a pile on one of the sofas. Seo glimpses a black phone falling out of a trouser pocket. A bra strap poking out from underneath the jeans. A creamy top with a V-neck, one sleeve still fitted inside the jumper. A coat with large buttons, feminine enough to stand out.

The crew is setting up cameras both inside the warehouse – along corroded metal staircases, the lens aiming through broken windowpanes – and outside, in the front courtyard with shrivelled bushes and nettles. Seo can hear the distant sound of a car rushing down the road every now and then. The director explains that the video will alternate between both weavers. Woolfe will sit below a tree, dead leaves falling around her. She will be filmed with the grey factory behind her; Seo will be filmed with shards of blue sky in the background.

They start filming. Neither of the players smile.

Woolfe's kit is orange, and in her shots it is the only splash of colour. She passes her hand through her hair in slow-motion. They're both headed for the abandoned complex, on the roof of which, supposedly, they will fight their final battle.

As far as Seo is concerned, this seems to involve

walking down corridors or in front of the half-collapsed building. A cameraman puts a can of soda on the floor, and explains that Seo should nod to it in recognition – some of his famous pawns will be edited into the background, in place of the can. Most of Seo's pawns have been filmed in front of a green screen backdrop before. That old footage can be reused.

They film Seo reaching the roof, climbing up iron steps with rust spread along the handrail. Woolfe is waiting for him, a bright silhouette in the backdrop of grey walls. He knows this is only for show, to give out the illusion they will battle like weavers of old, with giant pawns crashing through the clouds and bringing thunder with them. In the past, kingdoms were conquered or lost during ceremonious – sometimes sacred – duels. Romantic paintings depict giant pawns glowing in the starlight.

These duels would happen on elevated platforms, mountains, palace roofs. Maybe that's why Seo feels tenser as he climbs up the staircase, because of this history of ascending to your enemy. Or maybe it's because of Woolfe's stance, her body language defying him to fight her. There is something visceral about this deserted rooftop, the wind screeching around them, and the sense of imminent battle – the director chose his spot well. Seo is conscious of the cameras filming every movement, silent sleek witnesses. His hands tingle.

The director explains that he wants them to weave together, Seo's ochre threads mingling with Woolfe's scarlet, both striving for control over a half-vegetal, half-insect pawn. It sounds as stupid as it is. Seo catches Woolfe rolling her eyes.

As their threads of Twine touch, Seo feels something akin to an electric shock. He senses Woolfe as if she were holding him too close, hoping to dance. He grits his teeth. He knows the steps to this dance. He pushes back, his threads weaving around hers, and soon they're like spiders spinning two webs, each hoping to catch out their opponent.

Woolfe thrusts sharp, unyielding Twine towards him, more fiercely than is required for the purpose of the film. Seo grips her Twine with his own and tries to tug it apart. It's bizarrely intimate, like arm-wrestling, where you can hear your opponent breathe and feel their palms go moist. But the cameramen keep intruding into that intimacy, and he is acutely conscious of their presence, their one-eyed stare. When Seo tries to catch Woolfe's eye, a man steps before him, hiding the twiners from each other in order to get a better shot.

Seo rips off one of Woolfe's threads and knows, without hearing her gasp or seeing her bare her teeth, that this isn't friendly anymore – if it ever was. Her Twine writhes like snakes, ready to bite. He steels himself for the clash.

"That's a wrap!" says the director. The cameramen clap. They start packing up.

Seo shakes the Twine out of his fingers.

Woolfe walks him to his trailer. "I'll pick up my stuff and change later," she says. "Got a few more interviews today anyway."

They reach the vehicle together. Woolfe swings herself into the back of the trailer, using the momentum of the door which slams shut behind her.

"What are you doing this afternoon?" she asks. "Training?"

He's going to Jack's event, which he knows near to nothing about. "I've got the afternoon off," he says.

Woolfe gathers her clothes between her arms,

crumpling them into a bundle. "Going to enjoy some hanky-panky before the game, to relax?"

He isn't sure whether she is joking or not. He stutters, "I'm not seeing Penelope."

Woolfe snorts. "That's not what I said, is it?"

When Seo reddens, she laughs at his embarrassment. She slaps his shoulder, harder than he thinks is necessary.

"You're too easy to wind up. Chill out this afternoon, you need it."

As she steps out of the trailer, she points to his hands.

"Can't wait to start throwing punches and pawns, can you?"

Seo wipes his fingers on his trousers, conscious of their tell-tale glow. Before he can say anything, she smiles a toothy smile.

"Don't worry," she says. "I can't wait either."

Seo huddles in a corner, next to a tiny round table. He is sitting underneath a veranda with wisteria growing over it. The scent of flowers drifts down, as well as motes of dust, caught in the shafts of light cutting through the patterned vines. He isn't far from an amplifier, and the music blares into his ears. He feels his diaphragm shake with every bass note. The stage is only a few seats down from him.

The audience is as extravagant as the actors on stage. Seo has never seen so many people clothed in tie-dye. The baggy trousers are coloured red and purple, decorated with round flowery patterns. There are people juggling or playing the guitar in circles on the grass. A woman is spinning fire poi. Around the stage, there are white plastic chairs on which groups of friends chat, half-watching the show.

Seo is wearing one of Jack's jumpers, as a crude disguise.

It itches. He keeps tugging at it to rearrange it around his shoulders. In most places this wouldn't be enough to hide him, but here people are too new-age to care about sports. There is even a Pawn Empathy stall.

Seo watches distractedly, wondering if he should join Jack at the bar. On the other hand, Jack is working, and he encouraged Seo to enjoy the festival without him. The bar is close to the festival's entrance, the other side of the veranda, which means Jack is hidden from view.

Seo has something important to tell Jack. He knows he must say it before the game, or he will never be able to focus on fighting Woolfe. But he doesn't know how to put it.

"Teaser Twiner!" someone shouts through a megaphone in a cheerful voice.

On stage, a man with makeup and a suit. He clicks his tongue, and announces his performance is a Twine strip-tease.

The man takes off his blazer, then his shirt. But as soon as the cloth should reveal skin, the actor crafts a pawn to cover him. He twines a scarf-like feathery creature around his neck, and it rests with its wings crossed before his chest. The man slides off his trousers, and a fluffy dog pawn walks in front of him in the nick of time. People laugh and whistle. Soon there is a whole menagerie around him, hiding him from sight. It is played more for comic effect than sensuality. He throws his pants through a pawn; the pawn glitches, its edges transparent for a couple of seconds. Everyone howls and claps.

Seo's mouth tastes stale. He knows pawns only have visual properties; they wouldn't block a hand, or the breeze wafting through the garden. They aren't real. The man could as well be naked. Pawns are also known for not staying in place; at any time one could wander off. The man unravels one creature, then another. Golden dust floats around him, uncovering athletic legs, his chest, his smile.

The man reveals parts of himself, his skin shining under the spotlights, the muscles on his chest shaking as he laughs. A butterfly-pawn with speckled wings is keeping his privates private. Seo's face is hot. He leaves his table and pushes through the crowd. Stares follow him; some friendly, some calculating. Seo strides through the park behind the stage, arms crossed, cheeks burning. He swallows through dry lips. People are sat on the lawn, smoking and drinking – others, like him, wander for walks between the flowerbeds surrounding the main stage.

Seo's head is swimming. He thinks of Woolfe's Twine and her smile. *I can't wait either.* He thinks of Penelope at the restaurant. He hears the crowd chanting his name. And he knows he must tell Jack that he has made his choice.

After a short stroll, he heads for the bar area. It's an assemblage of square wooden tables with Jack caught in the middle, alongside a few iceboxes, buckets, and storage cardboard boxes. Jack is busy serving drinks in plastic cups. Seo observes him, waiting to be noticed. Jack chats with the visitors of the festival, drawing laughs with his easy charm.

At last Jack spots him. As he prepares Seo's order, he asks, "Are you enjoying the show?"

Seo nods.

"There's an art twiner over there," Jack points. "I thought you might like it."

Seo sips his pint, leaning against the makeshift counter. But Jack has to tend to his customers, and it's impossible for them to have a long conversation, let alone a private one.

So Seo wanders off, cup in hand, to where Jack indicated the art exhibition.

There is a woman with a stand. She's crafted an elaborate land of mazes, with swings, games, and decorative statues. Pawns are wandering around, creatures made for their beauty and not their fighting abilities. They have dragonfly wings but humanoid bodies. Long horns sprout out of their temples, twined to remind people of jasper, jade, gold. Exquisite drawings run down their bodies. Some are wearing vaporous dresses which float behind them.

"Hi," says the woman.

"I'm guessing these are all light crafts?" Seo asks. They're a few inches high – they must be.

She nods, her blue and silver hair bobbing around her face. "That's a player talking alright!" There is mockery in her voice. Traditionally, artistic and gaming Twine are kept apart. "The heaviness of the threads of Twine doesn't matter in art. We prevent them from unravelling."

"You do direct threading control?" Seo wouldn't be able to hold a creature in one piece during a match – if it needed such attention, it would be too flawed to use.

"They don't need to be tough, I'm not going to let them destroy each other," she says. "That would be cruel. Not to mention a waste of my time and theirs."

Seo doesn't answer. There isn't much point in arguing; it's not as if they would ever agree.

"Want to try?" she asks. "Aim for beautiful, don't worry about build or direction."

Seo hesitates. It's tempting. He's never crafted a pawn without direction, which didn't have a set of behaviours encoded into it. He spreads out his hands – "A pianist or a twiner, that's sure, look at those fingers!" she teases – and starts crafting. This pawn has a face and arms which dissolve into ribbons. At the edges the skin turns to silk. It moves like fire, crackling blue and green. Seo makes the pawn the height of a four-year-old child; he can't manage the level of precision this woman has achieved with creatures a few inches high.

"Wow," she says.

Seo's imp looks at her and smiles. It's got pointed teeth, a dazzling white against the vivid colours of its lips.

"You've really got the fire effect," she marvels. It's because Seo is used to crafting fire, when most weavers don't use volatile materials. "You've done this one before," she says.

"No."

"You're kidding me!"

The imp laughs; the sound isn't as grating as the not-Minjun pawn, but it's far from elegant. Seo realises he is drawing stares. Most people will believe he is part of the woman's exhibition, but if some of them work out that he isn't, this might mean trouble. Jack's jumper won't protect him from much scrutiny.

"It's great," says the woman. "Are you a professional? I've never seen this level of control outside of stadiums."

The imp claps its hands and makes a sound like bells ringing. Seo unravels it, and it disappears in a puff of dust. The wind brushes the rest of the pawn away. "No, no," he says. "I..." He can't say he's an amateur – she won't believe him. "I'm a Twine teacher," he mumbles.

"How much do you charge?"

Seo hasn't thought that far. He gapes at her blankly as she explains she would love to take lessons from him, considering what he can spin at such short notice.

He takes her card and promises to call back, explaining that he has to check his fees. She smiles, but doesn't seem to buy his lie. He is relieved to disentangle himself from her.

Seo goes back to the stage and seats himself on a bench close to the wisteria. That woman was a close call. Twine comes to him so easily that he forgets most people flounder when they try to finish a coherent pawn. He should copy Jack's way of twining; that would be less conspicuous.

"Hey. How're you doing? It's brave of you to come here."

Seo turns round. He isn't sure who the man in front of him is. He seems vaguely familiar, but it's only when the stranger gives his name – "Luke, good to see you again!" – that Seo remembers. It's Jack's ex. He's confused as to how the man knows him, until he remembers the night they spent together, what feels like a lifetime ago. Instantly he's ill-at-ease.

"Can I buy you a drink?" asks Luke.

Seo shakes his head, but Luke comes closer, as if they are good friends and not near-strangers. He places one arm across Seo's shoulders, and Seo cringes under his touch. Their faces are hugged close together.

"Shouldn't you be training for the match?" whispers Luke. "Pretty sure Sir Neil isn't the kind of manager who approves of artsy festivals."

Seo wonders if he should blame the imp, Jack, or himself for thinking he would be able to go unnoticed.

"Come on, you can't say no to just one drink," says Luke.

What Seo hears is 'you can't say no'. Luke's smile widens as they head towards the bar.

Jack

Watching Luke and Seo together is a nightmare come true. At first Jack is surprised Seo even agrees to talk to Luke, before he remembers Seo has no idea Luke is the source of the leak. In Seo's mind, Jack is the one who blabbered. But what he doesn't know is who Jack talked to – not the journalists themselves, but Luke, Luke who ran to the tabloids to sell the story.

And Luke has recognised Seo, because he winks at Jack behind Seo's back. He orders for both of them, resting his forearms against the tables, lounging with the coolness of a cat who's cornered a mouse. Seo looks uncomfortable at best. He perches on his stool like his parrot would, and glances from Luke to Jack and back again.

We've all had sex with each other, Jack realises. What could be worse than a meeting between the ex, the one-night stand and the boyfriend? And the problem is, no-one is sure which is which.

The only person who is enjoying this is Luke. Jack follows their conversation as he serves drinks. The bar area is a long rectangle, and he has to manage up to six people at once, pressing around him like pigeons around the last crumbs of bread. If he doesn't make eye contact with everyone, keep them reassured they're next on his list, they start huffing and puffing.

"I saw you deleted your account," says Luke. Seo says nothing – he sips his drink. "What happened? Something scared you off?"

Seo narrows his eyes and shakes his head. He's giving Luke the cold shoulder, but it isn't having much effect.

"You remember me, right?" says Luke. This time Seo nods. It's annoying to spy on a conversation with Seo – to know what he's thinking, Jack needs to look at him. He can't go by his voice. A young woman is tapping her card against the table, smiling a tight, tired smile. Each time Jack turns away from her, the smile stiffens.

"So you two are an item now?"

Jack glares at Luke. When Luke catches Jack's eye, he laughs. He lowers his voice and says, "You're very forgiving, that's all I can say."

Luke is standing a bit too close, his square, smiling face thrust in Seo's comfort zone. Seo is leaning away as he often does, frowning, one hand on the table for balance. From the corner of the eye, with the music loud enough to cover their voices, they could pass off as a couple.

Jack can't make out everything that is being said, but he watches as Luke leans over to whisper something, his mouth close to Seo's neck. He catches Seo squirming back, muttering something which Luke pretends not to catch – he tilts his head and presses it closer so he can hear better.

"Here you are, enjoy," Jack says. He gets one of the cocktails confused, and pours someone a Bloody Mary when he wanted a Sex on the Beach. They're both orange and they both involve vodka, but the guy can't stand tomato juice – Jack has to apologise, throw away the cocktail, and make it all over again. The icebox isn't far from Luke, and

Jack eavesdrops as he hunts for the cranberry juice.

"It's nothing personal," Seo is saying, "but no."

"Why not? We'll have fun. It was fun last time, right?"

Jack gets up, the cranberry in one hand, so fast he nearly bashes his head on the underside of the table.

"Leave him alone," he hisses. He can't believe Luke has the nerve to flirt with Seo, now, here, in front of him, after everything he did. *But you did exactly the same thing. One night stand, gave him away to the newspapers, came back wanting more. Can't blame the man for trying.* But it's different, Jack tries to argue with his inner voice. I was sorry. I love him. It's the first time he admits it, if only to himself. It comes as a shock.

"Stop gaping, you look dumb," says Luke. "If you've got something to say, say it."

Jack stands before them, not finding the words he needs, feeling stupid with his apron and his bottle of fruit juice and his newly-found revelation pulsing at the bottom of his heart.

"Look..." he starts, but Luke interrupts him.

"This guy thinks you belong to him," he says, addressing Seo. He ignores Jack. "But did he ever tell you why he gave your name to the newspapers? Huh?"

Shit. Jack should have told Seo, of course. He should have waited for a quiet evening to broach the subject of why he ran to his ex to sell his secrets after their first night together. But the right moment never came up, and now the worst moment to talk about it is upon them.

"It doesn't matter," says Seo. His voice is surprisingly firm.

Luke snorts a laugh. "Really? So whatever people do to you, it doesn't matter?" With those words, Luke puts a hand on Seo's cheek, catching his chin in the cusp of his palm.

And Jack sees it. He should've spotted it before. He should've been able to see it with Penelope. Seo doesn't shy away. He doesn't go rigid, his teeth don't chatter, he doesn't recoil. But something dies in his eyes. Something that was there disappears. He shuts down.

Was Seo always like that when he went out? Was it the only way he could cope? But who would want to flirt with someone who isn't giving anything back, who is protecting themselves from anything you could do to them – even something tender, even something sweet?

Jack unscrews the cap of the cranberry bottle. He has a memory, suddenly, a flash of recollection. Luke laughing at the bar. *Lets you do anything.* He can picture how it happened. Luke can be a bully. And Seo, despite everything else, despite his status as a weaver, is the kind of person bullies exploit. Jack feels his blood boiling over – down his arms, his chest, his legs. His veins are carrying fire.

"If nothing matters," whispers Luke, "then you won't mind me." He moves closer.

"Get off him," Jack says, and slaps Luke's hand away. Luke laughs.

"Wow, he bites! What is it, you jealous?" Luke snickers. "Don't worry, we can share."

Jack throws the cranberry in Luke's face.

Seo jumps backwards; Jack finds himself holding an empty bottle. At first Luke doesn't react. He stares at the juice pooling in his lap. Then he swears, asks, "What's wrong with you?" and, stamping and wringing his clothes, he backs away from the bar, cursing Jack with all the names he can think of – which is a lot.

Jack goes back to his customer.

"Sorry, we've run out of cranberry juice."

The man eyes him up and down. "What did that guy do to you?" he asks.

"He pissed me off."

The man rubs his eyebrow with his thumb. "Okay," he says. "I'll try not to piss you off, then."

"What would you like?"

"Anything, really, as long as you don't throw it at me." There's an inch of a smile, but not much more. Jack would like to banter and lower the tension, but his right hand is clasped so hard around the bottle his knuckles are aching.

"Would you be happy with a bit more peach and orange but no cranberry?"

The man nods. Jack makes his cocktail. As he goes back and forth to gather the necessary ingredients, Seo asks if he wants help mopping up the mess he made. Jack gives him a rag. Seo pats the stool and the table, letting the earth drink up the rest. He hands the soaked cloth back to Jack. Jack wrings it above a bucket and drapes it over a stool to dry.

After a few busy minutes, the show picks up again, and people move away from the bar area. Jack and Seo sit next to each other, on either side of the table.

"You okay?" asks Jack.

Seo nods. "And you?"

"Yeah."

Jack lies his arm down on the table. After a moment's hesitation, Seo does the same. They stay like that, holding each other's forearm. The juice has stained Seo's fingers; it looks like blood.

"There is something I want to tell you," says Seo.

Jack's heart sinks. This is about Luke. This is the question he doesn't want to be asked.

"The match with Woolfe," says Seo. "It's got high prize

money. Enough for a promising weaver to gain financial independence from their manager."

This wasn't what Jack expected.

"Which means that, if I win, I won't need to stay with Sir Neil." Nor abide by his rules. Seo doesn't say this, but Jack hears it. He chides himself for hoping too much.

"What do you mean?" he asks.

"It means that, if I win, I'll leave Penelope," says Seo. "And we won't need to hide."

The music is loud. It drowns out Seo's last word, but Jack reads it on his lips. Their two arms interlinked on the sticky wood feel like a promise.

Seojun

Match days have a particular taste. From the morning onwards, the air is sharp. There is a smell which Seo can't pinpoint, but which follows him around all day – maybe it's the scent of his own excitement. The night before, he sleeps in a hotel or in Papa's home, depending on what his manager thinks will be most productive. Most often a hotel. He trains in the morning. Not much, he doesn't want to exhaust himself. Seo eats the food he's given, calories calculated by his doctors. He waits. Minjun waits with him, drifting in and out of the background, sometimes playing on his tablet computer.

This match is an evening match. Doors open at four. First game starts at five thirty. Last game finishes at eleven. Prize giving and interviews will happen before midnight, giving the audience a chance to catch the last bus home. Legends have it that great Twine matches were played at midnight, under the moon, in fields lashed by wind and rain.

This is not one of the mythical matches of old – but for Seo, it might as well be. He's never been so nervous before a game. He listens to Papa, this face marked by wrinkles, follows the lines down the brow and along the mouth. He thinks he will never have to obey these yellowed lips again.

"You'll break her," says Papa.

Seo stands in the tunnel. Woolfe is announced first – she is the champion, after all, and he is only the challenger. When his name is blared out of the speakers, he walks down the corridor and into the stadium.

The noise hits him. It's his name. His fans are shouting and stamping their feet on the ground, raising sound like thunder. Flashes of lightning-blue scarves. He nods right and left to acknowledge his supporters – but he studies the ones closest to the barriers for signs of violence. He sees nothing but enthusiasm. Woolfe is waiting next to the referees, on the central line where the curtain will be twined. Seo joins her.

It's a long walk down the field, and while he treads the soft ground, everything is focused on him. The people. The cameras. The people behind the cameras, watching the match live. He can feel the pressure of their gazes: the men seated around him roughing their throats by screaming his name, the ones yelling in their local pub as their friend brings pints to the table. Minjun, in the manager's box, glancing up from his tablet long enough to watch Seo's profile with the background of fans, blue and black, dancing behind him. Penelope, waving, a hand cupped around her painted lips. And somewhere in the crowd, Jack, silent, sighing maybe, hunched forwards on the uncomfortable plastic seat.

Seo reaches Woolfe. There is something rough about her, untrimmed – wild. They shake hands. She stares him down, and he knows why they call her a wolf. There's a predator inside her.

"Nothing personal, but I'll win," she says. The cameras must have picked it up, because the crowd howls, a mix of cheering from her supporters and booing from his.

"We'll see, won't we?" he answers.

Her hand is hot. He can feel the Twine pulsing, begging to be let out. She's feverish – but the fever will drive her.

They walk back across the field to their boxes. The referees summon the boundary; it rises from the ground like an upturned waterfall, heading for the sky. It's a dramatic image, Seo knows, the curtain appearing between the weavers as they stride away back to back. They tread with purpose, hands twitching.

Seo enters his box. When he closes the door, the noise ceases suddenly. Echoing silence surrounds him. He picks up his wireless headphones. He turns on the white noise. The world melts away.

He spreads out his hands. They glow yellow, then orange. Threads emerge from underneath his nails, shining out of the skin. They weave themselves together, the fingers knitting their light-made lace until the threads form a fabric heading out of the glass panes and towards the field. They cross the glass without so much as a shudder. Seo crafts his land.

Papa decided to start the first match with the routine strategy, which is reliable, and adapt it if need be to Woolfe's game. She hasn't got a counter against fire, and trees aren't great at fighting flying creatures – so Seo will pour his strength into both of these. They're predictable, but awkward to block nonetheless.

He crafts Larvae, grey and pink. He gives them sand, grounds which won't turn to mud, big oil vats stored underground. He builds Hijackers, not Riders. He's sure his fans will be curious to see these new beings. The Hijackers wave their elongated arm into the sky, chattering loudly. They knock it against the floor, impatient to begin, to cross the curtain and fight off Woolfe.

Seo posts them along the border so they'll be ready to take control of anything she sends his way. If she tries to rush him like she did Minjun, he'll send her monsters back to her. The Hijackers' expressionless faces crunch up into as much of a frown as they can manage, and they grumble war-songs to keep their spirits high. Seo senses their rage, their will to battle. His heart beats harder.

He crafts Mounts, giving them natural saddlebags, big flaps of skin along their flanks. The Servants, curled up mud beetles good at digging and carrying, bring oil to them. They fill the Mounts' sides with liquid. They have long flat appendages tucked behind their backs, which they can unfold and shape into bowls – if they were normal beetles, those appendages would be wings. They don't need wings, so instead they have these carrying devices, flat rounded hands at the end of supple arms. They dip these into the oil and pour it into the Mounts, knotting the wispy mane sprouting along their backs to seal the flaps of skin.

Seo shares all of his pawns' moods. He is the Mounts, patient, bored. They hang their heads low. Their front claws are heavy; they push their weight into them and anchor themselves to the ground. He is the Servants, driven by fear. They are light-crafts, and somewhere inside them they know it. But they don't understand the dangers of oil, and pour the petrol over themselves, letting it seep down their backs and their necks. It trickles between their articulated limbs. They're too hot; they're too hurried.

Seo grows his underground field: he digs tunnels, preparing for an invasion, in case the Hijackers fail him. He makes more and more Larvae. In some specimens, he replaces the flowery lamprey-eel mouths with real lamprey-eel teeth, sharp, layered, aiming to crunch through roots which might bother him. Last time the plants were poisonous – but he has a solution if that happens again.

Being a Larva is strange. They're at ease underground. Seo shares their contentment when surrounded by earth. The taste of soil, the cosiness of mud against their stomach. But they dream of more. Confusedly, they think of skies, of space. What they find most troubling is the idea of having nothing above themselves. What happens when the roof of the world slips away and suddenly there is nothing to restrain them from floating upwards, up and up and far away? They're scared of being swallowed by the sky.

Pawns don't think. They don't articulate complex ideas like those. But they feel deep, primitive sensations – and Seo senses it too, the greatness of space above his head, the tug upwards. And he can put words on it. He can understand it in a way they don't. He isn't religious, but weavers often are. They believe god feels for humans what a twiner feels for pawns. Seo believes God feels nothing. If he did, he wouldn't put them through this ordeal.

"Craft some fall-back light-pawns in case her strategy surprises you," says Papa in the headphones.

Seo crafts a few Jellybeans. They don't look like jellybeans – they're ants. The name is a playful one. It's because they're made out of translucent bluish jelly, and their round heads and bellies resemble beans in a pod. He gives them six short legs and bulging eyes. He does Feeders too. People whistle at the Feeders; he doesn't need to hear them to know it. They call his Feeders the Cuties, because they're so different from his other pawns. The fans can't get over the rabbit-like softness; they tease him with it. People love them so much, they have to be in every advert. Seo can't count the number of times he's had to pose with those fur-balls. There are mugs with his portrait and the blasted things.

He shouldn't have crafted the fur. No-one would laugh at a bouncing muscle, veins visible underneath the leathery skin. But the ball of jumping muscle on its own was easily irritated by variations in soil, so a pelt seemed like a good idea at the time.

Seo crafts a solid defence, and a solid attacking force, and bides his time. The first stage of the game is the worst – he never knows whether he's winning or losing until breachable borders is called. He needs to know. Today more than ever, he needs to know.

"Breachable borders!"

At last. Seo watches the referee raise his arm, and waits until he lowers it to throw his pawns forward.

"Go for the bliztkrieg," advises Papa.

Seo attacks. Woolfe crafts even heavier, slower pawns than him. He needs to trash her land before she has a chance to build them. The Larvae start digging through her ground. The Hijackers will be next, but he has something he wants to try before he gets them involved.

Along the border, the Servants are holding the Mounts tenderly, forcing them to walk, not jump, so they don't pour the content of their saddlebags. When breachable borders is called, the Servants click their antennae together. On top of the antennae, they have round chips of stone; or more precisely, flint.

As soon as the spark catches, the Mounts go up in flame. With screeches of terror, they lurch forwards. They throw themselves into Woolfe's land, and Seo sees it for the first time.

Trees, of course. Vegetation everywhere. But, more unexpectedly, rain. Not a drizzle but a proper rainforest monsoon. The bark of her trees is slick with water. Seo glances at slabs of stone with carved decorations, like the lost ruins of some Aztec temple. He can't catch much else as the Mounts bounce around, splashing oil and fire everywhere as it drips out of their bodies. He tries to spread them out, but his control is limited at best.

The rain falls on the oil. Water, oil and fire react. The Mounts' pain is partly Seo's; his teeth sting. The explosions echo across the field. None of his Mounts have made it far past the border. Blowing them up means the boundary of Woolfe's ground is destroyed, but it prevented him from going inland, discovering the inside of her field or damaging anything she might have hidden there.

Smoke is rising from the bodies. It drifts either side of the curtain.

The Servants are also experiencing difficulties. Some of them moved away fast enough when they set light to the Mounts, but most of them didn't. Other Servants are trying to save those who caught fire, hurrying forward to stifle the flame. They carry sand in the bowl-hands which they used previously for oil, and pour it on their burnt, damaged friends.

"So much for the Mounts," says Papa. "Don't lose focus, send in the Hijackers."

Seo keeps half his Hijackers to guard the frontier and sends the others into Woolfe's ground. Soon they're climbing over wet roots, slipping over the charred bodies. The Mounts lie on their sides, holes blown through their bodies, the wounds breathing out vapour. Chips of chitin everywhere. Here a leg, dangling from a branch; there half a head, its gruesome eye staring unblinking at the clouds while rain falls into its pupil.

Underground, the Larvae have their own set of problems. Woolfe has knotted her roots together like bars of a prison cell. Seo tests the barrier with one of his Larvae-Lamprey.

It munches through half a root before dying of its venom. Annoyingly, these roots are growing forward, into his land, whilst preventing him from going into Woolfe's ground. Although they're slower than worms, they will push through.

"Poisoned roots underground," he says, "as we thought."

"Send in the Servants," says Papa.

"They're not ready." They're still recovering from the disastrous sacrifice of the Mounts. A few of them are forever damaged – one limb or antenna burnt away, half their body mottled with blisters, dark blood hissing as it bubbles out of the sores.

The hair on the back of Seo's hands stands up. It travels up his arms like a shudder: the knowledge of your near-death. He pushes it down. There are some things he mustn't share with his pawns.

"Send those who can walk," says Papa. "Use the damaged ones to start the flame – they're useless for anything else now."

So Seo does. Depending on their injury, he assigns the Servants different tasks. Those who have both antennae but can't walk are carried underground. Those who are complete assist them. Soon the tunnels are crawling with Servants transporting oil and wounded siblings. The Larvae move out of the way.

Seo pours oil over the roots. He covers as much surface as possible. At regular intervals, he lies down Servants which are making sad, chittering noises.

He doesn't want the fire to spread to his land. There are trails of oil from his reservoirs to Woolfe's plants – he uses a few Feeders to clean them up. The Feeders roll and bounce down the tunnels, soaking up the deadly liquid, before resting next to the Servants. They have no idea what's coming. Seo wonders what his fans would think if they knew he uses the Cuties as mops.

From above ground it's impossible to see the war happening beneath, but the fans will know a battle is taking place down there. Seo and Woolfe are both renowned for using the whole field.

Seo grits his teeth, then allows the Servants to click their antennae together. They know what's happening. They've witnessed fire before. He listens as they tap the flints in rhythm, creating a slow beat, maybe even music as far as their understanding is concerned – the Servants' blues.

Sparks, flame, wood soaked in oil. Smoke. Soon the tunnels are choked with fumes, and the Larvae have to back away further. From above land, Seo's burrows look like chimneys.

"Care to tell us what this mess is?" asks Papa.

"I'm not sure," says Seo. "I'll check."

He sends some Jellybeans to investigate. As they come closer, they find the smouldering embers of Woolfe's roots. The Jellybeans crawl around the wreckage on their tiny legs, their heads bobbing up and down as they examine the damage for Seo's benefit. One picks up a piece of bark in its mouth and tastes it. It's chewy, hot. The fibres come undone under its mandibles.

"Wet wood," says Seo. "The trees burn, but only just. It's like setting fire to seaweed."

"Push through now," says Papa. "Otherwise we've wasted the Servants."

"The cost is too high for this result," says Seo.

"Alright," says Papa. It means he'll think of an alternative, if he can.

Underground, Seo hasn't got the advantage. Above ground, he's struggling to obtain it. The Hijackers are doing a good job – most importantly, they're independent enough that he doesn't need to keep an eye on them. None of Woolfe's creatures have pushed through into his land. She wasn't expecting the Hijackers; no-one has ever done anything quite like them.

Her Orang-utan is wandering across her ground, smashing into the slabs of stone. The Hijacker is holding its organic bit in the ape's mouth. Although it's resisting, the sharp wedge between its lips is forcing its head from side to side, controlling where it walks, what it bashes into. Seo has worked out what those carved stones are for – they're traps. They're maintained in a vertical position by lianas, but if the lianas are cut, they crash down and crush unsuspecting pawns. Some have been set up in order to have a domino effect, and squash whole armies under their weight. Seo sets off all the traps he can spot, using Woolfe's creatures.

One Hijacker is controlling a four-legged pawn, with bark skin which is thicker around the hands and feet than at the shoulders. Brambles are growing around its neck like a mane, and despite the Hijacker trying to keep it in check, the brambles move like living things. They coil around it, boa constrictors of thorns. The Hijacker struggles, vainly tugging at the creature's mouth.

They stumble into a clearing. Through his pawn's eyes, Seo sees squirrels, or something much like them, scampering away from the fight. There's a swarm of them – not regular European squirrels, but animals akin to the flying squirrels of tropical forests, with straps of skin between each paw. The brambles grow thick around Seo's pawn, hiding the squirrels from view.

As the Hijacker's spine is broken, the referees call for the mid-match break.

Jack

Jack fidgets, wondering if he should get up to buy a snack. The pawns are milling around, following their pre-set programming. But there are no weavers to watch over them. He imagines Seo, somewhere in the player's lounge, not knowing what his creatures are up to in his absence. He might lose the match during the interval and not know before he comes back to the field.

Apparently it happened once: Laura described a famous match, eons ago, in which the twiner came back from his break to find his ground had been wrecked. "But take into account the further away the guy is from his pawns, the slower they are," she added. The creatures do seem subdued. It's like watching the match in slow-motion.

Some people have stayed, but most have moved into the concourse to buy a drink or a burger. The stadium feels uncanny, empty of humans but still full of ghosts, see-through pawns moving without purpose to guide them. They remind Jack of toys which have been wound up and forgotten, and which continue to stagger in circles long after the child has lost interest.

Jack is sitting in the cushioned VIP seats. He's spotted Penelope on the same row as him, a few seats to the left.

They've nodded to each other and said 'hi', and if she was surprised at Minjun's singing teacher being invited to the game, she didn't show it. Jack had better tell Laura about it. She'll find it hilarious.

Laura is inside the stadium somewhere – she's doing extra matchday shifts. Because this game is so important, a few regulars from the museum were brought in to lend a hand. When he arrived, Jack spotted her showing people through to their seats. She was smiling, the plastic smile of someone whose job it is to smile.

"You alright?"

She picked up his ticket and checked it before she even noticed who he was. "Hey, it's you!" When she smiled at him, it was genuine. He wonders if she knows how easy it is to see the difference.

"Come to see Kuroaku win?" she teased.

He didn't tell her of the stakes – what Seo promised, what this match means.

"Of course," he said.

"Good shout. Go for it. I'd love to see the man in flesh before the match, of course, but good ol' me will be stuck here for the whole game. Say good luck from me." Seo wasn't much impressed with Laura, but Jack would never admit it to her face – he nodded and promised to pass on the message.

Not that he's seen much of Seo so far. No-one is allowed to meet him during the interval, not even Penelope. Only those who were seated in the manager's box can go; something to do with cheating. Not that Jack could tell Seo anything useful about what he's spied of Woolfe's game. He doesn't grasp the overall strategy, whether one person is winning or losing. As far as he can tell, it's equal. And brutal. He understands why people are so intense about this – it's intense.

The creatures crash to the ground howling; there's smoke, and adrenaline, and shrieks. The clang of battle. The taste of blood in your mouth. More than once, Jack was at the edge of his seat, straining to watch the grounds below him, referring himself to the screens so he didn't miss any of the combat. He feels sorry for the pawns. This is the Roman Colosseum – they die for the petty pleasure of the audience. Maybe they don't feel pain; but they sure look like they do.

Jack wonders what Laura might be doing, what problems she needs to deal with. Blocked loos and queues at the snack bar, probably. And he wonders where Minjun is. Does he think the match is going well? Or maybe he shares Jack's fear, this knot at the bottom of his stomach, this sickly feeling that this might be it, this might be the end – that if Seo loses this tournament, then Jack will lose Seo.

Jack can't nip down for a snack. Even if it hasn't happened in their lifetime, he has to be here. He has to know if Seo's land is invaded during the interval. It would mean so much.

Seojun

It's as if Seo's skin is being pricked by a thousand needles. He is light-headed, a bit nauseous. The lounge feels crowded at half-time, and his ears buzz with the sound of conversation.

"Your field control is a disgrace," says Papa.

"Woolfe doesn't have much more than I do," says Seo. He wishes he had coffee – normally Minjun brings him one. Seo gets up and makes himself a cup at the machine. Because he needs the Twine to stay active during his absence, his hands are glowing like torches.

"Your fight is a mess," snaps Papa. "If I saw this and didn't know you, I wouldn't believe you were professional weavers."

The bitterness of the coffee wakes up Seo, sharpens his senses. He blinks, rubs his eyes with the back of his wrists. His eyelids sting where sweat has irritated the skin.

"You have little to no idea of what her land is like," says Papa. "That's your priority. You'll have fifteen minutes to find that out before open grounds."

Minjun is seated in a corner of the room, near the doctors and coaches. The staff is chatting between themselves; Minjun is playing on his phone. Seo wonders if

Minjun has had a chance to see Jack and talk to him. Out loud he says, "What are those squirrels for, do you think?"

"Find out."

"What do I do about underground control?"

"You won't get it now," says Papa. "Stop her from coming in your land. Play defensive, and don't try to push. You'll need the Larvae soon enough for the air attack."

Minjun glances up from his phone; Seo catches his eye and smiles. He shoves his chin forward, to indicate Minjun's mobile. It's a question, a 'how is *your* match going?' Papa follows Seo's gaze, and his face darkens.

"Could we have a moment's privacy?" Papa asks.

He shoos the doctors, the coaches and Minjun, of course out of the player's lounge. Once they're alone, manager and player fade away, giving place to father and son.

"Are you concentrating?" asks Papa. "Do you realise what is at stake here?"

"I do," says Seo. He's tempted to add, "Even more than you." But this isn't the time to be cocky, not when Woolfe is proving such a challenge to shut down, not when Papa is livid with contained tension, not when Jack's been snuck inside the stadium under Papa's nose. So Seo lowers his head and displays as much meekness as possible.

Papa places both his hands on the table, fingers spread out, and leans into them. The flint-hard glint inside his pupils is a promise of fire.

"Good," he says.

Then he does something unexpected. He bridges the distance with Seo, sits down next to him and passes an arm across Seo's shoulders. He hasn't touched Seo since the newspaper incident.

"It's a tough fight. Probably the toughest," says Papa.

"But I know we can do this together."

He squeezes Seo's shoulders. It's not a hug, but it's as close as Papa will ever get to one.

The fifteen minutes before open grounds fly past in a daze. Seo manages to get a few Larvae under Woolfe's land, only to find she has placed reservoirs of water in her field. The underground lakes easily flood the tunnels of an invading army. Seo sticks to Papa's advice, and maintains a defensive position. The Hijackers explore Woolfe's land, but now she knows how dangerous they are she won't let them close to her pawns, and takes them down from afar whenever possible. Her brambled monster is rampaging across the frontier, but it hasn't breached the border. She must be keeping it for her late-game strategy.

When open grounds is called, Seo has an army of flying Larvae at the ready. Their wings buzz and whirr as they beat them and, slow, gauche, with the balancing movement of bumblebees, they hoist themselves into the air.

The curtain is unravelled. Seo sees trees and lush flowers, half-built temples, glorious colours – purples, blues, yellows. And more importantly, he sees Woolfe's flying army.

They leap out from the highest tree in her jungle and spread out the flaps of skin between their limbs. With their gliders of fur, they fly in formation towards Seo's board. He sends the Larvae out to greet them.

"The Squirrels aren't as manoeuvrable," says Papa. "Wait until they have to land before attacking."

Seo follows his manager's advice, and pulls his army upwards, out of reach of Woolfe's flying squirrels. Floating, more than flying. They've launched themselves from the highest tree, but they're steadily moving downwards. They can't beat their flaps to rise up in the air. As they glide over his land, scraps start falling out of them, pieces of loose material which he can't quite make out. He moves the Larvae closer. Around their belly, the Squirrels have pouches which have torn open and are shedding their content. Seo takes time to understand they're seeds.

These Squirrels don't follow the patterns of animals but, like most of Woolfe's creatures, of plants. They're the equivalent of the dandelion's parachute-seeds. Immediately Seo attacks. The Larvae drop down from the sky. The rubbing of their wings sounds artificial, as if they were helicopters. He's acted too late. For one thing, most Squirrels have spread a decent amount of seeds already. Plus, killing them requires puncturing their wings, and sending them crashing down with their content towards the ground, where the precious seeds spill, spreading evermore.

"Get the Servants to deal with those," says Papa.

Seo brings his remaining Servants to the surface. They pile up the spores in their bowl-hands, and carry them to a hole in the ground. They fill it with seeds and oil and burn everything they can. But the seeds act as soon as they touch sand. They're weeds geared to grow despite the harsh conditions of Seo's desert. They sprout faster than the Servants can destroy them. Seo can't sweep them up efficiently, and once they're saplings he's not sure how to deal with them without setting fire to his own pawns. That is the weakness of fire.

He asks the Servants to eat the plants. Their mandibles do a decent job and are as fast, if not faster, than flames. He has Jellybeans doing little to nothing to help, so he orders them to consume the seeds too. The Squirrels have landed; they don't try to fight the Larvae, but flee back to their home-ground as fast as possible. They endure some loss, but their sharp claws and carnivorous, lion-like teeth keep the Larvae at bay. Despite the accusations of her being too fanciful in her choice of colours, Woolfe has picked brown and yellow for the Squirrels, which camouflages them in Seo's dusty desert. Not that it's going to be a desert for much longer.

The Larvae pursue the Squirrels, but are met with a nasty surprise at the border. The wooden beast of brambles, which in his mind Seo calls Thorns, has finished developing its full potential as a heavy-craft. It has grown across most of the border, its brambles clinging like ivy to every available surface. It attacks the flying creatures with whip-like thistles. When it can't reach them, it uses its limbs like slingshots: the discarded stones, traps with no purpose since Seo crushed them, serve as ammunition. Scurrying Squirrels help it, bringing stones to high branches from which it'll be easier for Thorns to fling them.

While the battle rages in the sky, weeds invade Seo's ground. When eaten, the seeds grow through their unlucky host. Roots and branches pierce the hapless Servants, who die as shoots erupt out of their eyes, their bellies, their mouths. Seo shuts down all information coming from the Servants. He needs to keep his head clear. The Jellybeans are luckier. Although the saplings split them, they survive being cut to pieces. Like worms which, sliced in two, can then form two independent individuals, the Jellybeans regroup. Discarded jellied halves morph into smaller insects, still alive, still able to eat through the plants once they've recovered from the shock.

Seo is losing the sky battle. He brings his Larvae back.

"What are you doing?" asks Papa. The headphones splutter and crack, making Seo cringe.

"It's no use fighting."

"You can't play defensive in late-game. She'll take over your land while you regroup."

Seo clenches his teeth. "Who said I was going to play defensive?"

The Larvae are hovering at the border. He leaves about half to defend from the Squirrels, and brings in the others. They land, folding their wings above their backs. He feels the weight of them as they settle, their bellies scratching against the shrubs as they try to find a flat space for their long bodies. There are fifteen minutes left to the end of the game. Seo estimates it will take Woolfe about seven minutes to take over his land with her plants, considering how much the ants slow them down.

He sends his remaining Larvae underground and crafts a few Servants – they're quick to spin. The Larvae are good at eating tunnels. That's their original, early-game purpose. He digs links between his underground land and Woolfe's. He doesn't bother exploring her tunnels or trying to block them. On the contrary, he links everything. When possible, he digs downwards from his land into hers, so gravity will be on his side. He won't have time to call his Larvae back – this has to work, or he'll have destroyed his heavy-crafts himself. This is a long shot, and it probably won't pay, but he hasn't got a better idea. And he doubts Papa can come up with one at such short notice.

He digs tunnels to her water reservoirs, working from memory. Timing is key here. His oil reservoirs must be open before hers are pierced. The sweat pouring from his forehead means he can hardly see. Above land, the Squirrels are keeping his defensive Larvae busy enough to prevent them from helping the Jellybeans clear up the jungle; but they aren't taking any risks. Time is on Woolfe's side. She'll win this if he doesn't do anything.

One of his Larvae starts digging towards his oil reservoirs. The sluggish liquid runs down his tunnels towards Woolfe's underground network. The worm is swept away by the flood. The Servants can't do this task – he needs them at the border, alive. The roots are problematic, but not as much as he feared. Woolfe has corridors her roots have bored, linking her water vats to her creatures. Her complex labyrinth is rich enough to be of use.

Once the Servants see the rushing oil coming towards them, they start their furious beat of flint. Sparks fly, and with a roar liquid changes into fire. Liquid flames, caught by their own momentum, pour inside Woolfe's tunnels.

The Larvae in Woolfe's land eat the earth towards her water reservoirs, feverishly, as if chased by the devil – which in some ways they are. Seo is so focused underground that he leaves openings for the Squirrels above. "You're losing it," says Papa. Seo can barely hear him. All he can hear is the rush of fire, the screams and hisses of smoke as if it were a living beast, the blood drumming in his ears. He has little time, precious little time, to open up the reservoirs. One Larva breaks through, and now water is rushing to meet oil, rolling over the pawn in one furious wave. Seo's vision goes black, but he grits his teeth and holds on harder to his creatures. He can taste gravel in his mouth, earth rubbing against his neck. He takes another bite; the cold water hurts his jaw. He swallows mud and icy water and suddenly he loses balance. He strives to stay standing, to disentangle his feelings from those of the pawns.

Then he hears the explosion. His vision comes back as abruptly as it clouded over; he's still dizzy. He glances towards the field. The vibrations are violent enough that the Larvae above ground shake. They sense the shudders pulsing below like a disharmonious heartbeat. Seo is more conscious when he hears the second explosion. It rings in his ears. He grimaces, and shuts down the information coming from his pawns.

He has no more idea of what's happening than his audience – his underground pawns have died. Earthquakes shake Woolfe's side of the field. At last, something breaks through the crust. A geyser of boiling oil uplifts a slab of stone and erupts like a small volcano. Fire pours everywhere. Woolfe's trees topple over. Her central masterpiece, the tree she always crafts first at the centre of her field, gives out a creak like a rusty door and crashes down, ripped down its centre, split by inner lightning.

The Larvae take flight to escape the dangers below. The Jellybeans run away from the border. Smoke rises from Woolfe's land. After about a minute, the last explosions die down.

Eleven minutes left to the end of the game. Three before Woolfe, in Seo's estimation, would have won.

Her field is ruined. The ground is burnt, the trees are smouldering embers. The Squirrels couldn't keep themselves off the ground; they are lying curled up under the splinters, charred, their fur ash-grey. Warily, Seo sends his Jellybeans over. They nibble at anything which looks like it might grow back. They eat through Woolfe's seeds on Seo's own grounds. The Larvae help. Woolfe won't be able to recreate a heavy-craft before the Jellybeans, through dividing, flood her board. Flooding an opponent with expendable pawns is an insult – it's the cheapest trick in the book.

But it works.

The damage is too important. Woolfe can't repair it. When the referees announce his victory, Seo inhales. He hadn't realised he was holding his breath.

Minjun

After the victory is announced, Minjun strolls down from the manager's box to the tunnel. He stands behind the cameraman, who's holding his camera in a round plastic structure like a car's steering-wheel. It's to stop the camera from shaking. A guy explained it to Minjun once. Minjun doesn't know this cameraman, though. The lens is aimed at Seo. His brother's shirt is stained with sweat around the neck and down the armpits.

Minjun stands there, and although his brother doesn't acknowledge him he must have seen him. A journalist in a suit asks him questions and Seo, with his fake smile, answers. The camera floats in its steering-wheel, zooming on Seo's face, catching his micro-expressions. Seo is standing in front of a board with sponsors' logos on it, so the audience will see the brand names in the background.

After a few minutes, the journalist in the suit says, "All done," and the cameraman fiddles with his machine. Seo nods at both of them, sidesteps around the equipment, and joins Minjun. They head for the player's lounge. There Seo pours himself a coffee and Minjun switches on the TV. Seo also gets the coffeemaker to pour a watery hot chocolate which he hands to Minjun. They blow on their drinks to cool them, watching Woolfe's interview on the TV.

"What do you think of Kuroaku using a late-game flooding strategy?" asks the reporter.

Woolfe is mopping her brow with a towel. Her hair is spiking up around her head, making her into a blonde irate porcupine.

"Cheeky," she says. "But it's my fault it worked. He won't be able to pull that off twice."

"I won't," says Seo. Then he turns off the TV. "Did you get a chance to see Jack?" he asks.

Before Minjun can answer, Sunny runs into the lounge. She throws her arms around Seo's neck and stamps a kiss on his lips. "Congratulations!" she squeals. She sits Seo down on the couch and chats about the game, her friends, how proud she is, how cute the Feeders are.

From behind Sunny, Minjun can't see Seo. He washes his mug in the sink but doesn't wash Seo's. Sir Neil strides in; he doesn't interrupt the couple but watches over them, nodding in an approving manner, as if agreeing. He waits a few minutes before ushering Sunny out. She laughs with Sir Neil, and touches his forearm, and lets herself out. As soon as she's closed the door, Sir Neil gets down to business. Manager and player discuss the next game, deciding on strategies.

"You'll need light-craft flyers which you can afford to sacrifice," says Sir Neil.

"And maybe something to poison her water supplies," says Seo.

"Don't bother with the Larvae. Light-ish worms and diggers is enough."

"Root-cutters. They won't consume the wood so they won't poison themselves."

Sir Neil nods. Minjun wonders if he always had grey hairs up his nostrils, and whether he needs to cut them to stop them sprouting out on his upper lip, like an upside-down moustache. "Tweak the Larvae and use them for that."

They wonder what Woolfe is up to and re-watch her interview. "Cheeky!" snorts Sir Neil. "Blowing up the opponent's ground isn't what I call cheeky. She can't stomach the last-minute turnover, but that's the point of good Twine, isn't it, lad?"

After the debriefing, Sir Neil leaves.

Silence in the lounge feels weird. Seo puts the TV on low and changes kit. He spreads the sodden T-shirt over the radiator and pulls the new one over his head, rubbing his palms down his arms. It leaves golden dust along his skin. He shakes his fingers; light crackles down them like visible static electricity.

"Only one more," says Seo. He lifts his hand. Minjun high-fives his brother. The sparkles are like tiny fireworks. When the referees ring the bell, they head down the corridor together. Minjun continues towards the manager's box, but Seo stops at the top of the arena's entrance. As he won the last game, he'll come in first.

When Minjun looks back, he can see his brother's silhouette, backlit, with the floodlights outlining him. He faces the empty field, the crowd already howling and rising like his fires, like his floods – like a thing, not people.

The first phase of a Twine match isn't much fun if you're watching Seo – he crafts underground, so there isn't anything to see. Being a Kuroaku fan means you wait and wonder what the twist will be. But twists come late-game, there won't be a surprise this early on. Today, on Sir

Neil's advice, Seo is crafting the Carflies. The Carflies are dragonflies with chitin armour, glossy blue and green, with claws under their bodies.

"They look nothing like dragons," said Seo once, "or like flies. If anything, they look like blue carrots." Which is why he called them the carrot-flies, abbreviated Carflies. Sir Neil wouldn't let Seo name them the Veggies; this was the way Seo found around his refusal.

Minjun remembers an evening they spent renaming pawns: the Larvae became the Sad Hot-Dogs (sad because lacking bread), and the Servants became the Beatles, which was even better because Sir Neil couldn't spot the joke. "They do like their music," Seo would say, keeping a straight face but winking at Minjun.

Minjun plays on his tablet and waits for breachable borders. He has to cut off the sound effects when he plays in the manager's box, but he likes being absorbed in the videogame – anything less captivating and he can't play, he's sucked back into the tournament. Which is good, because it's often Seo winning. But sometimes it's not so good, because it's not Minjun twining and he can't do anything.

The referees call breachable borders. At the same time, Seo sends off his Carflies. Sir Neil waits, tense, his lips white, for information about Woolfe's board. Seo opens his mouth to say something and stops. His eyes widen. He stays silent as his Carflies disappear behind the curtain with a fizzy sound, blurring temporarily as they cross the border.

Woolfe's spies charge in. They don't bother to hide: they fly in formation, low on the ground, a tiny humming invasion. Seo and Woolfe have mirrored each other – they're both flying in with a battalion of light-craft spies. Minjun recognises Woolfe's creatures immediately, because they're his. They're Bulletbirds.

He puts his tablet computer aside. The Bulletbirds have their cheeks puffed out, full of liquid. They start spitting on Seo's field: something gooey, white, gelatinous. It takes Minjun a while to remember where he's seen this before. It looks like the matter the Jellybeans are made of. This is a Kuroaku brothers' production; a pawn which belongs both to Minjun and to Seo. But it's Woolfe using it.

"What's her field like?" asks Sir Neil. "She's making a mess of yours."

"I'll send some pawns back to contain her," says Seo. "I... This isn't like anything I've seen her do before."

"What, no trees?"

"There's trees." That's all Seo says. Sir Neil crosses his arms in front of him and bites down on his nails.

A few Carflies rush back through the curtain, the thud-thud-thud of their elongated wings slicing the air. They charge towards the birds, who swiftly avoid them. Minjun has never seen the Bulletbirds so agile, which means Woolfe must have tampered with their build. Their feathers are a glorious blue with black and white stripes over their heads, like budgies. Minjun suspects they might not be waterproof, which makes them better light-crafts. Or maybe they are water-proof and Woolfe has done her first water-board. It could explain Seo's confusion.

The Bulletbirds spit jelly at the Carflies. If they're touched, their wings get glued together and they fall to the ground. They have to scrape the material off before they can take flight again. But if the Carflies get close enough to grab a bird's fragile wings in their claws, they tear out clumps of blue feathers. The birds shriek and topple down, flying erratically to return to their side of the field.

The Bulletbirds seem intent on covering Seo's field with their spit.

"Okay," says Seo. "I get it. You see the stuff those fellows are spreading?" He means the Bulletbirds. Sir Neil says yes. "Woolfe's ground is entirely like that. Everything. All her pawns are made out of Jellybean matter."

Minjun tries to picture what such a field might look like; it would be eerie, with the veins of trees carrying dark resin through their translucent trunks. It would look layered, maybe, like panels of glass in a row. Would the image get distorted as your gaze crosses the many overlapping plants? Maybe it's like a labyrinth of mirrors, with the light caught at strange angles, and rainbows bursting between the transparent branches. Minjun is curious; he can't wait for open borders.

"I have no idea what to do with these things," says Seo. He shakes his head, and Minjun can see him on screen, his T-shirt splattered with logos, his brow splattered with sweat. If you don't know what the opponent has planned, you're already losing.

"Do they burn?" says Sir Neil.

"Jellybeans don't burn well, no," says Seo.

"What's the underground board like?"

"Whole vats of the stuff. No diggers. She's letting me invade; she doesn't care about her underground defences. This gets everywhere – down the tunnels, on the Diggers, everywhere."

"She wants it to spread," says Sir Neil. "Don't let it."

Seo brings back the Carflies and sets them upon the remaining Bulletbirds. When the birds realise the Carflies are intent on destroying them, they back off. Seo spreads the Carflies along his border to protect it.

But then he's stuck with this jelly he can't do anything

about. He can't burn it. He can't displace it. Seo crafts Servants to scoop up the stuff, bring it to the border and pour it back into Woolfe's field. "But that might just be feeding her land," he grumbles. The Diggers do a ditch along the border, a few feet away from the curtain, as an extra security measure. "A wall might be what I need," says Seo, "but this might slow her down at least." It's difficult to know whether these containment measures are useful, or whether they've been included in Woolfe's plan.

When half-time is called, Seo and Sir Neil both fret up and down the player's lounge, drinking too much coffee. Minjun wonders if Seo knows he looks like Sir Neil; they pass their hand along their skull, they pinch their lower lip between two fingers. The difference, of course, is that Seo smiles at Minjun, a smile which isn't fake but tired and worried.

"I need to win this one," he whispers, "so we can all go home." He says it as if there aren't going to be interviews and honorary drinks after the match, as if they could really go home, crash down on the sofa and eat pizza. He squeezes Minjun's shoulder before going back into the arena. His hands are radiant, burning like contained fires.

When they get back from half-time the jelly has started mutating. Similarly to the Jellybeans, it doesn't matter whether there is a tiny puddle or a river – it grows, shaping trees which extend their fingerlike branches towards the audience. Where it's smudged in the underground tunnels it does roots and grows upwards. Where it's poured along the border it does ferns and moves towards the ditch. Anything that hasn't been scraped off the land changes into flowers, roses, thornbushes, and then thickens and forms weeping willows with branches stretching down and dripping new blossoms onto the floor.

Soon Seo's ground is similar to what Minjun imagines Woolfe's is – covered in ghost-like vegetation. A see-through forest.

"She mastered the jelly so damn fast," murmurs one of the coaches. "She must have learnt about it for the first time at the last match, and look what she can do with it now."

"Incredible impro," answers one of the doctors, nodding. Sir Neil hushes them with a glare. But Minjun knows it's true – this shows excellent improvisation skills. Better than Seo's. At the thought, Minjun's stomach hurts. The tension in the air creeps into his lungs.

"Okay, you need to do something fast," says Sir Neil.

"Define something," says Seo.

Open grounds is called. The referees unmake the boundary; the audience draw in their breath. Even without using colour, Woolfe crafts splendid fields. *Why does she make her pawns beautiful?* Minjun wonders. They're doomed to be destroyed, if not by the opponent, then by the end of the game. But there they are, these trees of liquid crystal, this glass artwork too elusive for Seo to destroy.

"Lateral thinking, lateral thinking..." Sir Neil is whispering to himself, one hand rubbing his forehead.

"What about poison the jelly absorbs through its roots?" says one of the coaches.

"Too late for that."

"A pawn dedicated to destroying the stuff?"

"Too heavy for late-game," says Sir Neil.

Minjun glances at the board. Seo is crafting Jellybeans. These pawns are quick to make, and he spins them out by the dozen. They eat Woolfe's jelly. They fatten, adding her matter to their own gelatinous bodies. But they can't eat through two fields' worth of jungle.

Sir Neil switches on the microphone. "Weather fighting," he says. "Jelly can be crushed, if not cut. Do a storm. Invade with weather rather than with pawns."

"Good thinking!" marvels one of the coaches. Seo doesn't marvel. He nods, a professional sort of nod, which means 'I've got you'.

He takes a step back from the edge of his glass box. He lifts his hands, palms aimed at Woolfe's land. He breathes in.

The air shudders. Clouds billow above his field. A vortex of dust climbs upwards from his ground, followed by a few others, a series of windblown columns like the ones Seo said you could find in Woolfe's hometown desert, around San Diego. Weather and grounds are easier to make than creatures with agency. Although the storm is impressive, it won't cost Seo much.

The winds gather and growl and, like a conscious animal, charge. They pour across Seo's field into Woolfe's.

The plants are ripped out of the soil and shattered across the rocks. Sand and grit and pebbles and stones fly past, then leaves and flowers and bushes. The trees creak and bend – but they'll have to yield and break. Seo's pawns hide underground, where the weather is of no concern. They're safe. They can come crawling back after the storm to claim the land as their own. The overweight Jellybeans don't all fit in the tunnels, but most of them manage to hide before the tornado hits. Those who don't are cast away with the rest of the jelly.

It's like watching someone stamp down on a sand castle. Or kick through a lovingly-made snow sculpture. The jelly deforms into one splodge.

Minjun relaxes: Seo is in control again. He isn't sure it's time for a soda, but he feels it would be a good omen. He doesn't even need to watch; it'll be alright.

So Minjun gets up and leaves the manager's box. Everyone has their eyes glued to the screen. They don't notice his exit.

The corridors echo as Minjun trots down them. He doesn't walk, but he doesn't run. He buys a can at the machine and forces himself to open it there. The concourse is silent. From here, even the fans hitting their seats can't be heard through the concrete. He drinks some soda, fizzing, sweet, and lets the bubbles play against the top of his mouth before swallowing. Tiffany is play-testing a new videogame tonight at a friend's place. If it's cool, she says she'll show Minjun how to play it. Maybe if Seo wins and he's in a good mood then he'll let Minjun go for a sleepover at Tiffany's house.

Minjun heads back towards the manager's box. He forces himself to walk slowly, but to compensate he takes longer steps. So he moves in this jerky fashion, long strides with long pauses, like someone trying to understand what legs are for.

When Minjun enters the manager's box, Sir Neil roars, "Where have you been?"

Minjun gazes at him, not knowing what to say. Sir Neil catches his elbow and pulls him across the room – Minjun trips as he tries to keep up, and pours soda over his fingers. Sir Neil drags him to the microphone. "Say something to him!"

Minjun looks around. The coaches are pale, their brows furrowed, bent over the screens. The doctors aren't here anymore. Minjun glances at the screens, but at first all he sees is Seo's storm, dust and jelly, the fans shouting. Then he finds the right TV.

The shot is of Seo's hands. The right hand is unravelling.

Blood is trickling from the fingers down the threads of Twine.

"Say something to him," repeats Sir Neil.

Minjun's fingertips ache as if someone was burning them with a lighter. He clicks on the button which activates the microphone. He brings his lips closer to it. He clears his throat. Seo can hear this, and on screen he cocks his head to catch what's just been said.

"Hi," says Minjun, "it's me."

"Shut up Minjun." Seo isn't smiling, but Minjun can hear from his voice that he's trying to be funny. It isn't very amusing. Minjun clicks off the microphone. Each time he touches something, he feels searing pain – Seo's pain. On screen, Seo closes his eyes briefly before swapping hands.

The fans gasp. Minjun gasps. Even Sir Neil lifts an eyebrow. Seo places his bleeding hand, the right, underneath, so it'll serve as sub and filter the Twine for him. He starts crafting with his left hand. In theory, this means the right hand will be less solicited. It means he won't forfeit the game; he'll play whilst unravelling.

"Apparently the pain is comparable to having someone pick your veins out of your body with a pair of tweezers," Seo said once. "How they found that out I don't want to imagine." He laughed, and ruffled Minjun's hair. "I guess I'll know soon enough."

Minjun watches. He doesn't wipe the soda where it's poured. The sugary juice sticks his fingers together.

Seo's right hand is bleeding abundantly. Slowly but surely, the Twine will eat through the fingers, as if flesh were pawn-threads, as if a human could be pulled to pieces. There are stories – no actual cases, but stories – of weavers with stubs instead of hands. If you Twine until you unravel your bones, you're left with atrophied lumps at the wrists. "Unlikely." That was Seo's opinion. "Surely when the fingers go the Twine stops. It won't last until the wrists."

Minjun spots the doctors. Not in the manager's box – on screen. They're hovering at the edge of the field. One referee is there too. He doesn't seem to know if he should interrupt the game or if, considering Seo hasn't asked for a break, he should let things play out. If he interrupts the game without Seo's consent, he'll be responsible for Seo losing. He can't afford to do that, and so he waits, right next to the glass box, ready to interrupt the match as soon as Seo so much as blinks in his direction. Minjun can see the man twitching.

Sir Neil walks up to the microphone. "Forfeit the game. It's not worth it." Seo doesn't answer. Sir Neil hardens his voice. "Do you want to destroy your hand? Give up."

"If I win this one, it's over," whispers Seo. He speaks through gritted teeth.

Sir Neil isn't impressed. "But if you don't, you'll be too damaged to do a third game."

Minjun swallows stale spit at the word 'damaged'. Seo's storm is raging across his field and Woolfe's, uprooting plants and dragging them across the ground, their roots like veils trailing behind. Trees crash down under the tug of the skies. But his tempest isn't as fierce as before. And Woolfe makes new light-craft plants, round twiggy structures, which roll around in the gale, scampering along the earth without breaking. They're like the tumbleweeds which dance between cowboys – they resist the harsh winds by complying with them, following their lead. Where you blow, I'll roll.

Next she crafts lichen. It grows low on the ground, lower even than Seo's insects, clinging to rocks and grit and even, when it can, to the carapaces of the Diggers. As usual, Woolfe creates it with brilliant, iridescent colours.

It glitters in the floodlights like opal stone.

By the time Woolfe's jellytrees have been tackled, and Seo's Diggers have walked in, already the tumbleweeds are thriving. Despite the Diggers' best efforts at cutting up the twigs in their mandibles, and despite the raging dust storms, lichen spreads. Minjun watches the minutes on the clock, following the long needle as it moves, second by second, towards the end of the match. There isn't a sound in the manager's box, except for hushed breathing, the wetting of lips.

The tumbleweeds Seo deals with. They are eaten, they are torn apart, they are burnt. Minjun can feel his heart hammering in his chest. Flames lick the wood and spread in the quick, evil wind. Sometimes the insects' chitin armour catches fire and they roll in the dust to quench it. They walk like burnt shadows, wounded but unyielding.

Then Seo's left hand unravels.

On screen it's achingly slow. The fingers of his left hand, where they were damaged before, where they were hurt when he forfeited his match to Woolfe, all those months ago, when Minjun and Tiffany were playing and not watching their phones – those old wounds are under too much strain. The skin under his nails breaks open, as if slit by a knife. Then the blood curls, following the threads of Twine, doing pawns at one end and undoing Seo at the other. It's like watching a cotton ball as you pull on its string. It's gradual at first, but it only gets faster.

No-one says anything. Sir Neil glances at the referee. The doctors edge closer. Everyone is waiting for Seo to forfeit the game. Minjun sees him bite down on his lips, hard. There must be blood inside his mouth too, the tang and taste of it.

That's when the crowd stands up. The Kuroaku fans,

of course, but also, out of respect, Woolfe's fans. There's the rattle of seats as everyone rises to their feet. Someone brings their arms together in front of them, wrists crossed as if about to Twine. Minjun doesn't see who starts it, but soon the whole stadium, or most of it, is imitating this gesture. Sound doesn't get through to Seo – but visuals do. He watches this sea of people with their hands crossed in front of them, raising their wrists to the sky in a gesture of solidarity. *We suffer with you.*

Minjun crosses his wrists. The manager's box is deadly silent. From what he sees on screen, so is the stadium. People are holding their breath. One of the coaches imitates Minjun, then another. They watch Seo. Reluctantly, Sir Neil crosses his wrists. "Stubborn idiot," he says, but there is admiration in his voice.

He's strong but he's slow. A rainbow unfolds as shimmering colours cover the field. The blues and reds and greens and blacks spread out like a fan. The nacreous lichen grows despite the foul weather, despite Seo's efforts to eradicate it – he struggles to remove it from his insects or his stones. It's a rash of sorts, close to the skin, itching; but an artistic rash, an elegant destruction. The Diggers scratch at it with their claws, they tear off strips of golden moss, but for every piece deracinated another grows.

The field is a kaleidoscope of colours. Woolfe has won.

Minjun runs inside the player's lounge. Seo is on the couch with three doctors around him, one tending to each hand and one passing along the bandages. You can't see Seo behind this human wall of medical assistance. Seo's coffee mug is on the sofa's armrest. It's smeared with blood. There's blood on the table, blood on the coffee machine, blood on everything he touched.

Minjun scampers up to his brother, and one of the doctors moves to give him some space. They're so crowded around Seo that he probably can't see past them to the room beyond. But Seo notices Minjun, and smiles. Minjun picks up the coffee cup, gingerly because of the mess, and brings it to Seo's lips.

"He's in shock, you should be giving him water," says one of the doctors. Minjun ignores him. Seo drinks his coffee, and makes a muffled 'mmmh!' noise when he wants Minjun to stop. "Thanks," he says.

Minjun goes to the sink to rinse his hands. The water comes out pink. He fills the mug with water, following the doctor's advice, and brings it back to Seo. Suddenly Sunny barges in, followed by Jack. Sunny isn't so sunny today – thundery would be a better word.

"I'm not going to ask you again," she snaps. "He needs space!"

"I have to check he's alright," says Jack.

"The last thing he needs is fans flocking in…" she starts, but Jack interrupts her.

"I'm not a fan, I'm a friend."

"Friend or not, you shouldn't be here. Give him some space."

"If he needs space so badly, what are *you* doing here?"

As they argue, the doctors finish working on Seo's hands. One of them edges away, the other glances at the commotion. The third asks for some quiet. They back away from Seo and suddenly it's possible to see him in full, sunk in the sofa, his hands on his knees, white plasters across his fingers. His face is pale, his blood drained out of it. Minjun rushes to his brother's side. He hugs him, but Seo doesn't hug him back. He rests his head on Minjun, as if sleepy, and sighs. Minjun squeezes harder.

"Jack," says Sunny, "it's very nice of you and all that, but get out of here!"

"He can stay," says Seo.

This throws Sunny, and she stops mid-sentence. She frowns, glares at Jack, glares at the doctors as if it's their fault, and asks, "What?"

Minjun repeats for his brother, so he won't tire himself by arguing, "He can stay."

Sunny puts her hands on her hips like you see angry, no-nonsense women do on TV when they're about to take over the show. "Let one fan through, and everyone will want to squeeze in here," she says. "That's a cute but crap idea, love."

Jack has his mouth open, maybe in shock or maybe because he's about to say something, but Seo speaks first. His voice is quiet. It's not the angry-Neil voice. It's the exhausted-damaged voice. Some of the bandages on his right hand are already stained. You can see the blood darkening them.

"Jack isn't a fan."

"Oh really?" Sunny takes this in her stride. "So what is he, then?"

"He's the person I care for most after Minjun," says Seo.

There is a silence. The doctors hang around the back of the room, heads low, not daring to catch anyone's eye.

"Wait, what?" stutters Sunny. Her light has been knocked out of her. Jack doesn't say anything; he seems as surprised as her. "What did you just say?" Sunny is fuming. Her cheeks are bright red. "What the... Why didn't you tell me?"

She wavers between crying and throwing a tantrum. There are tears in her eyes but only fury in her tone.

"And you couldn't just tell me, I don't know, at any other time than here, now, in front of everyone? You lied to my face every fucking day and you're coming out with it now?" Sunny growls. Her eyes shine but the tears don't fall. She stands straight, her dress falls without a crease.

That's when Sir Neil enters the room.

Everyone stops speaking and stares, except for Seo. Seo closes his eyes. Maybe he hopes that if he can't see it, this won't be happening.

"What's going on here?" asks Sir Neil, taking in the scene. He spots Jack. He doesn't seem happy about it.

Sunny breathes out a ragged sigh. "You manipulative bastard," she says to Seo. She opens her mouth to add something, but emotion overtakes rage. She stays with her lips parted and nothing to say. She has the marble face of Penelope at Ulysses's funeral – the face of someone who waited for nothing.

She stalks out of the room.

Sir Neil watches her go. He passes a hand over his naked forehead and thinning grey hair. Minjun glares at him because he has to, because his brother needs protection, and even if Sir Neil is scary he has to stare and hold on to Seo and let him know he won't hurt him, Minjun won't let him hurt his brother.

Sir Neil studies Jack as if deciding whether to be angry or not. Then he turns to the doctors: "Will he ever regain his full capacities?"

The doctors grimace. They exchange glances, embarrassed at having to speak in front of Seo. One starts a long windy sentence which goes nowhere. Sir Neil interrupts him: "Be frank."

"With a lot of work, up to 80% of the original capacities could be regained," says the doctor with lanky hair.

"It's not unheard of," says the doctor with glasses.

"No, not at all," the third doctor agrees. "Could happen."

"So eventually an 80% regain," says Sir Neil. No-one is looking at Seo. Seo is looking at no-one. Jack keeps opening his mouth to interrupt and shutting it again. He stares at Minjun, as if Minjun can do anything about adults talking. Minjun nestles closer to his brother. He was right: there's blood in Seo's mouth. He bit down so hard he cut his lower lip. Huddled against his chest, Minjun hears him swallow.

"But realistically," interrupts doctor number one, "in those cases, most patients make it back to 60% of their initial capacities. I mean, if he'd stopped as soon as the unravelling started..."

"He'll be able to do low-pressure Twine," says doctor number three with the dirty blouse. There's red splattered down the wrists of his shirt.

Seo's face is blank. Sir Neil thanks the doctors. "I think we need to discuss this," he says to them, nodding towards Seo. They exit, but neither Jack nor Minjun budges. Sir Neil seems to decide it will be more work to get them out than bear with them. He ignores them both and turns to his champion.

"You'll have to forfeit the tournament in person," says Sir Neil.

"I'm playing the third game," says Seo.

Sir Neil raises an eyebrow. Seo passes an arm around Minjun. He wipes his lips with the back of his hand, wincing.

"You can't," says Sir Neil.

"I can."

"You'll lose."

Seo doesn't answer. There is nothing to answer. Sir Neil is saying the truth.

"I could be angry," says Sir Neil, "and I am. I'm furious. But what would be the point?"

With those words, his manager leaves Seo.

As the door closes, and there's only the three of them, Jack rushes to Seo and sits next to him, on the other side of the sofa. He touches Seo's knee.

"He's right," says Seo. "This is it."

He stares at the ceiling.

"There must be something you can do," pleads Jack.

Seo shakes his head. He smiles at Minjun, an unhappy smile, a smile that says 'I love you' but not 'I have hope.'

"Can't you play doing only small pawns or something?" says Jack. Seo shrugs. "In that case, why do you even want to do the third game?" asks Jack, sounding bewildered.

"I owe it to Woolfe," says Seo.

But Minjun is thinking of something else. He's wondering if there is a way to win with light-crafts. The first game was won by the Jellybeans, which are light-crafts. And the second game was won by the lichen, which can't be a complex pawn, and would have been even less costly if Woolfe had made it a dull shade of brown. Maybe a flooding strategy with light-crafts could be a winner, or at least a decent try. Minjun struggles, but he can't think of pawns solid enough to survive breachable borders, not if Woolfe sends in half-decent heavy-crafts. The reason why small pawns won the last two matches is because they were the only things left once the brutal creatures had slaughtered each other.

"What about the Copycats?" he says. He doesn't realise he's said it out loud until Seo and Jack turn to him.

"What about them?" asks Jack. But Seo is faster, already pondering what Minjun might mean. Despite the bags under his eyes and the sweat sticking his shirt to his skin, he's trying to find a solution.

"They could learn from Woolfe's heavy-crafts and copy them," says Minjun.

"Which means that in theory you wouldn't need to do heavy-crafts yourself," completes Seo, pursing his cut lips. "But it's a long shot. Some things are in-built and impossible to copy. And the Copycats are squishy." He means easy to kill. Then he shrugs, and says, "But it's probably the best chance I've got." He smiles at Minjun. "You're a star," he says.

Minjun hugs him. Seo hugs him back, laughing a dry, echoey laugh.

"Copycats it is, then," he says.

Jack

Jack sits in the stadium, biting down on his fingers, peeling off the skin around his nails with his teeth. When the match is announced, Woolfe walks up to the centre of the field, accompanied by the referees. There is a frown plastered on her forehead, as if painted there. She probably thinks Seo will forfeit the game. That's what most people think. Jack can hear them complaining from their seats. Most haven't even bothered to come back from the toilets or snack-bars yet.

Seo crosses the field up to Woolfe. He seems small in the great expanse of ground. He walks with a confident stride, but Jack remembers the colour of the bandages at the tips of his fingers. Blood running down the threads of Twine.

When Seo shakes Woolfe's hand, the frown melts away, but she can't hide her amazement. Neither can the referees. They exchange a glance, caught and amplified by the TV screens hanging from the corners of the stadium. Both weavers stroll back to their booths. There is a close shot of Seo's face. Under the spotlights, shadows can be seen underneath his eyelids, cutting his cheeks and adding years to his face. He looks worn.

Once it's clear Seo will play the third match, people rush back to their seats. Soon the tiers are full again, and vibrating.

Jack sees Penelope making her way back to her seat. But instead of ignoring him, or glaring at him, she asks the man next to Jack whether they can swap places. She sits next to Jack with an angry drawn-out sigh.

They are both silent for a while. Jack feels tension exuding from Penelope like heat.

It isn't his fault, Jack wants to say. It's the world. It's Twine. Or Twine fans. And Sir Neil. And everyone telling him who he should be. If we let people be who they want to be, there wouldn't be all this to deal with. Seo didn't do this to hurt you. He did this because he was afraid people would hurt him.

He opens his mouth to say something but she interrupts. "Forget it. How did it go with Sir Neil?"

Jack stumbles over his own words, struggling to hide his surprise. He says, "As well as it could, I guess."

She nods. She crosses her legs, her pointed high-heeled shoe moving left and right, swishing like a cat's tail.

The referees weave the boundary. Seo extends his fingers more slowly than Woolfe. She's already crafting her first pawn when his first threads of gold spiral towards the ground. He sets down a simple land, with nothing above it, not even sand or grit or variations in soil. This is earth, untainted.

"He can't do it," says Penelope. Jack eats another finger; his thumb is aching from torn-out skin. It's still not as bad as Seo's, though.

Seo crafts the first Copycat. Fans lean forward expectantly.

"It's a Cutie!" shouts someone in the crowd.

"No it isn't, it's bigger!" says someone else in response.

The Copycat has dapple grey fur. It yawns and stretches. It licks the back of its paw, using it to rearrange the fur around its ears. It doesn't seem apt to battle Woolfe.

Seo is slow. Despite what Minjun said about Copycats being easy to make, Woolfe already has the sapling of her central tree and most of her weeds ready. She's following the strategy she applied for the first game. No jelly creatures nor pistol-hummingbirds. Maybe she thinks Seo won't pose much of a threat. More Copycats crop up and start playing together, tumbling over one another, spitting and purring in turn. They are a variety of colours, although Seo tends to craft them black, grey or brown, supposedly as camouflage. He dapples or stripes their fur, like leopards or tigers.

"He's lost it," says someone, disappointment dripping from their words. "These are useless." A cry from the other end of the stadium, which Jack can't make out. A fan is trying to get through to Seo, even though it's impossible for sound to travel across both the glass and the headphones.

Jack watches the TV, waiting for a shot of Seo. His face is white, speckled with perspiration. His lips are one thin line, tightly shut. His hands are glowing, but the light is different from usual. Rather than vivid orange, his Twine is dark red, nearing purple. Jack's heart accelerates. Does this mean something? Is it bad? It can't be good, not when the strain of Twine must have the fingers bleeding again. The only reason the fans can't see the blood is because it's being soaked up by the plasters. The bandages are shifting from white to red, like dawn breaking.

Jack can't watch. He can't bear it. The live commentary of the crowd, the deathly colour of Seo's cheeks – it's too much. Seo looks like he's going to faint. And all these idiots have to say about that is, "He's lost it." Why are the referees even allowing this?

Not being able to intervene makes things worse. He can't win the match for Seo. He swallows, rubs his forehead. He smiles an unconvincing smile at Penelope. Her face is grim.

"What?" she asks.

Jack thinks about the right way to put it. "You're being good to him," he says at last. *Better than he was to you.*

Penelope shrugs. "He's bleeding," she says, as if that explains her behaviour.

There is another tense silence. They glance at Seo's land. It's covered in Copycats, joyful and stupid, playing and arguing.

"You're no better," Penelope says. "Messing around with me at the restaurant when you knew perfectly well what was going on." She stretches out her legs and rubs them. Her nails leave white lines on her skin. "You're both liars. You deserve each other."

Jack feels sorry for Penelope. But losing a boyfriend when you're rich, young and beautiful happens. She'll find another, better-suited suitor. For Seo and Jack, this match means more than an eventful night in their paparazzi-pestered lives. Anyway Jack thinks so; hopes so.

Jack notices Seo also crafted one Hijacker, who is waiting at the border. A few Copycats are waiting with it, their intent eyes glued to his appendix-arm. Seo continues spilling out felines, but none of them seems to be considering a strategy.

The referees call breachable borders. People lean forward, straining their eyes on the curtain.

Woolfe's pawns arrive in force. Jack wonders if it's to spare Seo, to get the whole business over with. Woodland creatures, half-flesh half-bark, half-veins half-resin, charge forward. The Copycats watch them with the inquiring eyes with which they greet the world. The green mossy Rhinoceros which is leading the attack pierces the body of one of the cats with its front horn. Blood splatters the dappled fur; shrieks fill the air. The Copycats have understood they're in danger. They disperse, running away from the invading pawns. Some fight back, their retractable claws gleaming as they slide out of their footpads. But they're light-crafts, as Seo and Minjun have explained – their claws barely scratch the bark.

The Hijacker throws itself at one of the beasts, a toad of mushroomy consistency, with six legs instead of four. The toad is the size of a horse, bigger than all other pawns on the field. The soft gums of the monster make it easy to control thanks to the wrench-arm. The Hijacker squashes a few of Woolfe's smaller pawns with her toad, then sends it galloping at the Rhinoceros, where it impales itself, purple blood and guts covering the ground, steam floating above the hot remains as they spill. This earns Seo a round of applause, fans shaking their fists and howling, "You show her! You show her!"

The Hijacker tries to take control of the Rhinoceros, which is extricating itself from the innards, slipping on the gore. But Woolfe's famous Orang-utan plucks it out of the air and, between its giant hands, breaks its arm clean off. It throws down the arm, takes a firmer hold on the Hijacker, and snaps the pawn in two. It drops both halves on the floor and extends a helpful hand to the Rhino, tugging it out of the mashed remains of the giant toad.

The Copycats are fleeing in every direction, when they aren't being killed. Most of them hide in Woolfe's land, disappearing up trees, vanishing in the high grass, scrambling in holes between the roots. "Wait for it!" shouts someone in the crowd – Jack guesses he means wait for the twist, the big reveal, which Kuroaku fans always expect. But the Copycats disperse and soon Seo's ground is abandoned, left for invaders to overtake. There is no twist. Woolfe will win this.

The referees interrupt the game for half-time.

Minjun

The Kuroaku brothers sit together on the sofa, doing nothing. Minjun has turned off his game but has nothing to say. The TV drones on in the background of the player's lounge.

They're the only people in the room. Normally doctors and coaches and Sir Neil would be there at half-time. But there is no strategy to decide upon. The Copycats will be crushed, maybe even during the interval. No-one needs to be there to witness Kuroaku's defeat, so they haven't bothered joining him.

Minjun glances at Seo's hands. The fingers are purple with Twine; the fingertips are red. They're bright, but they won't last another forty-five minutes.

Jack

When half-time is announced, Jack gets up. He pushes past the rows of fans until he reaches the coolness of the concourse. He searches for Laura.

She's at her post, waiting at the bottom of the steps by the entrance which she's supposed to manage. She's sorting through strands of her hair, picking the forked ones and cutting them off with her teeth. When she sees Jack, she looks worried. He wonders how much he gives away. She waits for him to come closer, a lock of hair still held in front of her, having forgotten to put it away.

"Everything alright?" she asks. Jack does a helpless gesture.

"I don't know," he says. "Maybe. He's playing."

"And I'm stuck down here where I can't see a thing," she grumbles. She throws the lock of hair over her shoulder. "What about the bleeding?"

Jack shakes his head. "Again I... I don't know. It must be awful. But he's doing it."

Laura pats his shoulder in sympathy. The blazer and makeup suit her, but they also change her. It's hard to picture her without the Norwood crest above her heart, in trashed shorts. It's impossible to guess she has a tattoo.

"I wish I could help him," says Jack.

Laura's pat turns into a rub and then, on impulse, she pulls him into a hug. "And I wish I could help you. We just have to sit tight and hope for the best."

She lets go.

"Trust Seo on this one. If anyone can do this, it's him."

Half-time comes and goes, but Seo hasn't lost. When he returns to the field, a threadbare expression on his face, Woolfe has invaded his land. But, interestingly enough, the Copycats have also invaded hers. They are everywhere – in hiding. They haven't been absorbed. The referees can't declare Woolfe's victory until she has control of Seo's pawns, and so the match resumes.

The man next to Jack is twitching, his leg bouncing up and down continuously. It's annoying, but Jack shares his excitement.

"He's still holding," says someone in the crowd.

"Must be a world record by now," says someone else, next to Jack. The man has a scarf with Kuroaku's colours, plus a cap, a bearded face, a shaved skull. If Jack saw him in the street, he might cross over. The guy probably feels the same about Jack. But sitting together supporting Seo, they're sharing something.

"No-one can Twine whilst unravelling," whispers Penelope. She catches Jack's eye, and repeats, "No, really, they can't. You can't imagine the agony." Jack nods, because to be fair, he has no idea what the pain is like.

Behind him, a man stands up and shouts, "We're with you, Kuroaku!" His cry is taken up by others – a mutter of agreement, like rumbling thunder, rolls across the stand.

"You think he can win?" Jack asks Penelope. There is no-one else to ask.

"No-one thinks he can win. But no-one thought he could Twine with unravelling fingers this long." She shrugs, hands spread out towards the sky. "Who knows? He's surprised us before."

There is movement down on the field. They both lean forward, hands on their knees, peering to have a better view. The cameras focus on the action: the screens show a close-up of a Copycat hurling itself at Woolfe's Orang-utan. It's a black-and-white cat, with one drooping ear, hissing like a snake. It's wielding something in its paw. When it lands onto the Orang-utan's back, sinking its claws into the moss, the fans can see what it's holding. It's the remains of the Hijacker – the broken arm. The Copycat twists it as the Hijacker did, fitting the curved talon into the Orang-utan's mouth. The Orang-utan fights against the bit, but the Copycat forces it into obedience.

At the same time, on a different side of the field, Copycats launch themselves at Woolfe's Squirrels. They use guerrilla tactics against Woolfe's pawns, springing on them in big groups, before dispersing swiftly. Woolfe's creatures fight back, only to find their techniques used against them. Soon the Copycats are creating slingshots to lob stones at heavier pawns, and keeping the flaps of skin from the dead Squirrels as parachutes.

Seo crafts more Copycats, who learn from the ones who already have a vast amount of knowledge. He crafts Hijacker arms, which the Copycats recognise and pick up. Soon the light-crafts are doing more than most heavy-crafts – they can fly, hijack bigger pawns and use slings. The Copycats keep acquiring more skills. They understand the idea of being poisonous to eat, and spread venomous resin on their fur. The cats are striped with bright-coloured sap like tribal warriors.

When a Copycat dies, it is easy to replace, and the new pawn is quick to learn everything it needs. But when one of Woolfe's pawns dies, she needs several minutes to craft a new one. Slowly but surely, the Copycat community is gaining power.

"This is insane," says Penelope. The crowd agrees. They cheer Kuroaku on. Some of them are imitating their earlier gesture, raising their arms in front of them, wrists crossed.

Open grounds doesn't change the situation – both fields are so mingled, there isn't much to discover on Woolfe's or Seo's land. But there is one thing open grounds means: it indicates Seo has struggled through two thirds of the match without losing or surrendering. Jack feels an ache in his chest, and he knows it's stress. He needs to know. Lose or win, but get it over with! He's aching for victory, and it's so close he can feel it – the incredible relief after the price paid for it.

Because there is a price. The cameras sometimes single out Seo, and even when they don't, the strain is obvious. He's so pale Jack can see the veins in his cheeks, the growing shadows under his eyes. His hands look cramped, old, the knuckles at odd angles. The Twine is darker and darker, deep purple, nearing blue – a colour Jack has never seen. Penelope uses the word 'corrupted'.

"Now the one thing he mustn't do is let go before the end," she says. "That's it. If he holds, the pawns can too."

Seo crafts a Servant. Servants can carry material and dig holes. Soon the Copycats have understood what he wants them to do – they start digging trenches and building walls. They clean out areas, uprooting all vegetation, to construct strongholds. When the Servant is inevitably killed, they keep his cup-arms to help them transport liquid. They also keep his flint-antennae, as the Servant showed them how to set fire to dry grass, although they haven't found a way to burn down Woolfe's trees yet.

"Why doesn't he craft them some oil?" shouts someone.

"Why doesn't he craft the Larvae, you dumbass?" answers a plump man in front of Jack, twisting his neck to address the person behind. "Does he look like he can?"

He doesn't. Yet the Copycats expand their territory. With their war-paint and their tools and their mud walls, they fight a hostile world which wants them dead. Branches lash down at them from the sky. Giant monsters attack the strongholds. Weeds grow out of the ground. But the Copycats grit their fangs and learn. They throw poisoned corpses in the enemy's mouth. They activate Woolfe's traps when one of her pawns is passing by. All the while, the jungle is beaten back, the trees are cut down and burnt. The Copycats live in the forest, but they're not part of their environment – they're grappling with it. And they only get better.

Thirteen minutes left to the end of the match. Seo, who was standing at the edge of his glass box, collapses. Everyone gasps and gets up for a better look. The pawns fizzle as if about to unravel before solidifying again. Seo struggles to get back to his feet. The glass partition bears a red stain where he tried to grab it as he fell. He struggles to pull himself upright, then decides against it. He sits in his box, his elbows resting against his thighs, maintaining his Twine. He stops crafting. He probably can't. If he faints, the Twine threads will break, and he will lose the match.

Woolfe is working on a counter. She has bamboo trees growing close together, forming a rectangle. She's got another Orang-utan, which cost her several minutes to re-craft, digging a pit next to the bamboo shoots. Seo can see her, but he does nothing. He upholds his Copycats and waits. Her roots keep growing inside the mud barriers, cracking them open like nuts. Her weeds don't stop their furious war against the Copycats. But this is new – this must be designed to spare both Seo and herself the grinding stalemate they're locked in.

She seems as exhausted as Seo. Although she isn't unravelling, she has a much larger board under her control – all of the land is hers, the backbone of the game which supports the Copycats' battleground. Her hair is slick with sweat; her hands are the colour of red-hot iron. The Twine looks as if molten metal is dripping from her hands. She is literally dripping; her T-shirt is soaked, stuck to her back and upper arms.

It takes Woolfe five minutes to finish the pit. The bamboos make more sense to Jack now – they're an open-sky cage, the bamboo wood serving as bars. Their smooth surface will make them hard to climb, even for Copycats.

The Orang-utan takes a step backwards to consider its work. The bamboo cage circles the pit. The Orang-utan climbs out of the structure, careful not to damage the bamboos. Woolfe has a determined expression, and eight minutes left.

"What happens if there isn't a clear winner at the end?" asks Jack.

"It depends," says Penelope. "The referees could call for a draw or an extension. Time-extension. But that's only if they think it'll help one of the weavers win."

A draw. Jack wonders what that would mean, both for Woolfe and for Seo. Would they divide the prize money in two? Share the title of World Champion? A draw isn't the ideal solution, but an extension would be the end of Seo. He can't play another twenty minutes. Jack isn't sure he can play another three.

But Woolfe isn't planning on a draw. She leads an assault against one of the Copycats' forts. She attacks with a wealth of heavy-crafts: roots burst out of the ground, catching the screaming cats inside their coils. Squirrels pounce over the walls from high branches and wrench their weapons out of the felines' claws. The Rhinoceros charges at the mud-gate with its horn until it crumbles. The Orang-utan plucks Copycats out of the air – but it doesn't slaughter them. It carries them, holding them by groups of two or three, and plops them inside the bamboo cage. It isn't a successful attack, in the sense that most Copycats escape. They will come back in force later, to build another fortress in another part of the jungle. Woolfe doesn't seem to mind. Her pawns capture around ten specimens, which they store in the cage.

Then the Orang-utan heaves one Copycat out of the pit and drops it in front of itself. The Copycat attacks, all claws out. The Orang-utan rips off one of its arms. The cats in the cage watch. Their black irises seem to grow larger. The wounded Copycat wails, blood gushing out of its wound, and scratches at the heavy-craft. It doesn't stand a chance. The Orang-utan picks it up and twists off its other arm. Some people in the crowd wince. Jack has to look away.

The TV is showing Seo's face. He looks as if his own arm has been torn out, not his pawn's.

The Orang-utan kills one Copycat, then picks another out of the cage and repeats the process. Woolfe isn't playing anymore. This is warfare. Jack didn't realise you were allowed torture. Even if it's only pawns, only projections of the weaver, not real beings – even so, it is unsettling to watch. He wonders what the Pawn Empathy Society would have to say about 'incarnates' tearing off each other's limbs.

Woolfe has created an arena within the arena, where doomed gladiators fight while the greater struggle continues outside the pit. Why is she doing this? Jack wonders. Is she trying to break Seo psychologically, to force him to let go of his pawns?

Maybe she's also trying to make a point. Jack thinks about the critiques he heard concerning her. Too flowery. Too cute. Too artistic. This is calculated to maximise the suffering of the light pawns. Let them say she is too fancy after that.

The Orang-utan kills all but three Copycats. He sets those free. When he picks them up they cower in his hands. He drops them on the ground outside the cage, and they bolt away. The violent executions only took a few minutes. Woolfe has six minutes remaining to win the game.

No-one knows why she let the Copycats go free. The conflict between plant and feline continues. The surviving Copycats join their companions, matted fur sticking to their bodies, their wide-open eyes always staring. The effect isn't immediate. At first, it feels as if Woolfe hasn't furthered the fight towards any conclusion. But then the freed Copycats share what they learnt. And they learnt fear, humiliation – they learnt to lose hope.

The Copycats don't fight like they did before. When at first an attack doesn't succeed, they flee. They're terrified of the Orang-utan. Jack sees a Copycat, with useless torn Squirrel wings, throw itself from a branch towards certain death to escape the ape. It's crushed to the ground, yet that must have seemed a better fate than being captured.

Seo keeps his eyes closed, emotions flashing across his face – a frown, a flinch. He's at the end of his tether. He can't find a counter for this. Even if he did, he wouldn't be able to set it up. Jack licks his dry lips. A draw. Maybe a draw is the best they can hope for. Woolfe only has three minutes left.

And she knows it. She sends her armies with renewed energy against the Copycats. Roots persecute them, springing out of the ground to twist around their ankles. The Rhino pursues them tirelessly, trampling as many as it can. The Copycats still hijack greater pawns, but when they can't regain control, or when they're approached by a threat, they tend to discard their weapon and jump off their mount. As Woolfe becomes more aggressive, they run away and hide more. They make mistakes. They lose ground. Their fortifications are destroyed.

Jack finds himself following one particular Copycat, tabby, ears flat against its head. It seems to be the only one left with some gusto. It's defending the last fortress of the field, jumping from heavy-craft to heavy-craft, from stags with antler-bushes to wolves with grassy fur. The Orang-utan comes to deal with it.

The cat spits, showing its fangs. It has a Hijacker arm in its paw and a Squirrel head tied across its back, soaked in poisonous sap. It's covered in red war-paint, like a house cat pretending it's a tiger. The Orang-utan considers it, then leans over. The Copycat tenses, ready for the strike. When the Orang-utan reaches out, it's possible for a cat to jump on its arm and climb towards its face – if it dares.

If a Copycat takes down the Orang-utan, it might change the tide of the battle again. It might rebuild the pawns' confidence.

Jack waits. He presses his hands between his thighs. The crowd is silent. The fans are on the edge of their seats, waiting, gaping.

The Orang-utan picks up a discarded piece of wood. It holds one end of the stick in each hand. The Copycat watches with its large dark eyes. The crowd watches with its voracious multiple eyes. Seo's eyes are closed, but he must be witnessing the scene from the point of view of his pawn.

The Orang-utan snaps the stick in two.

Jack hears Penelope's sharp intake of breath. Pawns can talk between themselves, of course, but this is something else. Pawns and humans have understood alike. The Copycat's ears move further downwards, burying in its fur. It drops its weapons and scampers away. The threat – or the memory, maybe – is too much. Jack thinks of the first Hijacker being snapped in two. Of a tabby cat's broken spine lying in awkward curve on the ground. He would have fled too.

Woolfe's supporters howl their approval, hitting their feet against the ground. Kuroaku's fans start wailing, a mournful sound which Jack wasn't expecting to hear coming from grown-up men. Their chorus of "No!" is echoed by the hysterical shrieking of "Yes!" or "Go girl!" from the other side.

One minute. Maybe less than that. But a few seconds is all the Orang-utan needs to shred what's left of the last stronghold. When the referees call the end of the game, they announce Woolfe as the winner – of this match, and of the tournament.

Seo lets go of his Twine as soon as the end is declared. The Copycats disappear in puffs of golden dust. There is no more trace of them, neither their corpses nor the few remaining warriors, skulking in the shadows at the edge of Woolfe's land. Woolfe lets the moment last longer. She turns to her fans and cheers, both arms in the air. The fans cheer back. The clapping is deafening, even though Jack is seated on the opposite side of the stadium. Then, with a dance-like movement, she spirals both her wrists around one another and disperses her pawns in a flourish.

Once the Twine powder melts away, there is nothing left of the battle that just took place.

Seojun

Seo sits in his booth. He listens to the white noise inside his headphones. Before Sir Neil can ask him to get up and acknowledge the end of the tournament, he turns them off.

He's lost.

His hands are throbbing, but it hardly matters now. He keeps his eyes closed. He stays seated on the floor. There is the sharp smell of blood around him. Without opening his eyes, he knows the referees are now walking towards the centre of the field, and that Woolfe and her manager will soon join them, and that they will expect him to join them too, to shake her hand.

He's lost.

He gave everything he had, and everything he had wasn't enough.

He hears the door to his booth open. Reluctantly, he turns to see who has come in. He rubs his eyes with the back of his wrists. It's one of the doctors. He's speaking, but Seo can't make out the words.

"Wait outside," says Seo.

The doctor hesitates, then nods. He steps out of the booth, but keeps the door half-open. Seo can feel the evening cold creeping in.

He isn't the World Champion. He isn't free from Sir Neil. It was winning or nothing, and he hasn't won. He doesn't know what to do.

He looks up, towards the tiers circling the stadium. Somewhere in these seats, Jack is watching. For his sake, Seo pushes himself to his feet. His whole body aches. He can't use his hands. He hears the doctor scrambling back inside, and strong hands hoist him to his feet.

The man asks whether he needs help getting back inside his lounge, and explains that he doesn't need to cross the field, that Sir Neil will acknowledge the end of the tournament for him. "You can rest now."

"No," says Seo. Once he's standing, he pushes the doctor away.

Papa isn't waiting for him; he's already striding over the field. Straight but stiff, Seo catches up with him. They walk up to Woolfe and the referees. Papa's face is blank. He doesn't speak to Seo, and Seo doesn't speak to him.

Seo can feel the cameras zooming on his face, the fans in their seats straining to read his expression. Although they don't know the extent of the consequences, they are all there to watch his undoing. It's not only his fingers which are unravelling.

There are a few journalists in the centre of the field, with the tournament's main sponsor, holding a golden trophy with both hands. Woolfe is standing beside her manager, red in the face; she wipes sweat from her forehead.

"Are you alright to shake hands?" she asks.

Seo nods. "Don't squeeze too hard."

There is the shadow of a smile of his lips, as he tries to make his not-very-funny joke. Woolfe smiles back. They shake hands. She's careful not to get blood on her fingers.

When she touches him, white-hot pain shoots up his arm. He grits his teeth and tries not to flinch.

Once they've shaken hands, a man in a suit comes forward. He looks out of place next to the weavers, dressed in sportswear, drenched in sweat. Or maybe it's Woolfe and Seo who stand out in the midst of these rich, scented, clean people.

"You speak first," the man says, pushing a microphone in Seo's hands. "Then you hand the mic to Woolfe."

Seo brings the microphone to his lips. He holds it awkwardly, trying not to put strain on his fingers.

"Hi everyone," he says. He gets a raucous "Hi!" back, from his own fans and Woolfe's. He clears his throat. What can he say? *I lost and I will never be able to play again. For you this was entertainment – for me this was life.*

He glances at Papa. *My son is not a coward.* He thinks of the press conference, how inadequate he felt there. Papa pushed him to speak. Then he pushed him to play despite the fans' abuse. *Finish what you started.*

But this time, Seo is going forward on his own terms. And Papa is right – he is not a coward.

"I'm told I have to speak first before handing you over to our champion. So… I think it's fair for me to say this was a tough match for both of us." Seo looks to Woolfe for approval. She does a throaty laugh and nods. "And Woolfe has shown, as she showed during the World Championship, what an excellent weaver she is. She is an example for us all. She has incredible determination, creativity, rigour."

Without being prompted, the crowd cheers.

"Twine is a rich, ever-changing world," says Seo, "and I'm glad to be part of it." More cheering. They are listening to him now. His heartbeat is ringing in his ears. "And I know twiners and fans will adapt too, as the game changes.

Just before I hand over the mic to Woolfe – who deserves it more than me – I'd like to say one last thing."

Seo sighs down the microphone. All the cameras are glued to his face. He stares at the stand where Jack is. He can't make out Jack in the crowd, but he stares nonetheless, and he hopes Jack knows the stare is for him.

"Our World Champion is a woman, and our runner-up is a gay man. Let Twine be proud of that."

Seo doesn't shout, but his voice echoes across the stadium. The supporters react with such a mush of sound that it's difficult to know if they're clapping or booing. Seo hands the microphone to Woolfe, who has to tap it with her finger to get the audience to calm down before she's able to address them.

Woolfe chuckles. "Wow, you've rather stolen away my speech there, Kuroaku. Okay, before anything else – guys, you've seen what happened today. Kuroaku has changed the way we play Twine, probably for ever. So let me hear you thank him!"

The crowd erupts. Woolfe's fans are good sports – they won, they can afford to be. They can whoop for both sides. The rest of Woolfe's speech is the usual thanks to her manager and family, as well as acknowledgement of the prize, and one last thank you for the fans' support.

Seo doesn't listen. Now that the adrenaline is ebbing away, pain starts flooding his fingers. He has no prize money, no manager, no Twine. And the rest of his life.

Minjun

Minjun is waiting in the player's lounge long before Seo, who walks like an old man with aching bones, enters the room. Seo sinks into the sofa. Minjun sits next to him.

Seo extends his hands in front of him. The bandages are soaked – he's been sweating blood into them for over an hour. He presses one between forefinger and thumb. Red liquid oozes out of the plaster.

"Do you think I should change them?" he asks.

Minjun leans over to consider the wounds. It hurts to look at them; he can feel pain inside his teeth, as if he was biting into something too hot or too cold.

"No," he says.

The doctors would know how to wrap up the bandages, but Minjun doesn't, and if Seo tries to do it with unravelling fingers he will put blood everywhere. The lounge is clean now. No red fingermarks on the table, the coffee machine, the mugs. But Minjun can conjure it in his memory; he sees blood on everything Seo touches. Seeping into the couch above Minjun and Tiffany when he surprises them playing together on their computers.

Seo closes his eyes. He doesn't move for a long time, and Minjun wonders if he's fallen asleep. Then Seo opens them suddenly, as if deciding something. He gets up.

"Want me to show you something?" he asks.

They leave the lounge and stride down empty corridors, narrow back passages reserved for staff and players. Every so often there is a Sir Neil crest on the wall, showing the heraldry of his family – their family, officially. And sometimes there is a sticker of Seo's symbol, the black devil on blue background, with a victorious smirk. The ground is blue and black, like a zebra crossing, to remind everyone of the key-player of the Norwood grounds.

This is all changed now. After this match they will strip the walls of his logo, they will scrub the paint off the floor. People have endings. Seo is over with.

"Do you want me to carry you?" says Seo.

Minjun doesn't think his brother has carried him since the orphanage.

"Okay," says Minjun.

They struggle to hoist Minjun on Seo's shoulders. He settles in a piggyback, his legs held by Seo's arms, his arms around Seo's neck. He's afraid he might hurt Seo's fingers, but his brother is holding him with his forearms and his wrists, not using his hands. He is too big for this. He nestles his head next to Seo's. He bobs up and down as Seo walks.

"Close your eyes, so it's a surprise."

Minjun does. He feels his brother's rhythmical steps. He rests his cheek on his shoulder blade. It's not exactly comfy, because he can feel Seo's grip slipping on occasions, and Minjun has to hold on loosely to his brother's neck to keep himself from falling backwards. But he can remember. It's the same feeling.

It was probably as difficult for Seo then as it is now, because he was smaller. Seo would run, of course, so Minjun would be shaken up and down, as if on a bumper car, screaming 'Ppang ppang!' to signify the gun noises. The background sounds come back to him – 'kung' when they crashed into some invisible obstacle and fell over, rolling on the ground, shrieking. Then they'd run to their imaginary car, and Seo would rev the engine, with Minjun spurting out the 'bureung bureung' as they managed to accelerate out of their enemies' reach. He can't remember their actual words, but he does remember the noises. The calls are still ringing dimly in his ears.

There was gravel in the corner of the playing ground. And one tree, just the one, in the centre of the courtyard. It served as their base; it was a skyscraper where they had their high-tech gear to repair robot-Seo and build new weapons for Minjun. They used leaves as tools.

Minjun feels Seo climbing upwards, up a flight of steps maybe. It's a steep ascent. Seo is breathing hard and, by the time they reach the top, his grip is weakening. Minjun has to hold on with his legs to his brother's waist if he doesn't want to drop off. He feels cold air as a gust of wind blows against them. Seo totters a bit further before stopping.

"You can open your eyes."

Minjun does. They're on the roof. Minjun recognises this part. It's the access to the TV gantry. The gantry hangs from the roof above one of the stands. To get inside it, the cameramen have to climb up a staircase behind the stand and then walk across the roof. They're on that passage, Minjun on Seo's shoulders, which means he's at the highest vantage point of the arena. He looks down at the field below, which should look smaller from above but somehow looks bigger, with both weavers' lands and the stands spilling out all around.

Seo puts Minjun down. Minjun has never been so high. There is a handrail to help people hang on when there's wind, and small round lights encased in the roof at regular intervals, to show the way. He feels dizzy. The stadium is spread out before him, and behind he can see the city, the buildings lit up in the night, the parking lot packed with cars of every shape and colour, lying like plump metal monsters. Going from the brightly-lit field to the nighttime town hurts his eyes.

There is a breeze up here, pushing against Minjun's legs, tugging at his clothes. Twine dust that was caught on his trouser-legs is carried away by the wind. Seo doesn't seem to feel the cold.

"We won't come back here," says Seo. Minjun can't make out his brother's expression in the dark. Seo sighs. "Tomorrow we should go to an escape room or a lasergame or something. Something which you'd like. As a treat."

Seo turns and Minjun can see his face, lit up from underneath by the rounded lamps, with upside-down shadows across his cheeks. His hands glow vividly. When he moves them, he leaves a trail of sparks, like a comet.

"Do you want to invite your friend? What was her name – Tatiana?"

"Tiffany."

Seo turns away again. "I'm sorry I gave you such a tough time."

Minjun edges closer, holding the railing just in case, and squeezes his brother's wrist. He doesn't want to touch the wounded hands. Seo puts his arm across Minjun's shoulders. The brothers watch the ground beneath them and the sky above them. From this height both seem similar, the lights on the floor and the light of the stars.

Now the cold is sharper. Minjun nestles close to Seo. One side of his body is protected by the wind, drinking in Seo's warmth. The other is numb.

There is a crack in Seo's voice when he whispers, "Goodbye."

Jack is inside the player's lounge when they get back. So are Sir Neil and the doctors. Sir Neil and Jack stand on opposite sides of the lounge, arms crossed before them. When Seo walks in, everyone stares.

"Where on earth were you?" grumbles Sir Neil.

The three doctors, with sheepish smiles, gather around Seo. His bandages are stained brown. He lets the doctors change them. Minjun catches a glimpse of threaded flesh, bright pink and red and a flash of white. He turns away.

He looks at Sir Neil, then at Jack. They're both keeping apart, but they've both moved closer to Seo. He wonders what they talked about while the brothers were on the roof.

When they are done, the doctors leave the room. The match is over, and so is their shift. They probably only waited for Seo this long because Sir Neil was there to keep them.

Seo isn't planning to linger either; Minjun can tell by the way he throws off his T-shirt, trying not to use his fingers as he wiggles out of his clothes. He pulls a sweater over his head, stretching, yawning. He can't stop yawning.

"You okay?" Jack asks.

Seo shrugs. He yawns again, covering his mouth with the back of his hand. The halo of Twine around his skin is an unhealthy purple, glowing like a bruise.

"Playing that third game was stupid," says Sir Neil.

Jack glares at Sir Neil. Seo says nothing. He spreads out his freshly-plastered fingers. The bandages cover the first two phalanges.

Sir Neil walks up to Seo. Seo recoils. After the second

match he held Sir Neil's gaze, but now he lowers his face. Minjun knows he doesn't want to fight; Minjun doesn't want to fight either. But he joins his brother, wondering why they have to argue again, more, why now that everything is done they still have to be angry.

"You're not a weaver anymore," says Sir Neil. "You made sure of that." He gives Jack a look of distaste. "But congratulations for that last match." He doesn't say *despite what you've done*. His tone is bitter.

Then he turns to Minjun. Minjun stands to attention. "Take care of your brother."

When Sir Neil leaves, they don't say anything for a long time. Seo watches the door slam shut. It takes Jack placing a hand on his shoulder for Seo to shake himself.

"Let's find somewhere to hide before the journalists track us down," he says. He drinks half of a water bottle without pausing for breath, in long gulps. His eyes are ringed with black and he moves jerkily, like a broken android.

A knock at the door. All three look up. Doctors, coaches, Sir Neil – none of them would knock.

"Come in," says Seo.

The man who opens it is wearing green and orange. "Woolfe was wondering if you wanted to join her."

"For an interview?" asks Seo.

The man shakes his head. "An informal afterparty in the away lounge."

Seo turns to Minjun: "What do you want to do?"

Minjun considers this. Journalists will be waiting outside, whole crowds of them, pressing their noses against the windows of the car, thrusting their microphones in Minjun's mouth. But journalists don't have access to the weavers' lounges.

"Let's go see Woolfe," says Minjun.

Seo bows to his sibling and, with a gesture of his arm, invites Jack and Minjun to walk in front. They follow the man down the familiar corridors, through silence, towards the sound of laughter. There's music too, not exactly festive: music with something of the cowboy, the campfire and the banjo.

When they enter the room, Woolfe lifts her glass towards them. "Give those men a drink!" she bellows. Then she winks at Minjun and bends over to his height to add, "Non-alcoholic for this one, I don't want trouble."

There is champagne, lots of it, and some fruity cocktails. Woolfe is the only woman there. Minjun gets a drink with mint leaves and cucumber in it. Seo and Jack look uncomfortable, but although some of the staff cast them sidelong glances, Woolfe acts as if Jack was as much to be expected as Penelope. She sits Seo down next to her and clinks her glass against his.

"You've changed the face of Twine," she says. "I won a plated cup which won't fit on my shelves. Be proud."

Minjun sits next to his brother, on a stool he pulls across. Jack is soon dragged into conversation by a stranger. There isn't a crowd, but the room is small and the heat of bodies packed closed together warms the lounge.

"You did a lot more than that." Seo's words are shuffling behind each other reluctantly. "You proved women can be Twine World Champions."

"And thank you for giving me the opportunity to show the world," says Woolfe. Her gaze isn't unkind. "What are you going to do next?"

There is a mournful guitar playing in the background. The sound is coming from her phone, plugged in an amplifier. Seo's face falls. What next? Minjun knows there is nothing next; no Twine, no reputation, no family. Seo shakes his head, says nothing.

"No more working with Sir Neil, I gather?"

"No," says Seo. His voice is husky.

There must be enough clues in Seo's face, because Woolfe pauses. She rests her hands on the table, pushing out her fingers. They shine like the rays of a small sun.

"He was your agent as well as your manager, right?" Seo nods. "Not a great idea, but you're young," she laughs. "You'll learn." She points across the room. "My agent," she says. "You might want to talk to him." For the moment the agent is chatting with Jack, displaying a perplexed expression, as if he can't quite understand who or what Jack is.

Seo swallows. Minjun sees his Adam's apple bobbing up and down. His cheeks are red with the burn of shame. "I won't be able to practise Twine at a professional level," he says. Woolfe smiles, like wolves do, with the fangs showing. She lets Seo admit he's lost, and admit he will never win again, and then she says, "I didn't mean as a player."

She leans backwards in her chair, knotting her hands behind the nape of her neck, stretching her legs. "There are a lot of talented weavers out there looking for a manager. I'd have you, myself, only you might not want to move to the US. Honestly, after tonight's performance they'll be after you like bitches in heat."

She glances at Minjun. He isn't shocked by what she said, more that she said it in front of him. "'Scuse my French," she smiles. Then she becomes serious again. "Look," she says, leaning over, resting her forearms on her thighs. "It's difficult. You've had a shit day. Get drunk..." Her eyes wander over to the corner where Jack is standing, nurturing his drink. "Get laid, go dance. Sleep to oblivion. But tomorrow morning, tell people you're thinking about management. Now, while they're still in the hype. You aren't done with Twine, not unless you want to be."

Again that smile. Minjun isn't used to mobile, animated faces, which change as quickly as the weather.

"And something tells me Twine isn't done with you."

Woolfe touches the rim of Seo's glass with her own, lightly, then does the same with Minjun's. She sips the champagne and she's like her drink, white and gold and sparkling. When she puts down her empty glass, Twine dust stays caught around its rim, bubbling silver circles. Minjun thinks of blood on the coffee-mug.

Woolfe gets up and lets them mull it over.

"She's right," says Seo. His eyes follow her as she glides across the room. "She's right," he repeats. He is too tired for happiness – but relief fills Seo's face like a song fills the night.

Jack tells the chauffeur to go home and take the next day off. "I'll drive," he says. His car is cramped, a small red thing which smells of mould and has beer cans on the floor. Minjun sits in the back, on the middle seat so he can peer out of the windscreen. Seo pushes his seat backwards and dozes that way, eyelids half-closed. There's drizzle running down the sides of the vehicle. The wiper blades squeak each time they swipe past.

The journalists didn't wait until the end of Woolfe's party – they gave up because of the rain, or maybe because they thought Seo was already gone. Jack drives them back to their house. "Home sweet home," he says. Seo nods sleepily. Jack is the only person to talk. Minjun nods or answers with 'mmhs' of agreement.

Jack parks along the curb, down the road from their apartment. They stretch out of the car, Seo yawning continuously. Minjun yawns in sympathy.

Outside the air smells of rain and earth and trees. The scent reminds Minjun of Sir Neil's garden, what seems like a lifetime ago, before spring, when the rosebushes were dead and withered like brambles.

They go inside, past the guardian, up the elevator. Inside the flat, Kosmos is sleeping. They don't turn on the light. Seo strokes the bird's belly with the back of his hand. Kosmos grumbles and pecks at Seo's skin with his beak. "No," he croaks. "No, bad boy."

"Good night, lazybird," whispers Seo.

Jack joins Seo by the cage. Seo shows him how to stroke Kosmos, delicately, brushing the ruffled feathers back in place.

"I'll make us a brew," says Jack.

Seo nods. He lowers his head, as if weariness were a weight pulling it downwards. Then he says, "Thanks."

Minjun doesn't think it's thank you for the ride. Jack takes a step forward, extending his hand but not touching Seo, as if he doesn't dare. Seo lifts his face and kisses him.

It's not like in movies. It's shorter, and they don't grab each other's cheeks or anything. It's not that different from a girl and a boy kissing in the park. Then Jack goes to put some water to boil.

The Kuroaku brothers sit on the sofa. It's silent here. Seo and Minjun have taken off their shoes. Their feet are different – Seo's are bigger, and Minjun's got bright red socks with manga characters down the sides.

Minjun kicks Seo's leg, not hard, a fake hit. When Seo looks at him, he sings, "Seo and Jack sitting in a tree, k-i-s-s-i-n-g."

"Fight me," says Seo. He shoves Minjun with his elbow. Minjun fights back. They struggle a bit, laughing, but they're both too tired. They stop wrestling and sink back into the couch.

Seo holds Minjun's hand. They stay like that, staring out into the night, listening to the sound of running water from the sink, to the clank of cups as Jack places them on the counter. They clutch each other and don't speak. Minjun feels the warmth from his brother's skin. He doesn't squeeze too hard. Seo's hands are still gleaming from Twine. The only light is coming from them, from their interlaced fingers.

Their light is enough.

Acknowledgements

When I was a child, I always read a book cover to cover – and because of that, I always read the acknowledgements. I always wondered who were all these people whom I knew nothing about. Now I've grown up, and I realise that a book is a lot more than its author. Lots of people help throughout the process of writing a novel, changing and impacting the story.

Firstly, I'd like to thank my family for their support and love. Everyone has been a huge help, but I particularly want to thank my mum, for reading every draft with the same patience; my dad, for believing in me even when what I wrote was about as mature as a twelve-year-old can manage; and my precious little sister, for drawing my first ever fanart. Thank you to Nicolas, for being by my side both when I was elated and only wanted to write, and when I was down and only wanted to mope.

Secondly, I would like to thank the ZunTold and Conker team for their hard work, and Elaine Bousfield for giving my writing a chance to meet its readers. I'd also like to acknowledge David Gollancz's participation. I want to thank my tutors on the Creative Writing team of the University of Manchester, particularly Geoff Ryman for his help navigating the difficult world of publishing. A thousand bows to Jeanette Winterson for everything I will not be able to give back, and for a much-needed glass of berocca.

Last but not least, I would like to thank my peers, fellow aspiring writers with the same struggles, who have helped me hone and edit my work. Thank you to Sui Annukka, of course. And thank you to the weekly coffee & critique team, Sam Case, Orla Cronin, Ciaran Grace, Tom Patterson, Sarah Wenig, and all the other people who joined us. My writing would not be what it is without you.

A book is a lot more than its author. A person is a lot more than an individual – I am made of the people I have met, the experiences I have shared with them. What you have between your hands, dear reader, is the result of twenty-five years of life. I hope you enjoy it.

For more insightful books you'll love,

head to

zuntold.com